STRE

Cardiff, Swansea and the Valleys

ATLAS STRYDOEDD

Caerdydd, Abertawe a'r Cymoedd

First published in 1995 as
'Cardiff, Swansea and Glamorgan' by

Philip's, a division of
Octopus Publishing Group Ltd
2-4 Heron Quays, London E14 4JP
An Hachette Livre UK Company

Third colour edition 2007
First impression 2007
CSVCA

ISBN-10 0-540-09166-9 (pocket)
ISBN-13 978-0-540-09166-9 (pocket)

Printed by Toppan, China

Contents

Digital Data

The exceptionally high-quality mapping found in this atlas is available as digital data in TIFF format, which is easily convertible to other bitmapped (raster) image formats.

The index is also available in digital form as a standard database table. It contains all the details found in the printed index together with the National Grid reference for the map square in which each entry is named.

For further information and to discuss your requirements, please contact james.mann@philips-maps.co.uk

Major administrative and Postcode boundaries

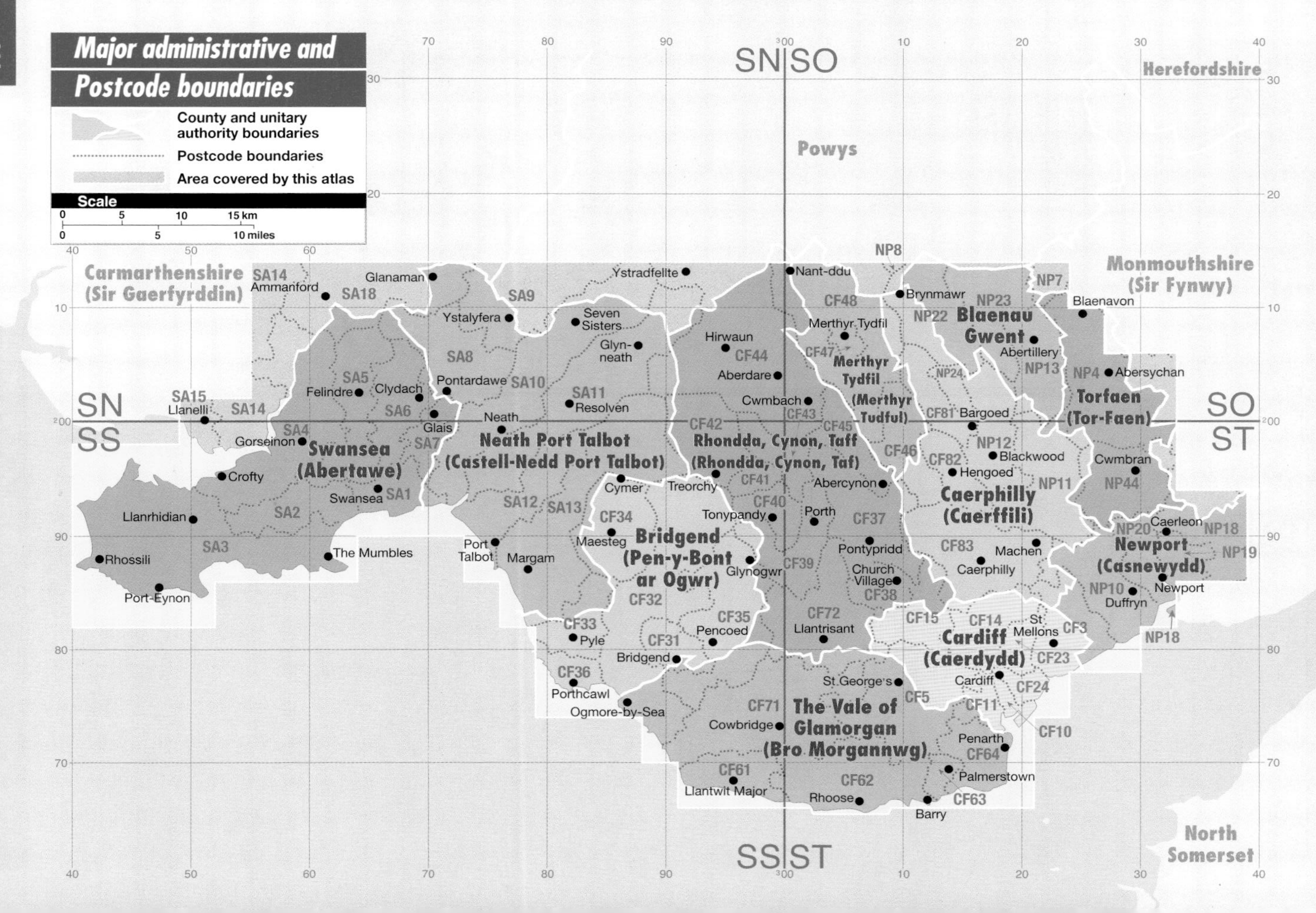

Allwedd i symbolau'r map

Traffordd gyda rhif y gyffordd

Prif dramwyfeydd – ffordd ddeuol/un lôn

Ffordd A – ffordd ddeuol/un lôn

Ffordd B – ffordd ddeuol/un lôn

Ffyrdd bychan – ffordd ddeuol/un lôn

Ffyrdd bychan eraill – ffordd ddeuol/un lôn

Ffordd yn cael ei hadeiladu

Twnnel, ffordd dan orchudd

Trac gwledig, ffordd breifat, neu ffordd mewn ardal ddinesig

Llidiart neu rhwystr i draffig (gall fod cyfyngiadau ddim yn ddilys ar gyfer bob amser neu i bob drafnidiaeth)

Llwybr, llwybr march, cilffordd yn agored i bob trafnidiaeth, ffordd a ddefnyddir yn lwybr cyhoeddus

Mân cerddwyr

DY7 **Ffiniau codau-post**

Ffiniau Sir ac awdurdod unedol

Rheilffordd, twnnel, rheilffordd yn cael ei hadeiladu

Tramffordd, tramffordd yn cael ei hadeiladu

Rheilffordd ar raddfa fychan

Walsall **Gorsaf rheilffordd**

Gorsaf rheilffordd breifat

South Shields **Gorsaf metro**

Atalfa tram, atalfa tram yn cael ei hadeiladu

Gorsaf fysiau

Gorsaf ambiwlans

Gorsaf gwylwyr y glannau

Gorsaf Dân

Swyddfa'r heddlu

Mynedfa damwain ac argyfwng i'r ysbyty

Ysbyty

Lle o addoliad

Canolfan gwybodaeth (a'r agor drwy'r flwyddyn)

Canolfan siopa

P P&R **Parcio, Parcio a chludo**

PO **Swyddfa'r post**

Safle gwersylla, Safle carafan

Cwrs golff, Safle picnic

Prim Sch **Adeiladau pwysig, ysgolion, colegau, prifysgolion ac ysbytai**

Ardal adeiledig

Coed

River Medway **Enw dŵr**

Afon, cored, nant

Camlas, loc, twnnel

Dŵr

Dŵr llanw

Church **Hynafiaeth anrhufeinig**

ROMAN FORT **Hynafiaeth rhufeinig**

87 228 **Arwyddion dalennau cyfagos a bandiau gorymylon**
Y mae lliw y saeth â'r band yn dynodi gradd y ddalen gyfagos â'r ddalen gorymyl (gwelwch y graddau islaw)

Acad	**Academi**	Inst	**Institiwt**	PH	**Tŷ tafarn**
Allot Gdns	**Gerddi ar osod**	Ct	**Llys cyfraith**	Recn Gd	**Maes chwaraeon**
Cemy	**Mynwent**	L Ctr	**Canolfan hamdden**	Resr	**Cronfa ddŵr**
C Ctr	**Canolfan ddinesig**	LC	**Croesfan wastad**	Ret Pk	**Parc adwerthu**
CH	**Tŷ Clwb**	Liby	**Llyfrgell**	Sch	**Ysgol**
Coll	**Coleg**	Mkt	**Marchnad**	Sh Ctr	**Canolfan Siopa**
Crem	**Amlosgfa**	Meml	**Coffa**	TH	**Neuadd y dref**
Ent	**Menter**	Mon	**Cofgolofn**	Trad Est	**Ystad Fasnachol**
Ex H	**Neuadd Arddangos**	Mus	**Amgueddfa**	Univ	**Prifysgol**
Ind Est	**Ystad ddiwydiannol**	Obsy	**Arsyllfa**	W Twr	**Tŵrdŵr**
IRB Sta	**Gorsaf bad achub y glannau**	Pal	**Palas brenhinol**	Wks	**Gwaith**
				YH	**Hostel ieuenctid**

- Y mae'r rhifau bach o gwmpas ochrau'r mapiau yn dynodi llinelli grid cenedlaethol 1 cilomedr
- Mae'r ffin llwyd tywyll ar ochr fewn rhai tudalennau yn dynodi nad yw'r mapio yn canlyn ymlaen i'r tudalen gyffiniol

Mapio wedi ei fwyhau yn unig

Rheilffordd neu gorsaf bws adeilad

Man o ddiddordeb

Parcdir

Gradd y mapiau ar y dalennau gyda rhifau glas yw 4.2 cm i 1 km • 2⅔ modfedd i 1 filltir • 1: 23810

0 ¼ ½ ¾ 1 milltir
0 250m 500m 750m 1 km

Gradd y mapiau ar y dalennau gyda rhifau gwyrdd yw is 2.1 i to 1 km • 1⅓ modfedd i 1 filltir • 1: 47620

0 ¼ ½ ¾ 1 milltir
0 250m 500m 750m 1 km

Gradd y mapiau ar y dalennau gyda rhifau coch yw is 8.4 i to 1 km • 5⅓ modfedd i 1 filltir • 1: 11900

0 220 llathenni 440 llathenni 660 llathenni ½ milltir
0 125m 250m 375m ½ km

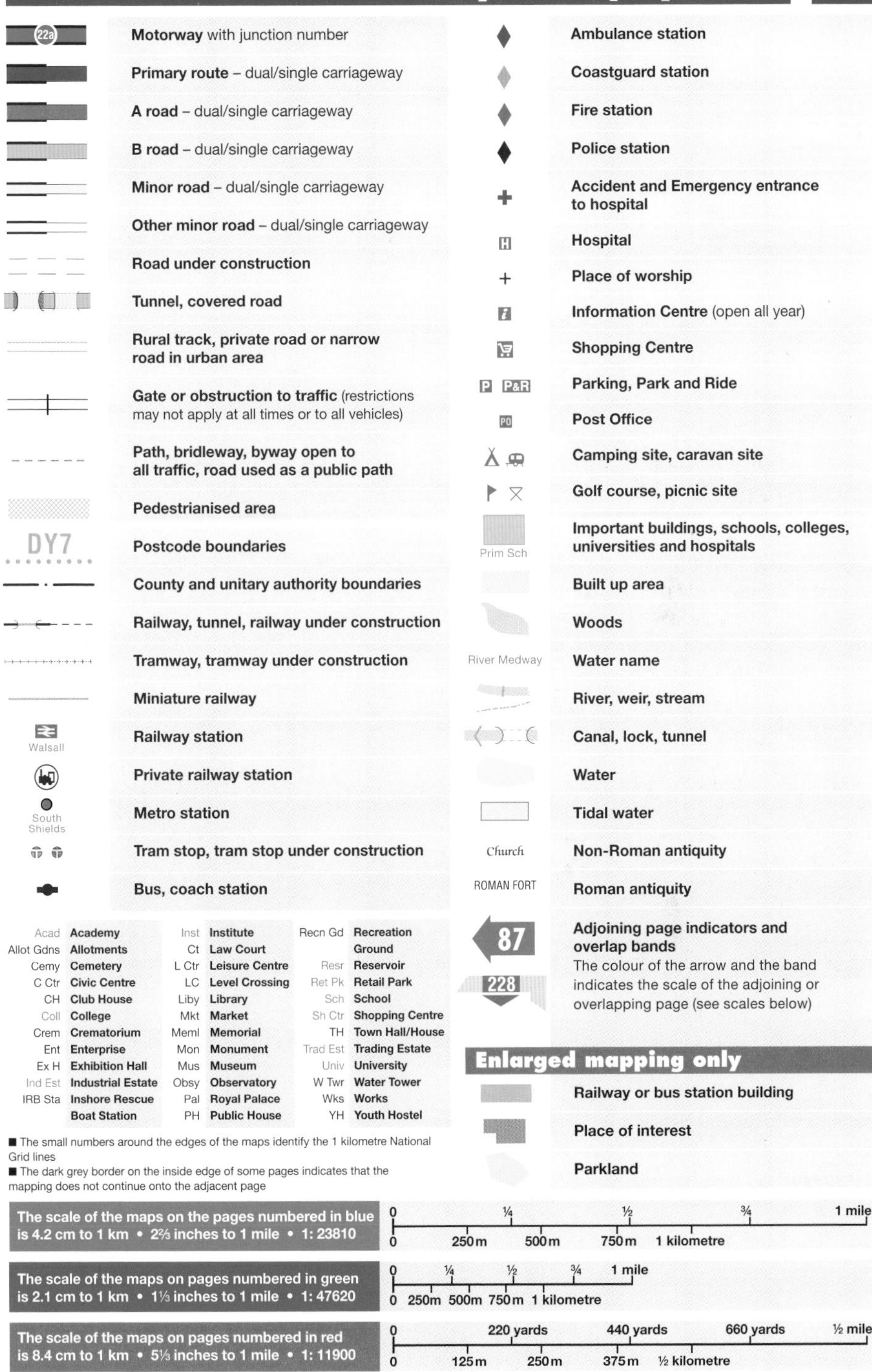
22a
Motorway with junction number
Primary route – dual/single carriageway
A road – dual/single carriageway
B road – dual/single carriageway
Minor road – dual/single carriageway
Other minor road – dual/single carriageway
Road under construction
Tunnel, covered road
Rural track, private road or narrow road in urban area
Gate or obstruction to traffic (restrictions may not apply at all times or to all vehicles)
Path, bridleway, byway open to all traffic, road used as a public path
Pedestrianised area
DY7
Postcode boundaries
County and unitary authority boundaries
Railway, tunnel, railway under construction
Tramway, tramway under construction
Miniature railway
Walsall
Railway station
Private railway station
South Shields
Metro station
Tram stop, tram stop under construction
Bus, coach station
Ambulance station
Coastguard station
Fire station
Police station
Accident and Emergency entrance to hospital
H
Hospital
Place of worship
i
Information Centre (open all year)
Shopping Centre
P P&R
Parking, Park and Ride
PO
Post Office
Camping site, caravan site
Golf course, picnic site
Prim Sch
Important buildings, schools, colleges, universities and hospitals
Built up area
Woods
River Medway
Water name
River, weir, stream
Canal, lock, tunnel
Water
Tidal water
Church
Non-Roman antiquity
ROMAN FORT
Roman antiquity
87
228
Adjoining page indicators and overlap bands
The colour of the arrow and the band indicates the scale of the adjoining or overlapping page (see scales below)
Acad Academy
Allot Gdns Allotments
Cemy Cemetery
C Ctr Civic Centre
CH Club House
Coll College
Crem Crematorium
Ent Enterprise
Ex H Exhibition Hall
Ind Est Industrial Estate
IRB Sta Inshore Rescue Boat Station
Inst Institute
Ct Law Court
L Ctr Leisure Centre
LC Level Crossing
Liby Library
Mkt Market
Meml Memorial
Mon Monument
Mus Museum
Obsy Observatory
Pal Royal Palace
PH Public House
Recn Gd Recreation Ground
Resr Reservoir
Ret Pk Retail Park
Sch School
Sh Ctr Shopping Centre
TH Town Hall/House
Trad Est Trading Estate
Univ University
W Twr Water Tower
Wks Works
YH Youth Hostel
Enlarged mapping only
Railway or bus station building
Place of interest
Parkland
■ The small numbers around the edges of the maps identify the 1 kilometre National Grid lines
■ The dark grey border on the inside edge of some pages indicates that the mapping does not continue onto the adjacent page
The scale of the maps on the pages numbered in blue is 4.2 cm to 1 km • 2⅔ inches to 1 mile • 1: 23810
0 ¼ ½ ¾ 1 mile
0 250 m 500 m 750 m 1 kilometre
The scale of the maps on pages numbered in green is 2.1 cm to 1 km • 1⅓ inches to 1 mile • 1: 47620
0 ¼ ½ ¾ 1 mile
0 250m 500m 750 m 1 kilometre
The scale of the maps on pages numbered in red is 8.4 cm to 1 km • 5⅓ inches to 1 mile • 1: 11900
0 220 yards 440 yards 660 yards ½ mile
0 125 m 250 m 375 m ½ kilometre

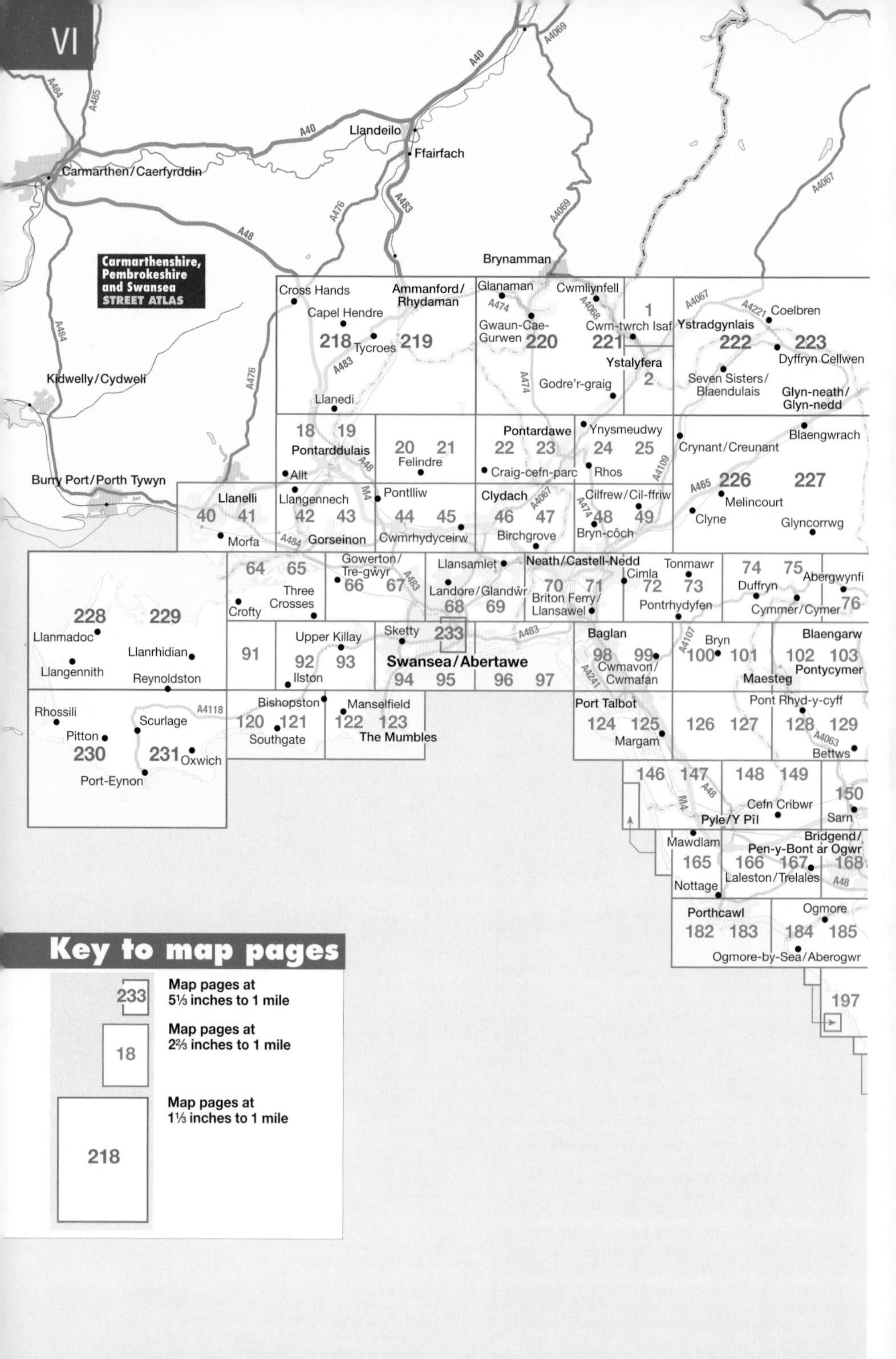

Key to map pages

233	Map pages at 5⅓ inches to 1 mile
18	Map pages at 2⅔ inches to 1 mile
218	Map pages at 1⅓ inches to 1 mile

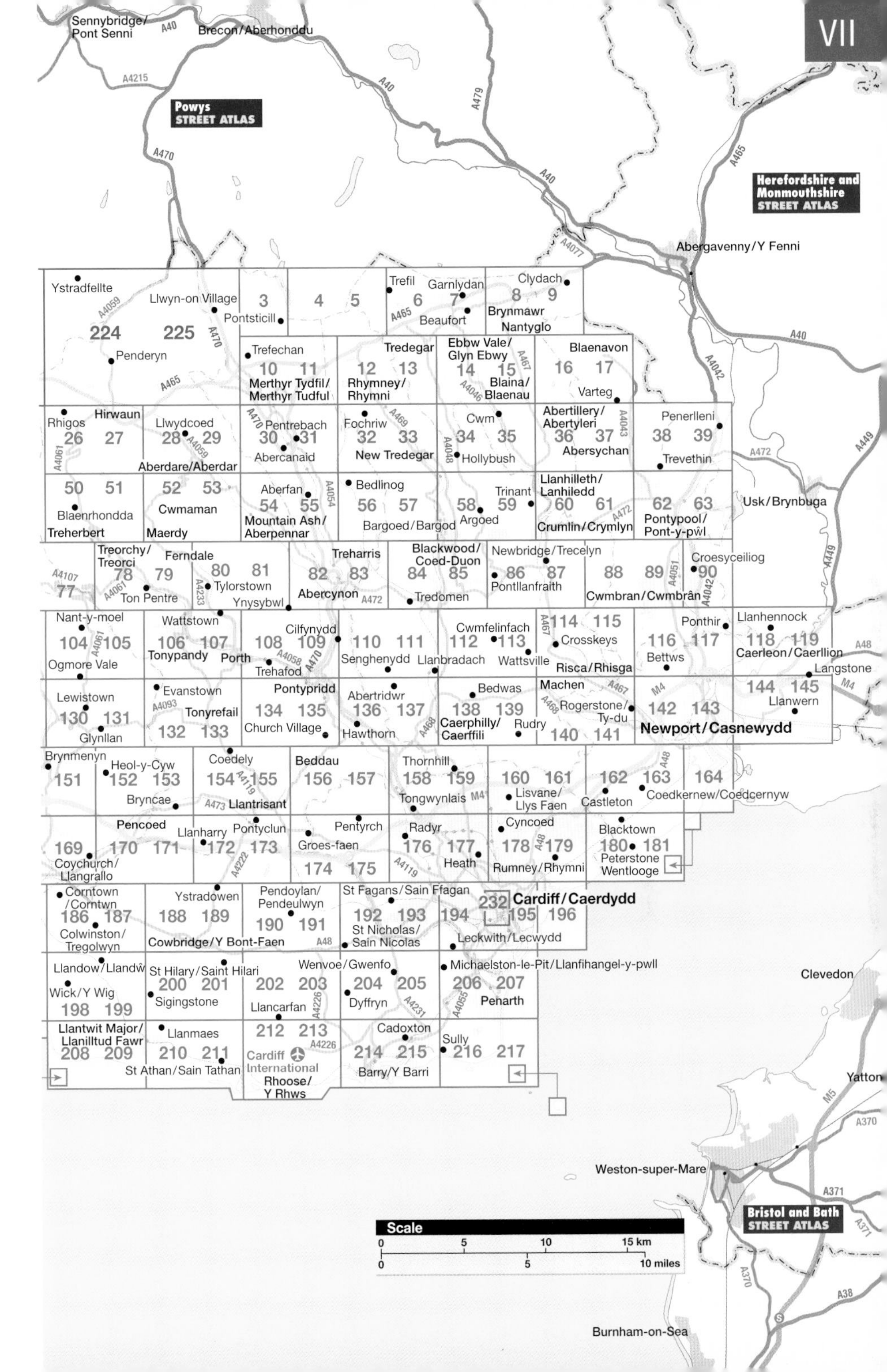

Sennybridge/Pont Senni
Brecon/Aberhonddu
Powys STREET ATLAS
Herefordshire and Monmouthshire STREET ATLAS
Abergavenny/Y Fenni
Ystradfellte
Llwyn-on Village
Pontsticill
224
225
Penderyn
3
4
5
Trefil
Garnlydan
6
7
Beaufort
Clydach
8
9
Brynmawr
Nantyglo
Trefechan
10
11
Merthyr Tydfil/Merthyr Tudful
Tredegar
12
13
Rhymney/Rhymni
Ebbw Vale/Glyn Ebwy
14
15
Blaina/Blaenau
Blaenavon
16
17
Varteg
Rhigos
Hirwaun
26
27
Llwydcoed
28
29
Aberdare/Aberdar
Pentrebach
30
31
Abercanaid
Fochriw
32
33
New Tredegar
Cwm
34
35
Hollybush
Abertillery/Abertyleri
36
37
Abersychan
Penerlleni
38
39
Trevethin
50
51
Blaenrhondda
Treherbert
52
53
Cwmaman
Maerdy
Aberfan
54
55
Mountain Ash/Aberpennar
Bedlinog
56
57
Bargoed/Bargod
58
Argoed
Trinant
59
Llanhilleth/Lanhiledd
60
61
Crumlin/Crymlyn
62
63
Pontypool/Pont-y-pŵl
Usk/Brynbuga
77
Treorchy/Treorci
Ferndale
78
79
Ton Pentre
80
81
Tylorstown
Ynysybwl
Treharris
82
83
Abercynon
Blackwood/Coed-Duon
84
85
Tredomen
Newbridge/Trecelyn
86
87
Pontllanfraith
88
89
Cwmbran/Cwmbrân
Croesyceiliog
90
Nant-y-moel
104
105
Ogmore Vale
Wattstown
106
107
Tonypandy
Porth
Cilfynydd
108
109
Trehafod
110
111
Senghenydd
Cwmfelinfach
112
113
Llanbradach
Wattsville
114
115
Crosskeys
Risca/Rhisga
Ponthir
116
117
Bettws
Llanhennock
118
119
Caerleon/Caerllion
Langstone
Lewistown
130
131
Glynllan
Evanstown
Tonyrefail
132
133
Pontypridd
134
135
Church Village
Abertridwr
136
137
Hawthorn
Bedwas
138
139
Caerphilly/Caerffili
Rudry
Machen
Rogerstone/Ty-du
140
141
142
143
Newport/Casnewydd
144
145
Llanwern
Brynmenyn
151
Heol-y-Cyw
152
153
Bryncae
Coedely
154
155
Llantrisant
Beddau
156
157
Thornhill
158
159
Tongwynlais
160
161
Lisvane/Llys Faen
162
163
Castleton
164
Coedkernew/Coedcernyw
169
Coychurch/Llangrallo
Pencoed
170
171
Llanharry
Pontyclun
172
173
Groes-faen
Pentyrch
174
175
Radyr
176
177
Heath
Cyncoed
178
179
Rumney/Rhymni
Blacktown
180
181
Peterstone Wentlooge
Corntown/Corntwn
186
187
Colwinston/Tregolwyn
Ystradowen
188
189
Cowbridge/Y Bont-Faen
Pendoylan/Pendeulwyn
190
191
St Fagans/Sain Ffagan
192
193
St Nicholas/Sain Nicolas
194
232
Cardiff/Caerdydd
195
196
Leckwith/Lecwydd
Llandow/Llandŵ
Wick/Y Wig
198
199
St Hilary/Saint Hilari
200
201
Sigingstone
202
203
Llancarfan
Wenvoe/Gwenfo
204
205
Dyffryn
Michaelston-le-Pit/Llanfihangel-y-pwll
206
207
Penarth
Clevedon
Llantwit Major/Llanilltud Fawr
208
209
Llanmaes
210
211
St Athan/Sain Tathan
212
213
Cardiff International
Rhoose/Y Rhws
Cadoxton
214
215
Barry/Y Barri
Sully
216
217
Yatton
Weston-super-Mare
Bristol and Bath STREET ATLAS
Burnham-on-Sea
Scale
0
5
10
15 km
0
5
10 miles
A40
A4215
A470
A479
A465
A4077
A4042
A4059
A4061
A4233
A4107
A469
A4048
A4046
A467
A4043
A472
A4054
A4058
A4051
A449
A48
M4
A468
A473
A4119
A4222
A4226
A4231
A4055
M5
A370
A371
A38

Carmarthen
(Caerfyrddin)
Llandeilo
Ammanford
Betws (Rhydaman)
Brynamman
Kidwelly
(Cydweli)
Burry Port
(Porth Tywyn)
Llanelli
Pontarddulais
Gorseinon
Clydach
Pontardawe
Swansea
(Abertawe)
S w a n s e a
(A b e r t a w e)
The Mumbles
(Y Mwmbwls)
Port Talb
SWANSEA BAY
BAE ABERTAWE
Pembrey Forest
Burry Holms
Rhossili Bay
Bae Rhossili
Oxwich Bay
Bae Oxwich
Port Eynon Bay
Bae Port Eynon
Afon Tywi
Gwendraeth Fach
Lliedi Resrs.
Loughor (Llwchwr)
Afon Aman
N
Bwlchnewydd
Newchurch
Bronwydd Arms
Ffynnon ddrain
Tre-vaughan
Tanerdy
Merthyr
Peniel
Capel Gwyn
White Mill
Abergwili
Pant-teg
Felingwm isaf
Felingwm uchaf
Llanfihangel-uwch-Gwili
Nantgaredig
Capel Dewi
Llangunnor
Pont-ar-gothi
Llanegwad
Llanarthne
Court Henry
Broad Oak
Felindre
Dryslwyn
Pantgwyn
Pentrefelin
Pen-y-banc
Rhosmaen
Llangathen
Cilsan
Ffairfach
Golden Grove
Bethlehem
Dyffryn Ceidrych
Pont-ar-llechau
Pontbren Araeth
TRICHRUG
Capel Gwynfe
Neuadd
Trapp
Llandyfan
Dre-fach
Llanllwch
Johnstown
Pensarn
Nantycaws
Cwmffrwd
Llangynog
Llangain
Croesyceiliog
Idole
Bancycapel
Llanddarog
Cwmisfael
Porthyrhyd
Penrhiw-goch
Temple Bar
Milo
Maesybont
Carmel
Pentre-Gwenlais
Llandybie
Morfa Bach
Llangendeirne
Crwbin
Foel-gastell
Cefneithin
Gorslas
Caer-bryn
Pen-y-groes
Twynmynydd
Glanaman
Rhosaman
Tir-y-dail
Llanstephan
Pontantwn
Llandyfaelog
Drefach
Cwm-y-glo
Bancffosfelen
Cwm-mawr
Cross Hands
Tumble
Morfa
Saron
Pontamman
Garnant
Gwaun-Leision
Tairgwaith
Gwaun-Cae-Gurwen
Ferryside
Meinciau
Pontyberem
Pentre
Cwmgwili
Capel Hendre
Penybanc
Pantyffynnon
Tycroes
Cwmgors
Broadlay
Four Roads
Pont-Henri
Greynor
Garnswllt
Llansaint
Mynyddygarreg
Pontyates
Cynheidre
Llannon
Sylen
Llwyn-teg
PONT ABRAHAM SERVICES
Llanedi
Sardis
Fforest
Pentrebach
GRAIG FAWR
Godre'r-graig
Ystal
Carway
Five Roads
Trimsaran
Horeb
Climaen-gwyn
Ynys-meudwy
Rhyd-y-fro
Pinged
Waun-y-clyn
Hendy
Cwm-Dulais
Rhyd-y-gwin
Craig-cefn-parc
Trebanos
Alltwen
Gellinu
Rhôs
Achddu
Cwmbach
Felinfoel
Allt
Llangennech
Waungron
Felindre
Rhyd-y-pandy
Faerdre
Pembrey
Pwll
Furnace
Dafen
Bryn
Grovesend
Pontlliw
Ynystawe
Glais
SWANSEA WEST SERVICES
Pant-lasau
Sandy
Llwyn-hendy
Bynea
Yspitty
Penllergaer
Llangyfelach
Morriston
Heol-las
Birchgrove
Bryn-coch
Rhydding
Neath Abbey
Skewen
Machynys
Morfa
Loughor
Cadle
Llansamlet
Pen-clawdd
Gowerton
Fforest-fach
Landore
Pentre-chwyth
Cwm
Bon-y-maen
Pentre-dwr
Llandarcy
Crofty
Blue Anchor
Waunarlwydd
Cwmdu
Foxhole
Weobley
Wernffrwd
Llanmorlais
Three Crosses
Dunvant
Port Tennant
Llanmadoc
Cheriton
Landimore
Killay
Sketty
Burry Green
Llanrhidian
Llethrid
Upper Killay
Brynmill
Llangennith
SWANSEA
Burry
Reynoldston
Lunnon
Ilston
Mayals
Black Pill
West Cross
THE BEACON
Llanddewi
Kittle
Bishopston
Rhossili
Knelston
Parkmill
Mansellfield
Middleton
Scurlage
Penrice
Nicholaston
Penmaen
Pennard
Oldway
Newton
Southgate
Pilton Green
Oxwich
Horton
Overton
Port-Eynon
Aberavon
Route Planning
Scale
0
5
10 km
0
1
2
3
4
4
5 miles

Talsarn
Glas Fynydd Forest
Llanddeusant
Crai
Felin-Crai
Heol Senni
A4067
A4215
Libanus
Llanfrynach
Pencelli
Scethrog
A40
Llansant
Cross Oak
Talybont-on-Usk
Bwlch
Aber
802 FAN BRYCHEINIOG
Cray Res.
628
A470
886 PEN Y FAN
769
Aber-Village
Coed-yr-ynys
734 FAN FAWR
Beacons Res.
Neuadd Reservoirs
Talybont Res.
550
Llangynidr
575 FAN GIHIRYCH
FOEL FRAITH 604
Ystradfellte Res.
Abercynafon
Glyntawe
Cantref Res.
516 GARN CAWS
B4560
Craig-y-nos
Penwyllt
Nant-ddu
Pen-y-cae
Pontsticill Reservoir
Abercraf
Ystradfellte
Llwyn-on Res.
Trefil
Garnlydan
Rassau
Upper Cwm-twrch
Cwmgiedd
Caehopkin
Coelbren
A4059
Pontsticill
Tafarnau-bach
A465
Beaufort
Dukestown
Penrhos
Ystradgynlais
Onllwyn
Dyffryn Cellwen
Vaynor
Princetown
Tredegar
EBBW VALE
Gurnos
Seven Sisters
A4109
Penderyn
Cefn-coed-y-cymmer
Dowlais
Llechryd
Georgetown
Pontneddfechan
Pontbren Llwyd
A4060
Rhymney (Rhymni)
BG
Nant-y-cafn
Glyn-neath (Glynedd)
Morfa Glas
Rheola Forest
Rhigos
Cwm-hwnt
Hirwaun
Gellideg
Pen-yr-Heolgerrig
Pontlottyn
Abertysswg
Blaengwrach
Cwmgwrach
Crynant
A4061
Tre-Gibbon
Merthyr Tydfil
New Tredegar
448
Penywaun
Trecynon
Llwydcoed
Pentrebach
Tredegar Newydd
383 RESOLVEN MTN.
Cwmdare
Aber-nant
(Merthyr Tudful)
Abercanaid
Tirphil
418
Resolven
ABERDARE (ABERDÂR)
491
Troedyrhiw
Hollybush
B4242
Neath
Rhondda
Cwmbâch
MR
Dari
Melincourt
Aberaman
Bedlinog
Cwmfelin
Cilfrew
Clyne
A4054
Aberfan
Blaenrhondda
Cwmaman
MOUNTAIN ASH (ABERPENNAR)
Merthyr Vale
Port Talbot
Tynewydd
Cynon
Bargoed (Bargod)
Tonna
Glyncorrwg
Gilfach
Cadoxton-Juxta-Neath
Treherbert
Maerdy
Penrhiwceiber
Treharris
Trelewis
Pengam
(Castell-Nedd)
Treorchy (Treorci)
Ferndale
Gelligaer
Neath (Castell-Nedd)
Blaen-gwynfi
St Gwynno Forest
Port Talbot
Aber-gwynfi
Pentre
A4233
Pontllanfraith
Cwm-parc
RHONDDA
Taff
Ynysboeth
Nelson
Duffryn
Cymer
Croeserw
A4107
Ystrad
Abercynon
Hengoed
Pontrhydyfen
Ton-Pentre
Gelli
Tylorstown
331
668 WERFA
Caerau
Pont-y-gwaith
Baglan
Pwll-y-glaw
FOEL Y DYFFRYN 366
Spelter
Nant-y-moel
535 GRAIG Y GEIFR
Clydach Vale
Llwynypia
327
Wattstown
Ynysybwl
Ystrad-mynach
Maesycwmmer
Brynbryddan
Dyffryn
Blaengarw
Price Town
Trealaw
Ynyshir
MYNYDD DINAS 528
Bryn
B4282
Nantyffyllon
Wyndham
Tonypandy
Porth
Cwmafan
Pontycymer
Penygraig
Glyncoch
Cilfynydd
MAESTEG
A4058
Trehafod
Caerphilly
Cwmfelin
Garth
Trebanog
PONTYPRIDD
325
Senghenydd
Abertridwr
Llanbradach
345
Goytre
344 MYNYDD MARGAM
Llangynwyd
Pont Rhyd-y-cyff
Ogmore Vale
Ogmore Forest
Evanstown
Gilfach Goch
Rhondda
Glyntaff
Bedwas
Taibach
Lewistown
Bryn Golau
Tonyrefail
Pen-y-coedcae
Treforest
Rhydyfelin
Penyrheol
Trecenydd
Margam
Bridgend
Hendreforgan
Pant-yr-awel
Glynogwr
Cynon Taf
Caerffili
CAERPHILLY (CAERFFILI)
Groes
319 MOEL TON-MAWR
Bettws
Llangeinor
A4093
Castellau
Upper Church Village
Hawthorn
A4063
Blackmill
303 MYNYDD MAENDY
Llantwit Fardre
Nantgarw
(Pen-y-bont ar Ogwr)
Coedely
Church Village
274
Thornhill
Coytrahen
Brynmenyn
Beddau
Tondu
Heol-y-Cyw
Efail Isaf
Kenfig Hill
Cefn Cross
Aberkenfig
Bryncethin
A470
SARN PARK SERVICES
Sarn
Brynna
Talbot Green
Llantrisant
Taff's Well
Tongwynlais
B4281
B4280
Llanharan
Pont-y-clun
Cross Inn
Llanishen
Mawdlam
North Cornelly
Pyle (Y Pîl)
Cefn Cribbwr
Pen-y-fai
Pendre
Coity
Pencoed
Bryncae
Dolau
Creigiau
Pentyrch
Rhiwbina
Kenfig
Llanilid
Bridgend
Llanharry
Brynsadler
Miskin
Groes-faen
Capel Llanilltern
Radyr
Whitchurch
South Cornelly
M4
A473
(Pen-y-bont ar Ogwr)
Coychurch
Talygarn
CARDIFF WEST SERVICES
Birchgrove
Heath
Cardiff (Caerdydd)
Laleston
Oldcastle
St Mary Hill
Craig Penllyn
Vale
Ystradowen
St Brides super Ely
A4232
Llandaff
Cathays
Nottage
Tythegston
Treoes
Peterston super-Ely
St George's
St Fagans
Canton
Hutchwns
Newton
Clevis
Merthyr Mawr
Corntown
Llangan
Llansannor
Ely
Porthcawl
Ewenny
B4524
Pentre Meyrick
Penllyn
Maendy
Aberthin
Welsh St Donats
Pendoylan
Michaelston-super-Ely
Caerau
Ogmore
Ogmore-by-Sea
St Brides Major
Colwinston
of
Butetown
Llysworney
Cowbridge (Y Bont-Faen)
Llanblethian
A48
137
St Hilary
Bonvilston
St Nicholas
Leckwith
Penuchadre
Southerndown
Llandow
Llandough
Wallston
Michaelston-le-Pit
Glamorgan
St Lythans
Wenvoe
Wick
Llanmihangel
St Mary Church
Llandough
St Andrews Major
Broughton
Sigingstone
Walterston
(Bro
Dinas Powys
Monknash
Flemington
Moulton
Cadoxton
Llanmaes
Eglwys-Brewis
Llanbethery
Llancarfan
Colcot
Marcross
Merthyr Dyfan
Morgannwg)
Penmark
Llantwit Major (Llanilltud Fawr)
St Donat's
Boverton
St Athan
A4226
Sully
CARDIFF INTERNATIONAL (MAES AWYR CAERDYDD-CYMRU)
BARRY (Y BARRI)
Gileston
East Aberthaw
Rhoose (Y Rhws)
Porthkerry
Barry Island

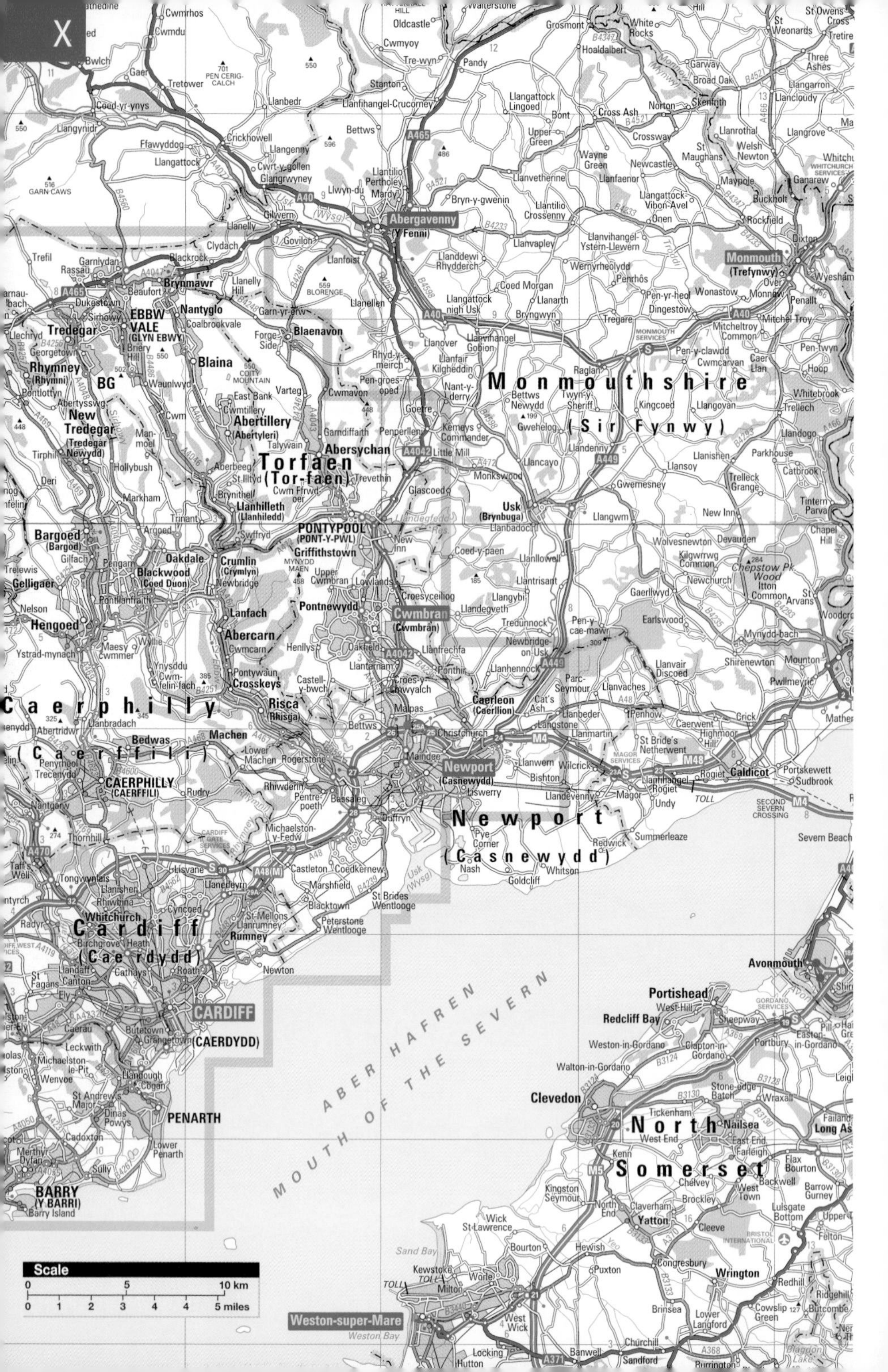

X
Monmouthshire
(Sir Fynwy)
Torfaen
(Tor-faen)
Caerphilly
(Caerffili)
Newport
(Casnewydd)
Cardiff
(Caerdydd)
North
Somerset
ABER HAFREN
MOUTH OF THE SEVERN
Cwmrhos
Cwmdu
Bwlch
Gaer
Tretower
701
PEN CERIG-CALCH
550
Coed-yr-ynys
Llangynidr
Crickhowell
Ffawyddog
Llangattock
516
GARN CAWS
Oldcastle
Cwmyoy
Tre-wyn
Stanton
Llanfihangel-Crucorney
Llanbedr
Bettws
596
Llangenny
Cwrt-y-gollen
Glangrwyney
Llwyn-du
Llantilio Pertholey
Mardy
486
Pandy
Grosmont
White Rocks
Hoaldalbert
Garway
Broad Oak
St Owens Cross
St Weonards
Tretire
Three Ashes
Llangarron
Llancloudy
Llangrove
Llangattock Lingoed
Bont
Cross Ash
Norton
Skenfrith
Crossway
Upper Green
Wayne Green
Newcastle
St Maughans
Llanrothal
Welsh Newton
Whitchurch
WHITCHURCH SERVICES
Ganarew
Maypole
Buckholt
Rockfield
Llanvetherine
Llanfaenor
Llangattock-Vibon-Avel
Onen
Bryn-y-gwenin
Llantilio Crossenny
Abergavenny
(Y Fenni)
Gilwern
Llanelly
Clydach
Govilon
Llanfoist
559
BLORENGE
Llanellen
Llanddewi Rhydderch
Llanvapley
Llanvihangel-Ystern-Llewern
Wernyrheolydd
Penrhôs
Coed Morgan
Llanarth
Llangattock nigh Usk
Bryngwyn
Pen-yr-heol
Dingestow
Wonastow
Monmouth
(Trefynwy)
Dixton
Over Monnow
Wyesham
Penallt
Mitchel Troy
Tregare
MONMOUTH SERVICES
Mitcheltroy Common
Pen-y-clawdd
Cwmcarvan
Caer Llan
Pen-twyn
Hoop
Whitebrook
Trellech
Llanover
Llanvihangel Gobion
Llanfair Kilgheddin
Raglan
Nant-y-derry
Bettws Newydd
199
Twyn-y-Sheriff
Kingcoed
Llangovan
Gwehelog
Llandenny
Llandogo
Parkhouse
Catbrook
Trelleck Grange
Llanishen
Llansoy
Gwernesney
Tintern Parva
New Inn
Llangwm
Usk
(Brynbuga)
Llanbadoc
Kemeys Commander
Little Mill
Monkswood
Llancayo
Glascoed
Trefil
Garnlydan
Rassau
Blackrock
Brynmawr
Beaufort
Dukestown
Sirhowy
EBBW VALE
(GLYN EBWY)
Briery Hill
Nantyglo
Coalbrookvale
Llanelly Hill
Garn-yr-erw
Blaenavon
Forge Side
Tredegar
Georgetown
Llechryd
Rhymney
(Rhymni)
502
BG
Blaina
550
COITY MOUNTAIN
Waunlwyd
Varteg
Cwmavon
Rhyd-y-meirch
Pen-groes-oped
Pontlottyn
Abertysswg
New Tredegar
(Tredegar Newydd)
East Bank
Cwmtillery
Abertillery
(Abertyleri)
Cwm
Garndiffaith
Talywain
Abersychan
Penperlleni
Goetre
Manmoel
Tirphil
Hollybush
Aberbeeg
St Illtyd
Trevethin
Cwm Ffrwd-oer
Deri
Markham
Brynithel
Llanhilleth
(Llanhiledd)
Trinant
PONTYPOOL
(PONT-Y-PWL)
Griffithstown
Llandegfedd Res.
New Inn
Bargoed
(Bargod)
Gilfach
Argoed
Swffryd
Pengam
Oakdale
Crumlin
(Crymlyn)
MYNYDD MAEN
458
Upper Cwmbran
Lowlands
Coed-y-paen
Llanllowell
185
Llantrisant
Wolvesnewton
Devauden
Chapel Hill
Kilgwrrwg Common
284
Chepstow Pk. Wood
Newchurch
Itton Common
St Arvans
Trelewis
Gelligaer
Blackwood
(Coed Duon)
Newbridge
Pontllanfraith
Croesyceiliog
Pontnewydd
Cwmbran
(Cwmbrân)
Llangybi
Llandegveth
Gaerllwyd
Earlswood
Nelson
Hengoed
Lanfach
Abercarn
Maesy cwmmer
Wyllie
Ystrad-mynach
Cwmcarn
Henllys
Oakfield
Llanfrechfa
Tredunnock
Pen-y-cae-mawr
309
Newbridge-on-Usk
Mynydd-bach
Shirenewton
Mounton
Llantarnam
Ponthir
Llanhennock
Llanvair Discoed
Pwllmeyric
Ynysddu
Cwm-felin-fach
385
Pontywaun
Crosskeys
Castell-y-bwch
Croes-y-mwyalch
Parc-Seymour
Llanvaches
Risca
(Rhisga)
Caerleon
(Caerllion)
Cat's Ash
Penhow
Llanbradach
Abertridwr
325
345
Malpas
Bettws
Christchurch
Langstone
Llanbeder
Caerwent
Crick
Highmoor Hill
Mathern
Bedwas
Machen
Lower Machen
Rogerstone
Maindee
Llanmartin
St Bride's Netherwent
MAGOR SERVICES
Penyrheol
Trecenydd
CAERPHILLY
(CAERFFILI)
Rudry
Rhiwderin
Pentre-poeth
Bassaleg
Newport
(Casnewydd)
Liswerry
Llanwern
Bishton
Wilcrick
Llandevenny
Magor
Llanfihangel Rogiet
Rogiet
Undy
Caldicot
Portskewett
Sudbrook
TOLL
SECOND SEVERN CROSSING
Nantgarw
274
Thornhill
Michaelston-y-Fedw
Duffryn
Pye Corner
Nash
Redwick
Summerleaze
Whitson
Goldcliff
Severn Beach
CARDIFF GATE SERVICES
Lisvane
Castleton
Coedkernew
Marshfield
St Brides Wentlooge
Peterstone Wentlooge
Blacktown
Taff's Well
Tongwynlais
Llanishen
Rhiwbina
Llanedeyrn
Cyncoed
St Mellons
Llanrumney
Rumney
Whitchurch
Radyr
Birchgrove
Heath
Cathays
Roath
Newton
Llandaff
Canton
St Fagans
Ely
Caerau
CARDIFF
(CAERDYDD)
Butetown
Grangetown
Leckwith
Michaelston-le-Pit
Wenvoe
Llandough
Cogan
St Andrew's Major
Dinas Powys
PENARTH
Lower Penarth
Cadoxton
Merthyr Dyfan
Sully
BARRY
(Y BARRI)
Barry Island
Avonmouth
Portishead
West Hill
Redcliff Bay
GORDANO SERVICES
Sheepway
Portbury
Easton-in-Gordano
Pill
Weston-in-Gordano
Clapton-in-Gordano
Walton-in-Gordano
Clevedon
Stone-edge Batch
Wraxall
Tickenham
Nailsea
West End
East End
Farleigh
Failand
Long Ashton
Kenn
Flax Bourton
Chelvey
Backwell
Brockley
West Town
Barrow Gurney
Kingston Seymour
North End
Claverham
Yatton
Lulsgate Bottom
Cleeve
BRISTOL INTERNATIONAL
Felton
Wick St Lawrence
Bourton
Hewish
Sand Bay
Kewstoke
Worle
Milton
Puxton
Congresbury
Wrington
Redhill
Ridgehill
Cowslip Green
Butcombe
127
Brinsea
Lower Langford
Weston-super-Mare
Weston Bay
West Wick
Locking
Hutton
Banwell
Churchill
Sandford
Burrington
Blagdon Lake
Scale
0
5
10 km
0
1
2
3
4
5 miles
A465
A40
A4042
A449
A48
A48(M)
A470
M4
M48
M5
A371
A368
A370
B4521
B4233
B4347
B4598
B4246
B4248
B4251
B4235
B4293
B4239
B3124
B3128
B3130
B3133

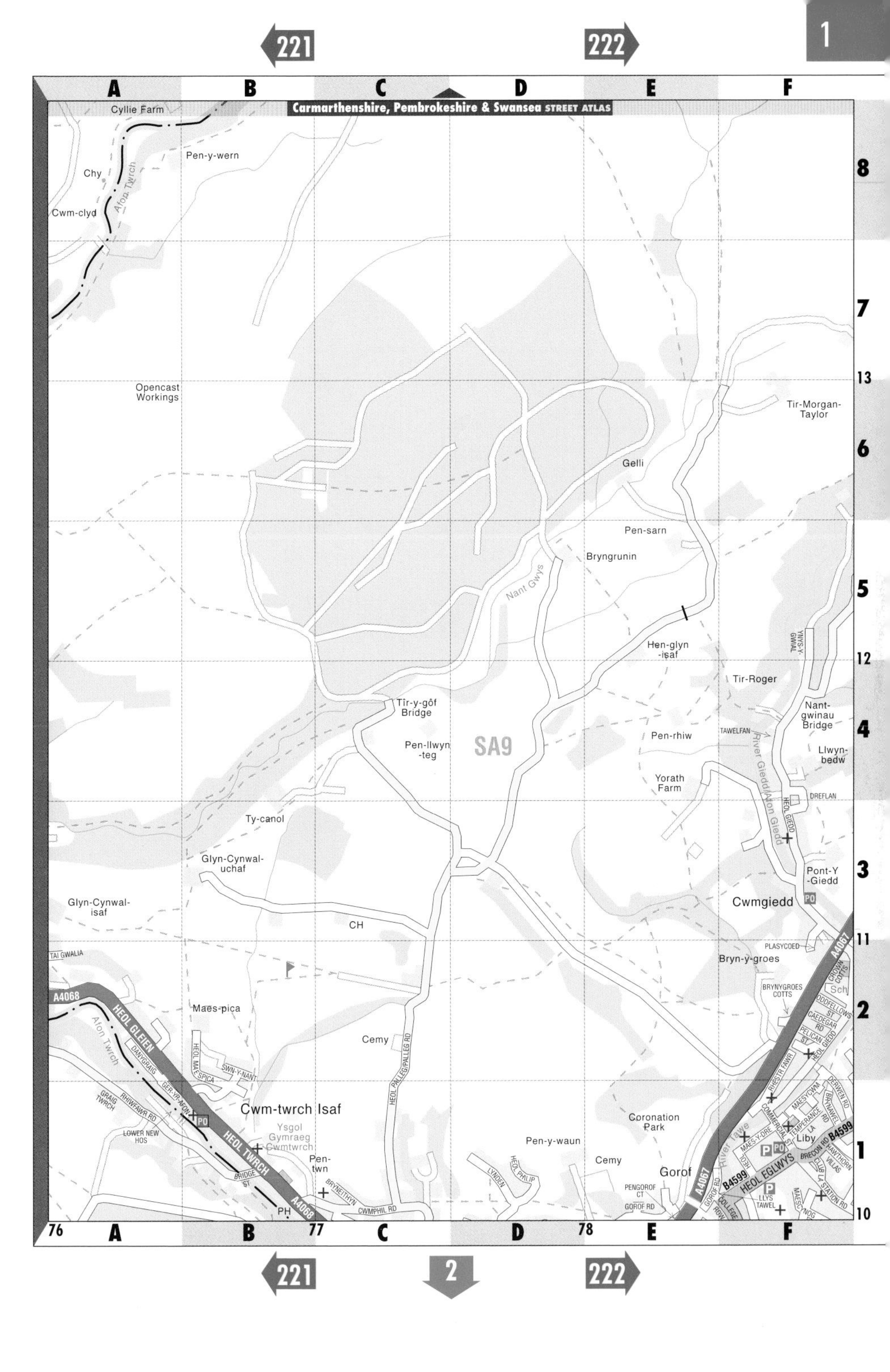
221
222
Carmarthenshire, Pembrokeshire & Swansea STREET ATLAS
A
B
C
D
E
F
8
7
13
6
5
12
4
3
11
2
1
10
76
77
78
Cyllie Farm
Pen-y-wern
Chy
Afon Twrch
Cwm-clyd
Opencast Workings
Tir-Morgan-Taylor
Gelli
Pen-sarn
Bryngrunin
Nant Gwys
Hen-glyn -isaf
Tir-Roger
YNYS-Y-GWIAL
Nant-gwinau Bridge
Tîr-y-gôf Bridge
Pen-llwyn -teg
SA9
Pen-rhiw
TAWELFAN
River Giedd/Afon Giedd
Llwyn-bedw
Yorath Farm
DREFLAN
HEOL GIEDD
Ty-canol
Glyn-Cynwal-uchaf
Pont-Y -Giedd
Cwmgiedd
PO
Glyn-Cynwal-isaf
CH
PLASYCOED
TAI GWALIA
Bryn-y-groes
A4067
CROWN COTTS
Sch
BRYNYGROES COTTS
ODDFELLOWS ST
CAEDEGAR RD
PELICAN ST
A4068
HEOL GLEIEN
Maes-pica
Afon Twrch
DANYGRAIG
HEOL MAESPICA
SWN-Y-NANT
Cemy
HEOL PALLEG/PALLEG RD
RHESTR FAWR
DERWEN RD
MAESYCWM
BRYNAWEL
GRAIG TWRCH
RHIWFAWR RD
GER-YR-AFON
Cwm-twrch Isaf
Coronation Park
COMMERCIAL ST
TEMPERANCE LA
MAES-Y-DRE
LOWER NEW HOS
HEOL TWRCH
Ysgol Gymraeg Cwmtwrch
Pen-y-waun
River Tawe
Liby
B4599
HAWTHORN VILLAS
Pen-twn
Cemy
HEOL PHILIP
LYNDEN
BRECON RD
BRIDGE ST
BRYNEITHYN
Gorof
HEOL EGLWYS
CLUB LA
PENGOROF CT
GOROF RD
COLLEGE ROW
LLYS TAWEL
STATION RD
MAESCYNOG
PH
CWMPHIL RD
GOROF RD

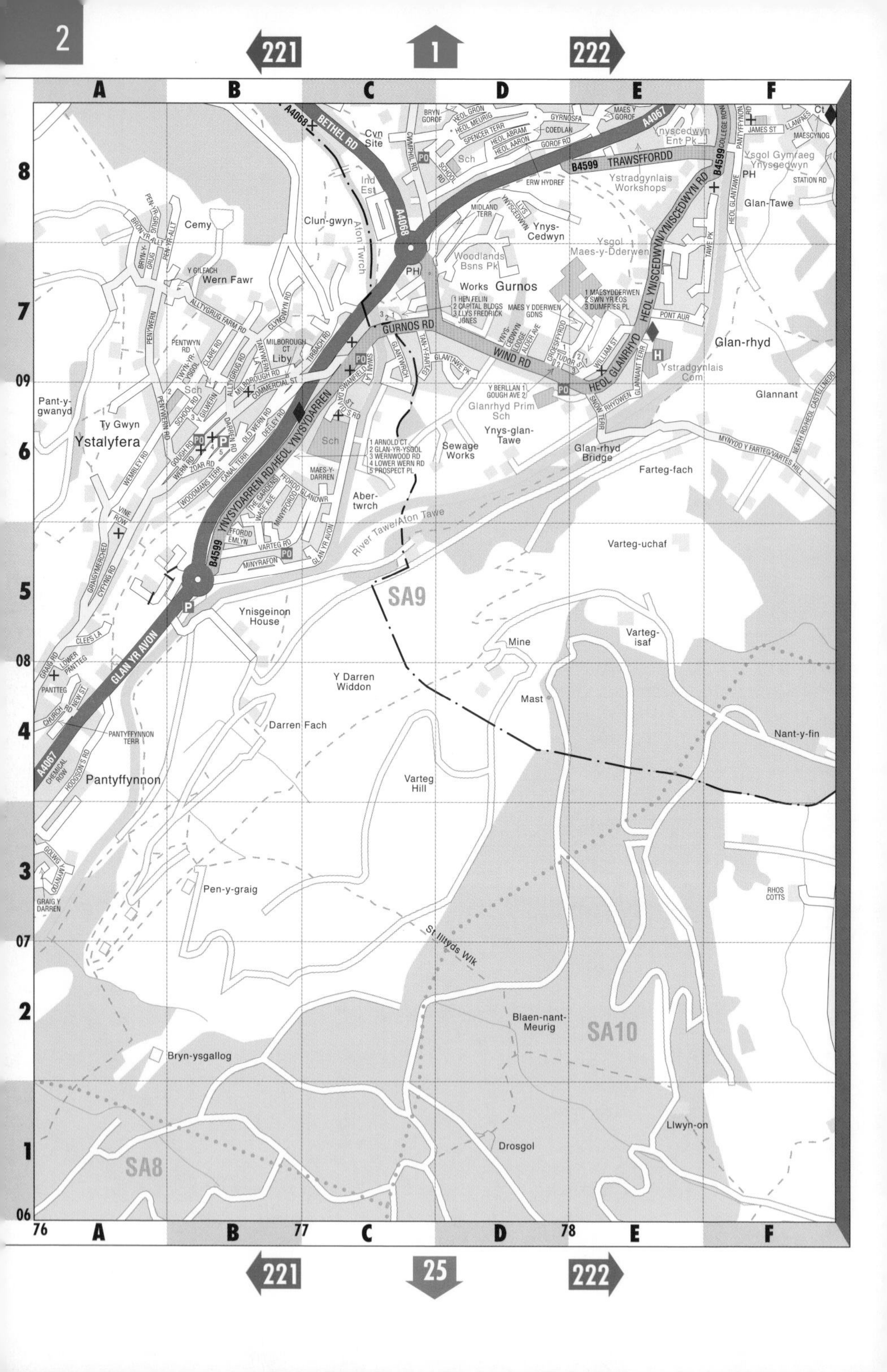
221
1
222
A
B
C
D
E
F
8
7
09
6
5
08
4
3
07
2
1
06
76
77
78
A4068
BETHEL RD
Cvn Site
Ind Est
A4068
Clun-gwyn
Afon Twrch
BRYN GOROF
HEOL GRON
HEOL MEURIG
SPENCER TERR
HEOL ABRAM
HEOL AARON
GYRNOSFA
COEDLAN
GOROF RD
MAES Y GOROF
A4067
CWMPHIL RD
SCHOOL RD
Sch
ERW HYDREF
B4599
TRAWSFFORDD
Ynyscedwyn Ent Pk
Ystradgynlais Workshops
COLLEGE ROW
B4599
PANTYFFYNON RD
JAMES ST
LLANFAES
MAESCYNOG
Ct
Ysgol Gymraeg Ynysgedwyn
PH
STATION RD
Glan-Tawe
HEOL GLANTAWE
TAWE PK
MIDLAND TERR
YNYSCEDWYN
LLYS
Ynys-Cedwyn
Ysgol Maes-y-Dderwen
Woodlands Bsns Pk
PH
Works
Gurnos
1 HEN FELIN
2 CAPITAL BLDGS
3 LLYS FREDRICK JONES
MAES Y DDERWEN GDNS
1 MAESYDDERWEN
2 SWN YR EOS
3 DUMFRIES PL
HEOL YNISCEDWYN/YNISCEDWYN RD
PONT AUR
GURNOS RD
WIND RD
HEOL GLANRHYD
Glan-rhyd
H
Ystradgynlais Com
Glannant
Cemy
PEN-YR-GRUG
BRON-YR-ALLT
PEN-YR-ALLT
BRYN-Y-GRUG
Y GILFACH
Wern Fawr
ALLTYGRUG FARM RD
CLYNGWYN RD
PENYWERN
PENTWYN RD
TWYN-YR-YSGOL
CLARE RD
ALLTYGRUG RD
TANYWERN LA
MILBOROUGH CT
Liby
TIRBACH RD
MILBOROUGH RD
COMMERCIAL ST
SWAN LA
GLANTWRCH
TAN-Y-FARTEG
GLANTAWE PK
YNYS-CEDWYN
LODGE
ALDER AVE
CROESFFYRDD
TUDOR ST
WILLIAM ST
GLANNANT TERR
SNOW TERR
RHYDWEN
PO
Y BERLLAN 1
GOUGH AVE 2
Glanrhyd Prim Sch
Ynys-glan-Tawe
Glan-rhyd Bridge
Pant-y-gwanyd
Ty Gwyn
Ystalyfera
Sch
SCHOOL RD
Y GILWERN
PENYWERN RD
DARREN RD
OLD WERN RD
DEELEY RD
YNYSYDARREN RD/HEOL YNYSYDARREN
SWANFIELD
DAVID'S ST
Sch
1 ARNOLD CT
2 GLAN-YR-YSGOL
3 WERNWOOD RD
4 LOWER WERN RD
5 PROSPECT PL
Sewage Works
MYNYDD Y FARTEG/VARTES HILL
NEATH RD/HEOL CASTELLNEDD
Farteg-fach
WEMBLEY RD
GOUGH RD
WERN RD
ZOAR RD
CANAL TERR
WOODMANS TERR
MAES-Y-DARREN
FFORDD GLANDWR
THE GARDENS
WADE AVE
MINYFFORDD
Aber-twrch
VINE ROW
FFORDD EMLYN
VARTEG RD
MINYRAFON
GLAN YR AVON
River Tawe/Afon Tawe
Varteg-uchaf
B4599
GRAIGYMERCHED
CYFYNG RD
SA9
Ynisgeinon House
Mine
Varteg-isaf
CLEEVES LA
GRAIG RD
LOWER PANTTEG
PANTTEG
CHURCH RD
NEW ST
GLAN YR AVON
Y Darren Widdon
Mast
Darren Fach
PANTYFFYNNON TERR
Nant-y-fin
A4067
CHEMICAL ROW
HODGSON'S RD
Pantyffynnon
Varteg Hill
GOLWG Y MYNYDD
GRAIG Y DARREN
Pen-y-graig
RHOS COTTS
St Illtyds Wlk
Blaen-nant-Meurig
SA10
Bryn-ysgallog
Llwyn-on
Drosgol
SA8
76
A
B
77
C
D
78
E
F
221
25
222

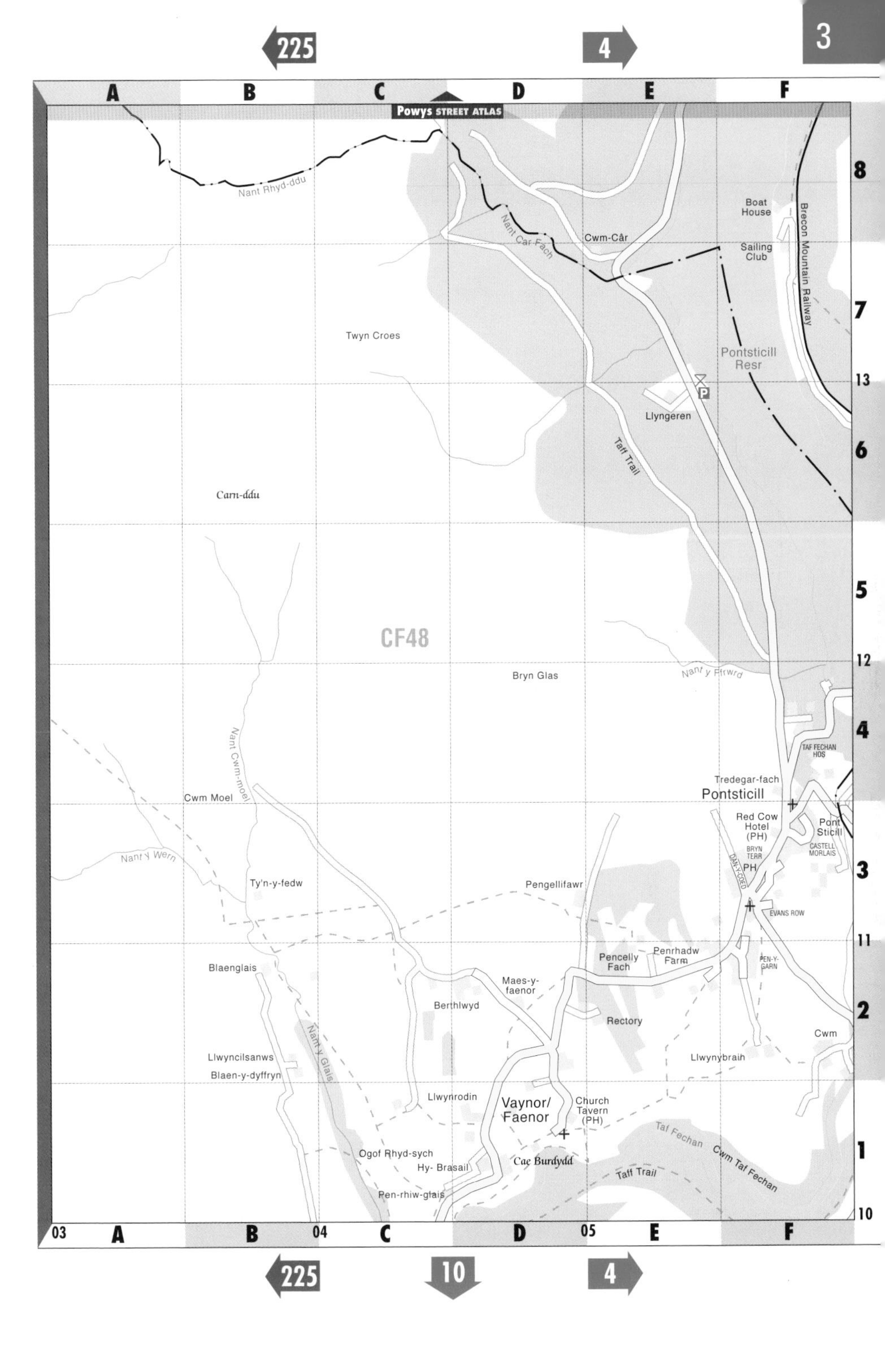
225
4
A
B
C
D
E
F
Powys STREET ATLAS
Nant Rhyd-ddu
Nant Car Fach
Cwm-Câr
Boat House
Sailing Club
Brecon Mountain Railway
Twyn Croes
Pontsticill Resr
Llyngeren
Taff Trail
Carn-ddu
CF48
Bryn Glas
Nant y Ffrwrd
Nant Cwm-moel
Cwm Moel
TAF FECHAN HOS
Tredegar-fach
Pontsticill
Red Cow Hotel (PH)
Pont Sticill
BRYN TERR
DAN-Y-COED
CASTELL MORLAIS
PH
Nant y Wern
Ty'n-y-fedw
Pengellifawr
EVANS ROW
Blaenglais
Pencelly Fach
Penrhadw Farm
PEN-Y-GARN
Maes-y-faenor
Berthlwyd
Rectory
Cwm
Nant y Glais
Llwyncilsanws
Blaen-y-dyffryn
Llwynybrain
Llwynrodin
Vaynor/ Faenor
Church Tavern (PH)
Taf Fechan
Cwm Taf Fechan
Ogof Rhyd-sych
Hy- Brasail
Cae Burdydd
Taff Trail
Pen-rhiw-glais
8
7
13
6
5
12
4
3
11
2
1
10
03
04
05
10

3

A
B
C
D
E
F
Powys STREET ATLAS
8
7
13
6
5
12
4
3
11
2
1
10
06
07
08
NP8
Buarth y Caerau
Cwm Criban
Cefn yr Ystrad
Cerrig y Llwyni
Twynau Gwynion
Odyn-fach
Pontsticill
Brecon Mountain Railway
CF48
Waun y Gwair
Water
Works
Taff Trail
Nant Morlais
Twyn Pwll
Morlais
Pwll
Morlais
Pwll
Mere
Taf Fechan
NP22
Castell-y-nos
Pen March
Twynau
Gwynion
Nant Tor-gwyn
Merthyr
Common
Cefn Ystrad

3
11

6

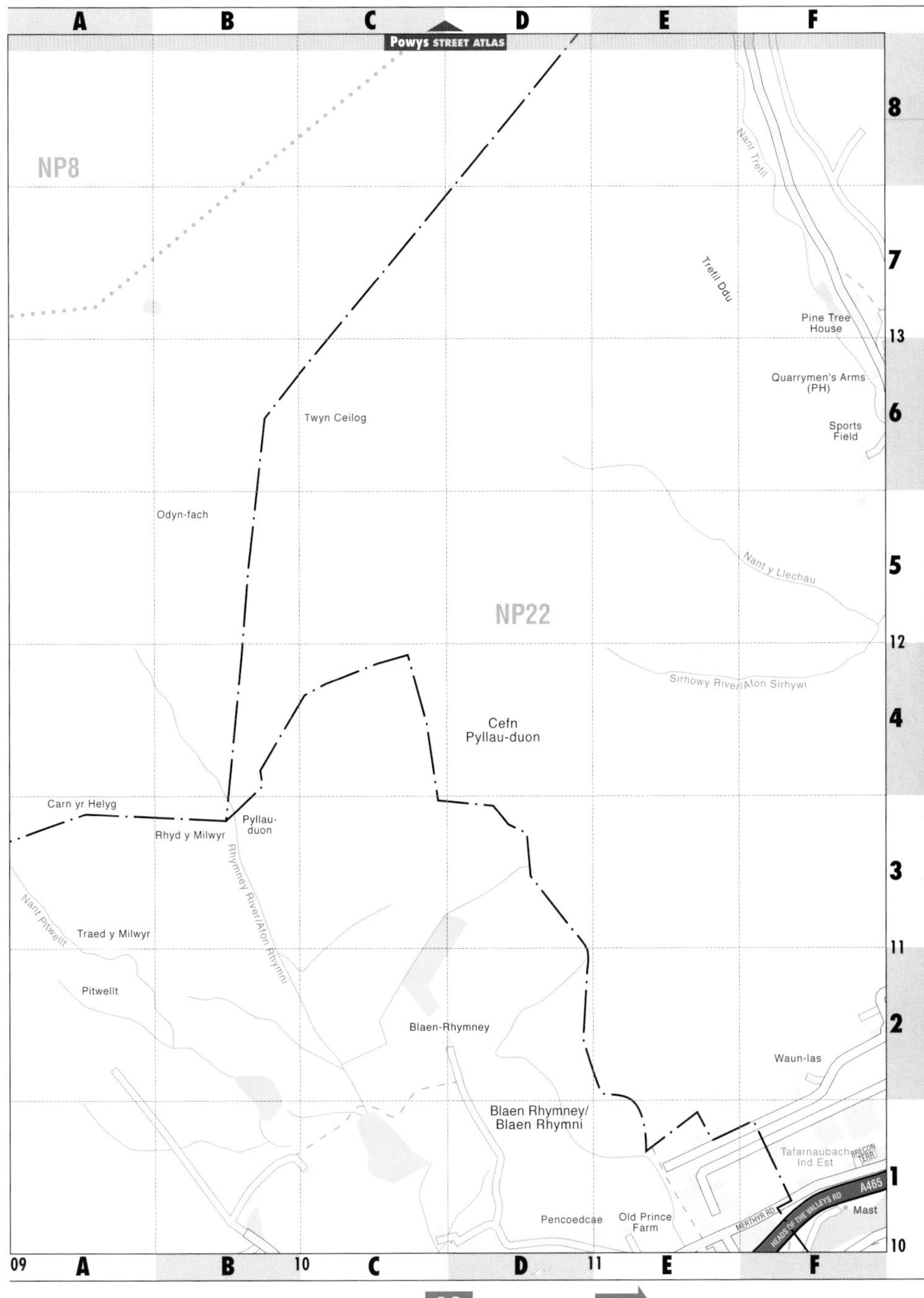
A
B
C
D
E
F
Powys STREET ATLAS
NP8
NP22
8
7
13
6
5
12
4
3
11
2
1
10
09
10
11
Nant Trefil
Trefil Ddu
Pine Tree House
Quarrymen's Arms (PH)
Sports Field
Twyn Ceilog
Odyn-fach
Nant y Llechau
Sirhowy River/Afon Sirhywi
Cefn Pyllau-duon
Carn yr Helyg
Rhyd y Milwyr
Pyllau-duon
Rhymney River/Afon Rhymni
Nant Pitwellt
Traed y Milwyr
Pitwellt
Blaen-Rhymney
Waun-las
Blaen Rhymney/ Blaen Rhymni
Tafarnaubach Ind Est
BRECON TERR
Pencoedcae
Old Prince Farm
MERTHYR RD
HEADS OF THE VALLEYS RD
A465
Mast

12

6

5

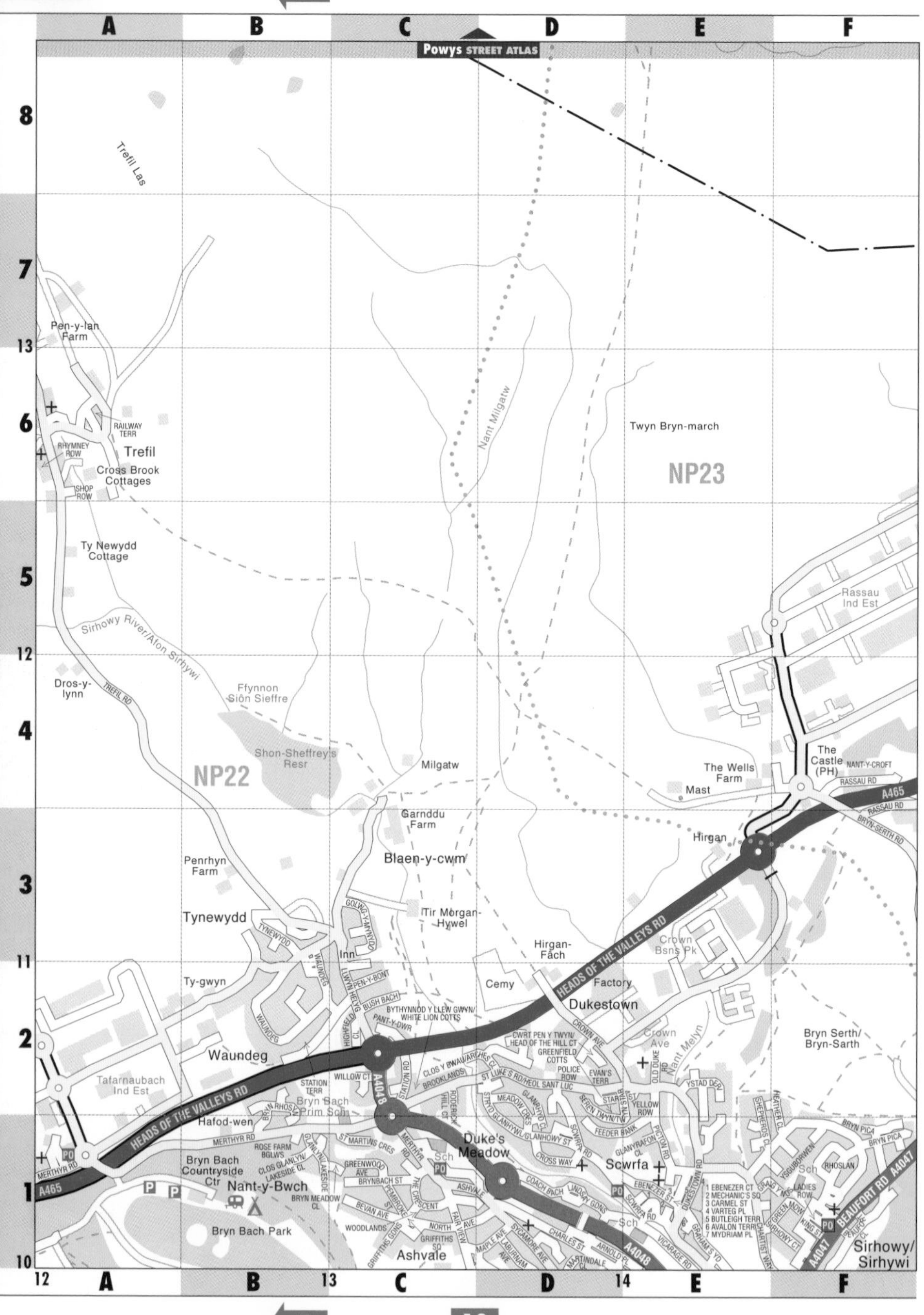
Powys STREET ATLAS
Trefil Las
Pen-y-lan Farm
RAILWAY TERR
RHYMNEY ROW
Trefil
Cross Brook Cottages
SHOP ROW
Ty Newydd Cottage
Sirhowy River/Afon Sirhywi
Dros-y-lynn
TREFIL RD
Ffynnon Siôn Sieffre
Shon-Sheffrey's Resr
NP22
Nant Milgatw
Twyn Bryn-march
NP23
Rassau Ind Est
Milgatw
The Wells Farm
The Castle (PH)
NANT-Y-CROFT
RASSAU RD
A465
Mast
Garnddu Farm
Hirgan
BRYN-SERTH RD
Penrhyn Farm
Blaen-y-cwm
Tir Morgan-Hywel
Tynewydd
Inn
Hirgan-Fach
Crown Bsns Pk
Ty-gwyn
Cemy
Factory
HEADS OF THE VALLEYS RD
Dukestown
Waundeg
Crown Ave
Nant Melyn
Bryn Serth/ Bryn-Sarth
Tafarnaubach Ind Est
Bryn Bach Prim Sch
Hafod-wen
A4048
Duke's Meadow
Sch
Scwrfa
Bryn Bach Countryside Ctr
Nant-y-Bwch
Bryn Bach Park
Ashvale
A465
1 EBENEZER CT
2 MECHANIC'S SQ
3 CARMEL ST
4 VARTEG PL
5 BUTLEIGH TERR
6 AVALON TERR
7 MYDRIAM PL
BEAUFORT RD A4047
Sirhowy/ Sirhywi

5

13

8

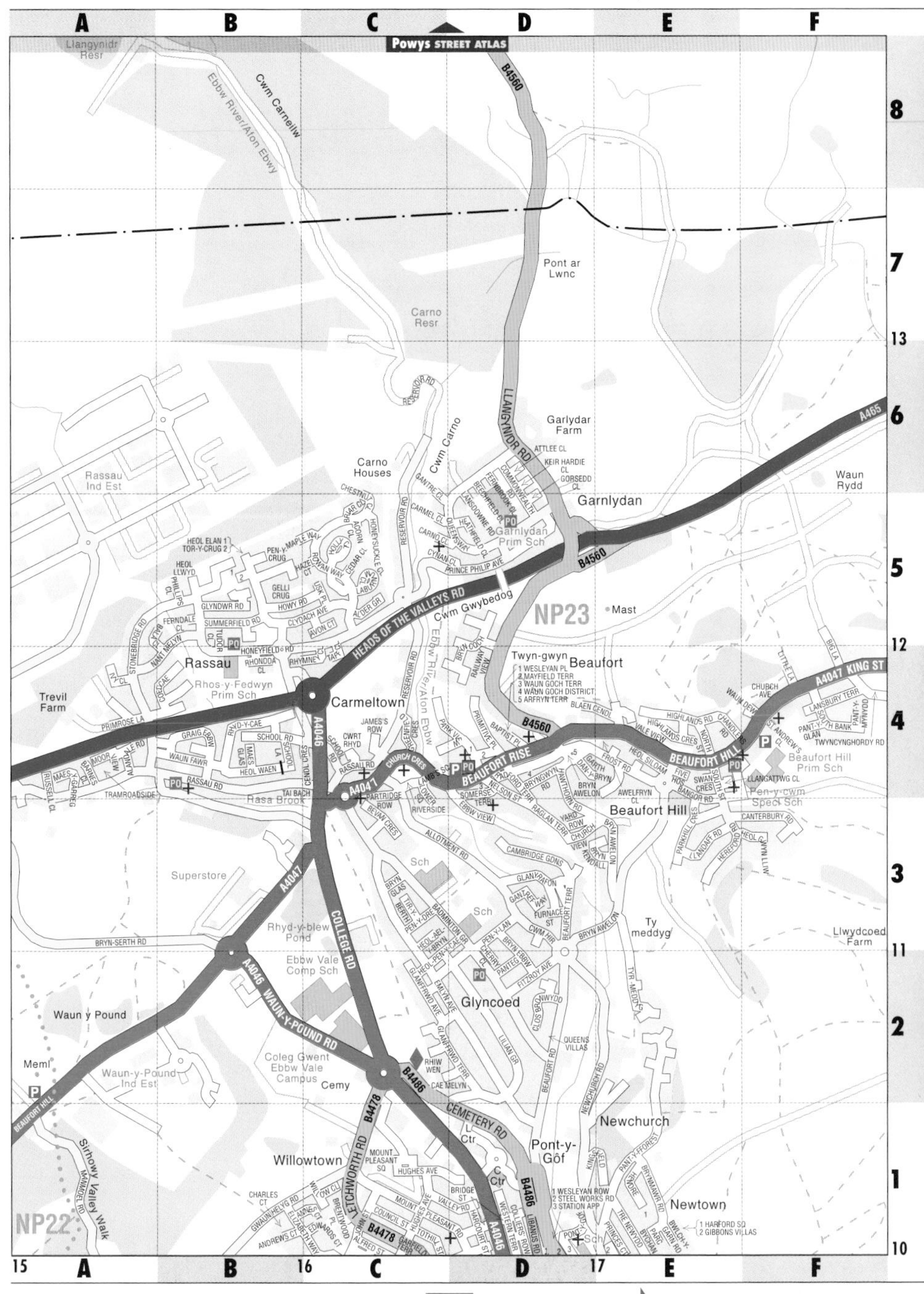

Powys STREET ATLAS
Llangynidr Resr
Cwm Carneilw
Ebbw River/Afon Ebwy
B4560
Pont ar Lwnc
Carno Resr
RESERVOIR RD
LLANGYNIDR RD
Garlydar Farm
Carno Houses
Cwm Carno
Rassau Ind Est
Garnlydan
Garnlydan Prim Sch
Waun Rydd
A465
HEADS OF THE VALLEYS RD
Cwm Gwybedog
NP23
Mast
Twyn-gwyn
Beaufort
Rassau
Rhos-y-Fedwyn Prim Sch
Trevil Farm
Carmeltown
A4046
A4047
BEAUFORT RISE
BEAUFORT HILL
A4047 KING ST
Beaufort Hill Prim Sch
Pen-y-cwm Spec Sch
Beaufort Hill
Rasa Brook
Superstore
Sch
COLLEGE RD
Rhyd-y-blew Pond
Ebbw Vale Comp Sch
Ty meddyg
Llwydcoed Farm
Glyncoed
Waun y Pound
WAUN-Y-POUND RD
Coleg Gwent Ebbw Vale Campus
Waun-y-Pound Ind Est
Cemy
Meml
BEAUFORT HILL
B4486
CEMETERY RD
Newchurch
Pont-y-Gôf
Willowtown
LETCHWORTH RD
B4478
Newtown
Sirhowy Valley Walk
NP22
15
16
17
A
B
C
D
E
F
8
7
6
5
4
3
2
1
13
12
11
10

14

8

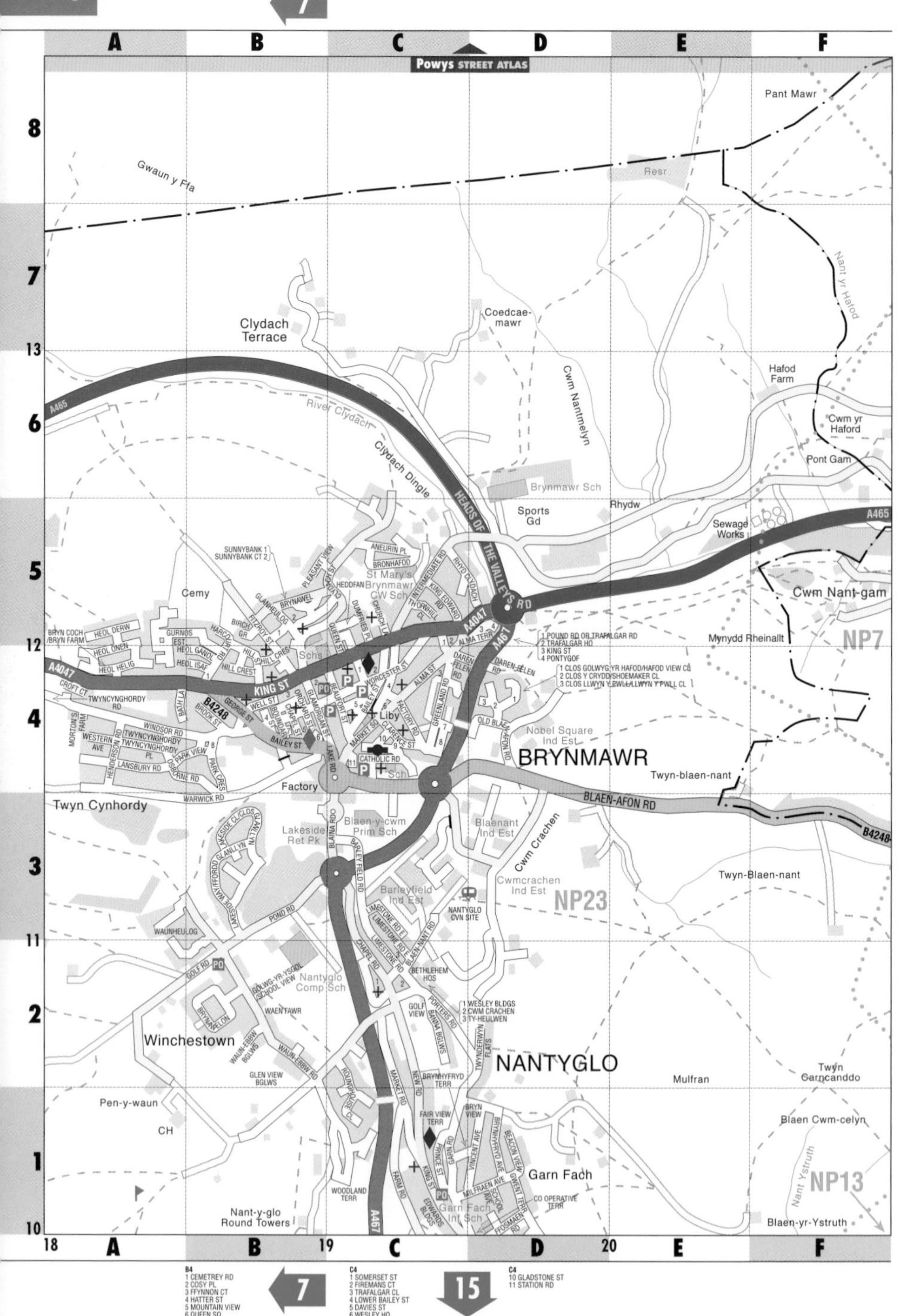

B4
1 CEMETREY RD
2 COSY PL
3 FFYNNON CT
4 HATTER ST
5 MOUNTAIN VIEW
6 QUEEN SQ
7 HEATHCOTE CL
8 TUDOR CRES

7

C4
1 SOMERSET ST
2 FIREMANS CT
3 TRAFALGAR CL
4 LOWER BAILEY ST
5 DAVIES ST
6 WESLEY HO
7 OLD BLAEN-AFON RD
8 ALEXANDRIA TERR
9 CURZON ST

15

C4
10 GLADSTONE ST
11 STATION RD

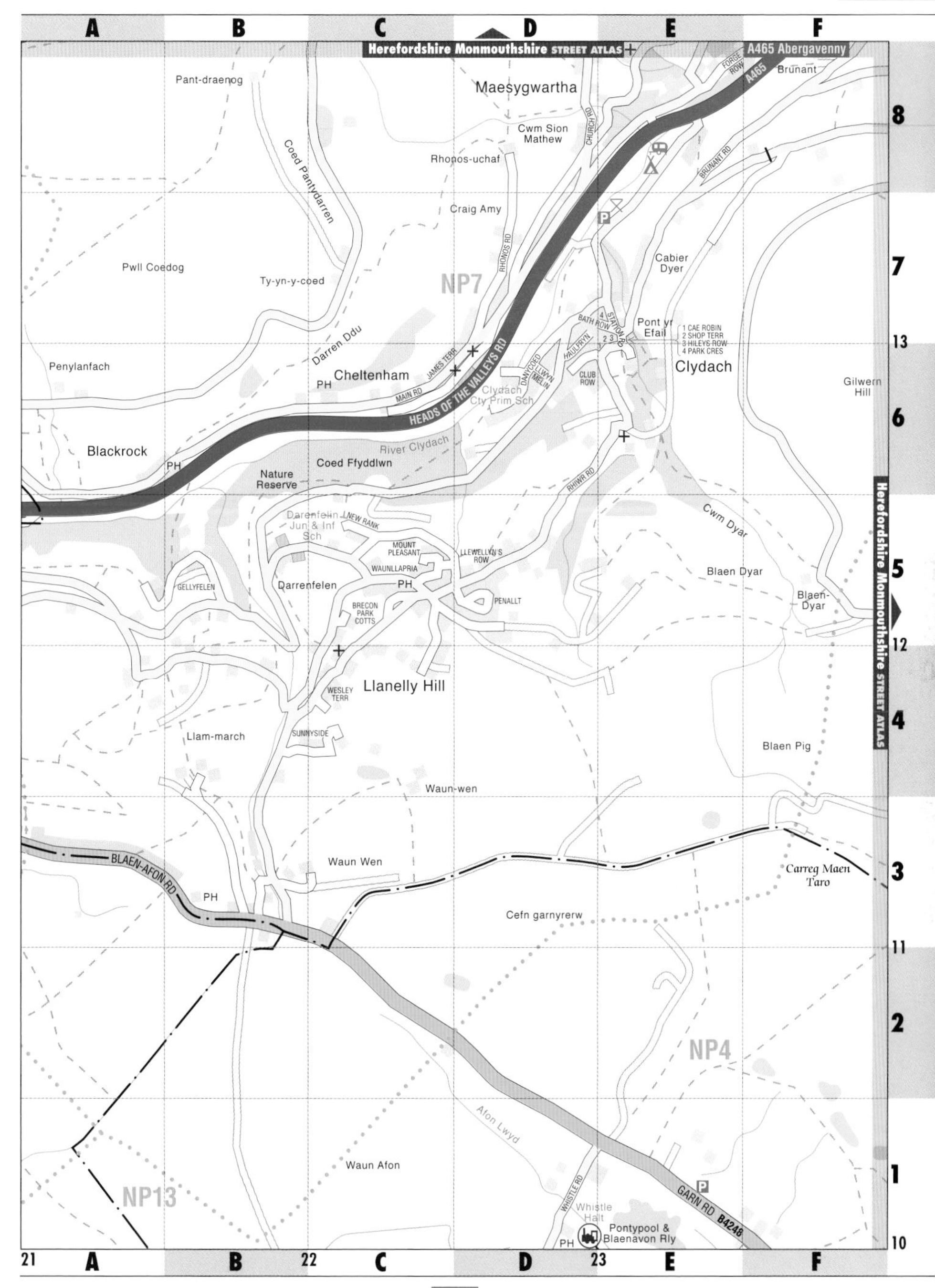

A
B
C
D
E
F
Herefordshire Monmouthshire STREET ATLAS
A465 Abergavenny
Pant-draenog
Maesygwartha
Brunant
FORGE ROW
A465
8
Cwm Sion Mathew
CHURCH RD
Coed Pantydarren
Rhonos-uchaf
BRUNANT RD
Craig Amy
Pwll Coedog
Ty-yn-y-coed
RHONOS RD
NP7
Cabier Dyer
7
BATH ROW
STATION RD
Pont yr Efail
1 CAE ROBIN
2 SHOP TERR
3 HILEYS ROW
4 PARK CRES
13
Darren Ddu
JAMES TERR
HAULPRYN
Penylanfach
Cheltenham
PH
Clydach
Gilwern Hill
MAIN RD
HEADS OF THE VALLEYS RD
DANYCOED
LLWYN MELIN
CLUB ROW
Clydach Cty Prim Sch
6
River Clydach
Blackrock
PH
Coed Ffyddlwn
Nature Reserve
RHIWR RD
Darenfelin Jun & Inf Sch
NEW RANK
Cwm Dyar
MOUNT PLEASANT
WAUNLLAPRIA
LLEWELLYN'S ROW
5
GELLYFELEN
Darrenfelen
PH
Blaen Dyar
PENALLT
Blaen-Dyar
BRECON PARK COTTS
12
Llanelly Hill
WESLEY TERR
4
SUNNYSIDE
Llam-march
Blaen Pig
Waun-wen
BLAEN-AFON RD
Waun Wen
Carreg Maen Taro
3
PH
Cefn garnyrerw
11
2
NP4
Afon Lwyd
Waun Afon
1
NP13
WHISTLE RD
GARN RD B4248
Whistle Halt
Pontypool & Blaenavon Rly
PH
10
21
22
23

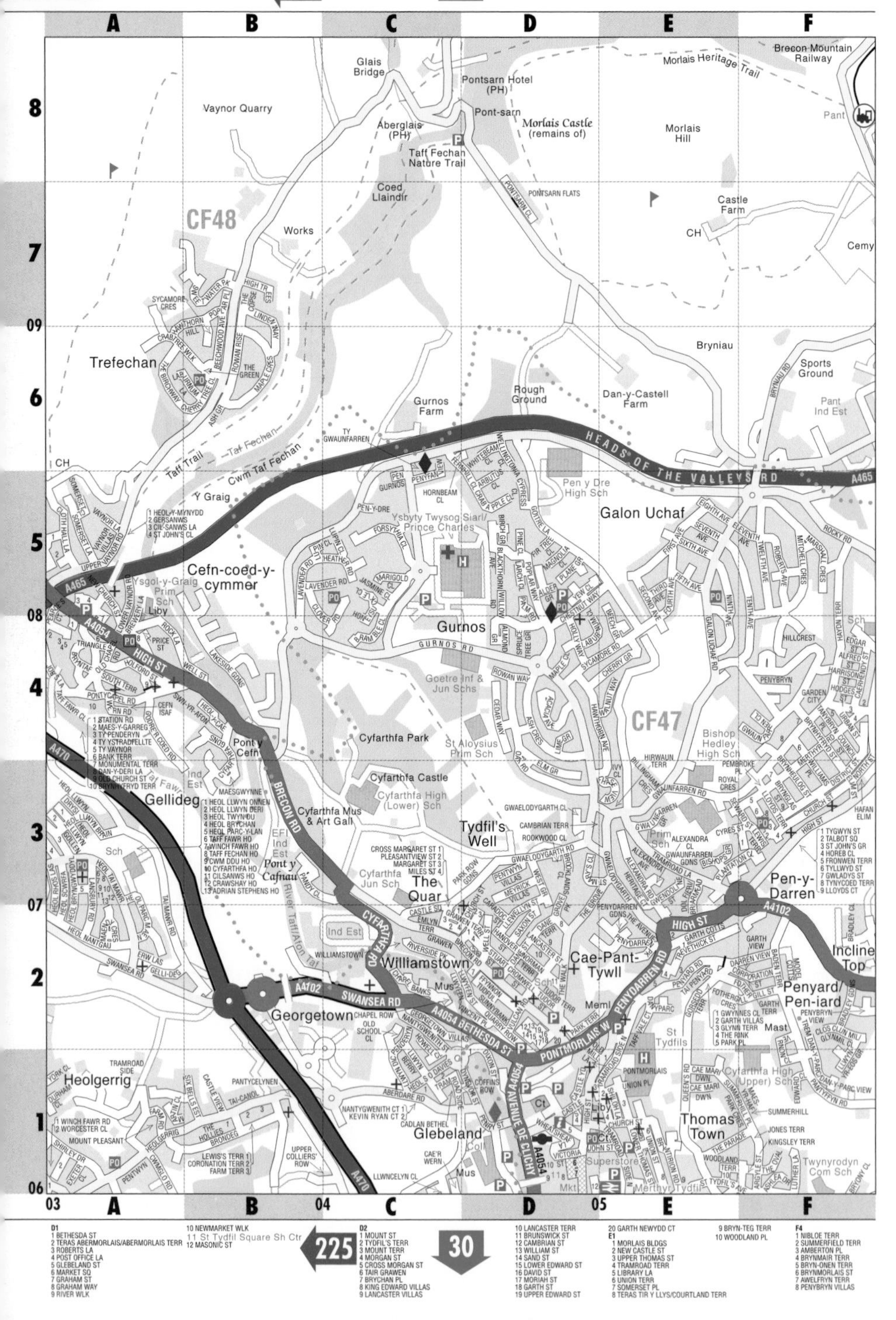
225
3
A
B
C
D
E
F
8
7
09
6
5
08
4
3
07
2
1
06
03
04
05
Glais Bridge
Vaynor Quarry
Pontsarn Hotel (PH)
Pont-sarn
Aberglais (PH)
Morlais Castle (remains of)
Morlais Heritage Trail
Brecon Mountain Railway
Morlais Hill
Pant
Taff Fechan Nature Trail
Coed Llaindir
PONTSARN FLATS
Castle Farm
CF48
Works
CH
Cemy
Trefechan
Bryniau
Sports Ground
Pant Ind Est
Gurnos Farm
Rough Ground
Dan-y-Castell Farm
HEADS OF THE VALLEYS RD
A465
Taff Trail
Taf Fechan
Cwm Taf Fechan
Y Graig
Pen y Dre High Sch
Galon Uchaf
Ysbyty Twysog Siarl/Prince Charles
Cefn-coed-y-cymmer
Ysgol-y-Graig Prim Sch
Liby
Gurnos
GURNOS RD
Goetre Inf & Jun Schs
CF47
Bishop Hedley High Sch
Cyfarthfa Park
St Aloysius Prim Sch
Pont y Cefn
Ind Est
Gellideg
Cyfarthfa Castle
Cyfarthfa High (Lower) Sch
Cyfarthfa Mus & Art Gall
BRECON RD
Tydfil's Well
EFI Ind Est
Pont y Cafnau
River Taff/Afon Taf
Cyfarthfa Jun Sch
The Quar
Pen-y-Darren
A4102
HIGH ST
Incline Top
Williamstown
Cae-Pant-Tywll
PENYDARREN RD
Penyard/Pen-iard
A4102
SWANSEA RD
Georgetown
A4054 BETHESDA ST
PONTMORLAIS W
St Tydfils
Mast
Heolgerrig
Cyfarthfa High (Upper) Sch
Thomas Town
Glebeland
AVENUE DE CLICHY
A4054
Superstore
Merthyr Tydfil
Mkt
Twynyrodyn Com Sch
A470
225
30
D1
1 BETHESDA ST
2 TERAS ABERMORLAIS/ABERMORLAIS TERR
3 ROBERTS LA
4 POST OFFICE LA
5 GLEBELAND ST
6 MARKET SQ
7 GRAHAM ST
8 GRAHAM WAY
9 RIVER WLK
10 NEWMARKET WLK
11 St Tydfil Square Sh Ctr
12 MASONIC ST
D2
1 MOUNT ST
2 TYDFIL'S TERR
3 MOUNT TERR
4 MORGAN ST
5 CROSS MORGAN ST
6 TAIR GRAWEN
7 BRYCHAN PL
8 KING EDWARD VILLAS
9 LANCASTER VILLAS
10 LANCASTER TERR
11 BRUNSWICK ST
12 CAMBRIAN ST
13 WILLIAM ST
14 SAND ST
15 LOWER EDWARD ST
16 DAVID ST
17 MORIAH ST
18 GARTH ST
19 UPPER EDWARD ST
20 GARTH NEWYDD CT
E1
1 MORLAIS BLDGS
2 NEW CASTLE ST
3 UPPER THOMAS ST
4 TRAMROAD TERR
5 LIBRARY LA
6 UNION TERR
7 SOMERSET PL
8 TERAS TIR Y LLYS/COURTLAND TERR
9 BRYN-TEG TERR
10 WOODLAND PL
F4
1 NIBLOE TERR
2 SUMMERFIELD TERR
3 AMBERTON PL
4 BRYNMAIR TERR
5 BRYN-ONEN TERR
6 BRYNMORLAIS ST
7 AWELFRYN TERR
8 PENYBRYN VILLAS

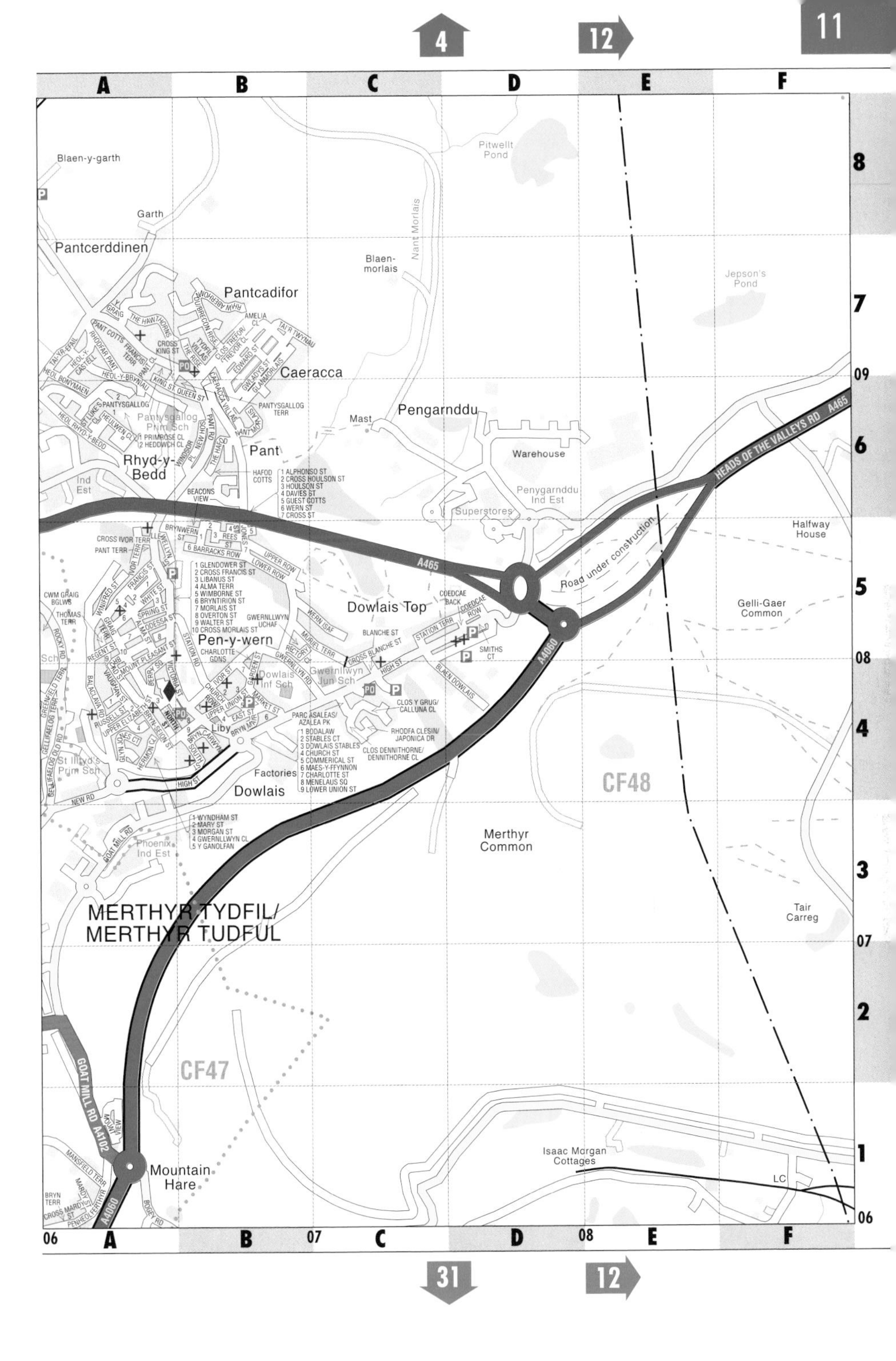
4
12
A
B
C
D
E
F
8
7
6
5
4
3
2
1
09
08
07
06
Blaen-y-garth
Garth
Pantcerddinen
Pantcadifor
Caeracca
Pitwellt Pond
Nant Morlais
Blaen-morlais
Jepson's Pond
Mast
Pengarnddu
Warehouse
Pantysgallog Prim Sch
Rhyd-y-Bedd
Pant
Ind Est
Penygarnddu Ind Est
Superstores
HEADS OF THE VALLEYS RD
A465
Halfway House
Road under construction
Dowlais Top
Gelli-Gaer Common
Pen-y-wern
Gwernllwyn Jun Sch
Dowlais Inf Sch
A4060
CF48
St Illtyd's Prim Sch
Factories
Dowlais
Liby
Phoenix Ind Est
Merthyr Common
MERTHYR TYDFIL/
MERTHYR TUDFUL
Tair Carreg
CF47
GOAT MILL RD A4102
Mountain Hare
Isaac Morgan Cottages
LC
1 ALPHONSO ST
2 CROSS HOULSON ST
3 HOULSON ST
4 DAVIES ST
5 GUEST COTTS
6 WERN ST
7 CROSS ST
1 GLENDOWER ST
2 CROSS FRANCIS ST
3 LIBANUS ST
4 ALMA TERR
5 WIMBORNE ST
6 BRYNTIRION ST
7 MORLAIS ST
8 OVERTON ST
9 WALTER ST
10 CROSS MORLAIS ST
1 BODALAW
2 STABLES CT
3 DOWLAIS STABLES
4 CHURCH ST
5 COMMERICAL ST
6 MAES-Y-FFYNNON
7 CHARLOTTE ST
8 MENELAUS SQ
9 LOWER UNION ST
1 WYNDHAM ST
2 MARY ST
3 MORGAN ST
4 GWERNLLWYN CL
5 Y GANOLFAN
1 PRIMROSE CL
2 HEDDWCH CL
31
12

11
5

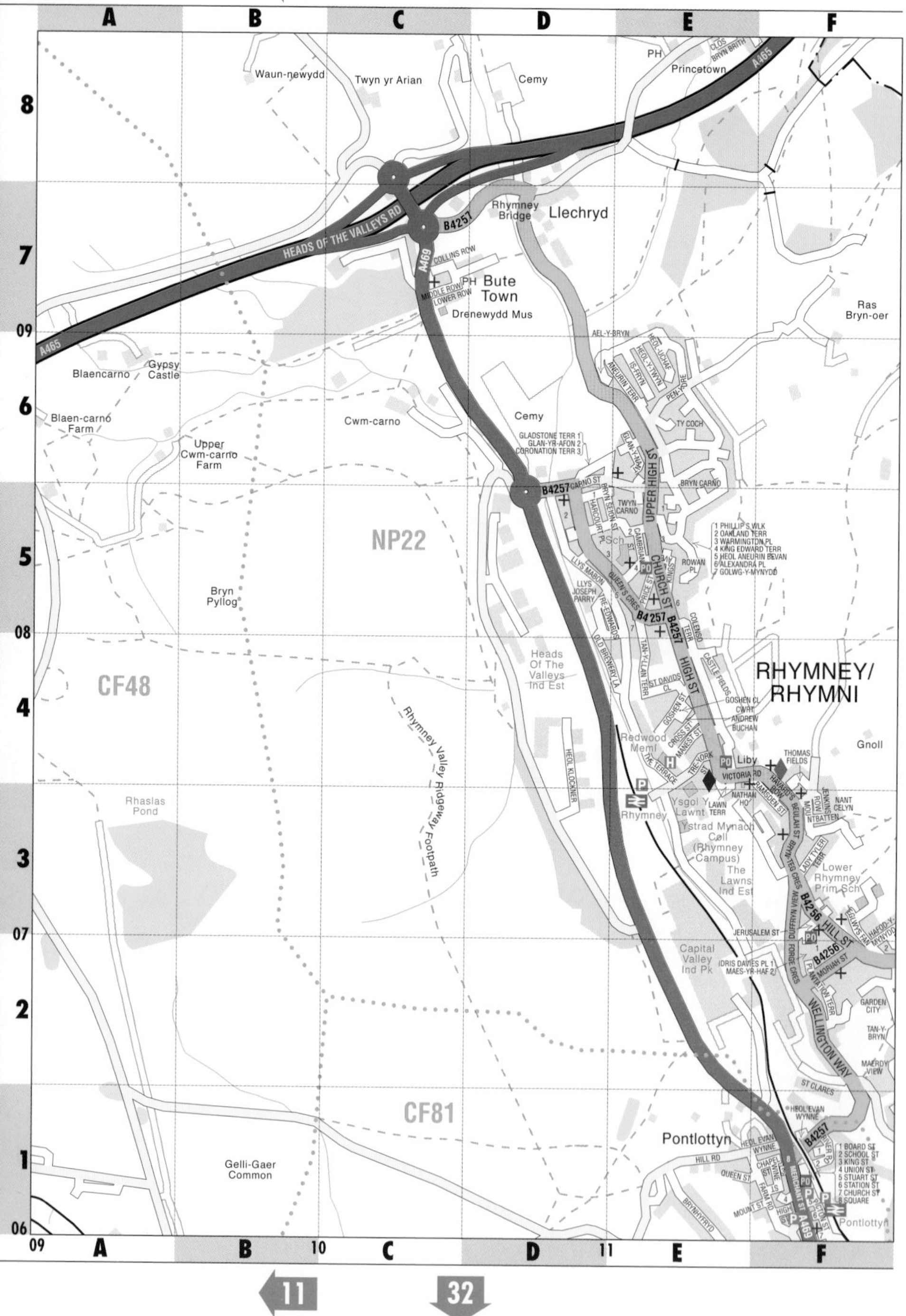
A
B
C
D
E
F
8
7
09
6
5
08
4
3
07
2
1
06
10
11
Waun-newydd
Twyn yr Arian
Cemy
PH
Princetown
A465
HEADS OF THE VALLEYS RD
Rhymney Bridge
Llechryd
B4257
A469
COLLINS ROW
MIDDLE ROW
LOWER ROW
Bute Town
Drenewydd Mus
Ras Bryn-oer
Blaencarno
Gypsy Castle
Blaen-carno Farm
Upper Cwm-carno Farm
Cwm-carno
Cemy
AEL-Y-BRYN
ANEURIN TERR
TY COCH
BRYN CARNO
GLADSTONE TERR 1
GLAN-YR-AFON 2
CORONATION TERR 3
CARNO ST
UPPER HIGH ST
CHURCH ST
NP22
Sch
1 PHILLIP S WLK
2 OAKLAND TERR
3 WARMINGTON PL
4 KING EDWARD TERR
5 HEOL ANEURIN BEVAN
6 ALEXANDRA PL
7 GOLWG-Y-MYNYDD
ROWAN PL
Bryn Pyllog
LLYS MABON
LLYS JOSEPH PARRY
QUEEN'S CRES
PRICE ST
B4257
COLENSO TERR
HIGH ST
OLD BREWERY LA
TAN-Y-LLAN TERR
Heads Of The Valleys Ind Est
CASTLE FIELDS
CF48
ST DAVIDS CL
RHYMNEY/ RHYMNI
GOSHEN ST
GOSHEN CL
CWRT ANDREW BUCHAN
Rhymney Valley Ridgeway Footpath
CROSS ST
MANEST ST
Redwood Meml
Gnoll
THE TERRACE
Liby
THOMAS FIELDS
VICTORIA RD
HEOL KLOCKNER
Rhaslas Pond
Rhymney
Ysgol Y Lawnt
LAWN TERR
NATHAN HO
NANT CELYN
Ystrad Mynach Coll (Rhymney Campus)
The Lawns Ind Est
BEULAH ST
Lower Rhymney Prim Sch
HILL ST
B4256
JERUSALEM ST
FORGE CRES
Capital Valley Ind Pk
IDRIS DAVIES PL 1
MAES-YR-HAF 2
WELLINGTON WAY
GARDEN CITY
TAN-Y-BRYN
MAERDY VIEW
ST CLARES
HEOL EVAN WYNNE
CF81
B4257
Pontlottyn
HILL RD
QUEEN ST
Gelli-Gaer Common
1 BOARD ST
2 SCHOOL ST
3 KING ST
4 UNION ST
5 STUART ST
6 STATION ST
7 CHURCH ST
8 SQUARE
MOUNT ST
FARM RD
BRYNHYFRYD
A469
Pontlottyn

11
32

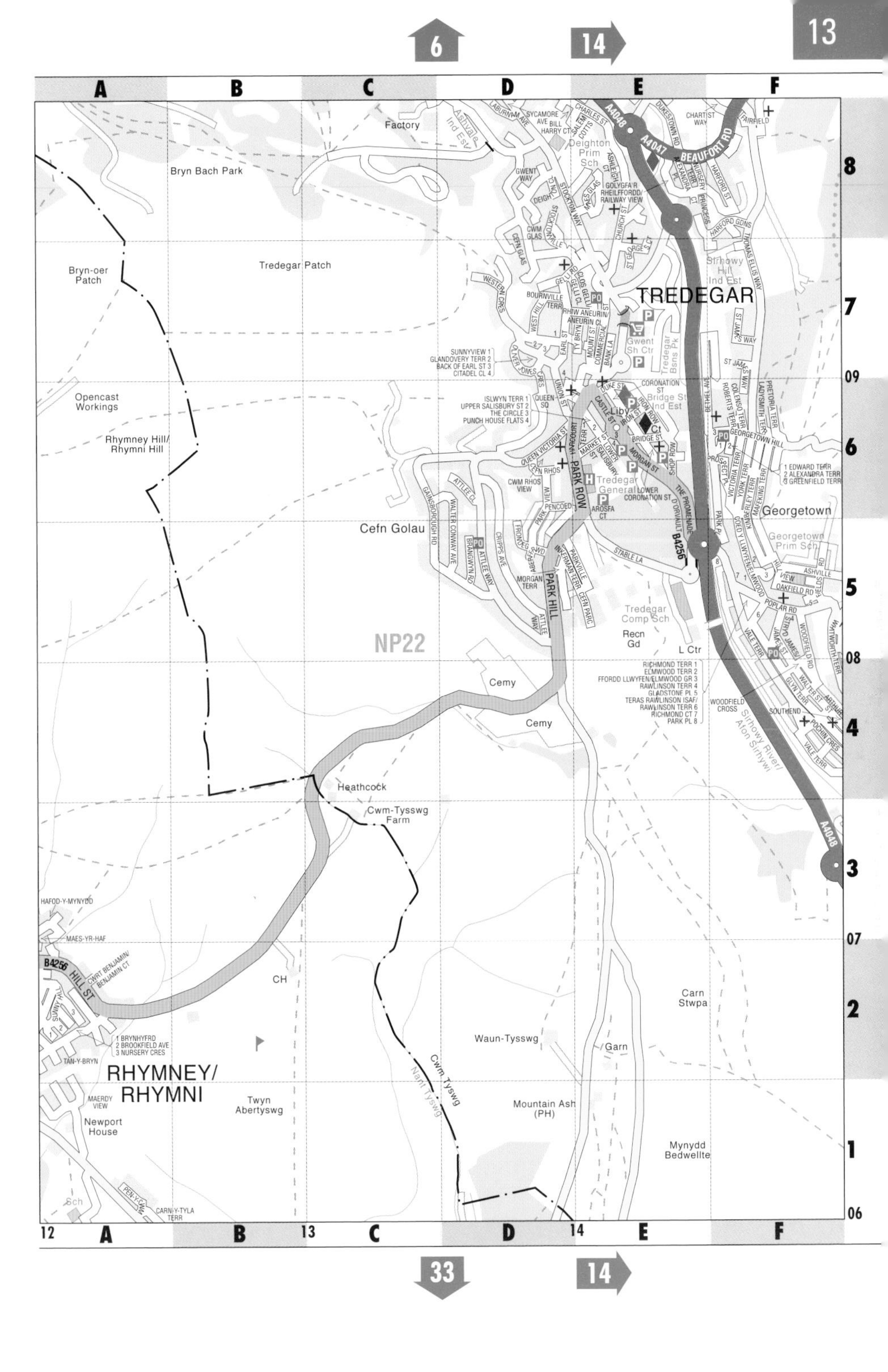
6
14
A
B
C
D
E
F
8
7
09
6
5
08
4
3
07
2
1
06
12
13
14
Factory
Ashvale Ind Est
Bryn Bach Park
Bryn-oer Patch
Tredegar Patch
Opencast Workings
Rhymney Hill/ Rhymni Hill
Cefn Golau
NP22
TREDEGAR
Deighton Prim Sch
Gwent Sh Ctr
Tredegar Bsns Pk
Sirhowy Hill Ind Est
Bridge St Ind Est
Liby
Ct
Tredegar General
Georgetown
Georgetown Prim Sch
Tredegar Comp Sch
Recn Gd
L Ctr
Cemy
Heathcock
Cwm-Tyswg Farm
CH
Waun-Tysswg
Garn
Carn Stwpa
Mountain Ash (PH)
Mynydd Bedwellte
RHYMNEY/ RHYMNI
Twyn Abertysswg
Newport House
Sch
Cwm Tyswg
Nant Tyswg
Sirhowy River/ Afon Sirhywi
A4048
A4047
B4256
BEAUFORT RD
PARK ROW
PARK HILL
HILL ST
SUNNYVIEW 1
GLANDOVERY TERR 2
BACK OF EARL ST 3
CITADEL CL 4
ISLWYN TERR 1
UPPER SALISBURY ST 2
THE CIRCLE 3
PUNCH HOUSE FLATS 4
1 EDWARD TERR
2 ALEXANDRA TERR
3 GREENFIELD TERR
RICHMOND TERR 1
ELMWOOD TERR 2
FFORDD LLWYFEN/ELMWOOD GR 3
RAWLINSON TERR 4
GLADSTONE PL 5
TERAS RAWLINSON ISAF/ RAWLINSON TERR 6
RICHMOND CT 7
PARK PL 8
1 BRYNHYFRD
2 BROOKFIELD AVE
3 NURSERY CRES
HAFOD-Y-MYNYDD
MAES-YR-HAF
CWRT BENJAMIN/ BENJAMIN CT
TAN-Y-BRYN
MAERDY VIEW
PEN-Y-CWM
CARN-Y-TYLA TERR
GOLYGFA'R RHEILFFORDD/ RAILWAY VIEW
WOODFIELD CROSS
SOUTHEND
STABLE LA
THE PROMENADE
CORONATION ST
33
14

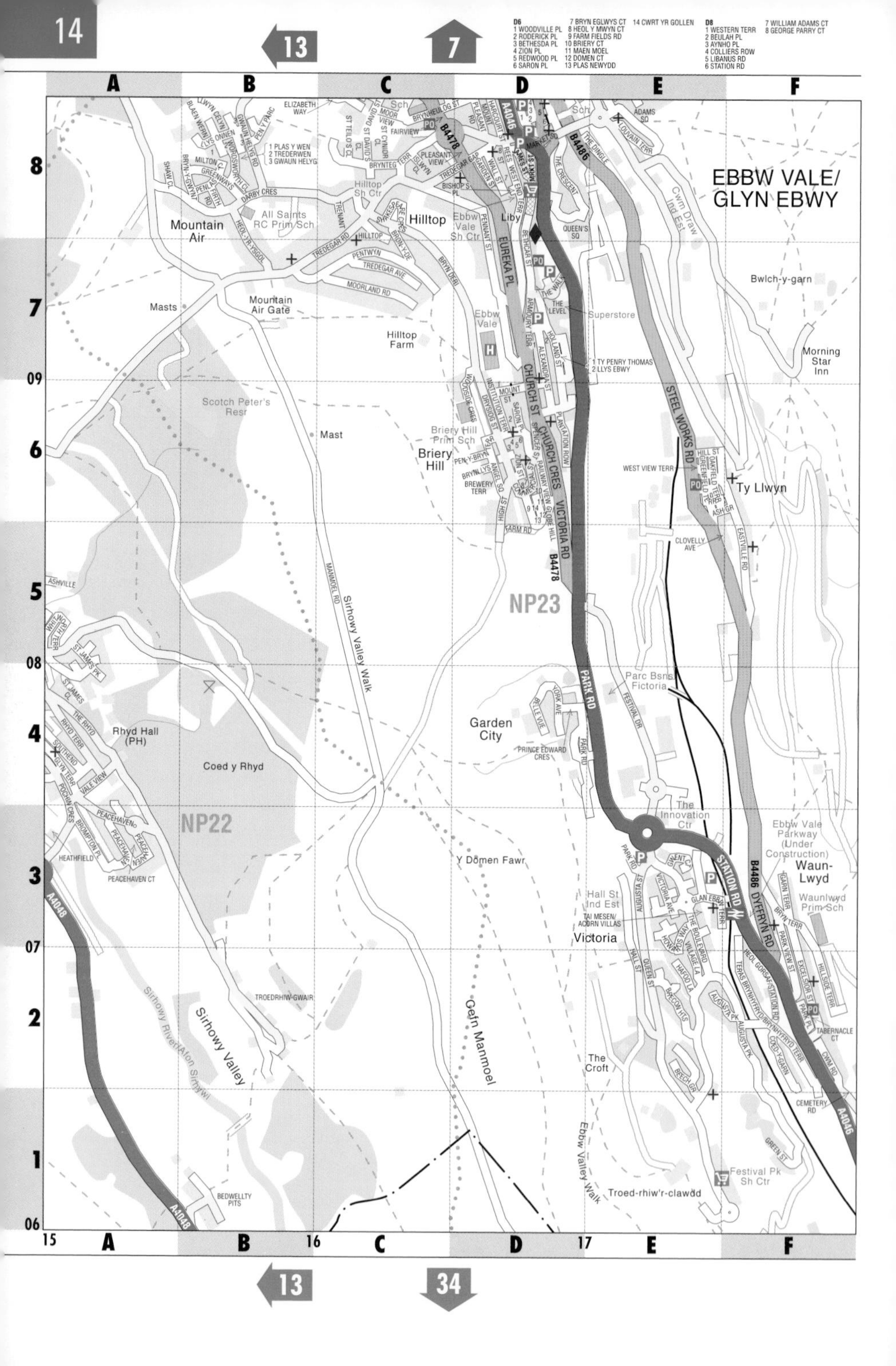
13
7
D6
1 WOODVILLE PL
2 RODERICK PL
3 BETHESDA PL
4 ZION PL
5 REDWOOD PL
6 SARON PL
7 BRYN EGLWYS CT
8 HEOL Y MWYN CT
9 FARM FIELDS RD
10 BRIERY CT
11 MAEN MOEL
12 DOMEN CT
13 PLAS NEWYDD
14 CWRT YR GOLLEN
D8
1 WESTERN TERR
2 BEULAH PL
3 AYNHO PL
4 COLLIERS ROW
5 LIBANUS RD
6 STATION RD
7 WILLIAM ADAMS CT
8 GEORGE PARRY CT
EBBW VALE/
GLYN EBWY
Mountain Air
Hilltop
Hilltop Sh Ctr
All Saints RC Prim Sch
Ebbw Vale Sh Ctr
Liby
Masts
Mountain Air Gate
Hilltop Farm
Superstore
Bwlch-y-garn
Morning Star Inn
Scotch Peter's Resr
Mast
Briery Hill
Briery Hill Prim Sch
Ty Llwyn
NP23
Garden City
Parc Bsns Fictoria
The Innovation Ctr
Ebbw Vale Parkway (Under Construction)
Waun-Lwyd
Waunlwyd Prim Sch
Rhyd Hall (PH)
Coed y Rhyd
NP22
Y Domen Fawr
Hall St Ind Est
Victoria
Sirhowy Valley Walk
Sirhowy Valley
Sirhowy River/Afon Sirhywi
Gefn Manmoel
The Croft
Ebbw Valley Walk
Troed-rhiw'r-clawdd
Festival Pk Sh Ctr
BEDWELLTY PITS
TROEDRHIW-GWAIR
STEEL WORKS RD
STATION RD
DYFFRYN RD
PARK RD
VICTORIA RD
CHURCH ST
EUREKA PL
A4046
A4048
B4478
B4486
13
34

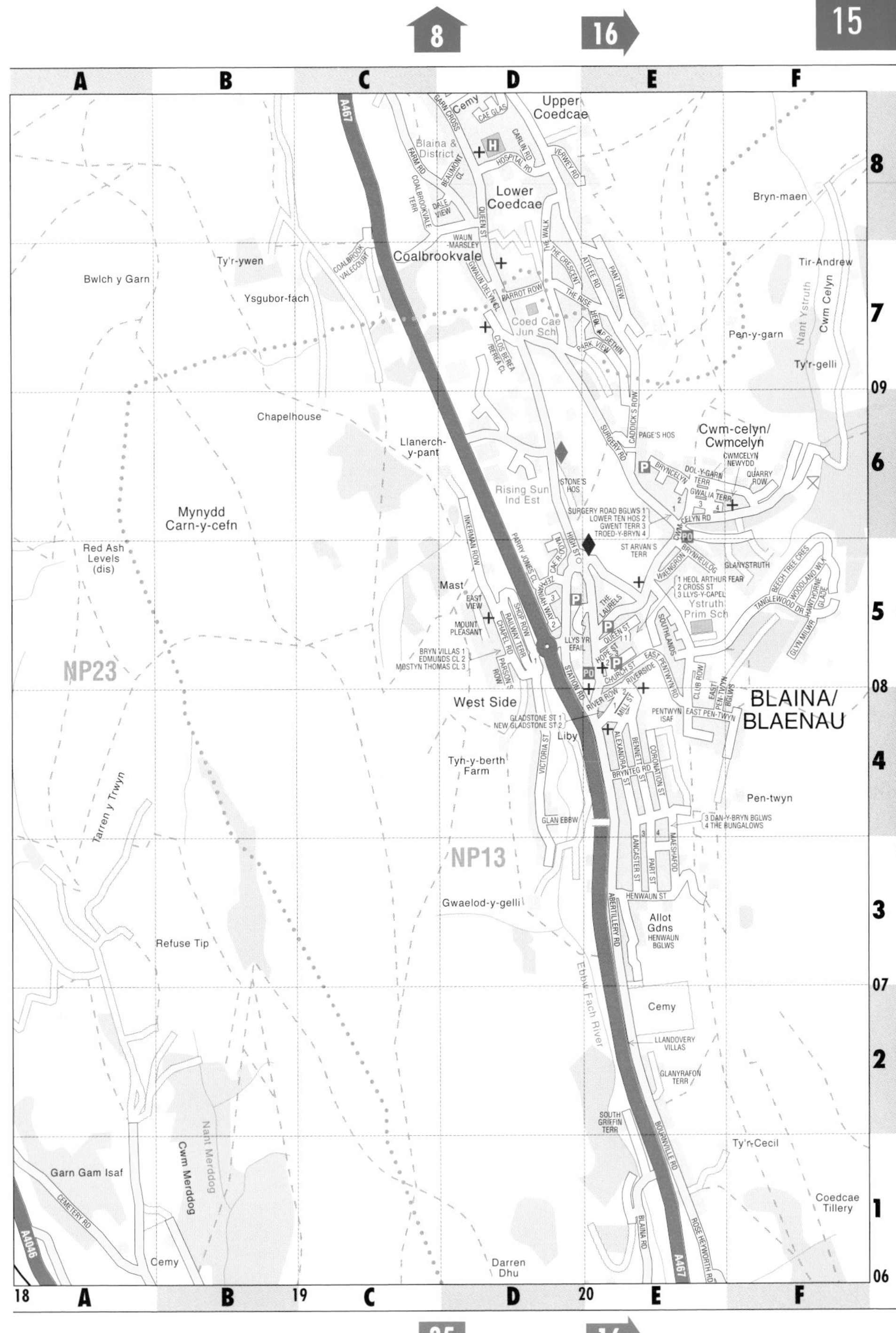
8
16
A
B
C
D
E
F
A467
Cemy
Upper Coedcae
Blaina & District
Lower Coedcae
Bryn-maen
Coalbrookvale
Ty'r-ywen
Bwlch y Garn
Ysgubor-fach
Tir-Andrew
Coed Cae Jun Sch
Pen-y-garn
Nant Ystruth
Cwm Celyn
Ty'r-gelli
Chapelhouse
Llanerch-y-pant
Cwm-celyn/ Cwmcelyn
Rising Sun Ind Est
Mynydd Carn-y-cefn
Red Ash Levels (dis)
Mast
Ystruth Prim Sch
NP23
West Side
BLAINA/ BLAENAU
Liby
Tyh-y-berth Farm
Tarren y Trwyn
Pen-twyn
NP13
Gwaelod-y-gelli
Allot Gdns
Refuse Tip
Ebbw Fach River
Cemy
Nant Merddog
Cwm Merddog
Ty'r-Cecil
Garn Gam Isaf
Coedcae Tillery
Cemy
Darren Dhu
A4046
8
7
09
6
5
08
4
3
07
2
1
06
18
19
20
35
16

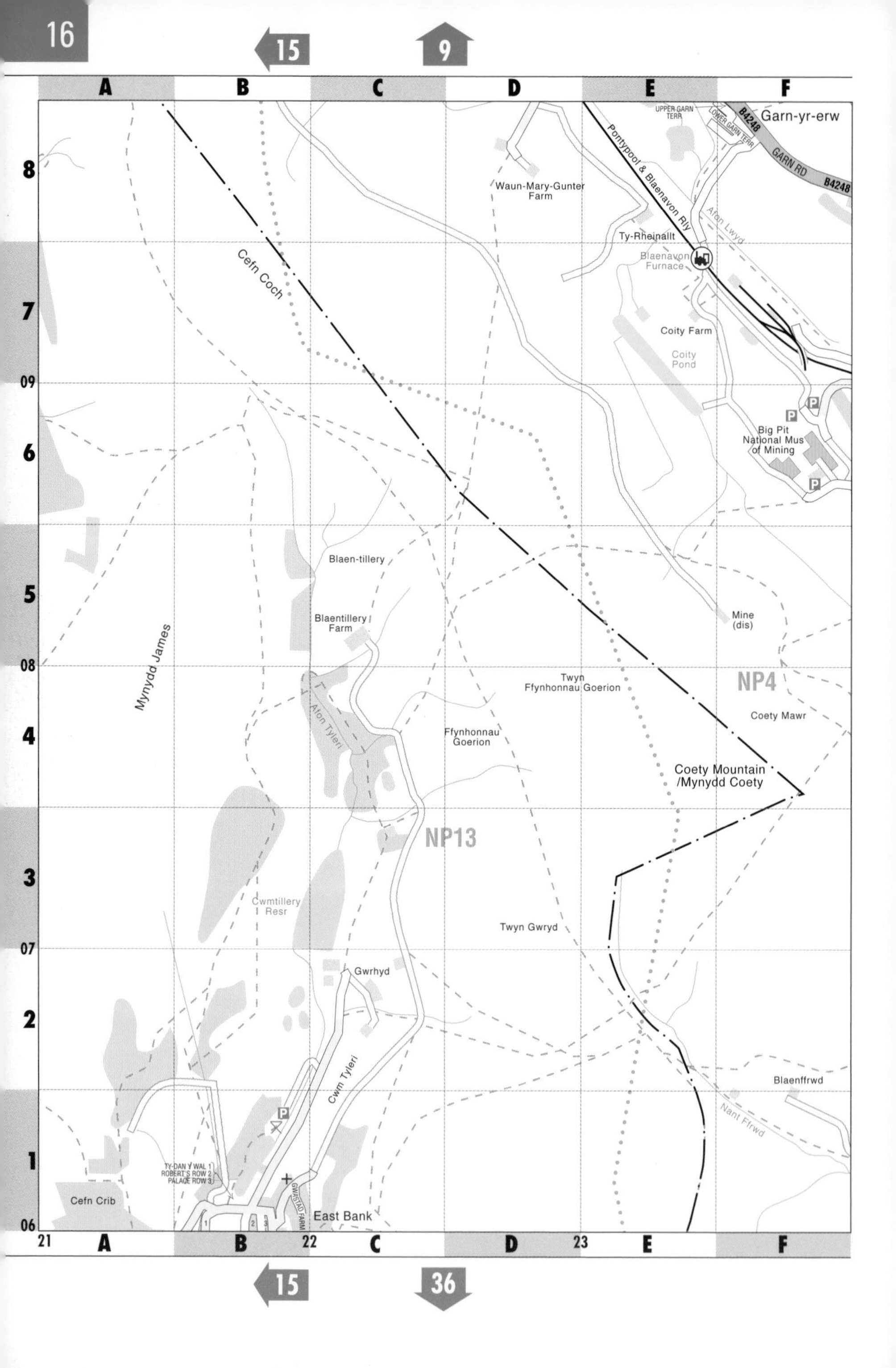
15
9
A
B
C
D
E
F
Garn-yr-erw
UPPER GARN TERR
LOWER GARN TERR
B4248
GARN RD
B4248
Pontypool & Blaenavon Rly
Waun-Mary-Gunter Farm
Afon Lwyd
Ty-Rheinallt
Blaenavon Furnace
Cefn Coch
Coity Farm
Coity Pond
Big Pit National Mus of Mining
Blaen-tillery
Blaentillery Farm
Mine (dis)
Mynydd James
Twyn Ffynhonnau Goerion
NP4
Coety Mawr
Afon Tyleri
Ffynhonnau Goerion
Coety Mountain /Mynydd Coety
NP13
Cwmtillery Resr
Twyn Gwryd
Gwrhyd
Cwm Tyleri
Blaenffrwd
Nant Ffrwd
TY-DAN Y WAL 1
ROBERT'S ROW 2
PALACE ROW 3
GWASTAD FARM
Cefn Crib
East Bank
8
7
09
6
5
08
4
3
07
2
1
06
21
22
23
15
36

C6
1 LION CT
2 LION ST/HEOL Y LLEW
3 NEW QUEEN ST
4 BURFORD ST/STRYD BURFORD
5 DUKE ST
6 BOOT LA
7 ANNE ST
8 GEORGE ST
9 CHURCH VIEW
10 COMMERCIAL ST
11 OLD JAMES ST
12 BAKER STREET HO
13 OLD WILLIAM ST
14 MARY ST
15 LOWER HILL ST
16 SOUTHVIEW TERR
17 NEW WILLIAM ST
18 BRIDGE ST
19 BRYNAVON

C7
1 MAXWORTHY RD
2 RIFLE GN
3 CLIFTON TERR/TERAS CLIFTON
4 ELGAM GN
5 ALMA ST
6 STACK SQ
7 VINCENT ST

D6
1 GLADSTONE TERR
2 NEW JAMES ST
3 CAPEL NEWYDD RD
4 COED TERR
5 FRANCIS MORRIS EST
6 BRIGHTS LA
7 MIDDLE COEDCAE/COEDCAE GANOL

D7
1 BLORENGE TERR
2 NEVILL TERR
3 GARN DYRUS MOUNT
4 LLANFOIST CRES
5 COURT RISE
6 MORRIS RISE
7 MORGAN RISE
8 GWAUNFELIN WLK
9 GILCHRIST WLK
10 CARADOC WLK
11 LOWER WOODLAND ST

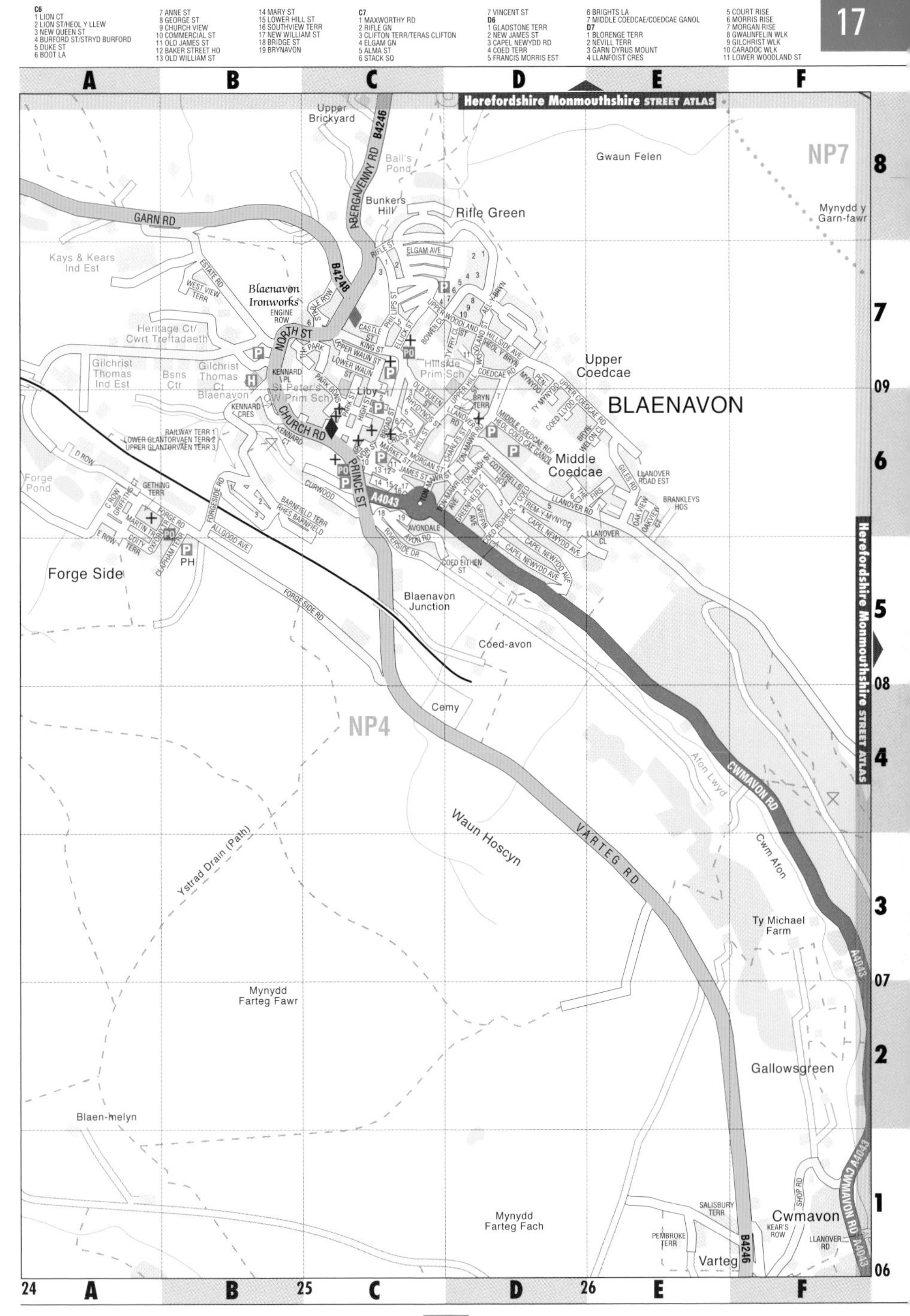

218

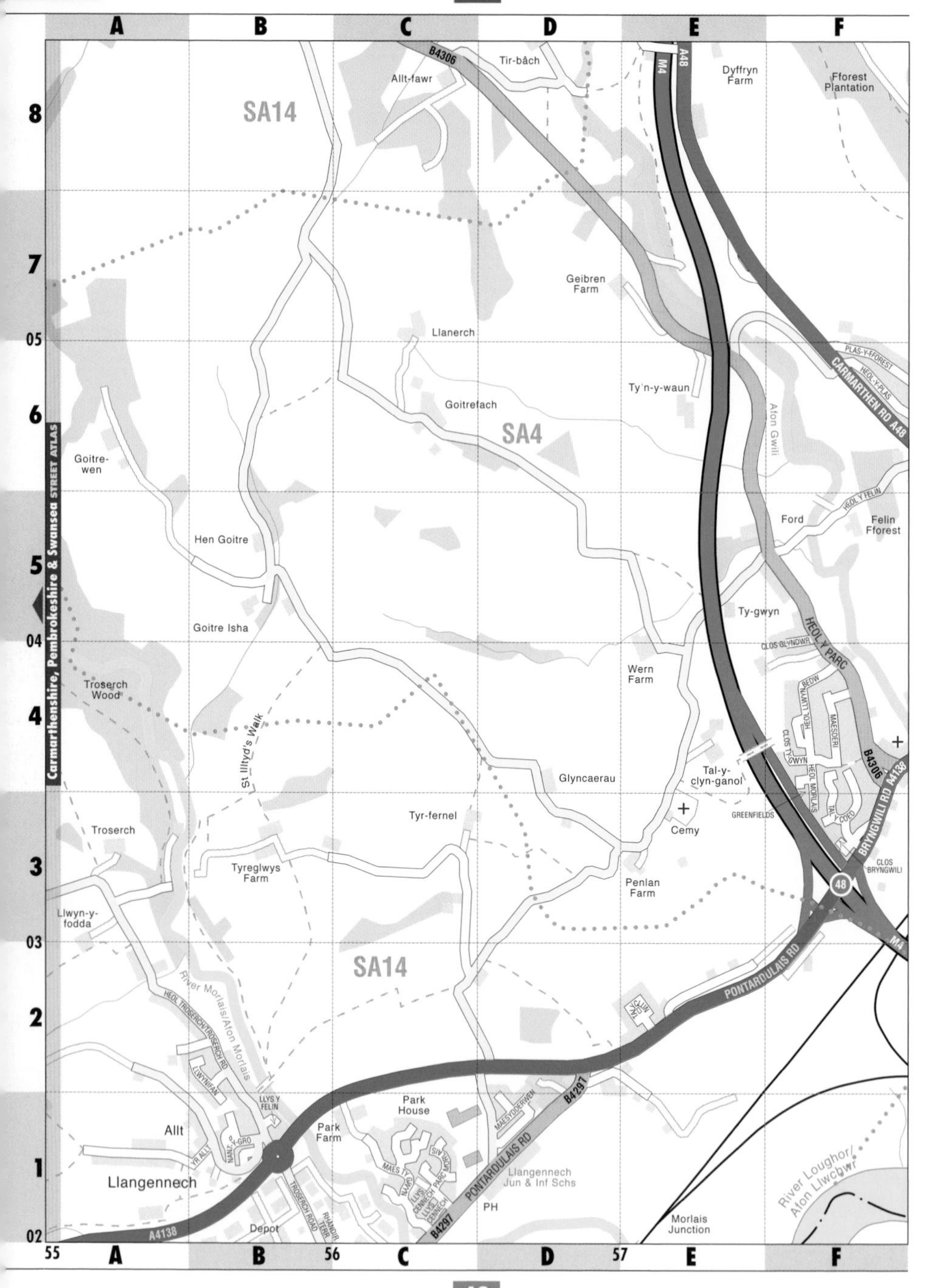

A B C D E F
8 7 6 5 4 3 2 1
05 04 03 02
55 56 57
SA14
SA4
SA14
B4306
Tir-bâch
Allt-fawr
M4
A48
Dyffryn Farm
Fforest Plantation
Geibren Farm
Llanerch
Ty'n-y-waun
Goitrefach
PLAS-Y-FFOREST
HEOL-Y-PLAS
CARMARTHEN RD A48
Afon Gwili
Goitre-wen
Ford
HEOL Y FELIN
Felin Fforest
Hen Goitre
Ty-gwyn
Goitre Isha
HEOL Y PARC
CLOS GLYNDWR
Troserch Wood
Wern Farm
BEDW
HEOL LLWYNY
MAESDERI
CLOS TY GWYN
St Illtyd's Walk
Glyncaerau
Tal-y-clyn-ganol
B4306
BRYNGWILI RD A4138
Troserch
Tyr-fernel
Cemy
GREENFIELDS
HEOL MORLAIS
TAL Y COED
CLOS BRYNGWILI
Tyreglwys Farm
Penlan Farm
48
Llwyn-y-fodda
PONTARDULAIS RD
SA14
River Morlais/Afon Morlais
HEOL TROSERCH/TROSERCH RD
LLWYNIFAN
LLYS Y FELIN
MAESYDDERWEN
B4297
Park House
Park Farm
Allt
YR ALLT
NANT-Y-GRO
MAES TY GWYN
PARC MORLAIS
LLYS CENNECH
PONTARDULAIS RD
Llangennech
Llangennech Jun & Inf Schs
PH
TROSERCH ROAD
RHANDIR TERR
Depot
A4138
B4297
Morlais Junction
River Loughor/Afon Llwchwr
Carmarthenshire, Pembrokeshire & Swansea STREET ATLAS

218

20

A B C D E F

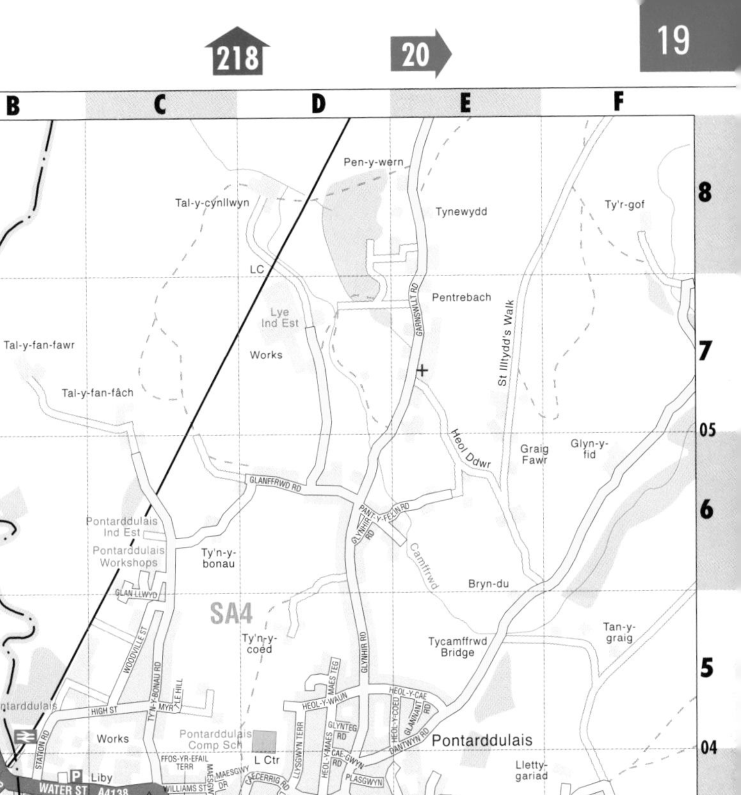

Cilyrystarn

PENTRE RD

Cemy

Castell-ddu

Nant y Garreg

CASTELL DDU RD

Hazeldene

B4296

Waungron

M4

Cwm-y-
llech

BRYNTIRION RD

ALLT-Y-GRABAN RD

PH

A48

8 7 05 6 5 04 4 3 03 2 1 02

58 A B 59 C D 60 E F

43

20

19
219

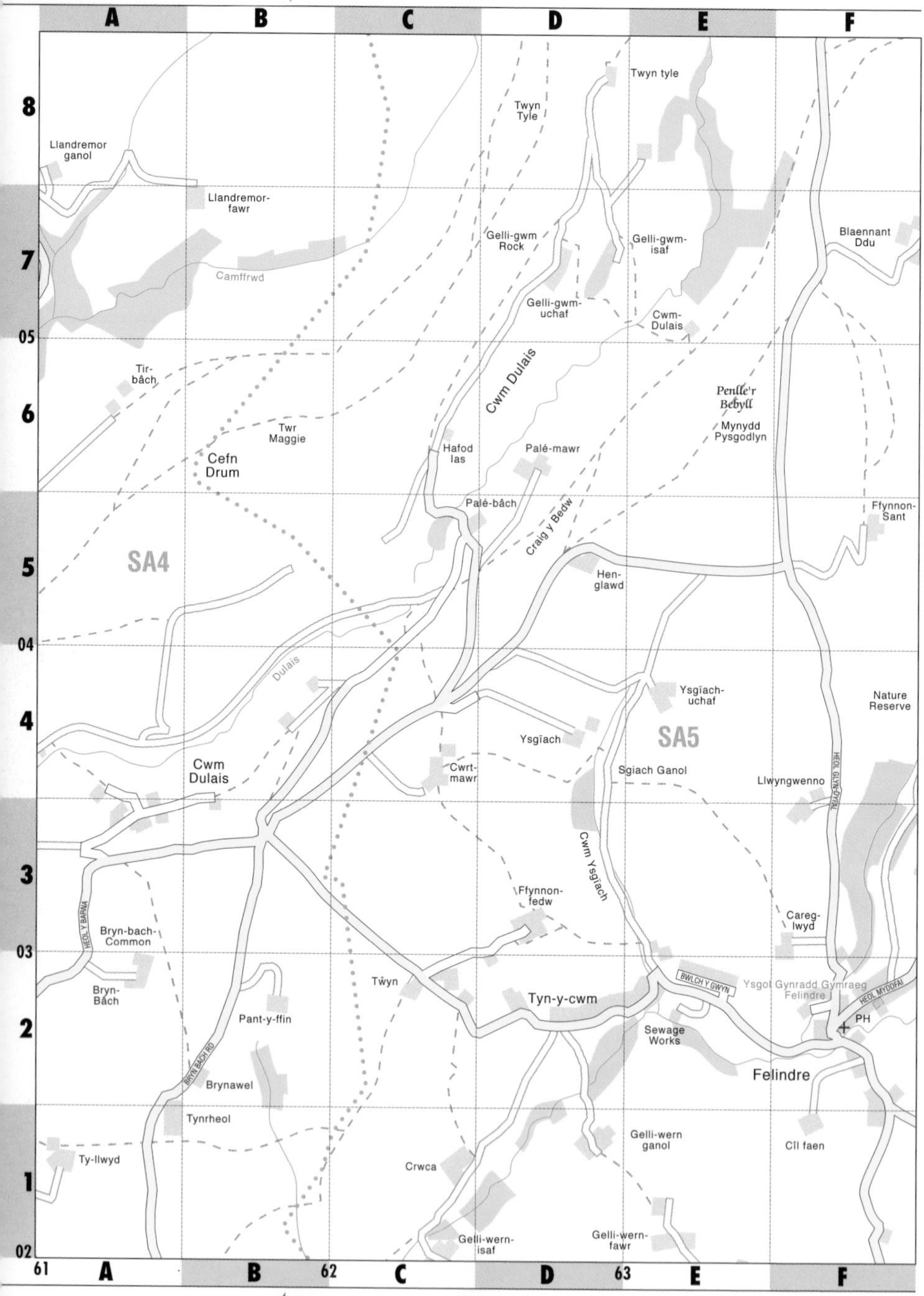

A B C D E F
8
7
05
6
5
04
4
3
03
2
1
02
61 62 63
Llandremor ganol
Llandremor-fawr
Camffrwd
Tir-bâch
Twr Maggie
Cefn Drum
SA4
Twyn Tyle
Twyn tyle
Gelli-gwm Rock
Gelli-gwm-isaf
Gelli-gwm-uchaf
Cwm-Dulais
Cwm Dulais
Hafod las
Palé-mawr
Palé-bâch
Craig y Bedw
Penlle'r Bebyll
Mynydd Pysgodlyn
Blaennant Ddu
Ffynnon-Sant
Hen-glawd
Dulais
Ysgïach-uchaf
Ysgïach
SA5
Nature Reserve
Cwm Dulais
Cwrt-mawr
Sgiach Ganol
Llwyngwenno
HEOL GLYN-DYFAL
Cwm Ysgïach
Ffynnon-fedw
Careg-lwyd
HEOL Y BARNA
Bryn-bach-Common
Bryn-Bâch
Twyn
Tyn-y-cwm
BWLCH Y GWYN
Ysgol Gynradd Gymraeg Felindre
HEOL MYDDFAI
PH
Pant-y-ffin
Sewage Works
Felindre
BRYN BACH RD
Brynawel
Tynrheol
Ty-llwyd
Crwca
Gelli-wern ganol
Cîl faen
Gelli-wern-isaf
Gelli-wern-fawr

19
44

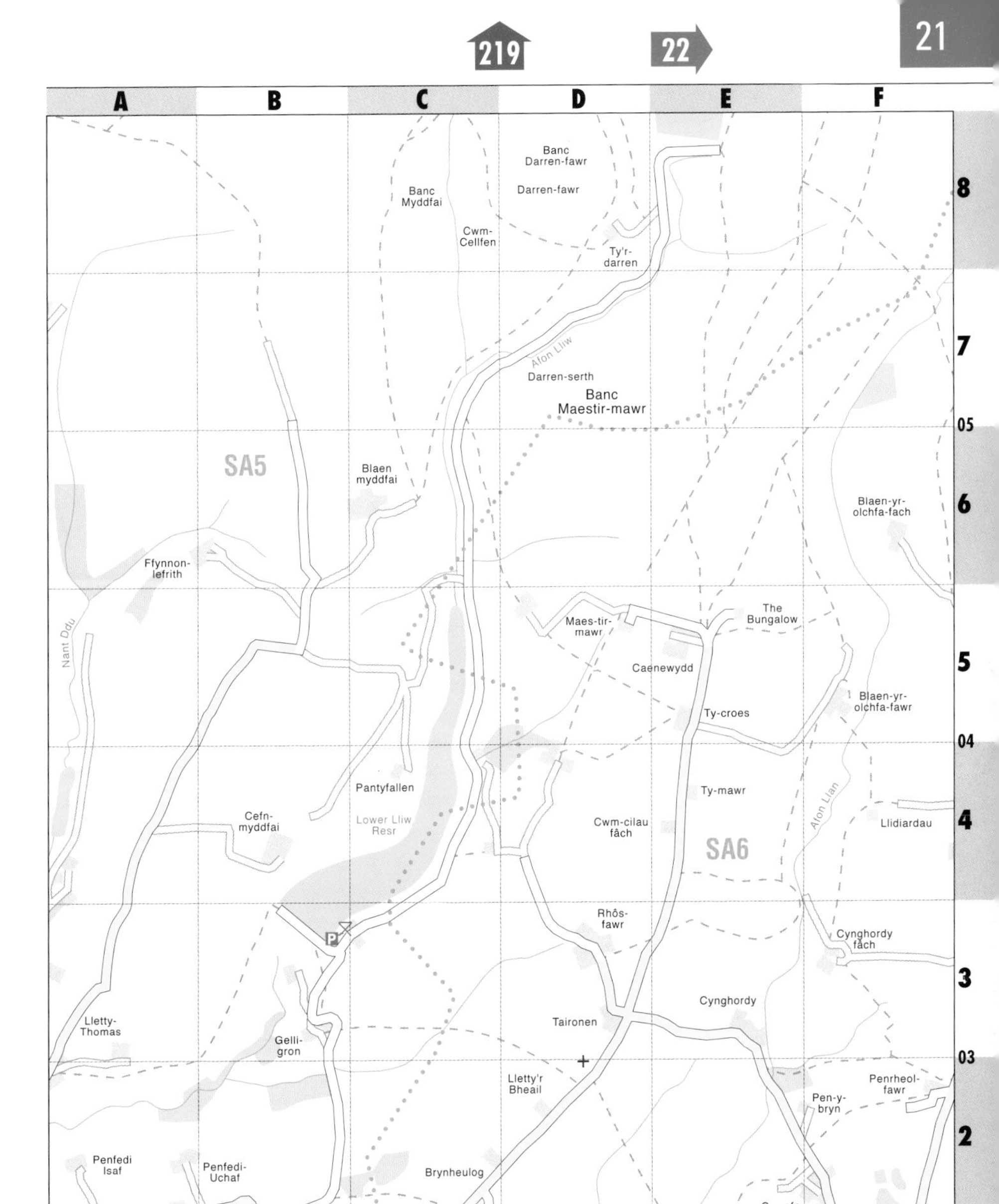
219
22
A
B
C
D
E
F
Banc
Darren-fawr
Darren-fawr
Banc
Myddfai
Cwm-
Cellfen
Ty'r-
darren
8
7
Afon Lliw
Darren-serth
Banc
Maestir-mawr
05
SA5
Blaen
myddfai
6
Blaen-yr-
olchfa-fach
Ffynnon-
lefrith
Nant Ddu
Maes-tir-
mawr
The
Bungalow
5
Caenewydd
Ty-croes
Blaen-yr-
olchfa-fawr
04
Pantyfallen
Ty-mawr
Afon Llan
Cefn-
myddfai
Lower Lliw
Resr
Cwm-cilau
fâch
Llidiardau
4
SA6
Rhôs-
fawr
Cynghordy
fâch
P
3
Cynghordy
Lletty-
Thomas
Taironen
Gelli-
gron
03
Lletty'r
Bheail
Penrheol-
fawr
Pen-y-
bryn
2
Penfedi
Isaf
Penfedi-
Uchaf
Brynheulog
Gwynfa
Rhyd-y-Pandy
Water
Works
1
Llyn-
Meurig
RHYDDWEN RD
Waun y
Garn-wen
PH
02
64
65
66
45
22

21
220

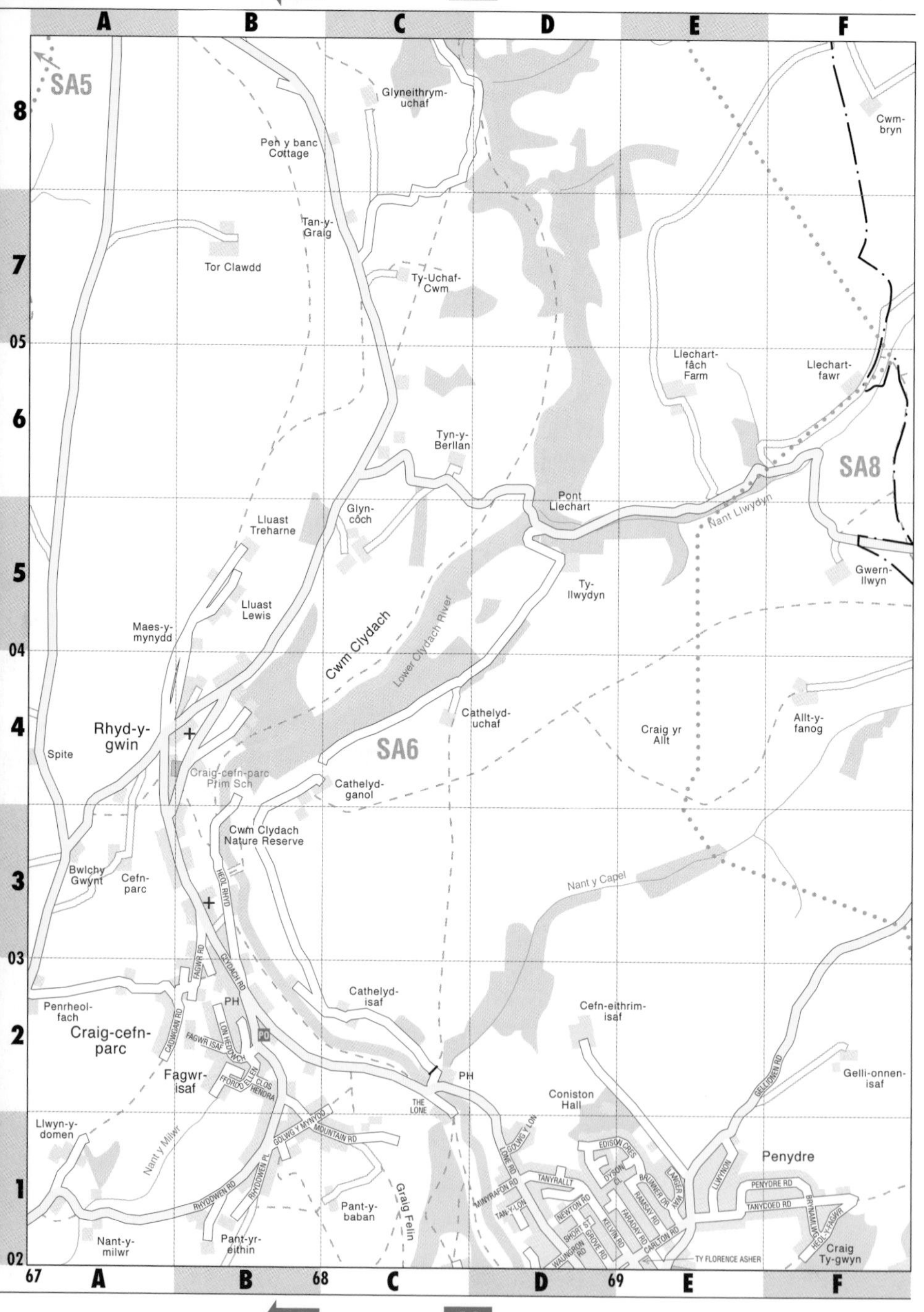
A
B
C
D
E
F
8
7
05
6
5
04
4
3
03
2
1
02
67
68
69
SA5
SA6
SA8
Glyneithrym-
uchaf
Pen y banc
Cottage
Tan-y-
Graig
Tor Clawdd
Ty-Uchaf-
Cwm
Cwm-
bryn
Llechart-
fâch
Farm
Llechart-
fawr
Tyn-y-
Berllan
Pont
Llechart
Nant Llwydyn
Lluast
Treharne
Glyn-
coch
Ty-
llwydyn
Gwern-
llwyn
Lluast
Lewis
Maes-y-
mynydd
Cwm Clydach
Lower Clydach River
Rhyd-y-
gwin
Spite
Craig-cefn-parc
Prim Sch
Cathelyd-
uchaf
Craig yr
Allt
Allt-y-
fanog
Cathelyd-
ganol
Cwm Clydach
Nature Reserve
Bwlchy
Gwynt
Cefn-
parc
Nant y Capel
HEOL RHYD
FAGWR RD
CLYDACH RD
Penrheol-
fach
Craig-cefn-
parc
PH
Cathelyd-
isaf
Cefn-eithrim-
isaf
CADWGAN RD
LON HEDDWCH
FAGWR ISAF
PO
Fagwr-
isaf
FFORDD
ELLEN
CLOS
HENDRA
PH
THE
LONE
Coniston
Hall
GELLIOWEN RD
Gelli-onnen-
isaf
Llwyn-y-
domen
Nant y Milwr
GOLWG Y MYNYDD
MOUNTAIN RD
GOLWG Y LON
LONE RD
EDISON CRES
DYSON CL
LANGER WAY
BAUMNER DR
RAMSAY RD
LLWYNON
Penydre
PENYDRE RD
TANYCOED RD
BRYNAWELON
HEOL-Y-FAGWR
TANYRALLT
MINYRAFON RD
TAN-Y-LON
NEWTON RD
SHORT ST
GROVE RD
KELVIN RD
FARADAY RD
CARLTON RD
WAUNGRON RD
TY FLORENCE ASHER
RHYDDWEN RD
RHYDDWEN PL
Pant-y-
baban
Graig Felin
Nant-y-
milwr
Pant-yr-
eithin
Craig
Ty-gwyn

21
46

220
24

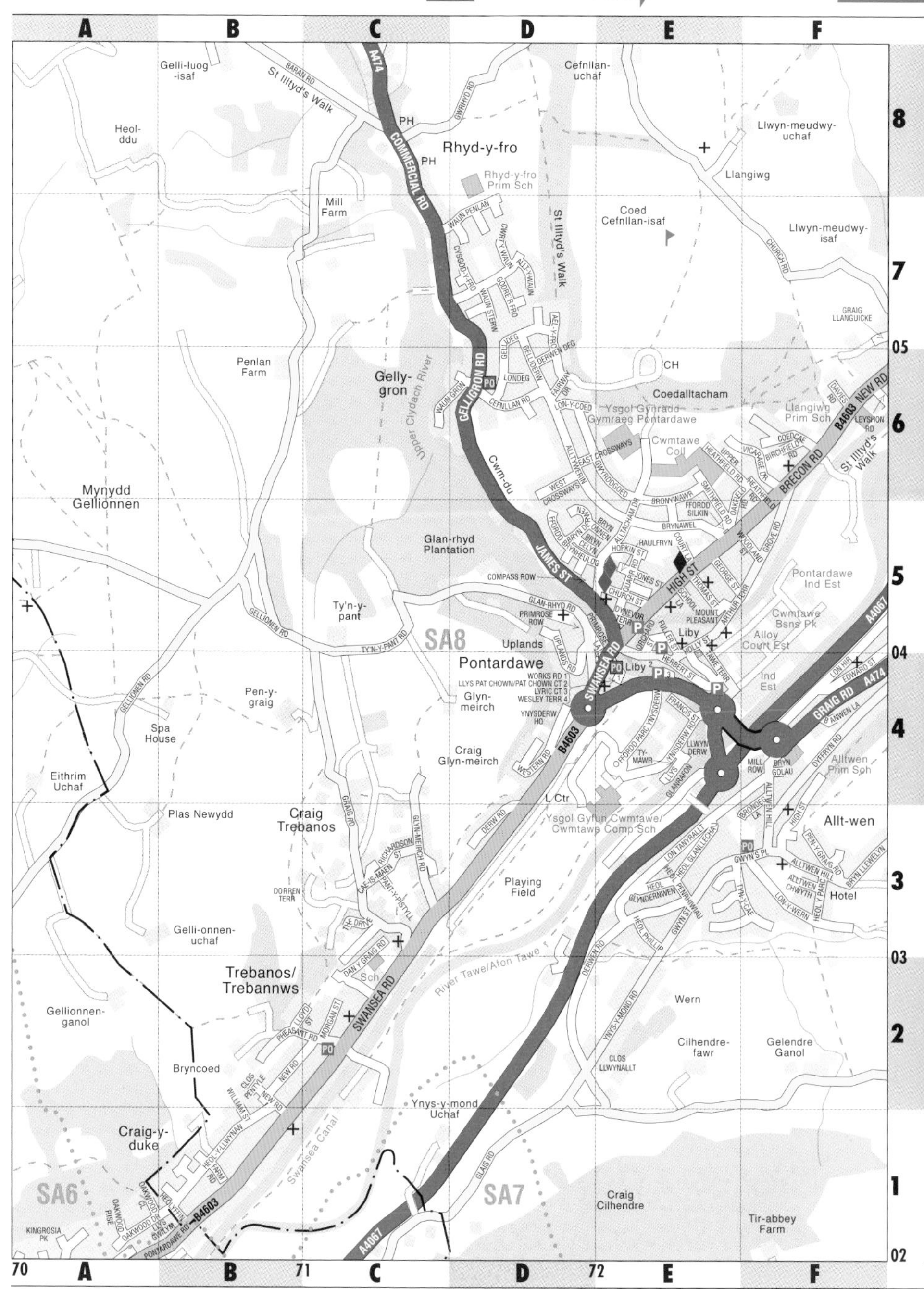
A
B
C
D
E
F
8
7
05
6
5
04
4
3
03
2
1
02
70
71
72
Gelli-luog
-isaf
St Illtyd's Walk
BARAN RD
A474
PH
COMMERCIAL RD
PH
Rhyd-y-fro
Rhyd-y-fro
Prim Sch
Cefnllan-
uchaf
Llwyn-meudwy-
uchaf
Llangiwg
Heol-
ddu
Mill
Farm
WAUN PENLAN
St Illtyd's Walk
Coed
Cefnllan-isaf
Llwyn-meudwy-
isaf
CHURCH RD
GRAIG
LLANGUICKE
Penlan
Farm
Gelly-
gron
Upper Clydach River
GELLIGRON RD
PO
LONDEG
CEFNLLAN RD
CH
Coedalltacham
Ysgol Gynradd
Gymraeg Pontardawe
Cwmtawe
Coll
Llangiwg
Prim Sch
B4603
NEW RD
BRECON RD
St Illtyd's
Walk
Cwm-du
Mynydd
Gellionnen
WEST
CROSSWAYS
EAST CROSSWAYS
BRONYWAWR
FFORDD
SILKIN
BRYNAWEL
Glan-rhyd
Plantation
JAMES ST
HAULFRYN
HIGH ST
COMPASS ROW
Pontardawe
Ind Est
Cwmtawe
Bsns Pk
Alloy
Court Est
Ind
Est
A4067
Ty'n-y-
pant
GELLIONEN RD
TY-N-Y-PANT RD
SA8
Uplands
Pontardawe
PRIMROSE
ROW
GLAN-RHYD RD
Liby
Liby
WORKS RD 1
LLYS PAT CHOWN/PAT CHOWN CT 2
LYRIC CT 3
WESLEY TERR 4
Glyn-
meirch
SWANSEA RD
GRAIG RD
A474
Pen-y-
graig
Spa
House
YNYSDERW
HO
B4603
Craig
Glyn-meirch
WESTERN RD
TY-
MAWR
MILL
ROW
BRYN
GOLAU
Alltwen
Prim Sch
Eithrim
Uchaf
GELLIONEN RD
Plas Newydd
Craig
Trebanos
GRAIG RD
L Ctr
Ysgol Gyfun Cwmtawe/
Cwmtawe Comp Sch
Allt-wen
PO
Playing
Field
Hotel
DORREN
TERR
Gelli-onnen-
uchaf
THE DRIVE
Trebanos/
Trebannws
Sch
River Tawe/Afon Tawe
Gellionnen-
ganol
SWANSEA RD
PO
Wern
Cilhendre-
fawr
Gelendre
Ganol
Bryncoed
CLOS
LLWYNALLT
Ynys-y-mond
Uchaf
Craig-y-
duke
Swansea Canal
GLAIS RD
SA6
B4603
SA7
Craig
Cilhendre
Tir-abbey
Farm
A4067
KINGROSIA
PK
PONTARDAWE RD

47
24

23
221

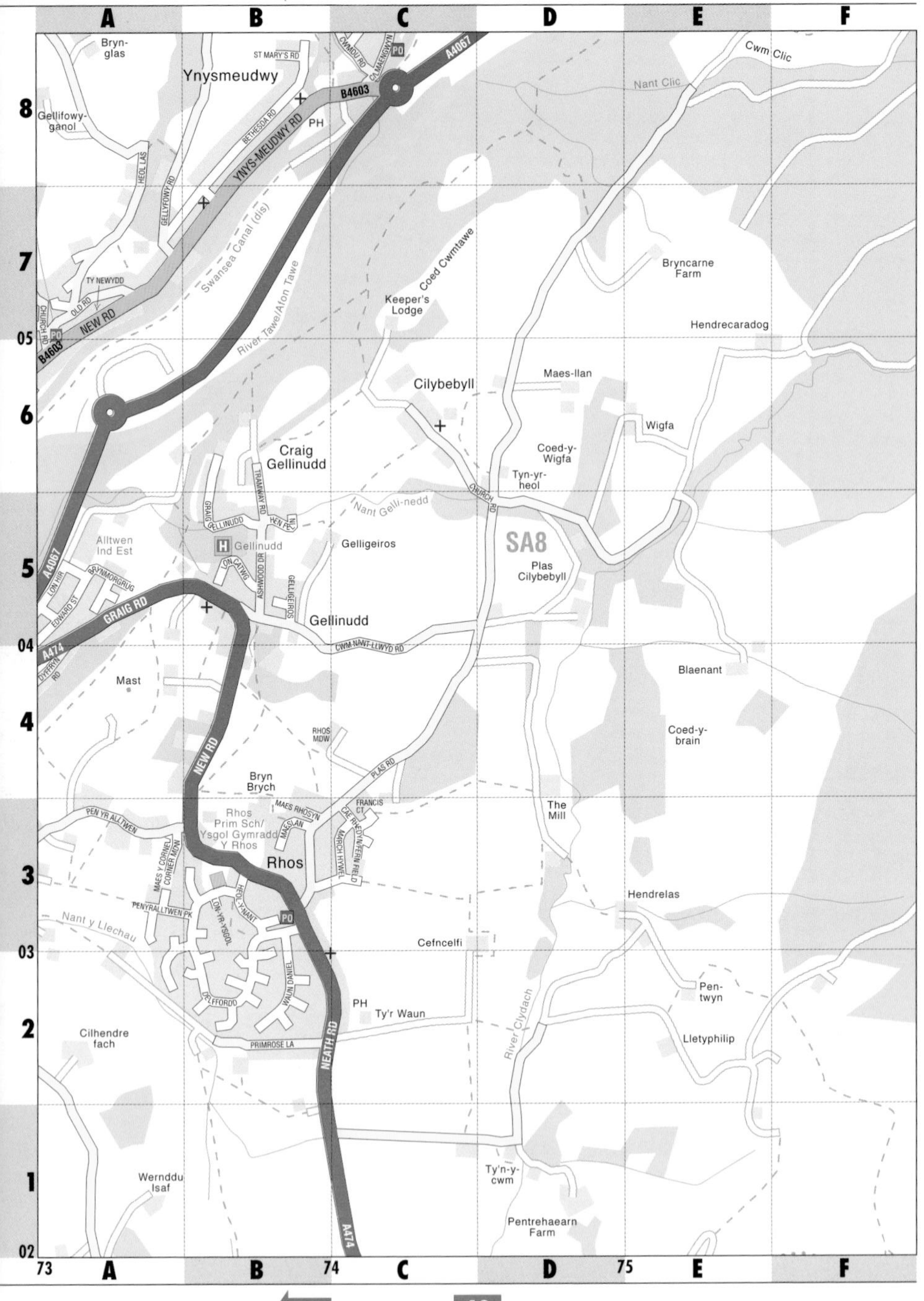
A
B
C
D
E
F
Bryn-glas
Ynysmeudwy
ST MARY'S RD
Cwm Clic
Nant Clic
A4067
B4603
PH
Gellifowy-ganol
BETHESDA RD
YNYS-MEUDWY RD
HEOL LAS
GELLYFOWY RD
Swansea Canal (dis)
Coed Cwmtawe
TY NEWYDD
OLD RD
NEW RD
CHURCH RD
B4603
River Tawe/Afon Tawe
Keeper's Lodge
Bryncarne Farm
Hendrecaradog
Cilybebyll
Maes-llan
Wigfa
Craig Gellinudd
Coed-y-Wigfa
Tyn-yr-heol
CHURCH RD
Nant Gelli-nedd
TRAMWAY RD
GELLINUDD
HEN PEN
SA8
Alltwen Ind Est
Gellinudd
Gelligeiros
A4067
LON HIR
BRYNMORGRUG
LON CATWG
ASHWOOD DR
GELLIGEIROS
Plas Cilybebyll
EDWARD ST
GRAIG RD
Gellinudd
CWM NANT-LLWYD RD
A474
DYFFRYN RD
Mast
Blaenant
Coed-y-brain
RHOS MDW
NEW RD
PLAS RD
Bryn Brych
PEN YR ALLTWEN
MAES RHOSYN
FRANCIS CT
The Mill
Rhos Prim Sch/ Ysgol Gymradd Y Rhos
MAESLAN
CAE RHEDYN
FERN FIELD
MARCH HYWEL
MAES Y CORNEL
CORNER MDW
Rhos
Hendrelas
PENYRALLTWEN PK
LON-YR-YSGOL
HEOL-Y-NANT
PO
Nant y Llechau
Cefncelfi
Pen-twyn
DELFFORDD
WAUN DANIEL
PH
Ty'r Waun
River Clydach
Cilhendre fach
Lletyphilip
PRIMROSE LA
NEATH RD
Wernddu Isaf
Ty'n-y-cwm
Pentrehaearn Farm
A474
8
7
6
5
4
3
2
1
05
04
03
02
73
74
75

23
48

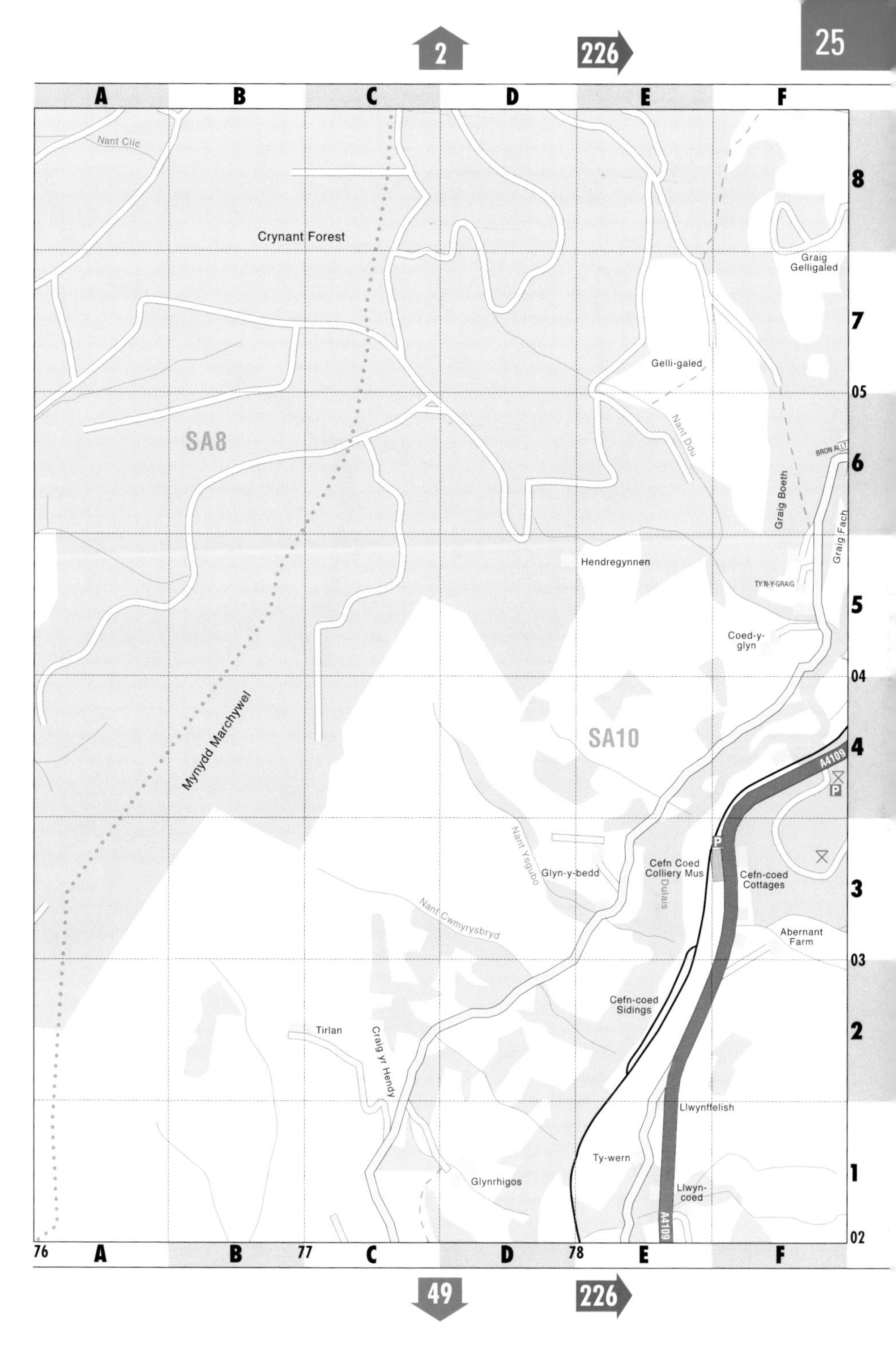
2
226
A
B
C
D
E
F
Nant Clic
Crynant Forest
Graig
Gelligaled
Gelli-galed
SA8
Nant Ddu
BRON ALLT
Graig Boeth
Graig Fach
Hendregynnen
TY N-Y-GRAIG
Coed-y-
glyn
SA10
A4109
Mynydd Marchywel
Nant Ysgubo
Glyn-y-bedd
Cefn Coed
Colliery Mus
Dulais
Cefn-coed
Cottages
Nant Cwmyrysbryd
Abernant
Farm
Cefn-coed
Sidings
Tirlan
Craig yr Hendy
Llwynffelish
Ty-wern
Glynrhigos
Llwyn-
coed
A4109
8
7
05
6
5
04
4
3
03
2
1
02
76
77
78
49
226

227
224

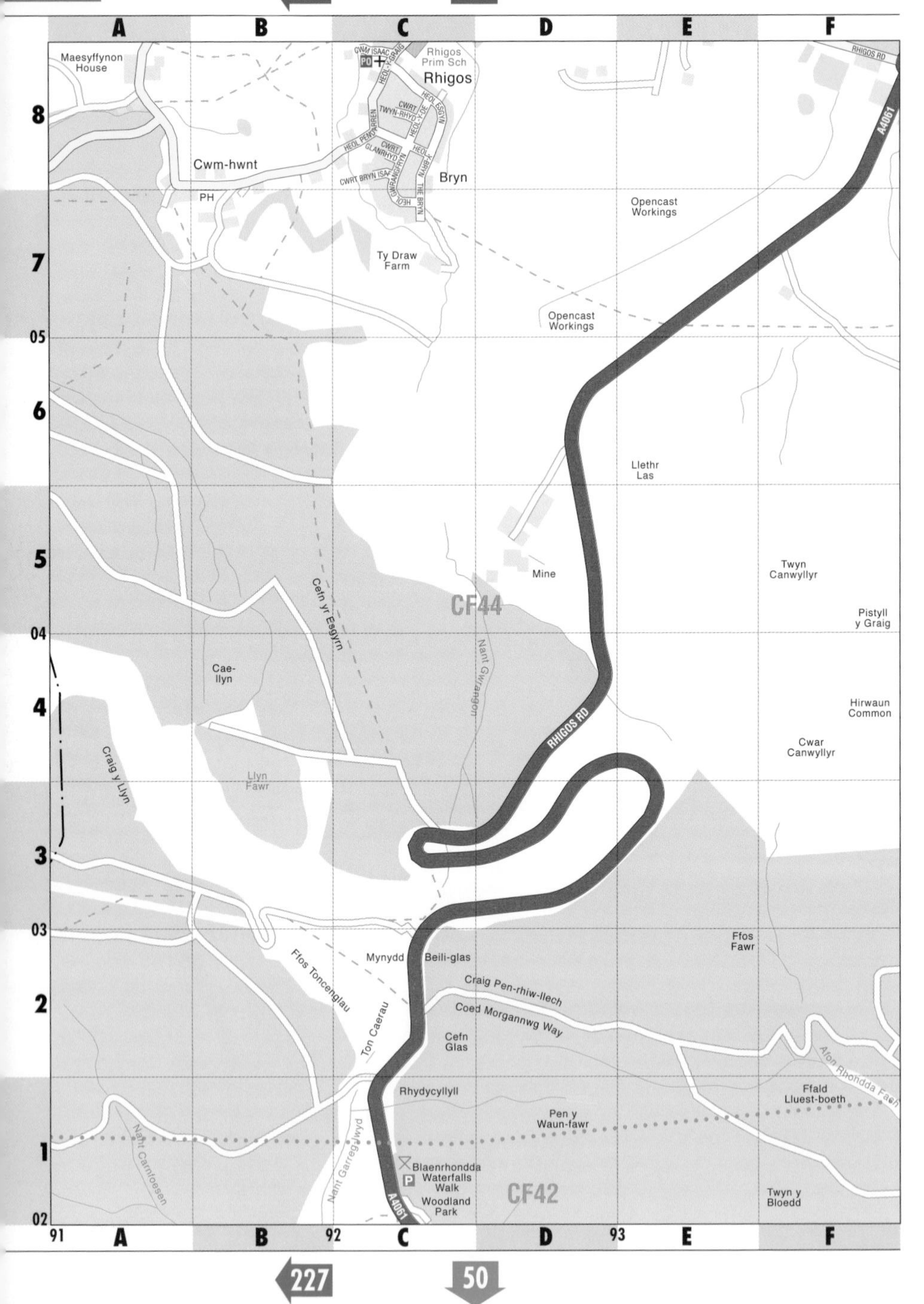

227
50

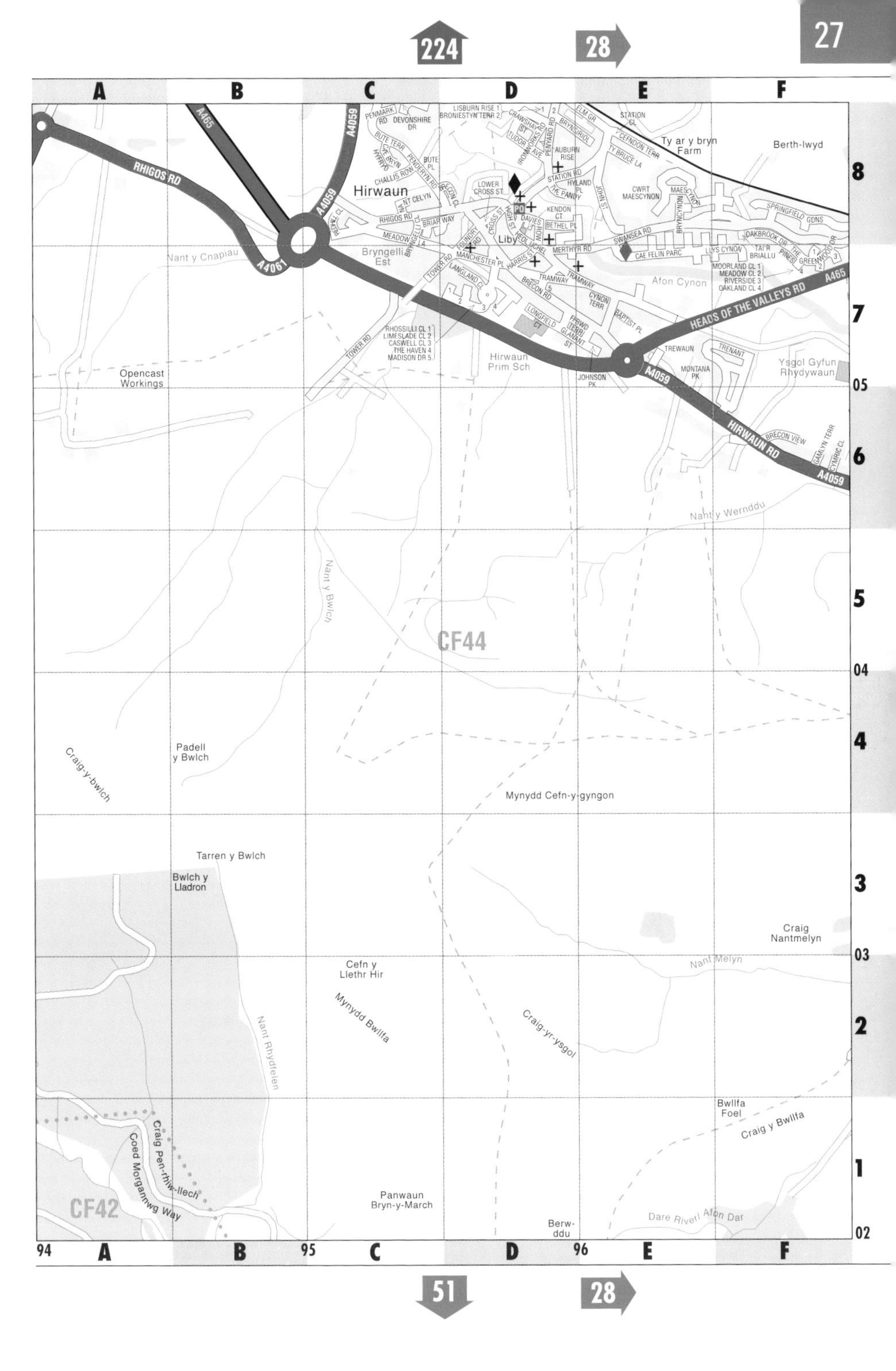
224
28
A
B
C
D
E
F
RHIGOS RD
A465
A4059
A4061
Hirwaun
Bryngelli Est
Nant y Cnapiau
Liby
Ty ar y bryn Farm
Berth-lwyd
Afon Cynon
HEADS OF THE VALLEYS RD
A465
Hirwaun Prim Sch
A4059
HIRWAUN RD
Ysgol Gyfun Rhydywaun
Opencast Workings
Nant y Wernddu
Nant y Bwlch
CF44
Padell y Bwlch
Craig-y-bwlch
Mynydd Cefn-y-gyngon
Tarren y Bwlch
Bwlch y Lladron
Craig Nantmelyn
Nant Melyn
Cefn y Llethr Hir
Mynydd Bwllfa
Craig-yr-ysgol
Nant Rhydfelen
Bwllfa Foel
Craig y Bwllfa
Craig Pen-rhiw-llech
Coed Morgannwg Way
CF42
Panwaun Bryn-y-March
Berw-ddu
Dare River/ Afon Dar
8
7
05
6
5
04
4
3
03
2
1
02
94
95
96
51
28

27
225

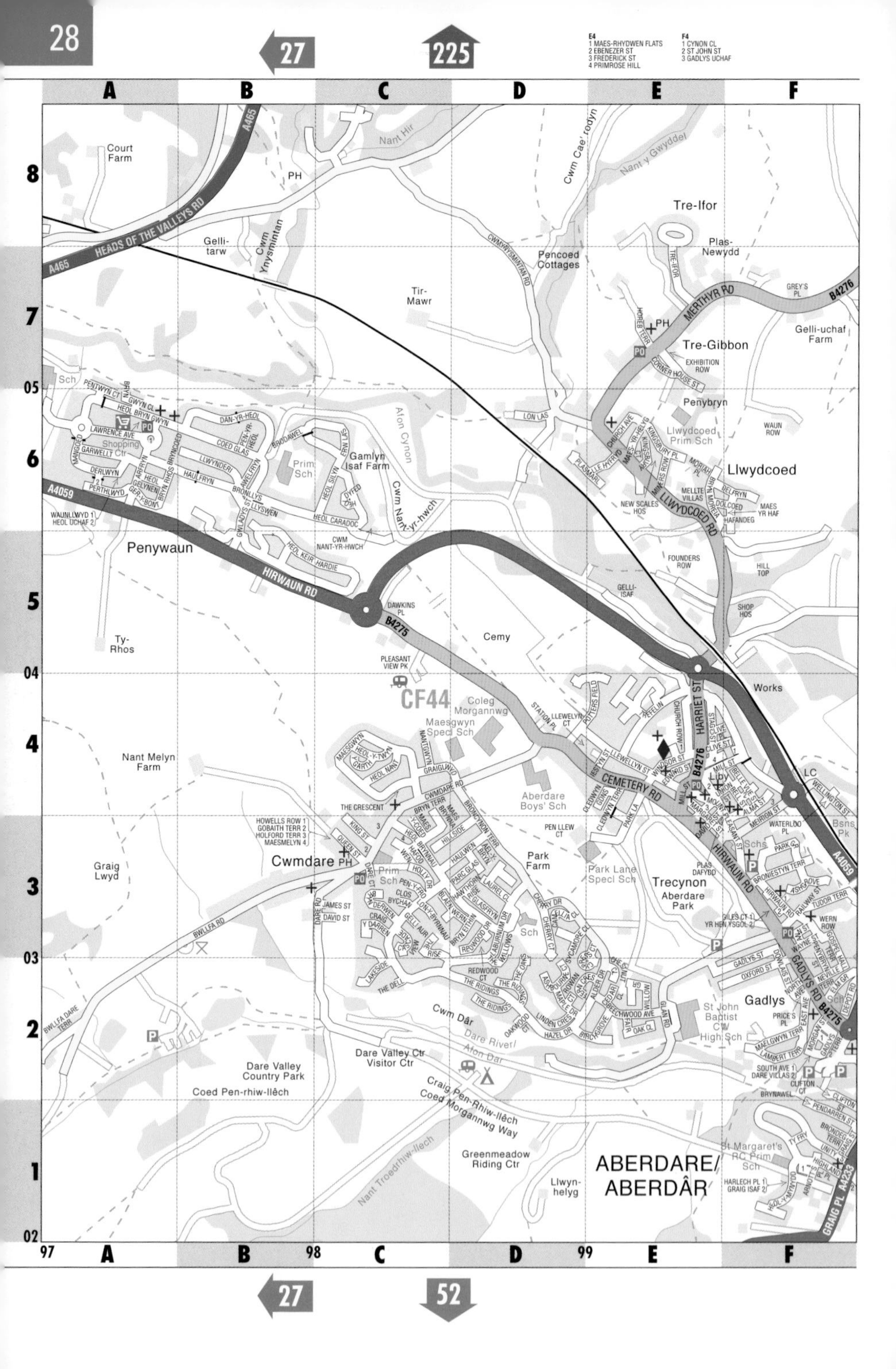
E4
1 MAES-RHYDWEN FLATS
2 EBENEZER ST
3 FREDERICK ST
4 PRIMROSE HILL
F4
1 CYNON CL
2 ST JOHN ST
3 GADLYS UCHAF
A
B
C
D
E
F
8
7
05
6
5
04
4
3
03
2
1
02
97
98
99
Court Farm
PH
Nant Hir
Cwm Cae' rodyn
Nant y Gwyddel
Tre-Ifor
A465
HEADS OF THE VALLEYS RD
Gelli-tarw
Cwm Ynysmintan
CWMYNYSMINTAN RD
Pencoed Cottages
Plas-Newydd
TRE-IFOR
MERTHYR RD
GREY'S PL
B4276
Tir-Mawr
HOREB TERR
PH
Tre-Gibbon
Gelli-uchaf Farm
PO
EXHIBITION ROW
CORNER HOUSE ST
Penybryn
Sch
PENTWYN CT
BRYN GWYN CL
HEOL BRYN GWYN
DAN-YR-HEOL
PEN-YR-HEOL
COED GLAS
LAWRENCE AVE
Shopping Ctr
MANGOED
GARWELLT
DERLWYN
PERTHLWYD
LLWYNDERI
HAULFRYN
BRODAWEL
Prim Sch
Gamlyn Isaf Farm
Afon Cynon
LON LAS
CHURCH AVE
Llwydcoed Prim Sch
WAUN ROW
Llwydcoed
HEOL SILYN
Cwm Nant-yr-hwch
A4059
WAUNLLWYD 1
HEOL UCHAF 2
BRONLLYS
LLYSWEN
HEOL CARADOC
CWM NANT-YR-HWCH
NEW SCALES HOS
MELLTE VILLAS
DOLCOED
HAFANDEG
MAES YR HAF
LLWYDCOED RD
Penywaun
HEOL KEIR HARDIE
HIRWAUN RD
FOUNDERS ROW
HILL TOP
GELLI-ISAF
DAWKINS PL
B4275
SHOP HOS
Cemy
Ty-Rhos
PLEASANT VIEW PK
Works
CF44
Coleg Morgannwg
STATION PL
LLEWELYN CT
POTTERS FIELD
HARRIET ST
Maesgwyn Specl Sch
Nant Melyn Farm
HEOL-Y-GARTH
HEOL NANT
GRAIGLWYD
CWMDARE RD
LLEWELLYN ST
WINDSOR ST
EDWARD ST
CEMETERY RD
MILL ST
LC
WELLINGTON ST
THE CRESCENT
Aberdare Boys' Sch
PARK LA
Bsns Pk
HOWELLS ROW 1
GOBAITH TERR 2
HOLFORD TERR 3
MAESMELYN 4
KING ST
QUEEN ST
BRYN TERR
HILLSIDE
BRONCYNON TERR
PEN LLEW CT
WATERLOO PL
Schs
Graig Lwyd
Cwmdare
PH
Prim Sch
Park Farm
Park Lane Specl Sch
PLAS DAFYDD
BRONIESTYN TERR
Trecynon
Aberdare Park
TUDOR TERR
PO
HAWTHORN RISE
GLASFRYN
LAUREL CL
CHERRY DR
CHERRY CT
JAMES ST
DAVID ST
DARE RD
GILES CT 1
YR HEN YSGOL 2
WERN ROW
BWLLFA RD
Sch
GADLYS ST
OXFORD ST
REDWOOD CT
THE RIDINGS
THE DELL
LAKESIDE
Gadlys
GADLYS RD
BWLLFA DARE TERR
Cwm Dâr
BEECHWOOD AVE
LINDEN CRES
HAZEL DR
St John Baptist CW High Sch
PRICE'S PL
MAELGWYN TERR
LAMBERT TERR
P
Dare River/ Afon Dar
Dare Valley Country Park
Dare Valley Ctr Visitor Ctr
SOUTH AVE 1
DARE VILLAS 2
CLIFTON CT
Coed Pen-rhiw-llêch
Craig Pen-Rhiw-llêch
Coed Morgannwg Way
BRYNAWEL
PENDARREN ST
Greenmeadow Riding Ctr
Nant Troedrhiw-llech
Llwyn-helyg
ABERDARE/ ABERDÂR
St Margaret's RC Prim Sch
HARLECH PL 1
GRAIG ISAF 2
HIGHLAND PL
GRAIG PL A4233

27
52

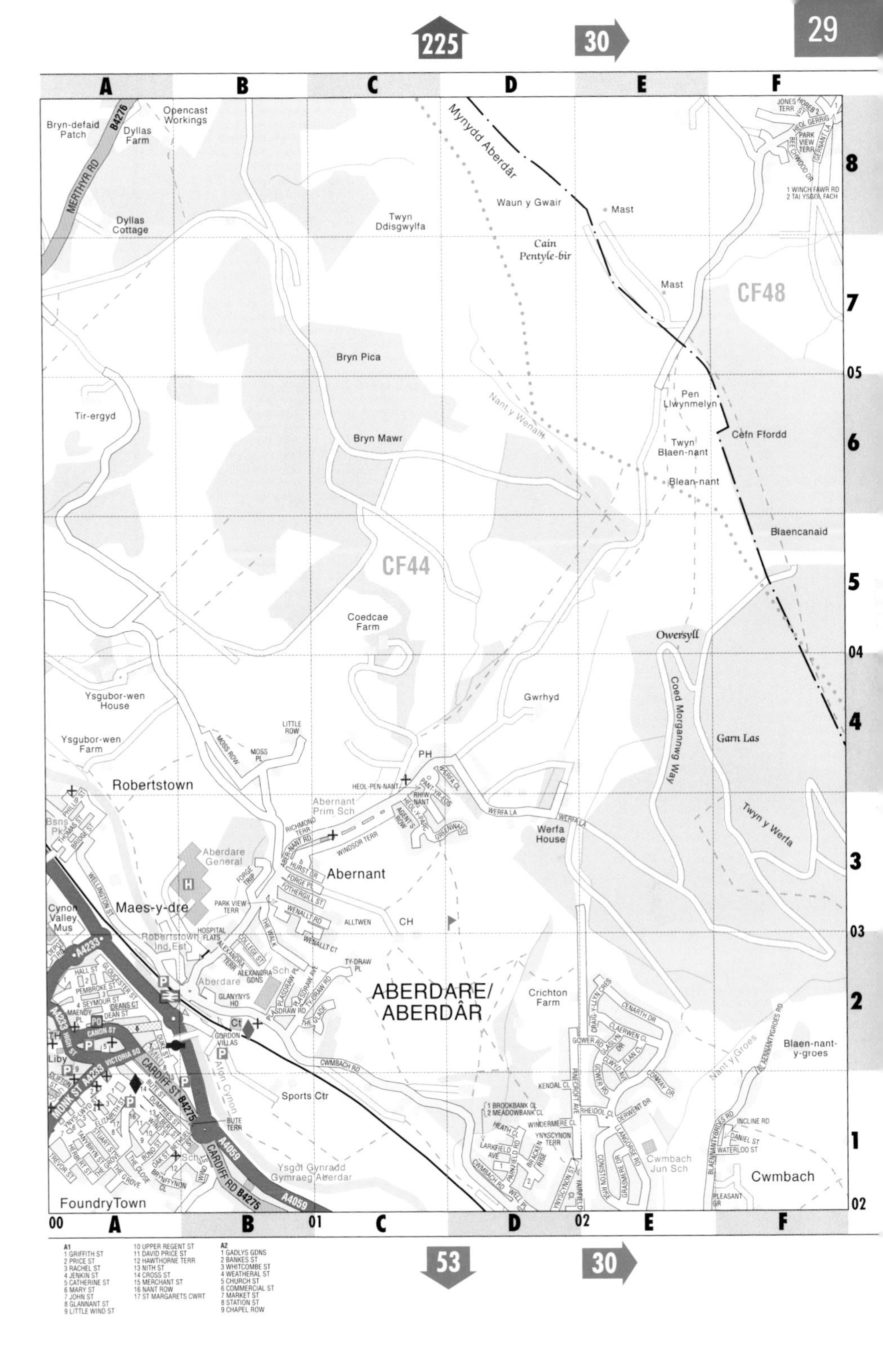
29
225
30
53
30
A
B
C
D
E
F
8
7
05
6
5
04
4
3
03
2
1
02
00
01
02
Bryn-defaid Patch
Dyllas Farm
Opencast Workings
MERTHYR RD
B4276
Dyllas Cottage
Mynydd Aberdâr
Waun y Gwair
Mast
Twyn Ddisgwylfa
Cain Pentyle-bir
Mast
CF48
JONES TERR
HOREB ST
HEOL GERRIG
PARK VIEW TERR
GERNANT LA
BEECHWOOD DR
1 WINCH FAWR RD
2 TAI YSGOL FACH
Bryn Pica
Tir-ergyd
Pen Llwynmelyn
Nant y Wenallt
Bryn Mawr
Twyn Blaen-nant
Cefn Ffordd
Blean-nant
Blaencanaid
CF44
Coedcae Farm
Owersyll
Coed Morgannwg Way
Ysgubor-wen House
Gwrhyd
Ysgubor-wen Farm
Garn Las
LITTLE ROW
MOSS ROW
MOSS PL
PH
Robertstown
HEOL-PEN-NANT
PANT-YR-EOS
WERFA CL
RHIW NANT
HEOL-Y-PARC
AGENT'S ROW
GREENWAYS
WERFA LA
Twyn y Werfa
Abernant Prim Sch
RICHMOND TERR
ABER-NANT RD
WINDSOR TERR
Werfa House
Bsns Pk
PHILIP ST
THOMAS ST
BRIDGE ST
Aberdare General
H
HURST GR
FORGE TRIP
FORGE PL
Abernant
FOTHERGILL ST
WENALLT RD
WELLINGTON ST
Cynon Valley Mus
Maes-y-dre
PARK VIEW TERR
ALLTWEN
CH
HOSPITAL FLATS
THE WALK
WENALLT CT
Robertstown Ind Est
ALEXANDRA TERR
COLLEGE ST
ALEXANDRA GDNS
TY-DRAW PL
Sch
A4233
HALL ST
GLOUCESTER ST
PEMBROKE ST
Aberdare
PLASDRAW PL
PLASDRAW AVE
TY-DRAW RD
ABERDARE/ ABERDÂR
Crichton Farm
CRAIG-Y-LLYN CRES
CENARTH DR
SEYMOUR ST
DEANS CT
GLANYNYS RD
PLASDRAW RD
THE GLADE
MAENDY PL
DEAN ST
PO
CANON ST
HIGH ST
Ct
GORDON VILLAS
TH
Liby
VICTORIA SQ
P
DUKE ST
CARDIFF ST
Afon Cynon
CWMBACH RD
GOWER RD
GLASLYN DR
CLAERWEN CL
ELAN CL
CLWYD AVE
GOWER RD
CONWAY DR
Nant y Groes
BLAENNANTYGROES RD
Blaen-nant-y-groes
CLIFTON
MONK ST
A4233
BUTE ST
DUMFRIES ST
B4275
Sports Ctr
KENDAL CL
PINECROFT AVE
RHEIDOL CL
DERWENT DR
1 BROOKBANK CL
2 MEADOWBANK CL
WINDERMERE CL
INCLINE RD
YNYS-LWYD ST
ELIZABETH ST
ALBERT ST
WIND ST
BETHEL ST
BUTE TERR
HEATH CL
YNYSCYNON TERR
LANGORSE RD
DANIEL ST
WATERLOO ST
TANYBRYN ST
STUART ST
BOND ST
A4059
LARKFIELD AVE
PARKFIELD RD
BRACKEN RISE
Cwmbach Jun Sch
TREVOR ST
HERBERT ST
THE GROVE
THE CLOSE
OAK ST
BRYNFFYNON CL
CARDIFF RD B4275
Ysgol Gynradd Gymraeg Aberdar
CWMBACH RD
WELL PL
YNYSCYNON ST
FAIRFIELD CL
CONISTON RISE
GRASMERE DR
BLAENNANTYGROES RD
PLEASANT GR
Cwmbach
FoundryTown
A4059
A1
1 GRIFFITH ST
2 PRICE ST
3 RACHEL ST
4 JENKIN ST
5 CATHERINE ST
6 MARY ST
7 JOHN ST
8 GLANNANT ST
9 LITTLE WIND ST
10 UPPER REGENT ST
11 DAVID PRICE ST
12 HAWTHORNE TERR
13 NITH ST
14 CROSS ST
15 MERCHANT ST
16 NANT ROW
17 ST MARGARETS CWRT
A2
1 GADLYS GDNS
2 BANKES ST
3 WHITCOMBE ST
4 WEATHERAL ST
5 CHURCH ST
6 COMMERCIAL ST
7 MARKET ST
8 STATION ST
9 CHAPEL ROW

29
10

E8
1 GILAR ST
2 COURT ST
3 TRAMROAD SIDE N
4 COBDEN PL
5 CROSS THOMAS ST
6 WINDSOR TERR
7 MILTON TERR
8 MILTON PL
9 NEWTON TERR
10 FOUNDRY PL
11 TWYNYRODYN RD
12 COURT TERR
13 COEDCAE'R CWRT
14 DAVIES TERR
15 BAILLIE GLAS CT
16 CATHERINE'S CT
17 RUSSELL TERR
18 DYKE ST
19 WILLIAM ST
20 ALEXANDRA TERR
21 JENKINS PL
22 MORRELL ST
23 JAMES ST
24 ST JOHN'S GDNS
25 PHILIPS TERR
26 HAMPTON PL
27 PATRICIA CL
28 LINCOLN TERR
29 THE ARCHES

F8
1 PENUEL ST
2 PARFITT TERR
3 BRYONY CL
4 AERON TERR
5 WILLIAMS TERR
6 EVANS TERR
7 ARFRYN TERR
8 DALTON CL

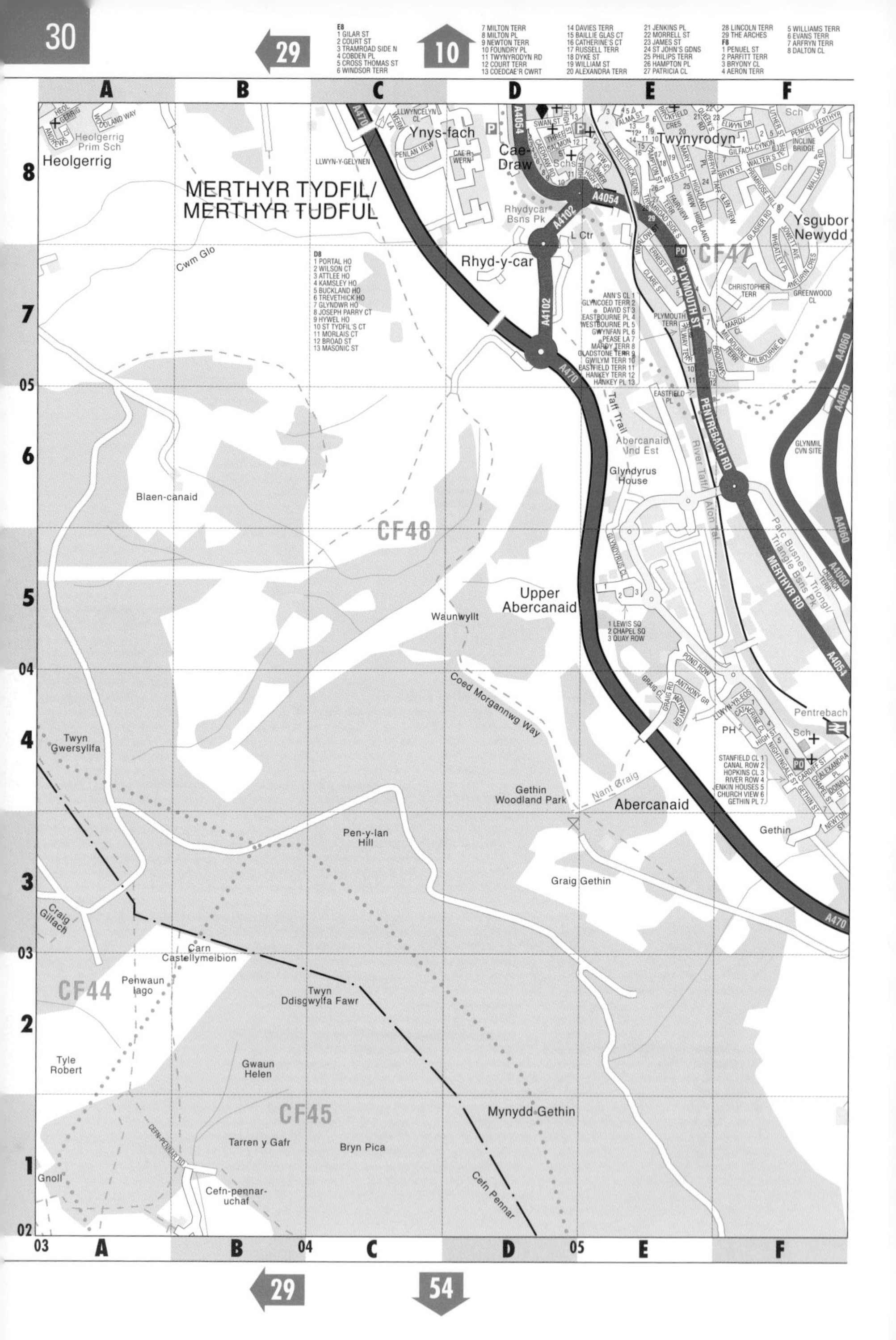

29
54

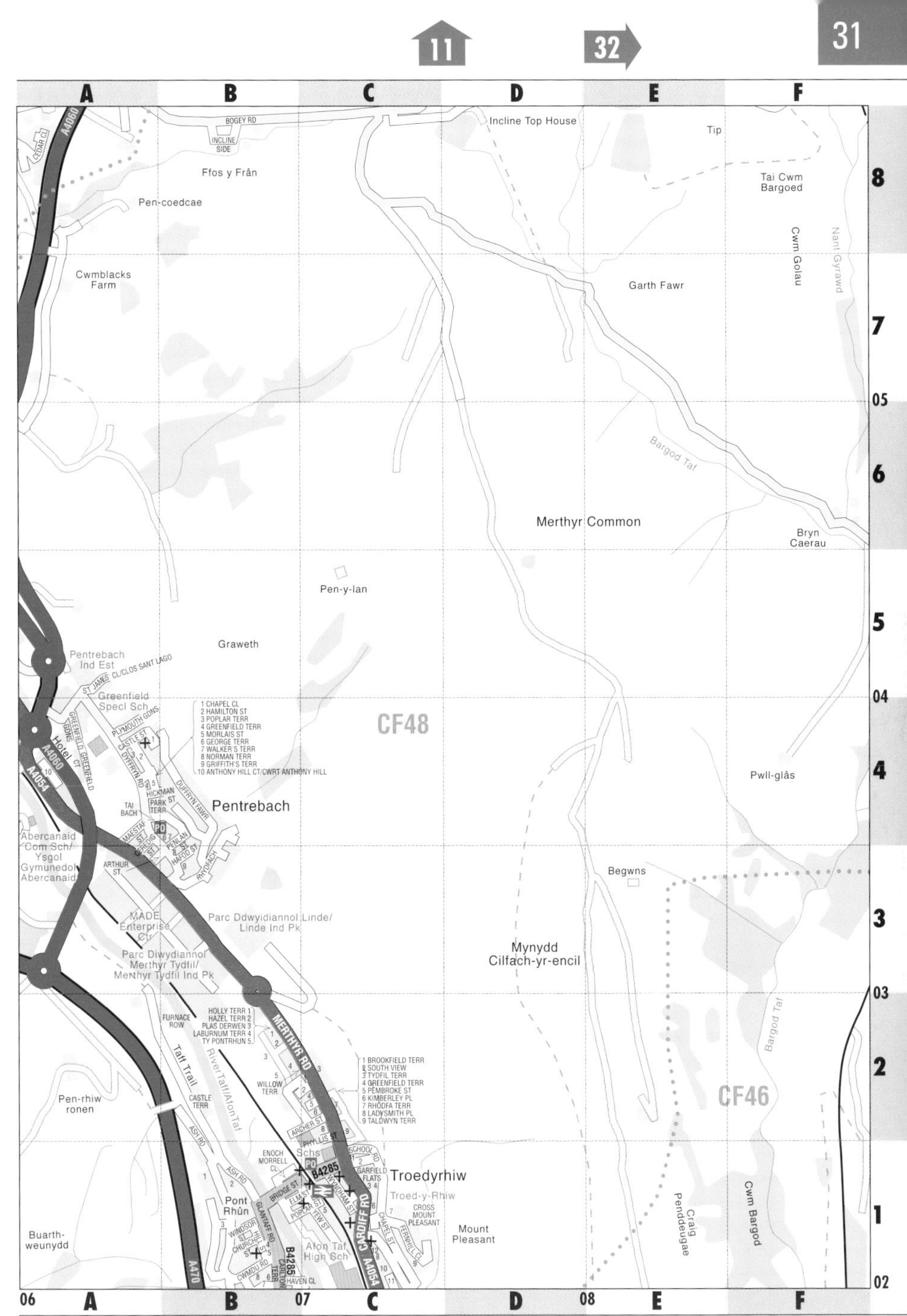

A B 07 C D 08 E F

B1
1 PLANTATION SQ
2 HARRIET TOWN
3 NANT-Y-COED
4 WESTBOURNE PL
5 GLYNTAFF CT
6 HAWARDEN PL
7 ANGUS ST
8 LLANRHYD

C1
1 VICTORIA BLDGS
2 TYNTALDWYN RD
3 INDUSTRIAL TERR
4 MORGAN JONES SQ
5 POPLAR MEWS
6 THOMAS JONES SQ
7 UPPER MOUNT PLEASANT
8 ASH VILLAS
9 LOWER MOUNT PLEASANT
10 PLEASANT VIEW
11 HENRY RICHARD ST
12 ZION CL

55
32

31
12

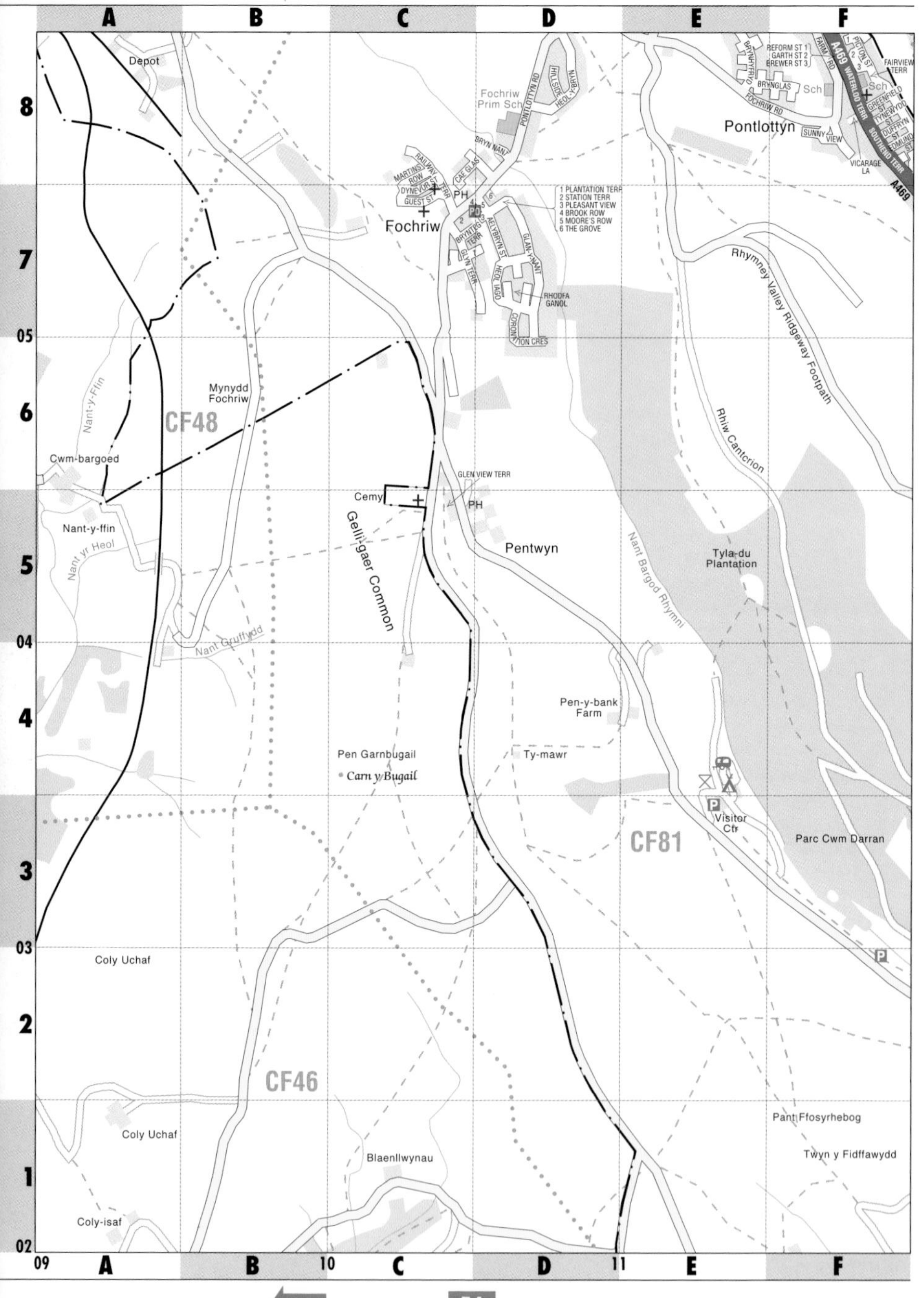
A
B
C
D
E
F
8
7
05
6
5
04
4
3
03
2
1
02
09
10
11
Depot
Fochriw Prim Sch
PONTLOTTYN RD
HILLSIDE
HEOL-Y-BRYN
BRYN NANT
RAILWAY TERR
MARTINS ROW
DYNEVOR ST
GUEST ST
CAE GLAS
PH
PO
Fochriw
1 PLANTATION TERR
2 STATION TERR
3 PLEASANT VIEW
4 BROOK ROW
5 MOORE'S ROW
6 THE GROVE
BRYNTEG
TERR
GLYN TERR
HEOL IAGO
GLAN-Y-NANT
RHODFA GANOL
REFORM ST 1
GARTH ST 2
BREWER ST 3
BRYNGLAS
Sch
FOCHRIW RD
Pontlottyn
SUNNY VIEW
VICARAGE LA
A469
FAIRVIEW TERR
GREENFIELD ST
TYNEWYDD
DUFFRYN ST
WATERLOO TERR
SOUTHEND TERR
Rhymney Valley Ridgeway Footpath
Rhiw Cantcrion
Mynydd Fochriw
CF48
Nant-y-Ffin
Cwm-bargoed
Nant-y-ffin
Nant yr Heol
Cemy
GLEN VIEW TERR
PH
Gelligaer Common
Pentwyn
Nant Bargod Rhymni
Tyla-du Plantation
Nant Gruffydd
Pen-y-bank Farm
Ty-mawr
Pen Garnbugail
Carn y Bugail
Visitor Ctr
CF81
Parc Cwm Darran
Coly Uchaf
CF46
Coly Uchaf
Blaenllwynau
Pant Ffosyrhebog
Twyn y Fidffawydd
Coly-isaf

31
56

13

34

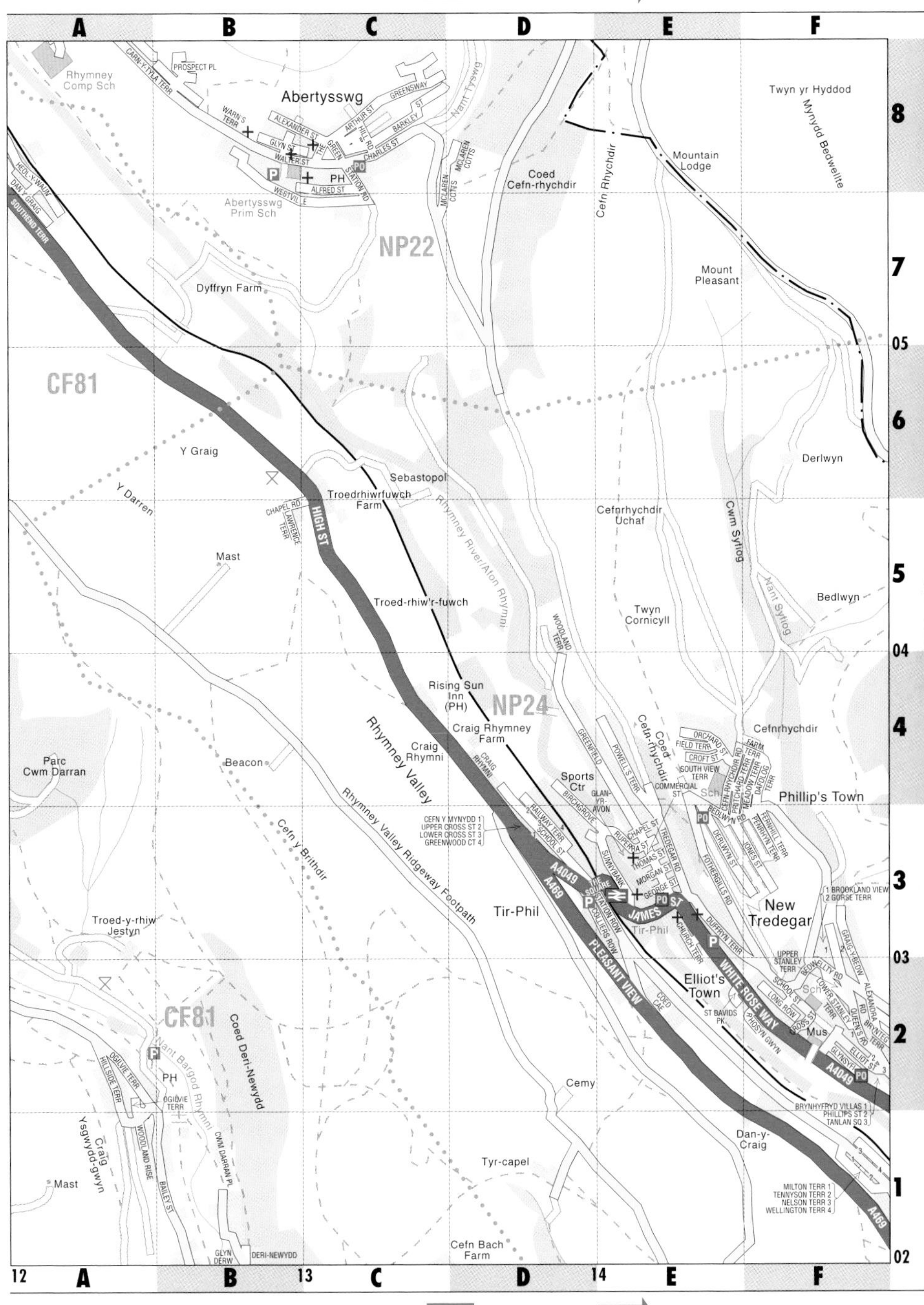
A
B
C
D
E
F
8
7
6
5
4
3
2
1
05
04
03
02
12
13
14
Rhymney Comp Sch
Abertysswg
Abertysswg Prim Sch
Carn-y-Tyla Terr
Prospect Pl
Warn's Terr
Alexander St
Arthur St
Greensway
Hill Rd
Barkley St
Glyn St
The Green
Charles St
Walter St
Station Rd
Alfred St
Westville
PH
PO
McLaren Cotts
Nant Fyswg
Heol-y-Waun
Dan-y-Graig
Southend Terr
Coed Cefn-rhychdir
Cefn Rhychdir
Twyn yr Hyddod
Mynydd Bedwellte
Mountain Lodge
NP22
Mount Pleasant
Dyffryn Farm
CF81
Y Graig
Y Darren
Sebastopol
Troedrhiwrfuwch Farm
Chapel Rd
Lawrence Terr
High St
Rhymney River/Afon Rhymni
Derlwyn
Cefnrhychdir Uchaf
Cwm Syfiog
Nant Syfiog
Mast
Troed-rhiw'r-fuwch
Twyn Cornicyll
Bedlwyn
Woodland Terr
Rising Sun Inn (PH)
NP24
Craig Rhymney Farm
Coed Cefn-rhychdir
Cefnrhychdir
Rhymney Valley
Craig Rhymni
Greenfield
Powell's Terr
Orchard St
Field Terr
Croft St
South View Terr
Commercial St
Farm Terr
Parc Cwm Darran
Beacon
Sports Ctr
Birchgrove
Glan-yr-Avon
Sch
Phillip's Town
Rhymney Valley Ridgeway Footpath
Cefn y Brithdir
Cefn y Mynydd 1
Upper Cross St 2
Lower Cross St 3
Greenwood Ct 4
Railway Terr
School St
Chapel St
Tredegar Rd
Thomas St
Morgan St
George St
Fothergills Rd
Derlwyn St
Jones St
Fernhill Terr
Bedlwyn Rd
A4049
A469
The Square
Station Row
James St
Tir-Phil
New Tredegar
1 Brookland View
2 Gorse Terr
Troed-y-rhiw Jestyn
Colliers Row
Pleasant View
Church St
Duffryn Terr
White Rose Way
Upper Stanley Terr
Bedwellty Rd
Craig-y-Bedw
Elliot's Town
Coed Cae
St Davids Pk
Rhosyn Gwyn
School St
Long Row
Cross St
Lower Stanley Terr
Mus
Queen's Rd
Alexandra Rd
Brynteg Terr
Elliot St
Glynsyfi
CF81
Coed Deri-Newydd
Nant Bargod Rhymni
Ogilvie Terr
Hillside Terr
Cemy
Brynhyfryd Villas 1
Phillips St 2
Tanlan Sq 3
Craig Ysgwydd-gwyn
Woodland Rise
Bailey St
Cwm Darran Pl
Tyr-capel
Dan-y-Craig
Mast
Milton Terr 1
Tennyson Terr 2
Nelson Terr 3
Wellington Terr 4
Glyn Derw
Deri-Newydd
Cefn Bach Farm

57

34

33
14

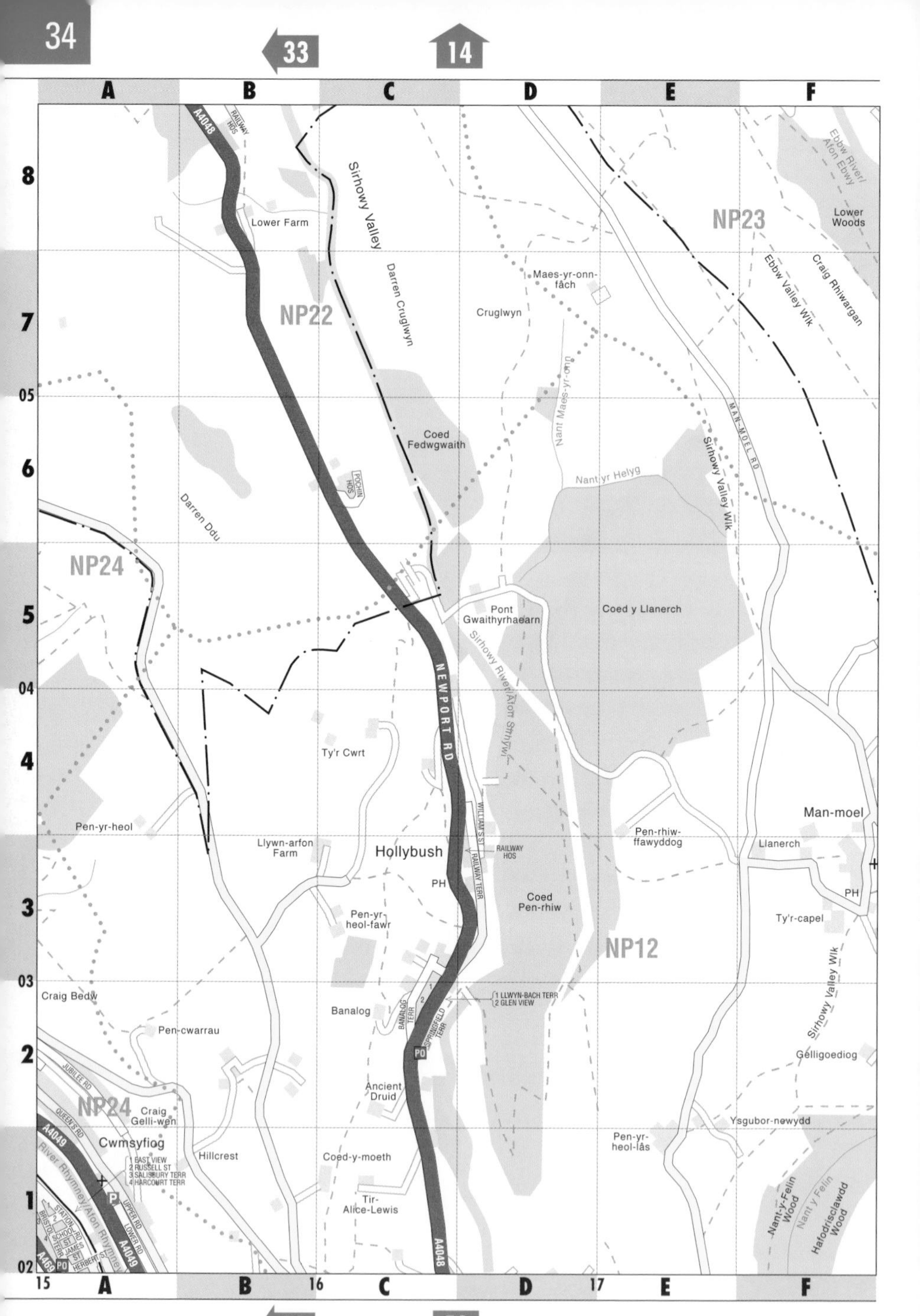
A
B
C
D
E
F
8
7
05
6
5
04
4
3
03
2
1
02
15
16
17
A4048
RAILWAY HOS
Lower Farm
Sirhowy Valley
Darren Cruglwyn
NP22
Cruglwyn
Maes-yr-onn-fâch
NP23
Lower Woods
Ebbw River/Afon Ebwy
Ebbw Valley Wlk
Craig Rhiwargan
Coed Fedwgwaith
POCHIN HOS
Nant Maes-yr-onn
Nant yr Helyg
MAN-MOEL RD
Sirhowy Valley Wlk
Darren Ddu
NP24
Pont Gwaithyrhaearn
Coed y Llanerch
Sirhowy River/Afon Sirhywi
NEWPORT RD
Ty'r Cwrt
WILLIAM ST
RAILWAY HOS
RAILWAY TERR
Pen-yr-heol
Llywn-arfon Farm
Hollybush
PH
Pen-rhiw-ffawyddog
Llanerch
Man-moel
PH
Pen-yr-heol-fawr
Coed Pen-rhiw
Ty'r-capel
NP12
Craig Bedw
Banalog
BANALOG TERR
SPRINGFIELD TERR
1 LLWYN-BACH TERR
2 GLEN VIEW
Pen-cwarrau
PO
Ancient Druid
Sirhowy Valley Wlk
Gelligoediog
JUBILEE RD
QUEEN'S RD
NP24
Craig Gelli-wen
Cwmsyfiog
A4049
River Rhymney/Afon Rhymni
1 EAST VIEW
2 RUSSELL ST
3 SALISBURY TERR
4 HARCOURT TERR
Hillcrest
Coed-y-moeth
Pen-yr-heol-lâs
Ysgubor-newydd
Tir-Alice-Lewis
P
UPPER RD
LOWER RD
STATION RD
SCHOOL ST
JAMES ST
HERBERT ST
BRISTOL TERR
A469
PO
A4049
Nant-y-Felin Wood
Nant y Felin
Hafodrisclawdd Wood
A4048

33
58

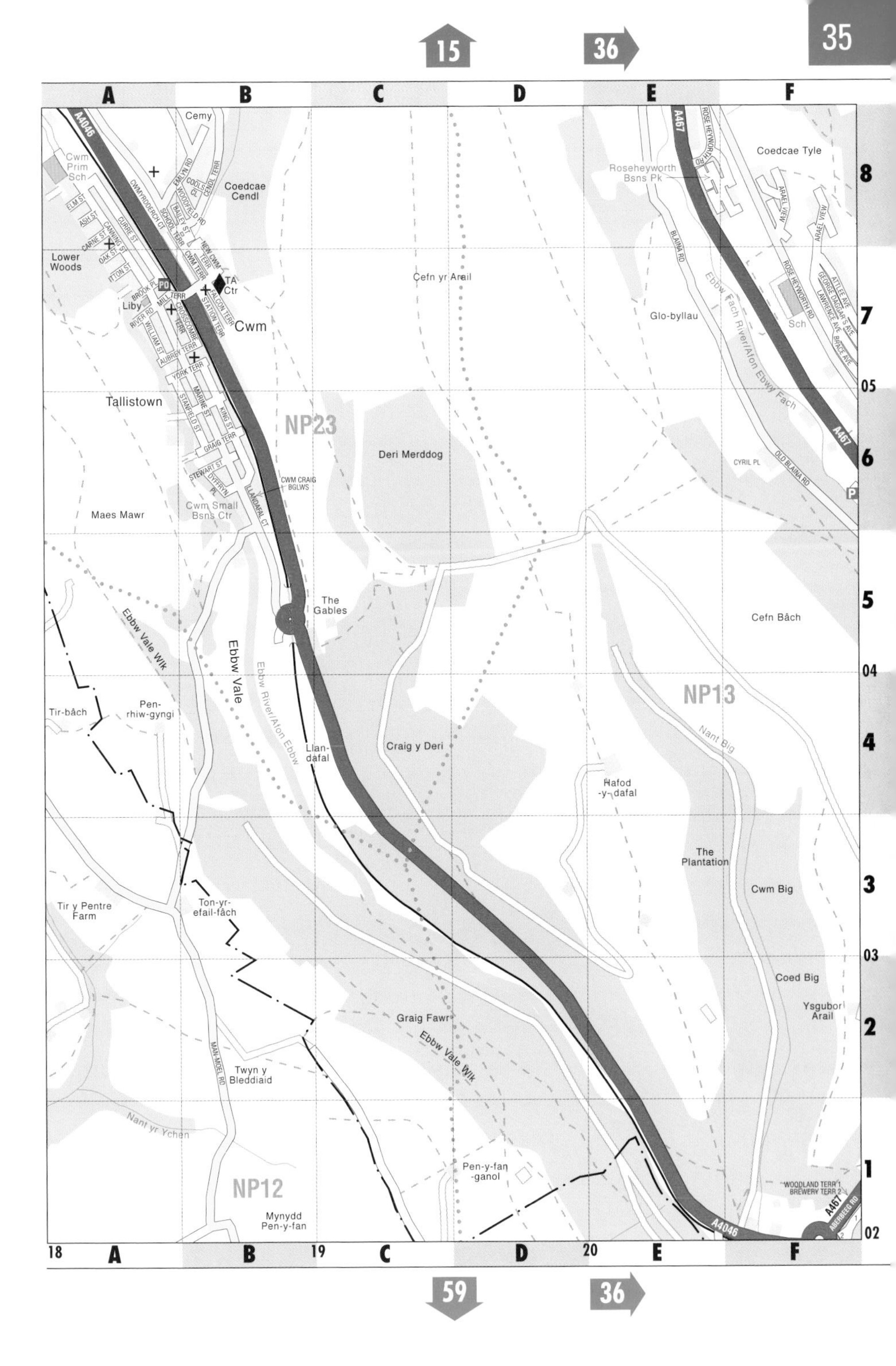
15
36
A
B
C
D
E
F
8
7
05
6
5
04
4
3
03
2
1
02
18
19
20
A4046
A467
Cemy
Cwm Prim Sch
Coedcae Cendl
Coedcae Tyle
Roseheyworth Bsns Pk
Lower Woods
Liby
TA Ctr
Cwm
Cefn yr Arail
Glo-byllau
Sch
Tallistown
NP23
Deri Merddog
CWM CRAIG BGLWS
Maes Mawr
Cwm Small Bsns Ctr
CYRIL PL
OLD BLAINA RD
BLAINA RD
ROSE HEYWORTH RD
ARAEL VIEW
ATTLEE AVE
GEORGE DAGGAR'S AVE
LAWRENCE AVE
BRACE AVE
Ebbw Fach River/Afon Ebwy Fach
ELM ST
ASH ST
CARNE ST
OAK ST
CANNING ST
CURRE ST
ITTON ST
BROOK PL
RIVER RD
MILL TERR
WILLIAM ST
CROSSCOMBE TERR
AUBREY TERR
YORK TERR
STANFIELD ST
MARINE ST
KING ST
GRAIG TERR
STEWART ST
DYFFRYN PL
LLANDAFAL CT
STATION TERR
FALCON TERR
CWM TERR
NEW CWM TERR
SCHOOL TERR
CWMYRDDERCH CT
EMLYN RD
COOLS CL
CENDL TERR
WOODFIELD RD
BAILEY ST
The Gables
Cefn Bâch
Ebbw Vale Wlk
Ebbw Vale
Ebbw River/Afon Ebbw
NP13
Tir-bâch
Pen-rhiw-gyngi
Llan-dafal
Craig y Deri
Nant Big
Hafod -y-dafal
The Plantation
Cwm Big
Tir y Pentre Farm
Ton-yr-efail-fâch
Coed Big
Ysgubor Arail
Graig Fawr
Ebbw Vale Wlk
Twyn y Bleddiaid
MAN-MOEL RD
Nant yr Ychen
Pen-y-fan -ganol
WOODLAND TERR 1
BREWERY TERR 2
ABERBEEG RD
NP12
Mynydd Pen-y-fan
59
36

35
16

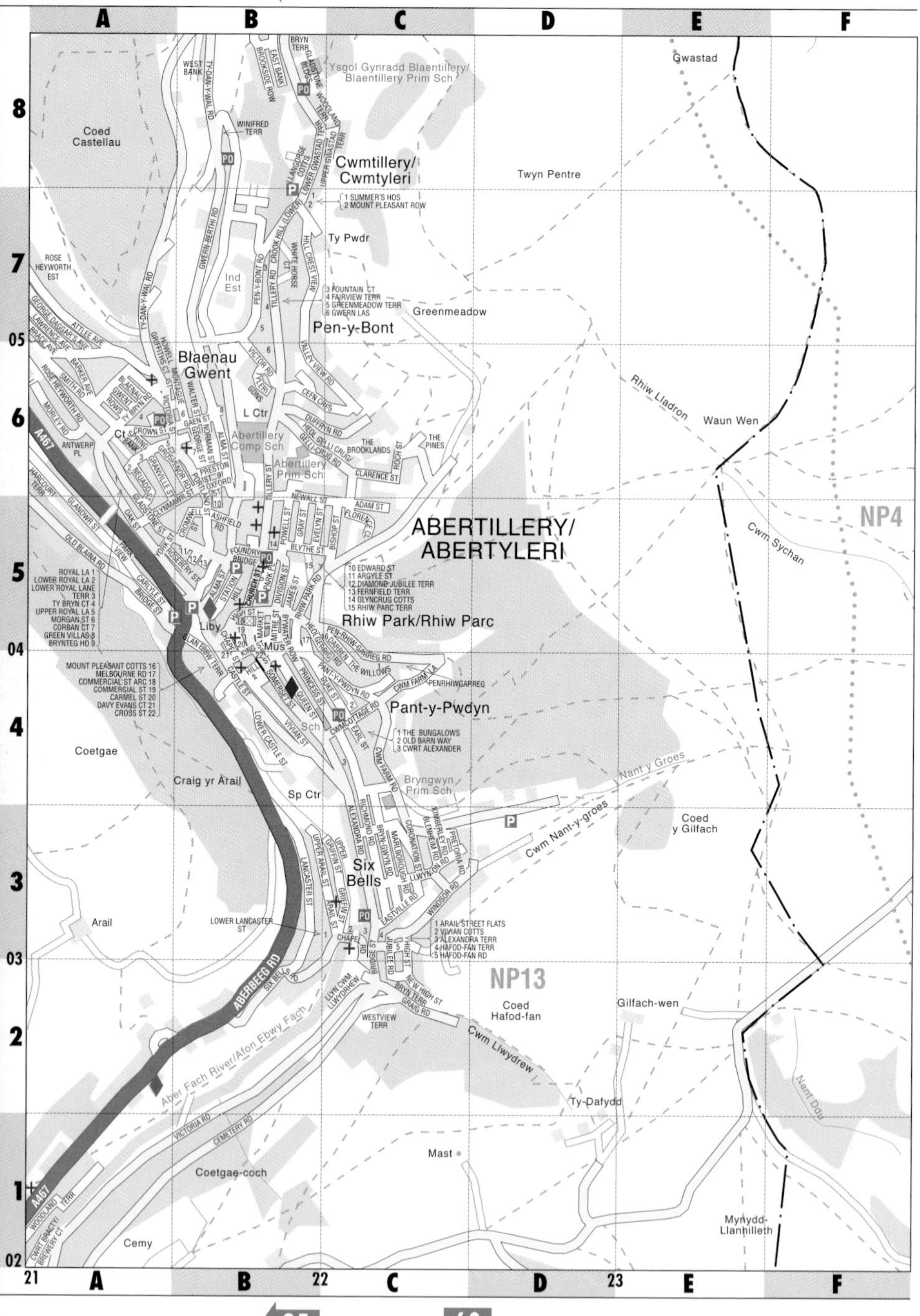
Gwastad
Ysgol Gynradd Blaentillery/
Blaentillery Prim Sch
Coed
Castellau
Cwmtillery/
Cwmtyleri
Twyn Pentre
1 SUMMER'S HOS
2 MOUNT PLEASANT ROW
Ty Pwdr
Ind
Est
3 FOUNTAIN CT
4 FAIRVIEW TERR
5 GREENMEADOW TERR
6 GWERN LAS
Greenmeadow
Pen-y-Bont
Blaenau
Gwent
L Ctr
Rhiw Lladron
Waun Wen
Abertillery
Comp Sch
Abertillery
Prim Sch
ABERTILLERY/
ABERTYLERI
Cwm Sychan
NP4
10 EDWARD ST
11 ARGYLE ST
12 DIAMOND JUBILEE TERR
13 FERNFIELD TERR
14 GLYNCRUG COTTS
15 RHIW PARC TERR
Rhiw Park/Rhiw Parc
ROYAL LA 1
LOWER ROYAL LA 2
LOWER ROYAL LANE
TERR 3
TY BRYN CT 4
UPPER ROYAL LA 5
MORGAN ST 6
CORBAN CT 7
GREEN VILLAS 8
BRYNTEG HO 9
Liby
Mus
MOUNT PLEASANT COTTS 16
MELBOURNE RD 17
COMMERCIAL ST ARC 18
COMMERCIAL ST 19
CARMEL ST 20
DAVY EVANS CT 21
CROSS ST 22
Pant-y-Pwdyn
1 THE BUNGALOWS
2 OLD BARN WAY
3 CWRT ALEXANDER
Coetgae
Craig yr Arail
Sp Ctr
Bryngwyn
Prim Sch
Nant y Groes
Cwm Nant-y-groes
Coed
y Gilfach
Six
Bells
Arail
LOWER LANCASTER
ST
1 ARAIL STREET FLATS
2 VIVIAN COTTS
3 ALEXANDRA TERR
4 HAFOD-FAN TERR
5 HAFOD-FAN RD
NP13
Coed
Hafod-fan
Gilfach-wen
Cwm Llwydrew
Aber Fach River/Afon Ebwy Fach
Ty-Dafydd
Nant Ddu
Mast
Coetgae-coch
Cemy
Mynydd-
Llanhilleth
A467
ABERBEEG RD

35
60

17
38

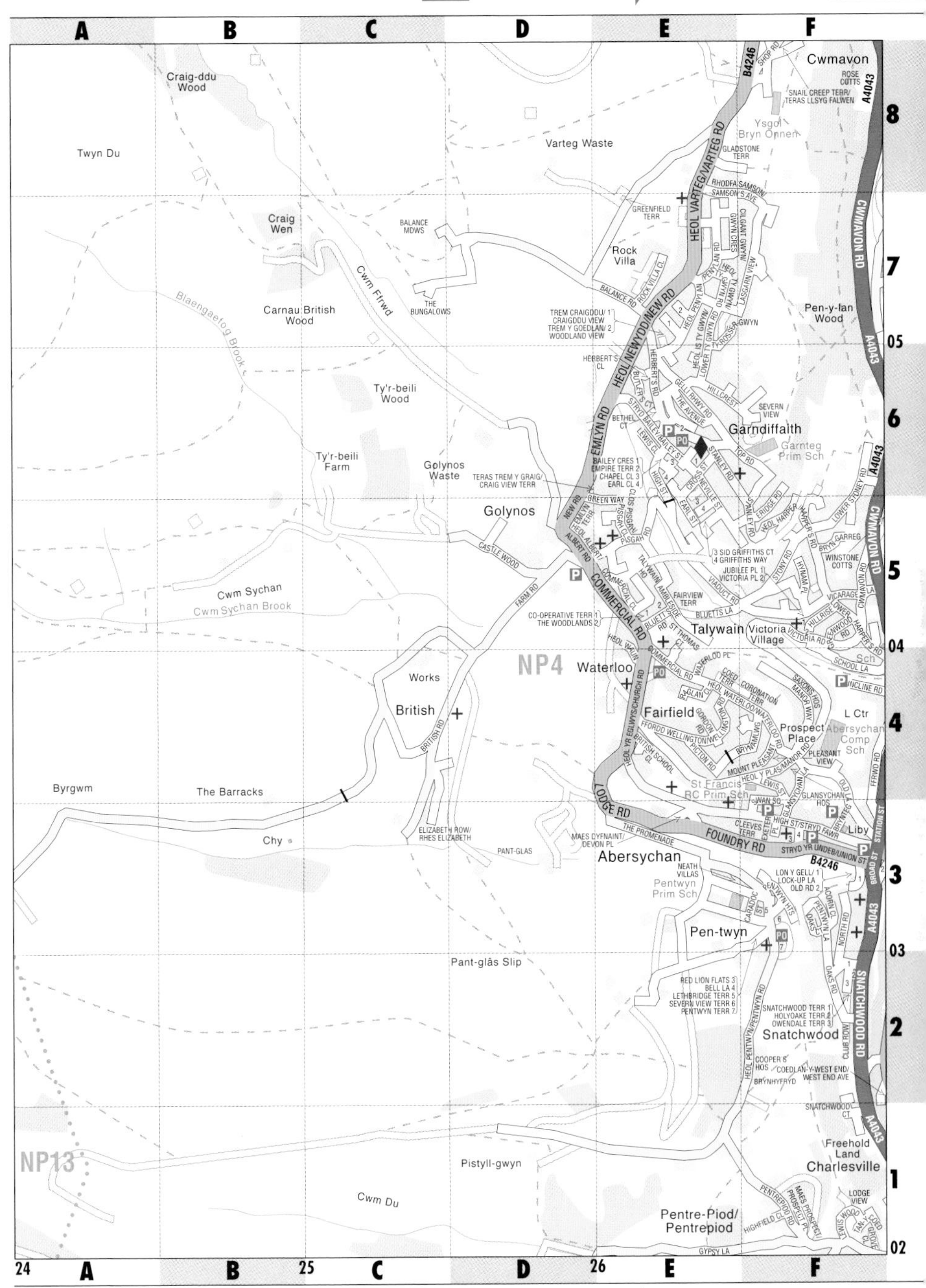

A
B
C
D
E
F
8
7
05
6
5
04
4
3
03
2
1
02
24
25
26
Craig-ddu Wood
Twyn Du
Varteg Waste
Cwmavon
ROSE COTTS
SNAIL CREEP TERR/ TERAS LLSYG FALWEN
SHOP RD
B4246
A4043
Ysgol Bryn Onnen
GLADSTONE TERR
RHODFA SAMSON/ SAMSON'S AVE
HEOL VARTEG/VARTEG RD
GREENFIELD TERR
Craig Wen
BALANCE MDWS
Rock Villa
ROCK VILLA CL
BALANCE RD
CILGANT GWYN/ GWYN CRES
PENYLAN RD
HEOL PENYLAN
LASGARN VIEW
Cwm Ffrwd
THE BUNGALOWS
Blaengaefog Brook
Carnau British Wood
TREM CRAIGDDU/ 1 CRAIGDDU VIEW
TREM Y GOEDLAN/ 2 WOODLAND VIEW
HEOL NEWYDD/NEW RD
Pen-y-lan Wood
CWMAVON RD
HERBERT'S CL
HERBERTS RD
Ty'r-beili Wood
HILLCREST
SEVERN VIEW
THE AVENUE
BETHEL CT
EMLYN RD
Garndiffaith
Garnteg Prim Sch
TOP RD
Ty'r-beili Farm
Golynos Waste
BAILEY CRES 1
EMPIRE TERR 2
CHAPEL CL 3
EARL CL 4
TERAS TREM Y GRAIG/ CRAIG VIEW TERR
STANLEY RD
CROSS ST
NEVILLE ST
HIGH ST
GREEN WAY
NEW RD
EMLYN TERR
Golynos
ERIDGE RD
HEOL HARPER
HARPER'S RD
LOWER STONEY RD
GARREG
WINSTONE COTTS
3 SID GRIFFITHS CT
4 GRIFFITHS WAY
JUBILEE PL 1
VICTORIA PL 2
STONY RD
HYNAM PL
ALBERT RD
CASTLE WOOD
PISGAH RD
COMMERCIAL RD
FARM RD
Cwm Sychan
Cwm Sychan Brook
FAIRVIEW TERR
BLUETTS LA
VIADUCT RD
CO-OPERATIVE TERR 1
THE WOODLANDS 2
Talywain
Victoria Village
VICTORIA RD
HILLRISE
VICARAGE
SCHOOL LA
Sch
NP4
Waterloo
HEOL WAUN
WATERLOO PL
CORONATION TERR
SAXONS HOS
MANOR WAY
INCLINE RD
Works
British
BRITISH RD
Fairfield
HEOL YR EGLWYS/CHURCH RD
FFORDD WELLINGTON/WELLINGTON
PICTON RD
HEOL WATERLOO/WATERLOO RD
Prospect Place
L Ctr
Abersychan Comp Sch
PLEASANT VIEW
MOUNT PLEASANT
BRITISH SCHOOL CL
St Francis RC Prim Sch
GLANSYCHAN HOS
Byrgwm
The Barracks
LODGE RD
THE PROMENADE
ELIZABETH ROW/ RHES ELIZABETH
Chy
PANT-GLAS
MAES CYFNAINT/ DEVON PL
FOUNDRY RD
CLEEVES TERR
HIGH ST/STRYD FAWR
STRYD YR UNDEB/UNION ST
Liby
STATION ST
Abersychan
NEATH VILLAS
B4246
LON Y GELLI/ 1
LOCK-UP LA
OLD RD 2
BROAD ST
Pentwyn Prim Sch
CARADOC
PENTWYN HTS
ACORN CL
OAKS CL
NORTH RD
Pen-twyn
Pant-glâs Slip
RED LION FLATS 3
BELL LA 4
LETHBRIDGE TERR 5
SEVERN VIEW TERR 6
PENTWYN TERR 7
OAKS RD
SNATCHWOOD RD
SNATCHWOOD TERR 1
HOLYOAKE TERR 2
OWENDALE TERR 3
Snatchwood
HEOL PENTWYN/PENTWYN RD
CLUB ROW
COOPER'S HOS
COEDLAN-Y-WEST END/ WEST END AVE
BRYNHYFRYD
SNATCHWOOD CT
NP13
Freehold Land
Charlesville
Pistyll-gwyn
Cwm Du
LODGE VIEW
Pentre-Piod/ Pentrepiod
PENTREPIOD RD
MAES PROSPECT/ PROSPECT PL
HIGHFIELD CL
LEWIS WOOD
TAN-Y-COED GROVE CL
GYPSY LA

61
38

37

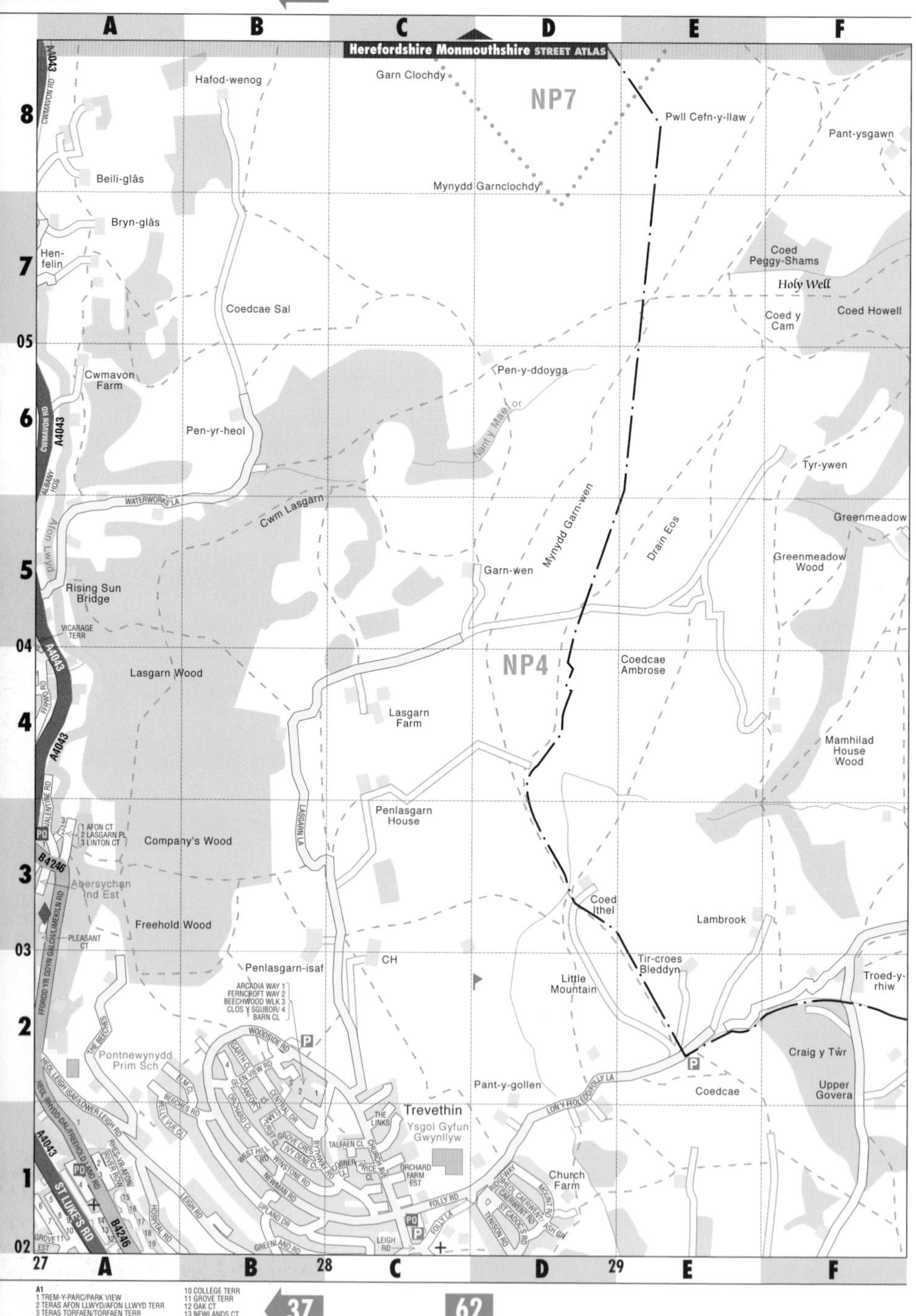

A
B
C
D
E
F
Herefordshire Monmouthshire STREET ATLAS
8
7
05
6
5
04
4
3
03
2
1
02
27
28
29
NP7
NP4
Garn Clochdy
Hafod-wenog
Pwll Cefn-y-llaw
Pant-ysgawn
Beili-glâs
Mynydd Garnclochdy
Bryn-glâs
Hen-
felin
Coed
Peggy-Shams
Holy Well
Coedcae Sal
Coed y
Cam
Coed Howell
Cwmavon
Farm
Pen-y-ddoyga
Pen-yr-heol
Nant y Mae
Tyr-ywen
WATERWORKS LA
Cwm Lasgarn
Mynydd Garn-wen
Drain Eos
Greenmeadow
Afon Lwyd
Greenmeadow
Wood
Rising Sun
Bridge
Garn-wen
VICARAGE
TERR
Lasgarn Wood
Coedcae
Ambrose
Lasgarn
Farm
Mamhilad
House
Wood
Penlasgarn
House
LASGARN LA
1 AFON CT
2 LASGARN PL
3 LINTON CT
Company's Wood
Abersychan
Ind Est
Coed
Ithel
Freehold Wood
Lambrook
PLEASANT
CT
Penlasgarn-isaf
CH
Tir-croes
Bleddyn
Troed-y-
rhiw
Little
Mountain
ARCADIA WAY 1
FERNCROFT WAY 2
BEECHWOOD WLK 3
CLOS Y SGUBOR/ 4
BARN CL
Craig y Tŵr
WOODSIDE RD
Pontnewynydd
Prim Sch
Pant-y-gollen
LON Y FFOLEDD/FOLLY LA
Coedcae
Upper
Govera
Trevethin
Ysgol Gyfun
Gwynllyw
Church
Farm
A4043
B4246
ST LUKE'S RD
CWMAVON RD
FOLLY RD
FOLLY LA
LEIGH RD
GREENLAND RD
UPLAND DR
NEWMAN RD
WINSTONE RD
WEST HILL RD
HOSPITAL RD
ORCHARD FARM EST
CHURCH AVE
TALFAEN CL
THE LINKS
THE BEECHES
RIDGEWAY
TENISON RD
ST CADOC'S RD
MOUNT RD
ASH GR
GROVE EST

37

62

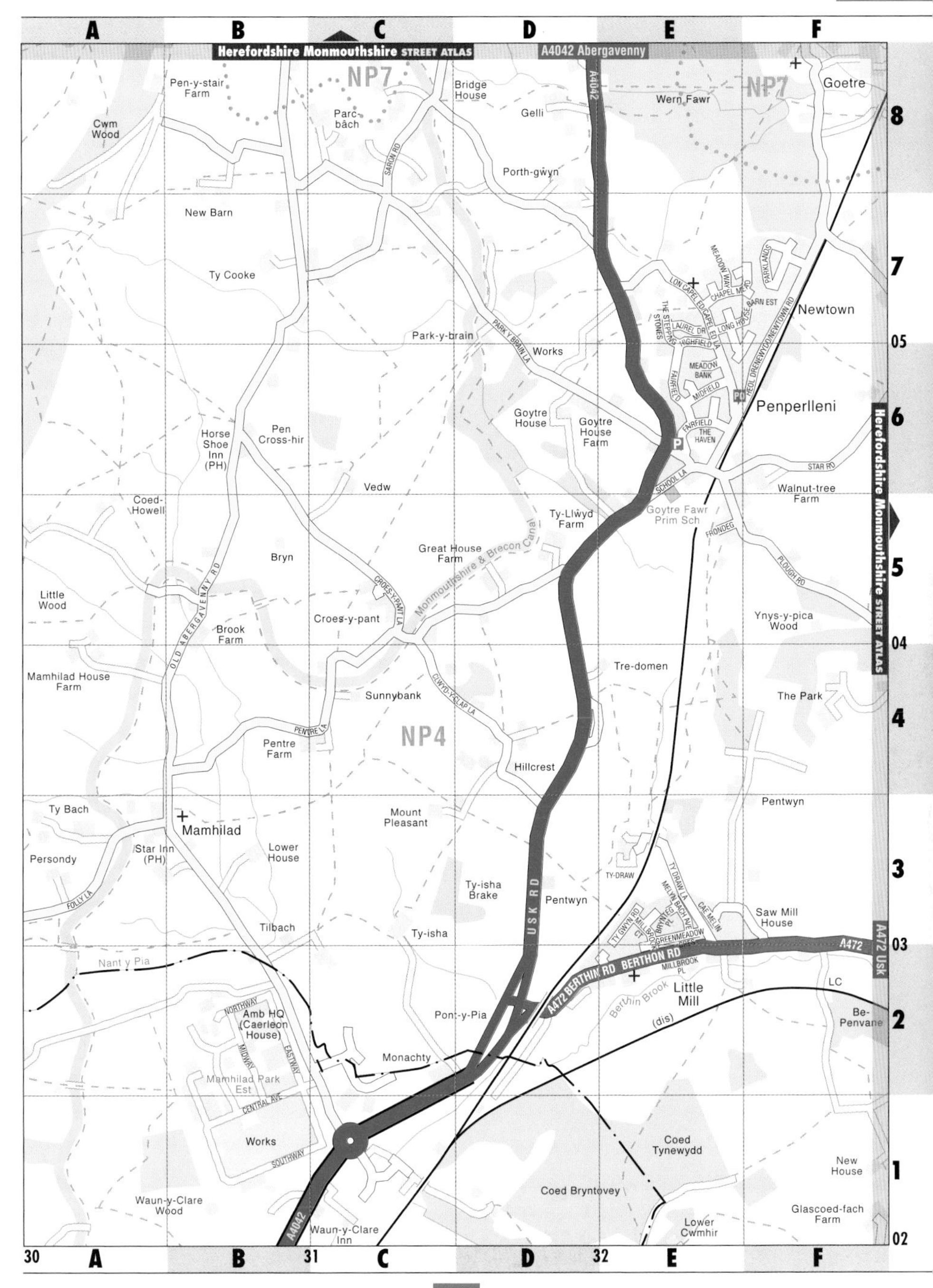

A
B
C
D
E
F
Herefordshire Monmouthshire STREET ATLAS
A4042 Abergavenny
A4042
NP7
Pen-y-stair Farm
Parc-bâch
Bridge House
Gelli
Wern Fawr
Goetre
Cwm Wood
Porth-gŵyn
New Barn
Ty Cooke
Newtown
Park-y-brain
Works
Penperlleni
Horse Shoe Inn (PH)
Pen Cross-hir
Goytre House
Goytre House Farm
Vedw
Walnut-tree Farm
Coed-Howell
Ty-Llŵyd Farm
Goytre Fawr Prim Sch
Great House Farm
Bryn
Monmouthshire & Brecon Canal
Little Wood
Croes-y-pant
Brook Farm
Ynys-y-pica Wood
Mamhilad House Farm
Tre-domen
Sunnybank
The Park
NP4
Pentre Farm
Hillcrest
Ty Bach
Mamhilad
Mount Pleasant
Pentwyn
Persondy
Star Inn (PH)
Lower House
Ty-isha Brake
Pentwyn
Saw Mill House
Tilbach
Ty-isha
Nant y Pia
A472 BERTHIN RD
BERTHON RD
A472
A472 Usk
Little Mill
LC
Amb HQ (Caerleon House)
Pont-y-Pia
Berthin Brook
(dis)
Be-Penvane
Monachty
Mamhilad Park Est
Works
Coed Tynewydd
New House
Waun-y-Clare Wood
Coed Bryntovey
Glascoed-fach Farm
Waun-y-Clare Inn
Lower Cwmhir
USK RD
OLD ABERGAVENNY RD
CROES-Y-PANT LA
CLWYD-Y-CLAP LA
PENTRE LA
PARK Y BRAIN LA
SARON RD
SCHOOL LA
STAR RD
PLOUGH RD
FRONDEG
FOLLY LA
NORTHWAY
MIDWAY
EASTWAY
CENTRAL AVE
SOUTHWAY
8
7
05
6
5
04
4
3
03
2
1
02
30
31
32

63

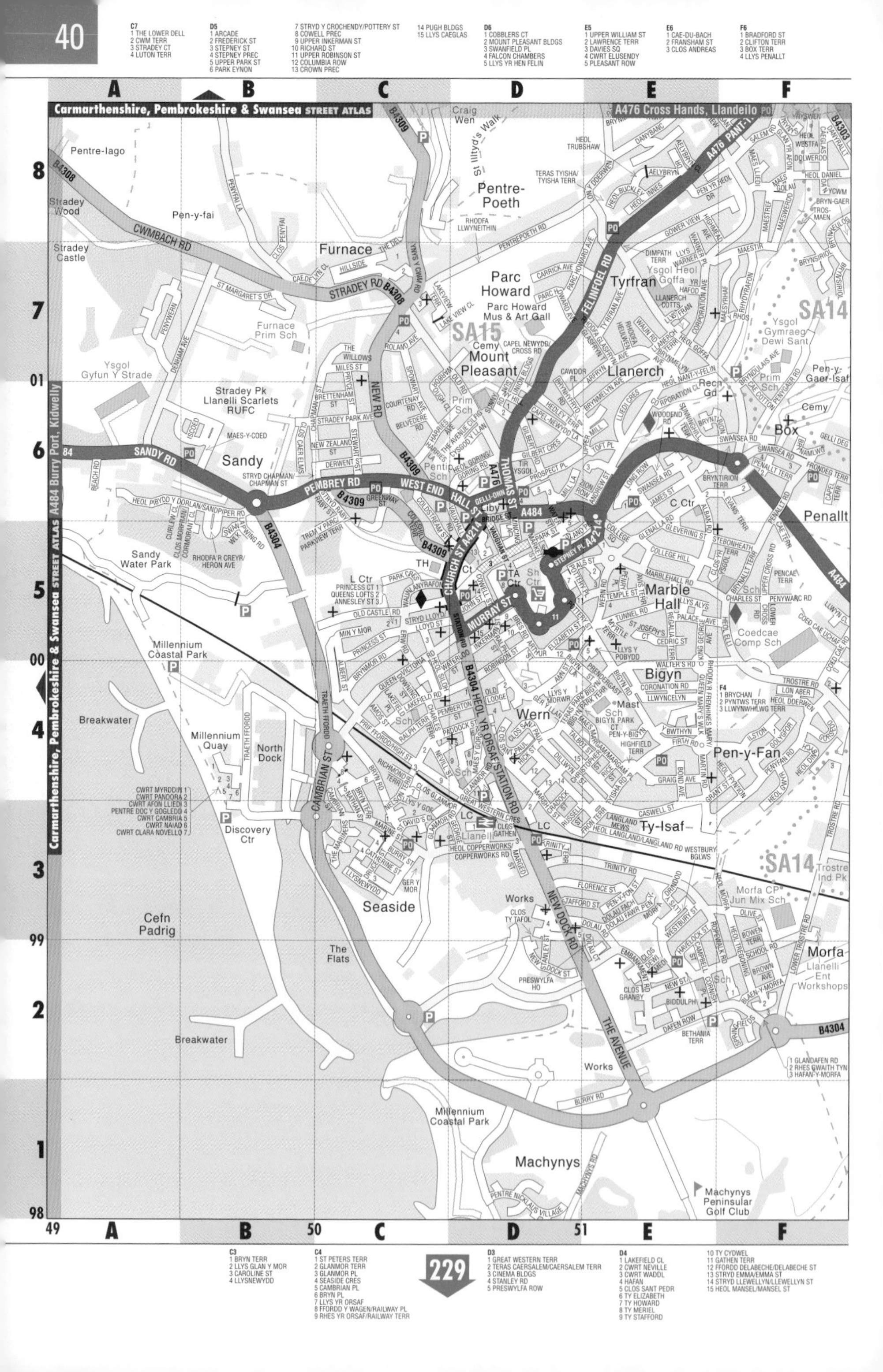
C7
1 THE LOWER DELL
2 CWM TERR
3 STRADEY CT
4 LUTON TERR
D5
1 ARCADE
2 FREDERICK ST
3 STEPNEY ST
4 STEPNEY PREC
5 UPPER PARK ST
6 PARK EYNON
7 STRYD Y CROCHENDY/POTTERY ST
8 COWELL PREC
9 UPPER INKERMAN ST
10 RICHARD ST
11 UPPER ROBINSON ST
12 COLUMBIA ROW
13 CROWN PREC
14 PUGH BLDGS
15 LLYS CAEGLAS
D6
1 COBBLERS CT
2 MOUNT PLEASANT BLDGS
3 SWANFIELD PL
4 FALCON CHAMBERS
5 LLYS YR HEN FELIN
E5
1 UPPER WILLIAM ST
2 LAWRENCE TERR
3 DAVIES SQ
4 CWRT ELUSENDY
5 PLEASANT ROW
E6
1 CAE-DU-BACH
2 FRANSHAM ST
3 CLOS ANDREAS
F6
1 BRADFORD ST
2 CLIFTON TERR
3 BOX TERR
4 LLYS PENALLT
A
B
C
D
E
F
Carmarthenshire, Pembrokeshire & Swansea STREET ATLAS
A476 Cross Hands, Llandeilo
A484 Burry Port, Kidwelly
8
7
01
6
5
00
4
3
99
2
1
98
49
50
51
Pentre-Iago
Stradey Wood
Stradey Castle
Pen-y-fai
CWMBACH RD
Furnace
STRADEY RD
Craig Wen
Pentre-Poeth
Parc Howard
Parc Howard Mus & Art Gall
Tyrfran
SA15
SA14
Furnace Prim Sch
Ysgol Gyfun Y Strade
Stradey Pk Llanelli Scarlets RUFC
Cemy Mount Pleasant
Llanerch
Ysgol Gymraeg Dewi Sant
Pen-y-Gaer-Isaf
Cemy
Box
Sandy
SANDY RD
PEMBREY RD
WEST END
NEW RD
THOMAS ST
FELINFOEL RD
Penallt
Sandy Water Park
C Ctr
Marble Hall
L Ctr
Sh Ctr
CHURCH ST
MURRAY ST
STATION RD
Coedcae Comp Sch
Millennium Coastal Park
Bigyn
Wern
Pen-y-Fan
Breakwater
Millennium Quay
North Dock
CWRT MYRDDIN 1
CWRT PANDORA 2
CWRT AFON LLIEDI 3
PENTRE DOC Y GOGLEDD 4
CWRT CAMBRIA 5
CWRT NAIAD 6
CWRT CLARA NOVELLO 7
Discovery Ctr
CAMBRIAN ST
Llanelli
Ty-Isaf
Seaside
Cefn Padrig
The Flats
Works
NEW DOCK RD
Morfa CP Jun Mix Sch
Morfa
Llanelli Ent Workshops
Trostre Ind Pk
F4
1 BRYCHAN
2 PYNTWS TERR
3 LLWYNWHILWG TERR
1 GLANDAFEN RD
2 RHES GWAITH TYN
3 HAFAN-Y-MORFA
Breakwater
THE AVENUE
Millennium Coastal Park
Machynys
PENTRE NICKLAUS VILLAGE
Machynys Peninsular Golf Club
C3
1 BRYN TERR
2 LLYS GLAN Y MOR
3 CAROLINE ST
4 LLYSNEWYDD
C4
1 ST PETERS TERR
2 GLANMOR TERR
3 GLANMOR PL
4 SEASIDE CRES
5 CAMBRIAN PL
6 BRYN PL
7 LLYS YR ORSAF
8 FFORDD Y WAGEN/RAILWAY PL
9 RHES YR ORSAF/RAILWAY TERR
229
D3
1 GREAT WESTERN TERR
2 TERAS CAERSALEM/CAERSALEM TERR
3 CINEMA BLDGS
4 STANLEY RD
5 PRESWYLFA ROW
D4
1 LAKEFIELD CL
2 CWRT NEVILLE
3 CWRT WADDL
4 HAFAN
5 CLOS SANT PEDR
6 TY ELIZABETH
7 TY HOWARD
8 TY MERIEL
9 TY STAFFORD
10 TY CYDWEL
11 GATHEN TERR
12 FFORDD DELABECHE/DELABECHE ST
13 STRYD EMMA/EMMA ST
14 STRYD LLEWELLYN/LLEWELLYN ST
15 HEOL MANSEL/MANSEL ST

42

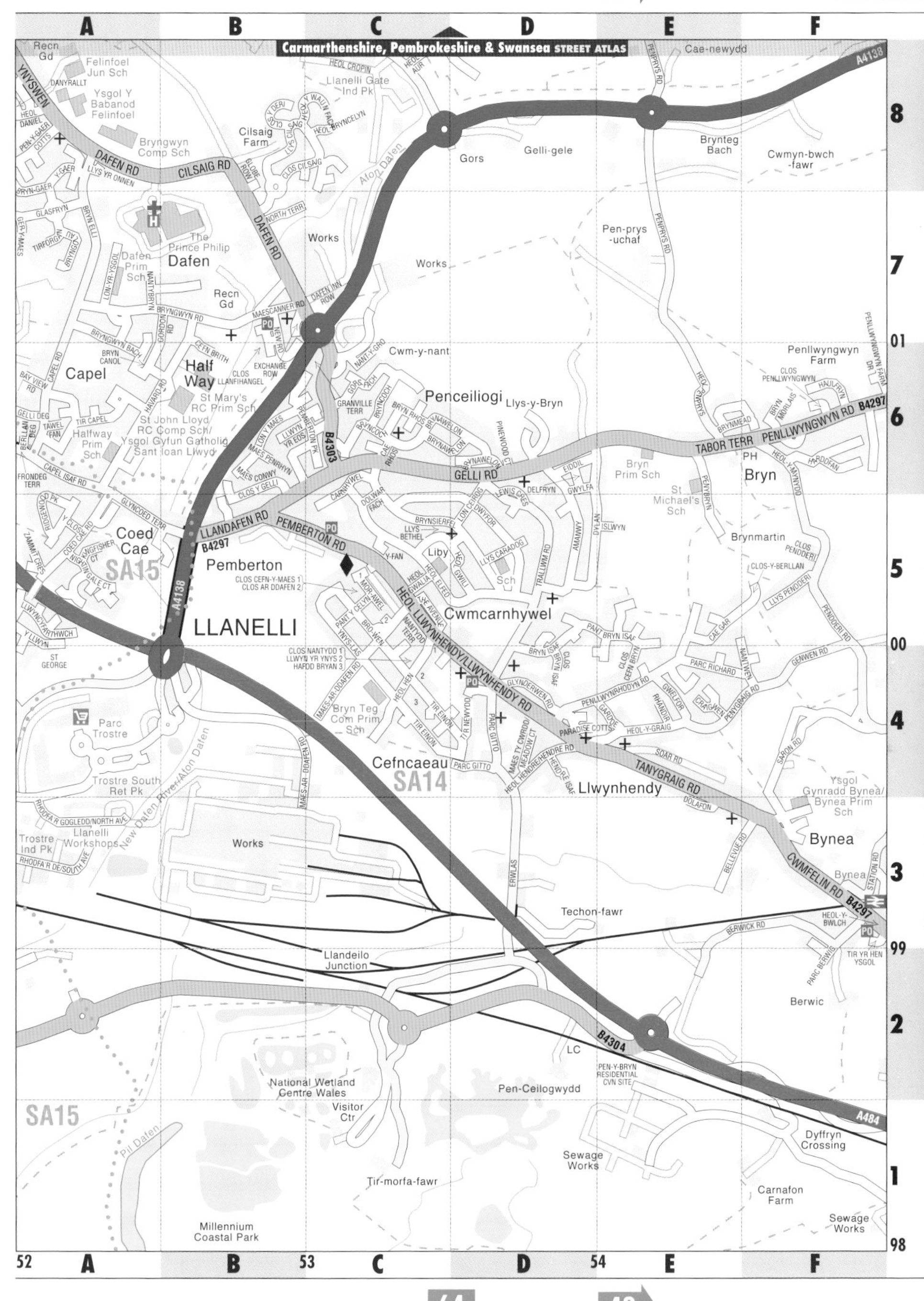
Carmarthenshire, Pembrokeshire & Swansea STREET ATLAS
A
B
C
D
E
F
8
7
01
6
5
00
4
3
99
2
1
98
52
53
54
LLANELLI
Capel
Half Way
Dafen
Coed Cae
Pemberton
Penceiliogi
Cwmcarnhywel
Cefncaeau
Llwynhendy
Bryn
Bynea
Cwm-y-nant
Llys-y-Bryn
Gors
Gelli-gele
Cae-newydd
Brynteg Bach
Cwmyn-bwch -fawr
Pen-prys -uchaf
Penllwyngwyn Farm
Brynmartin
Techon-fawr
Llandeilo Junction
Berwic
Pen-Ceilogwydd
National Wetland Centre Wales
Visitor Ctr
Tir-morfa-fawr
Millennium Coastal Park
Sewage Works
Dyffryn Crossing
Carnafon Farm
Parc Trostre
Trostre South Ret Pk
Trostre Ind Pk
Llanelli Workshops
Works
SA15
SA14
A4138
A484
B4297
B4303
B4304
DAFEN RD
CILSAIG RD
GELLI RD
TABOR TERR
PENLLWYNGWYN RD
PEMBERTON RD
LLANDAFEN RD
HEOL LLWYNHENDY/LLWYNHENDY RD
TANYGRAIG RD
CWMFELIN RD
PENPRYS RD
ERWLAS
Felinfoel Jun Sch
Ysgol Y Babanod Felinfoel
Bryngwyn Comp Sch
Cilsaig Farm
Llanelli Gate Ind Pk
The Prince Philip
Dafen Prim Sch
Recn Gd
St Mary's RC Prim Sch
St John Lloyd RC Comp Sch/ Ysgol Gyfun Gatholig Sant Ioan Llwyd
Halfway Prim Sch
Bryn Prim Sch
St Michael's Sch
Bryn Teg Com Prim Sch
Ysgol Gynradd Bynea/ Bynea Prim Sch
Liby
LC
PH
PEN-Y-BRYN RESIDENTIAL CVN SITE
Pil Dafen
Afon Dafen
New Dafen River/Afon Dafen

64

42

41
18

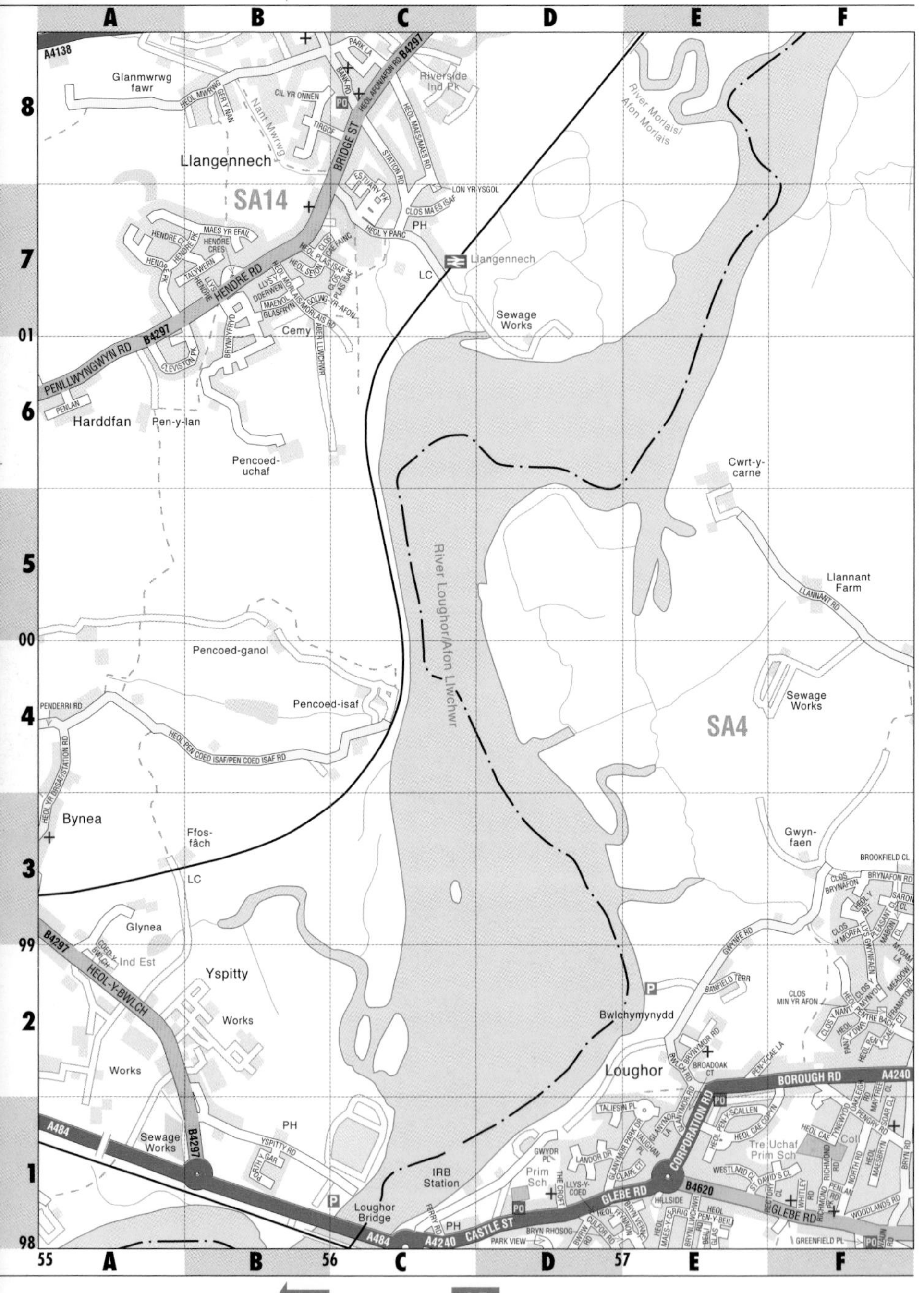
A
B
C
D
E
F
8
7
01
6
5
00
4
3
99
2
1
98
55
56
57
A4138
Glanmwrwg fawr
HEOL MWRWG
GER Y NANT
CIL YR ONNEN
Nant Mwrwg
TIRGOF
PARK LA
BANK RD
B4297
HEOL AFON/AFON RD
BRIDGE ST
Riverside Ind Pk
HEOL MAES/MAES RD
STATION RD
River Morlais/ Afon Morlais
Llangennech
SA14
ESTUARY PK
LON YR YSGOL
CLOS MAES ISAF
PH
HEOL Y PARC
MAES YR EFAIL
HENDRE CL
HENDRE PK
HENDRE CRES
TALYWERN
HENDRE RD
Llangennech
LC
Sewage Works
Cemy
PENLLWYNGWYN RD
B4297
CLEVISTON PK
BRYNHYFRYD
ABER LLWCHWR
PENLAN
Harddfan
Pen-y-lan
Pencoed-uchaf
Cwrt-y-carne
River Loughor/Afon Llwchwr
Llannant Farm
LLANNANT RD
Pencoed-ganol
Pencoed-isaf
PENDERRI RD
HEOL PEN COED ISAF/PEN COED ISAF RD
Sewage Works
SA4
HEOL YR ORSAF/STATION RD
Bynea
Ffos-fâch
Gwyn-faen
BROOKFIELD CL
BRYNAFON RD
LC
Glynea
B4297
HEOL-Y-BWLCH
Ind Est
Ysptty
GWYNFE RD
BANFIELD TERR
CLOS MIN YR AFON
Works
Bwlchymynydd
Works
Loughor
BROADOAK CT
BOROUGH RD
A4240
CORPORATION RD
PH
A484
Sewage Works
B4297
YSPITTY RD
TALIESIN PL
Tre Uchaf Prim Sch
Coll
HEOL CAE COPYN
IRB Station
Prim Sch
GLEBE RD
B4620
HILLSIDE
WESTLAND CL
GLEBE RD
Loughor Bridge
A484
A4240
CASTLE ST
BRYN RHOSOG
PARK VIEW
WOODLANDS RD
GREENFIELD PL

41
65

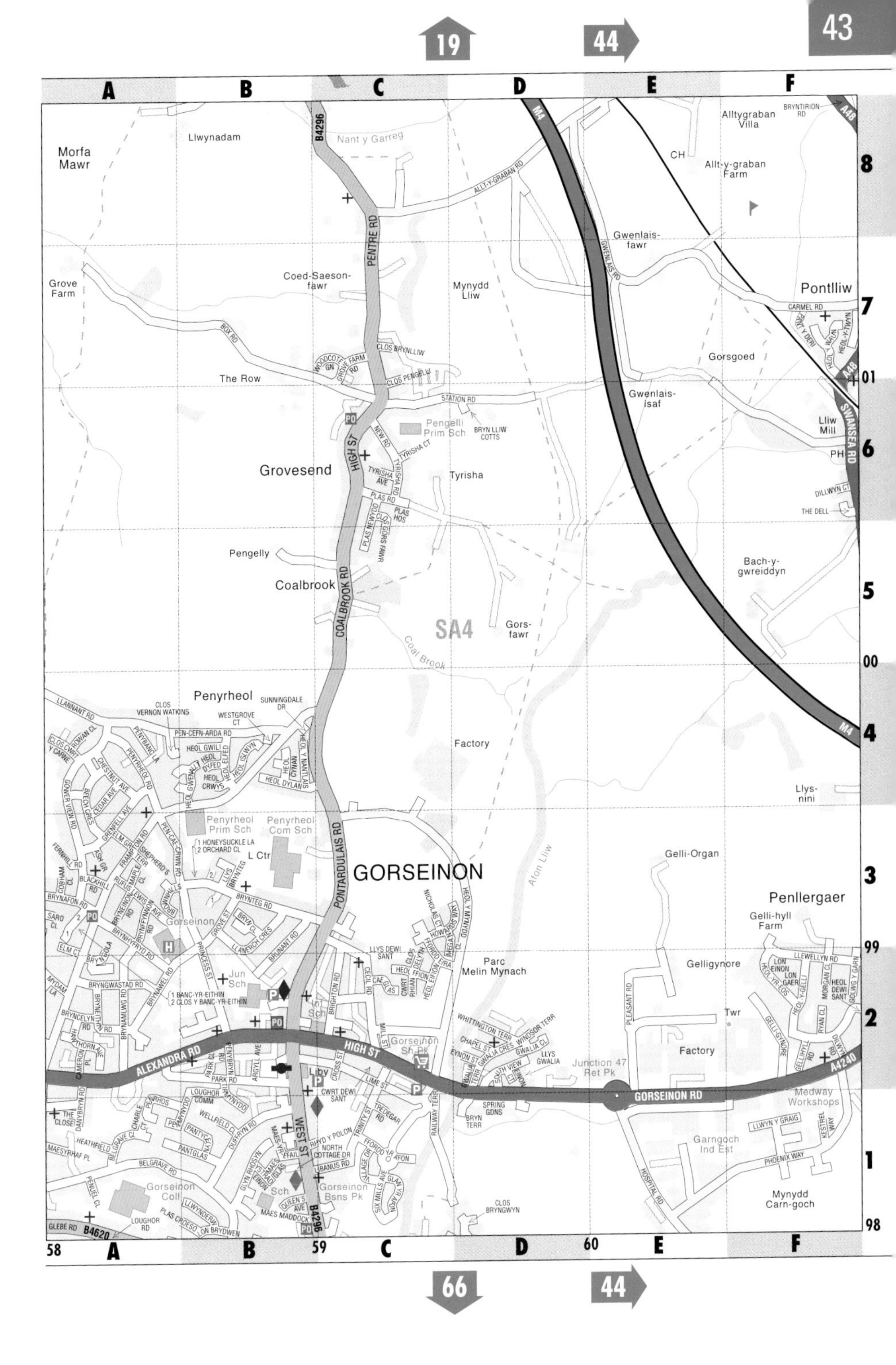
19
44
A
B
C
D
E
F
Morfa Mawr
Llwynadam
Nant y Garreg
Alltygraban Villa
CH
Allt-y-graban Farm
Gwenlais-fawr
Grove Farm
Coed-Saeson-fawr
Mynydd Lliw
Pontlliw
Gorsgoed
The Row
Gwenlais-isaf
Pengelli Prim Sch
Lliw Mill
Grovesend
Tyrisha
PH
Pengelly
Coalbrook
Bach-y-gwreiddyn
SA4
Gors-fawr
Coal Brook
Penyrheol
Factory
Llys-nini
Penyrheol Prim Sch
Penyrheol Com Sch
L Ctr
GORSEINON
Afon Lliw
Gelli-Organ
Penllergaer
Gelli-hyll Farm
Parc Melin Mynach
Gelligynore
Jun Sch
Inf Sch
Twr
Factory
Gorseinon Sh Pk
Junction 47 Ret Pk
Liby
Medway Workshops
GORSEINON RD
HIGH ST
ALEXANDRA RD
WEST ST
PONTARDULAIS RD
COALBROOK RD
HIGH ST
PENTRE RD
B4296
M4
A48
A4240
B4620
SWANSEA RD
Garngoch Ind Est
Gorseinon Coll
Gorseinon Bsns Pk
Sch
Mynydd Carn-goch
8
7
6
5
4
3
2
1
01
00
99
98
58
59
60
66
44

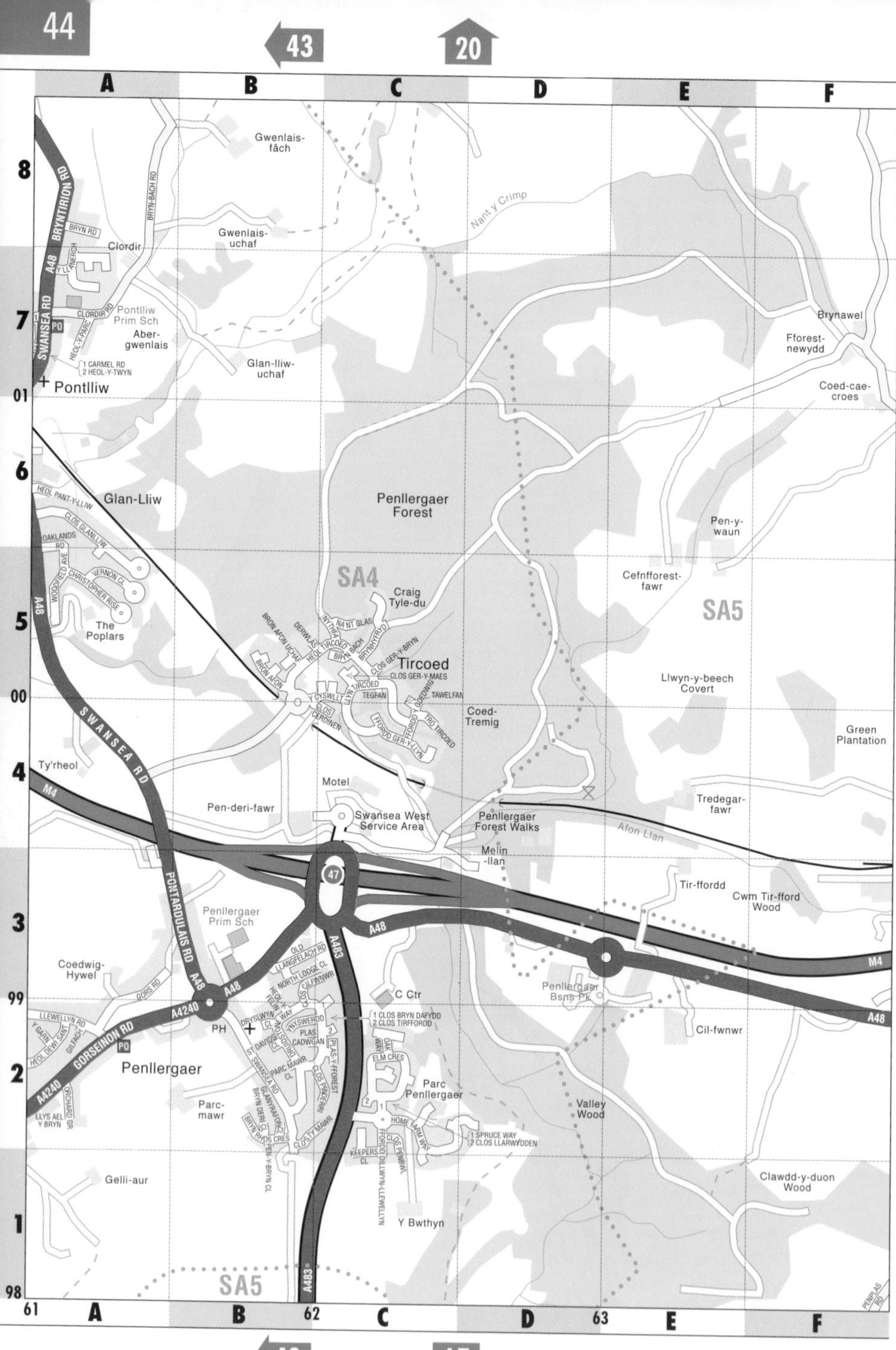
43
20
A
B
C
D
E
F
8
7
01
6
5
00
4
3
99
2
1
98
61
62
63
Gwenlais-
fâch
Nant y Crimp
Gwenlais-
uchaf
Clordir
BRYNTIRION RD
BRYN-BACH RD
BRYN RD
CLORDIR RD
HEOL-Y-PARC
SWANSEA RD
A48
PO
Pontlliw
Prim Sch
Aber-
gwenlais
1 CARMEL RD
2 HEOL-Y-TWYN
Glan-lliw-
uchaf
Pontlliw
Brynawel
Fforest-
newydd
Coed-cae-
croes
Glan-Lliw
HEOL PANT-Y-LLIW
CLOS GLANLLIW
OAKLANDS RD
WOODFIELD AVE
VERNON CL
CHRISTOPHER RISE
The
Poplars
Penllergaer
Forest
SA4
Craig
Tyle-du
Pen-y-
waun
Cefnfforest-
fawr
SA5
Tircoed
CLOS GER-Y-MAES
TAWELFAN
TEGFAN
Coed-
Tremig
Llwyn-y-beech
Covert
Green
Plantation
Ty'rheol
M4
Motel
Pen-deri-fawr
Swansea West
Service Area
Penllergaer
Forest Walks
Melin
-llan
Afon Llan
Tredegar-
fawr
47
Tir-ffordd
Cwm Tir-fford
Wood
Penllergaer
Prim Sch
PONTARDULAIS RD
A483
Coedwig-
Hywel
A4240
GORSEINON RD
GORS RD
PH
C Ctr
1 CLOS BRYN DAFYDD
2 CLOS TIRFFORDD
Penllergaer
Bsns Pk
Cil-fwnwr
Penllergaer
Parc-
mawr
Parc
Penllergaer
1 SPRUCE WAY
2 CLOS LLARWYDDEN
Valley
Wood
Gelli-aur
Y Bwthyn
Clawdd-y-duon
Wood
SA5
PENPLAS RD
43
67

21

46

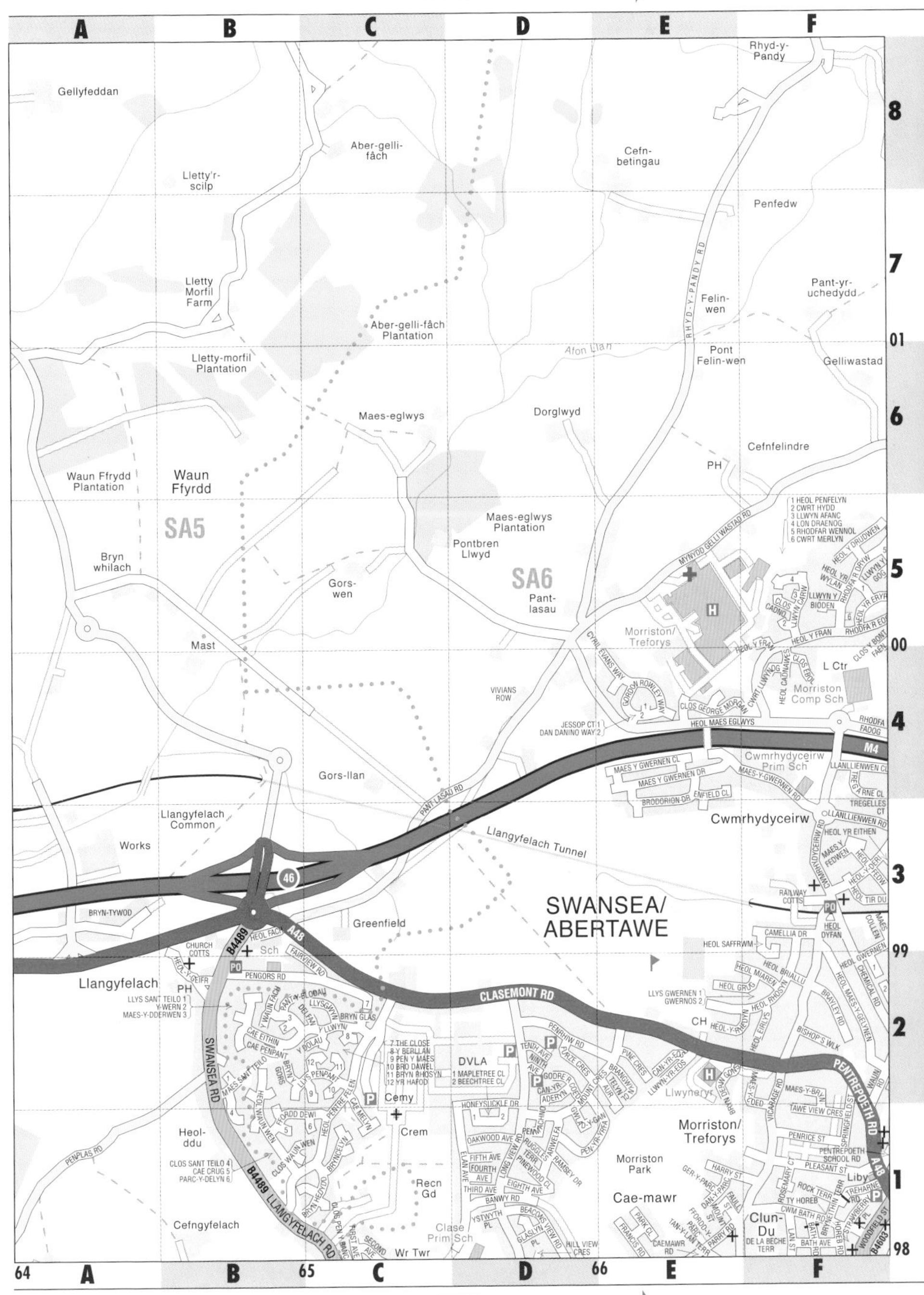
A
B
C
D
E
F
8
7
01
6
5
00
4
3
99
2
1
98
64
65
66
Gellyfeddan
Aber-gelli-fâch
Rhyd-y-Pandy
Cefn-betingau
Lletty'r-scilp
Penfedw
Lletty Morfil Farm
Felin-wen
Pant-yr-uchedydd
Aber-gelli-fâch Plantation
RHYD-Y-PANDY RD
Afon Llan
Pont Felin-wen
Gelliwastad
Lletty-morfil Plantation
Maes-eglwys
Dorglwyd
Cefnfelindre
PH
Waun Ffrydd Plantation
Waun Ffyrdd
SA5
Maes-eglwys Plantation
Pontbren Llwyd
MYNYDD GELLI WASTAD RD
1 HEOL PENFELYN
2 CWRT HYDD
3 LLWYN AFANC
4 LON DRAENOG
5 RHODFAR WENNOL
6 CWRT MERLYN
Bryn whilach
SA6
Gors-wen
Pant-lasau
Morriston/ Treforys
H
Mast
CYRIL EVANS WAY
HEOL Y FRAN
L Ctr
Morriston Comp Sch
VIVIANS ROW
GORDON ROWLEY WAY
CLOS GEORGE MORGAN
JESSOP CT 1
DAN DANINO WAY 2
HEOL MAES EGLWYS
RHODFA FADOG
M4
Gors-llan
Cwmrhydyceirw Prim Sch
MAES Y GWERNEN CL
MAES Y GWERNEN DR
MAES-Y-GWERNEN RD
BRODORION DR
ENFIELD CL
LLANLLIENWEN CL
TREGELLES CT
PANT LASAU RD
Llangyfelach Common
Cwmrhydyceirw
LLANLLIENWEN RD
HEOL YR EITHEN
Llangyfelach Tunnel
Works
46
CWMRHYDYCEIRW RD
RAILWAY COTTS
BRYN-TYWOD
SWANSEA/ ABERTAWE
Greenfield
PO
HEOL DYFAN
HEOL FACH
A48
B4489
CHURCH COTTS
Sch
CAMELLIA DR
HEOL SAFFRWM
FAIRVIEW RD
HEOL-Y-GEIFR
PO
PENGORS RD
Llangyfelach
PH
LLYS SANT TEILO 1
Y-WERN 2
MAES-Y-DDERWEN 3
CLASEMONT RD
HEOL BRIALLU
HEOL MIAREN
LLYS GWERNEN 1
GWERNOS 2
HEOL GWERNEN
CHEMICAL RD
BRAYLEY RD
HEOL MAES-Y-GELYNEN
BISHOP'S WLK
CH
SWANSEA RD
BRYN GLAS
7 THE CLOSE
8 Y BERLLAN
9 PEN Y MAES
10 BRO DAWEL
11 BRYN RHOSYN
12 YR HAFOD
DVLA
1 MAPLETREE CL
2 BEECHTREE CL
P
PENRHIW RD
TENTH AVE
NINTH AVE
GODRE'R COED
CAN-YR-EOS
PENTREPOETH RD
Llwyneryr
Cemy
Crem
HONEYSUCKLE DR
OAKWOOD AVE
FIFTH AVE
FOURTH AVE
THIRD AVE
EIGHTH AVE
BANWY RD
Heol-ddu
CLOS SANT TEILO 4
CAE CRUG 5
PARC-Y-DELYN 6
PENPLAS RD
Morriston/ Treforys
MAES-Y-BRYN
TAWE VIEW CRES
PENRICE ST
PENTREPOETH SCHOOL RD
PLEASANT ST
Morriston Park
HARRY ST
ROCK TERR
Liby
Recn Gd
Cae-mawr
TY HOREB
CWM BATH RD
Clun-Du
Cefngyfelach
B4489 LLANGYFELACH RD
Clase Prim Sch
DE LA BECHE TERR
BATH AVE
HILL VIEW CRES
CAEMAWR RD
Wr Twr
B4603

68

46

45
22

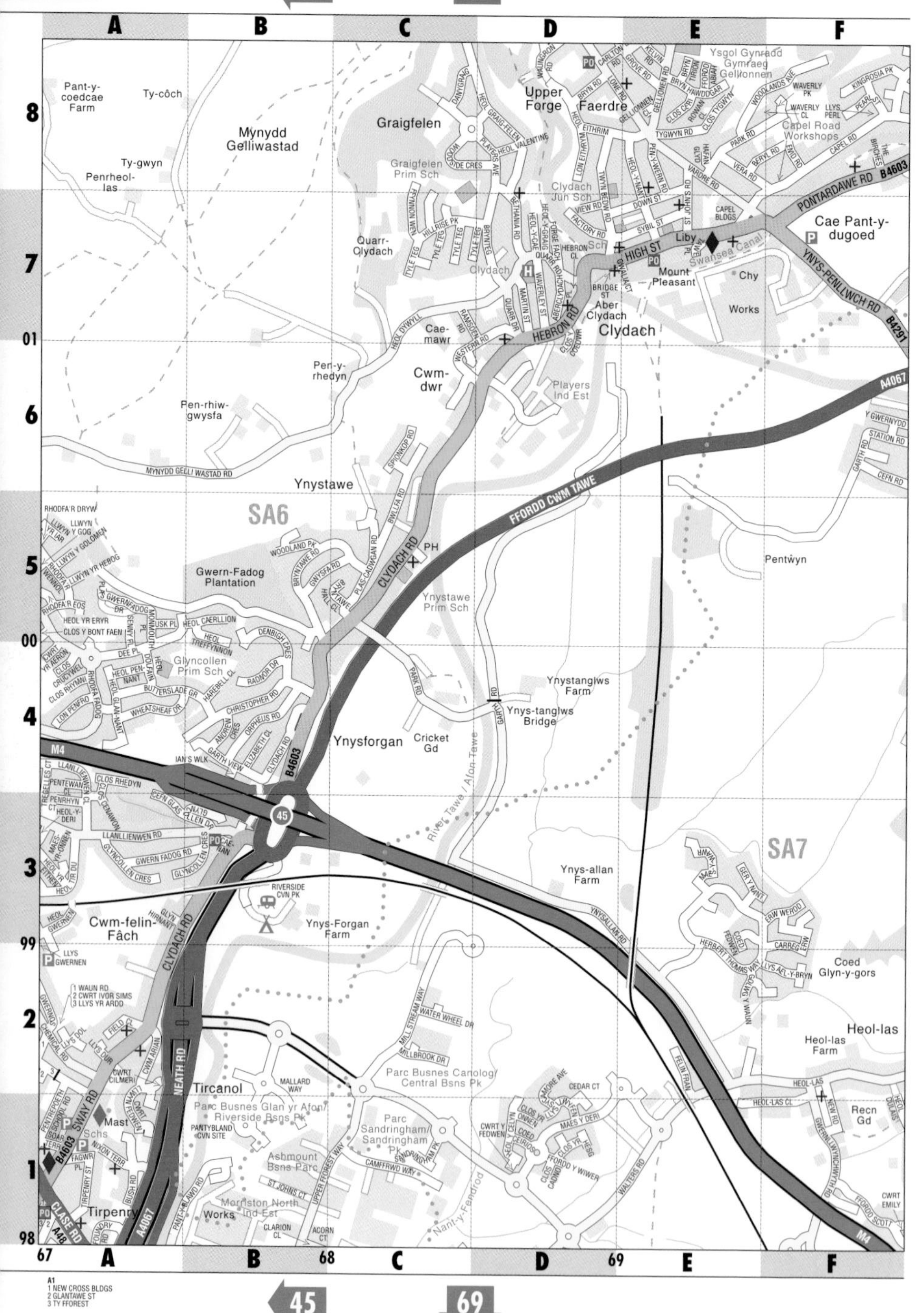

A1
1 NEW CROSS BLDGS
2 GLANTAWE ST
3 TY FFOREST

45
69

23

48

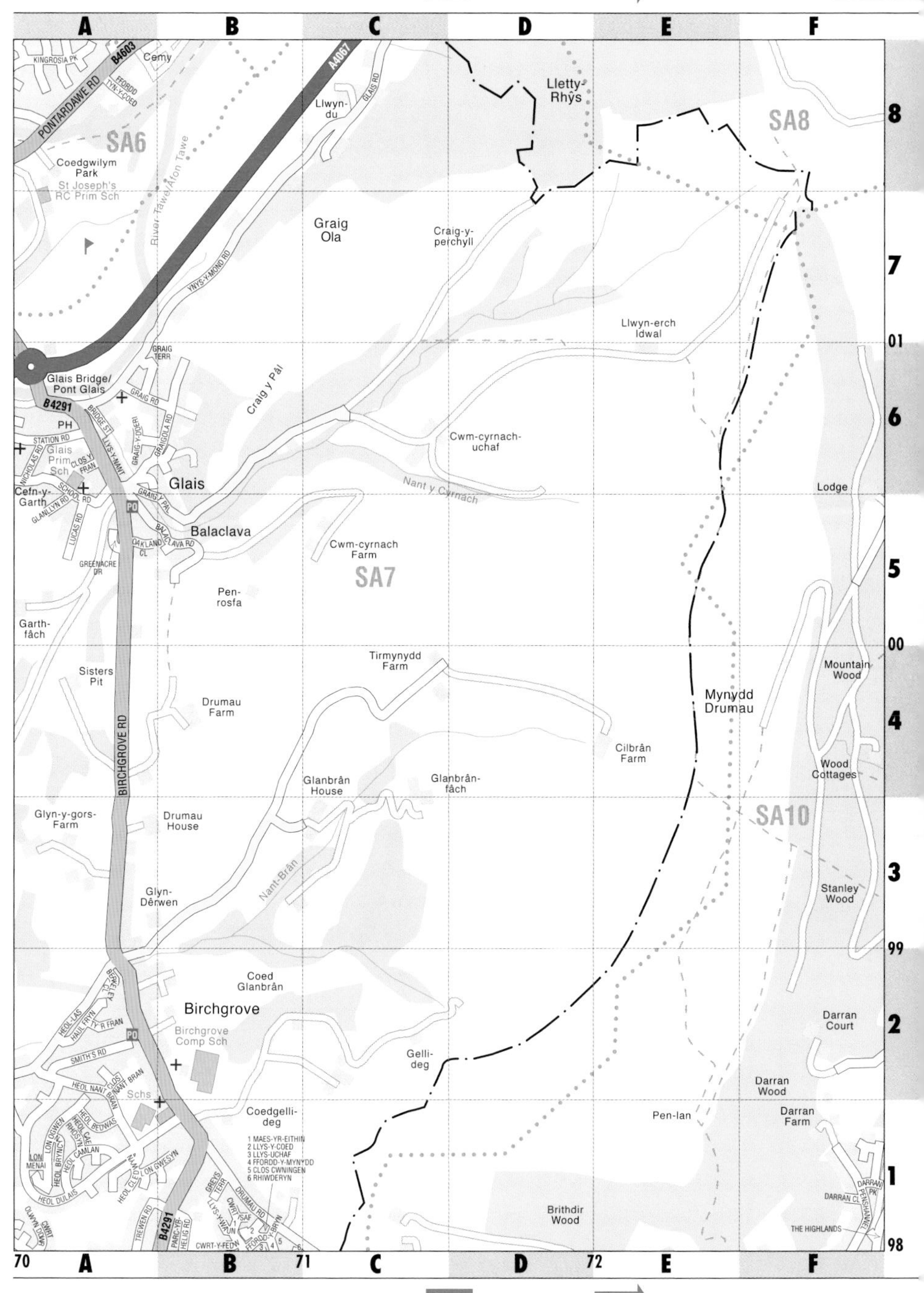
A
B
C
D
E
F
8
7
01
6
5
00
4
3
99
2
1
98
70
71
72
SA6
SA7
SA8
SA10
KINGROSIA PK
B4603
Cemy
PONTARDAWE RD
FFORDD TYN-Y-COED
A4067
GLAIS RD
Llwyn-du
Lletty-Rhŷs
Coedgwilym Park
St Joseph's RC Prim Sch
River Tawe/Afon Tawe
Graig Ola
Craig-y-perchyll
YNYS-Y-MOND RD
Llwyn-erch Idwal
GRAIG TERR
Glais Bridge/ Pont Glais
Craig y Pâl
B4291
GRAIG RD
PH
STATION RD
BRIDGE ST
LLYS-Y-NANT
GRAIG-Y-DDERI
GRAIGOLA RD
Cwm-cyrnach-uchaf
Glais Prim Sch
CLOS Y FRAN
NICHOLAS RD
SCHOOL RD
Glais
Nant y Cyrnach
Lodge
Cefn-y-Garth
GLANLLYN RD
GRAIG Y PÂL
PO
Balaclava
BALACLAVA RD
LUCAS RD
OAKLAND CL
Cwm-cyrnach Farm
GREENACRE DR
Pen-rosfa
Garth-fâch
Tirmynydd Farm
Sisters Pit
Mountain Wood
Mynydd Drumau
Drumau Farm
BIRCHGROVE RD
Cilbrân Farm
Wood Cottages
Glanbrân House
Glanbrân-fâch
Glyn-y-gors-Farm
Drumau House
Nant-Brân
Stanley Wood
Glyn-Dêrwen
BERKELEY CL
Coed Glanbrân
Birchgrove
HEOL-LAS
HAUL FRYN
TY'R FRAN
Darran Court
Birchgrove Comp Sch
SMITH'S RD
Gelli-deg
HEOL NANT BRAN
CLOS NANT BRAN
Schs
Darran Wood
Darran Farm
Coedgelli-deg
Pen-lan
HEOL BEDWAS
HEOL CAE RHOSYN
LON OGWEN
HEOL BRYNCOCH
HEOL CAMLAN
LON MENAI
1 MAES-YR-EITHIN
2 LLYS-Y-COED
3 LLYS-UCHAF
4 FFORDD-Y-MYNYDD
5 CLOS CWNINGEN
6 RHIWDERYN
LON GWESYN
HEOL CLEDAN
HEOL DULAIS
GREYS TERR
DRUMAU RD
Brithdir Wood
DARRAN PK
DARRAN CL
PENSHANNEL
OLWYN CWRT DDWR
TREWEN RD
PARC-YR-HELIG RD
LLYS-Y-WAUN
CWRT-Y-SAF
FFORDD-Y-BRYN
THE HIGHLANDS
CWRT-Y-FEDW

70

48

47
24

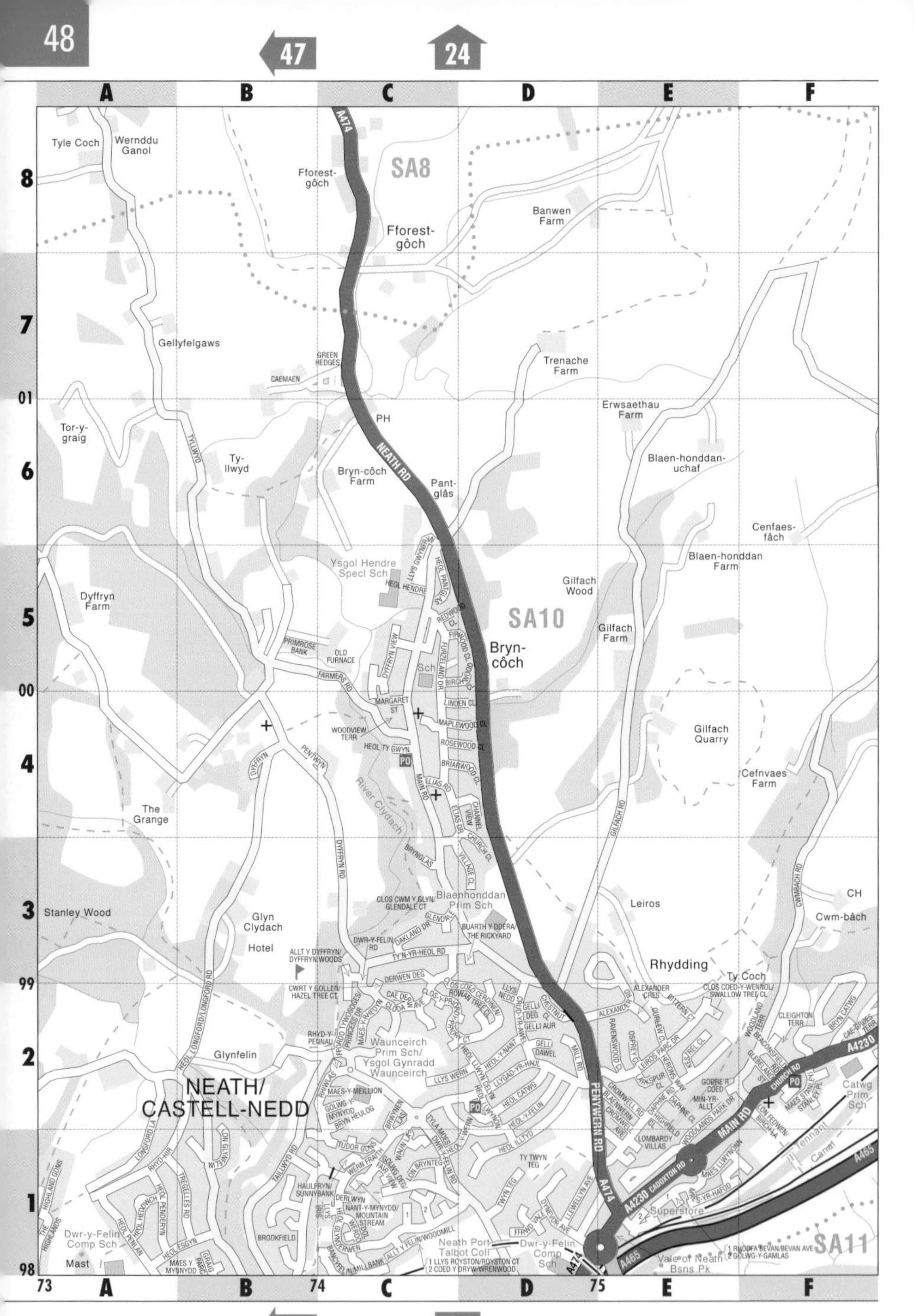
A
B
C
D
E
F
A474
SA8
Tyle Coch
Wernddu Ganol
Fforest-gôch
Fforest-gôch
Banwen Farm
Gellyfelgaws
GREEN HEDGES
CAEMAEN
Trenache Farm
Tor-y-graig
PH
Erwsaethau Farm
TYLLWYD
Ty-llwyd
Bryn-côch Farm
NEATH RD
Pant-glâs
Blaen-honddan-uchaf
Cenfaes-fâch
Ysgol Hendre Specl Sch
HEOL HENDRE
Blaen-honddan Farm
Dyffryn Farm
Gilfach Wood
SA10
Gilfach Farm
PRIMROSE BANK
OLD FURNACE
Bryn-côch
Sch
FARMERS RD
MARGARET ST
LINDEN CL
MAPLEWOOD CL
ROSEWOOD CL
BRIARWOOD CL
WOODVIEW TERR
HEOL TY GWYN
PO
Gilfach Quarry
Cefnvaes Farm
River Clydach
The Grange
ELIAS RD
CHANNEL VIEW
CHURCH CL
BRYNGLAS
GILFACH RD
DYFFRYN RD
VILLAGE CL
CLOS CWM Y GLYN/ GLENDALE CT
Blaenhonddan Prim Sch
Leiros
CH
Stanley Wood
Glyn Clydach Hotel
GLENDALE
BUARTH Y DDERA/ THE RICKYARD
Cwm-bâch
CWMBACH RD
DWR-Y-FELIN RD
OAKLAND DR
TY-N-YR-HEOL RD
Rhydding
ALLT Y DYFFRYN/ DYFFRYN WOODS
Ty Coch
DERWEN DEG
CLOS COED-Y-WENNOL/ SWALLOW TREE CL
CWRT Y GOLLEN/ HAZEL TREE CT
ALEXANDER CRES
CLEIGHTON TERR
ROWAN TREE CL
GELLI DEG CL
GELLI AUR
CHESTNUT
BITTERN CT
A4230
RHYD-Y-PENNAU
Wauncierch Prim Sch/ Ysgol Gynradd Waunceirch
GELLI DAWEL
MILL RD
RAVENSWOOD CL
OSPREY CL
LEIROS PARC DR
HERONS WAY
BEACONSFIELD RD
HEOL LONGFORD/LONGFORD RD
Glynfelin
LLYS WERN
HEOL CATWG
CROMWELL RD
CHURCH RD
Catwg Prim Sch
NEATH/ CASTELL-NEDD
MAES-Y-MEILLION
GOLWG-Y-MYNYDD
BRYN HEULOG
PENYWERN RD
DAPHNE RD
GODRE'R COED
MIN-YR-ALLT
WOODLANDS PARK DR
MAIN RD
MAES STANLEY
STANLEY PL
LON FEDWEN/ BIRCH LA
PO
LONGFORD LA
RHYD-HIR
HEOL-Y-FELIN
HEOL ILLTYD
LOMBARDY VILLAS
Tennant Canal
A465
TUDOR GDNS
TY TWYN TEG
CADOXTON RD
MAES LLWYNON
HIGHLAND GDNS
HEOL PENDERYN
TREGELLES RD
TAILLWYD RD
HAULFRYN/ SUNNYBANK
DERLWYN
NANT-Y-MYNYDD/ MOUNTAIN STREAM
LON BRYNTEG
TWYN TEG
DYNEVOR AVE
LLEWELLYN AVE
A474
A4230
Superstore
MAES-YR-HAFOD
THE HIGHLANDS
Dwr-y-Felin Comp Sch
BROOKFIELD
ALLT Y FELIN/WOODMILL
Neath Port Talbot Coll
Dwr-y-Felin Comp Sch
SA11
1 RHODFA BEVAN/BEVAN AVE
2 GOLWG-Y-GAMLAS
Mast
HEOL ESGYN
MAES Y MYNYDD
GRAIG PARC
MILLBANK
1 LLYS ROYSTON/ROYSTON CT
2 COED Y DRYW/WRENWOOD
Vale of Neath Bsns Pk
A465
8
7
01
6
5
00
4
3
99
2
1
98
73
74
75

47
71

25
226

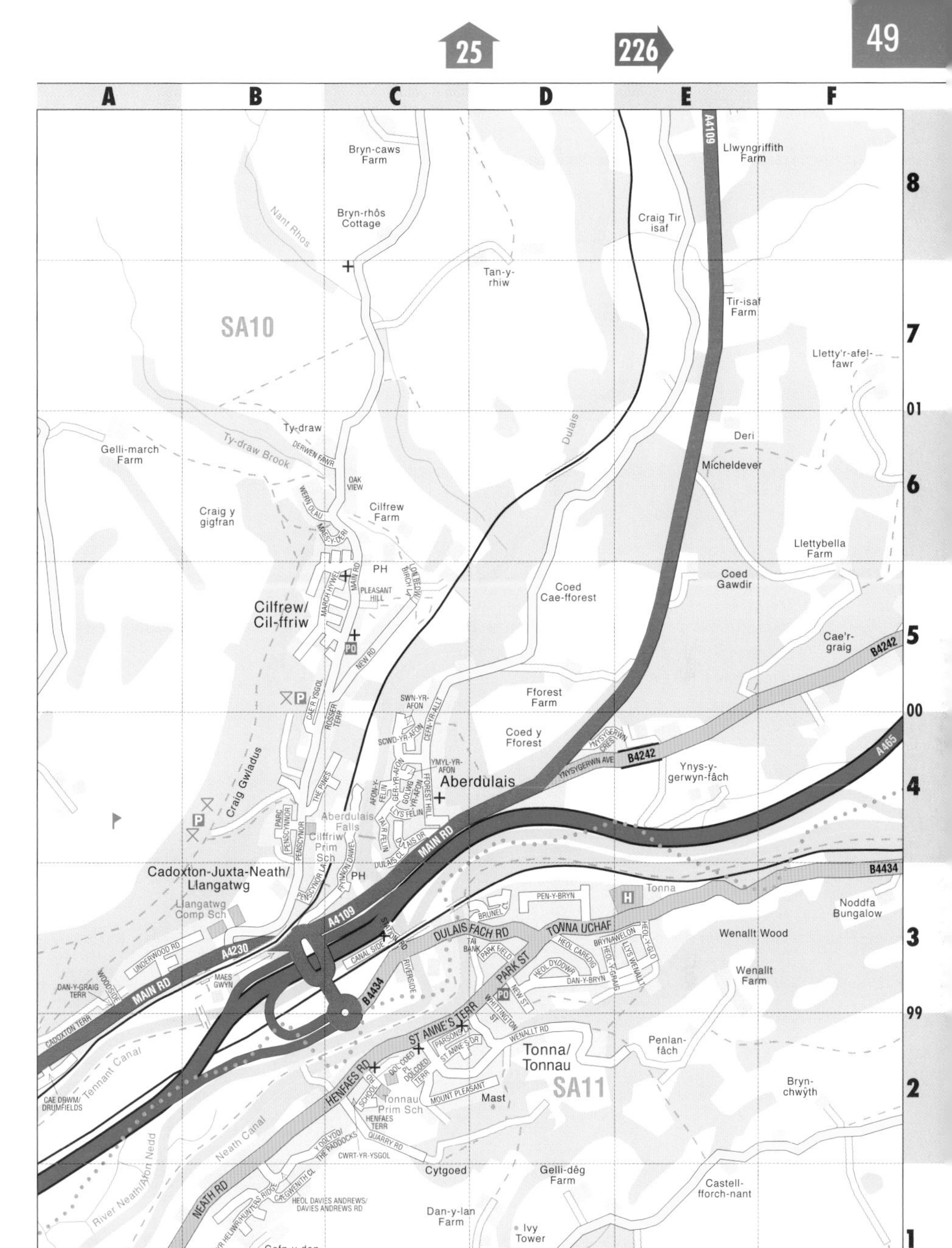
A
B
C
D
E
F
8
7
01
6
5
00
4
3
99
2
1
98
76
77
78
Bryn-caws Farm
Llwyngriffith Farm
A4109
Nant Rhos
Bryn-rhôs Cottage
Craig Tir isaf
Tan-y-rhiw
Tir-isaf Farm
SA10
Llety'r-afel-fawr
Ty-draw
Dulais
Deri
Gelli-march Farm
Ty-draw Brook
DERWEN FAWR
OAK VIEW
Micheldever
Craig y gigfran
Cilfrew Farm
WERN OLAU
MAES-Y-DERI
Lletybella Farm
PH
MAIN RD
LON BEDW
BIRCH
Coed Gawdir
MARCH HYWEL
PLEASANT HILL
Coed Cae-fforest
Cilfrew/ Cil-ffriw
Cae'r-graig
B4242
PO
NEW RD
Fforest Farm
CAE'R YSGOL
SWN-YR-AFON
ROSSER TERR
CEFN-YR-ALLT
Coed y Fforest
YNYSYGERWN CRES
SCWD-YR-AFON
B4242
Ynys-y-gerwyn-fâch
Craig Gwladus
YMYL-YR-AFON
YNYSYGERWN AVE
A465
THE PINES
Aberdulais
AFON-Y-FELIN
GER-YR-AFON
GOLWG-YR-AFON
FFOREST HILL
P
PARC
Aberdulais Falls
LLYS FELIN
PENSCYNOR
TAI'R FELIN
Cilffriw Prim Sch
DULAIS DR
MAIN RD
DULAIS CL
FFYNNON DAWEL
Cadoxton-Juxta-Neath/ Llangatwg
PH
B4434
PENSCYNOR LA
PEN-Y-BRYN
H
Tonna
Noddfa Bungalow
Llangatwg Comp Sch
A4109
BRUNEL CL
UNDERWOOD RD
A4230
STATION RD
DULAIS FACH RD
TONNA UCHAF
Wenallt Wood
HEOL-Y-GLO
BRYNAWELON
CANAL SIDE
TAI BANK
PARK FIELD
HEOL CAREDIG
HEOL-Y-GRAIG
LLYS WENALLT
MAES GWYN
HEOL DYDDWR
Wenallt Farm
DAN-Y-GRAIG TERR
WOODSIDE
MAIN RD
RIVERSIDE
PARK ST
DAN-Y-BRYN
B4434
PO
NEW ST
WHITTINGTON ST
CADOXTON TERR
ST ANNE'S TERR
PARSONS CL
WENALLT RD
Penlan-fâch
ST ANNE'S DR
Tonna/ Tonnau
Tennant Canal
HENFAES RD
DOL-COED PL
DOLCOED TERR
SA11
Bryn-chwŷth
SCHOOL
CAE DDWM/ DRUMFIELDS
Tonnau Prim Sch
MOUNT PLEASANT
Mast
HENFAES TERR
Y DOLYDD/ THE PADDOCKS
QUARRY RD
Neath Canal
River Neath/Afon Nedd
CWRT-YR-YSGOL
Cytgoed
Gelli-dêg Farm
Castell-fforch-nant
CAEGWENITH CL
NEATH RD
HUNTERS RIDGE
HEOL DAVIES ANDREWS/ DAVIES ANDREWS RD
Dan-y-lan Farm
CRIB YR HELIWR
Ivy Tower
Cefn-y-don
P
B4434
LLANTWIT RD
FAIRYLAND RD

72
226

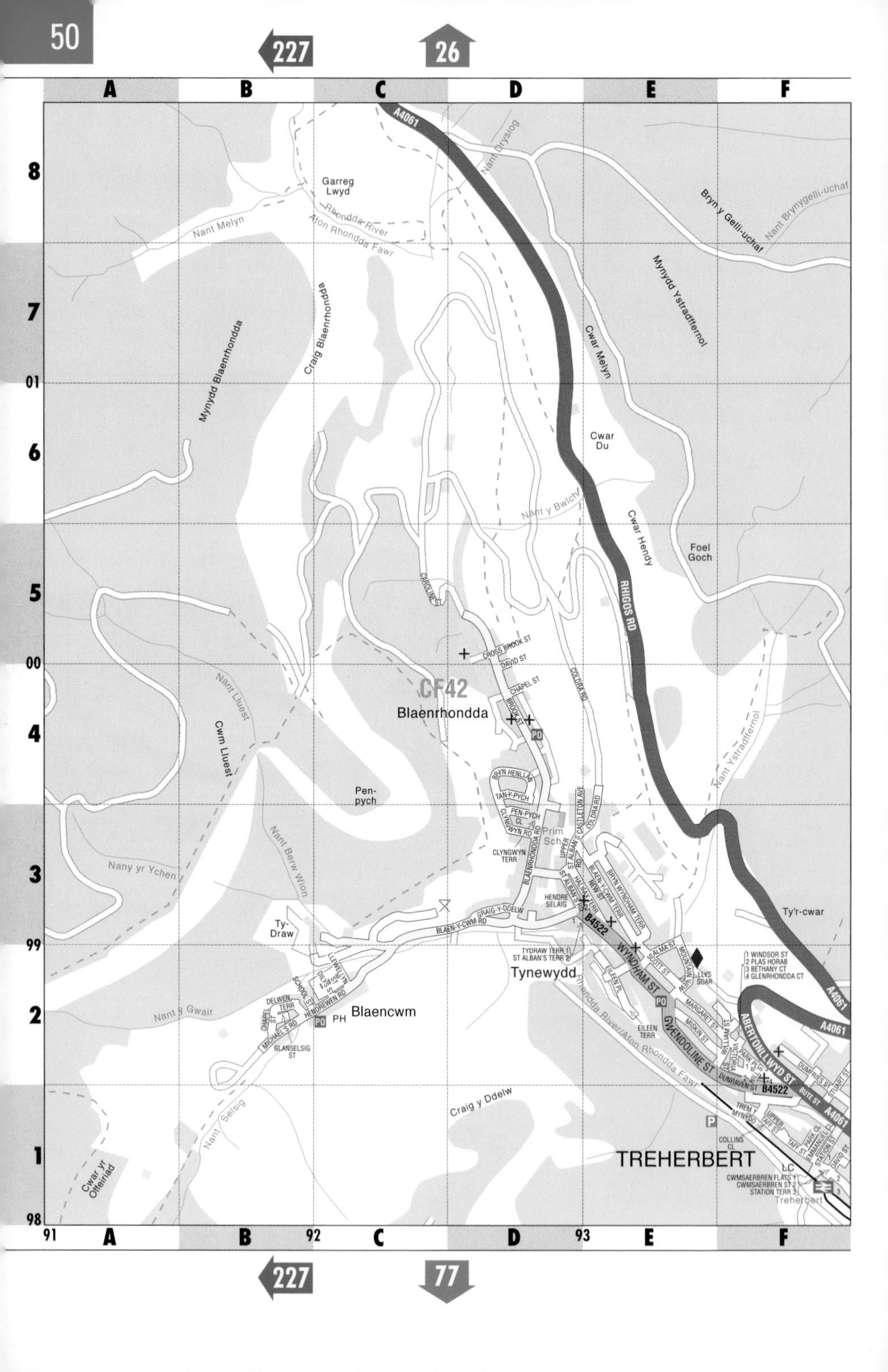
227
26
A
B
C
D
E
F
8
7
01
6
5
00
4
3
99
2
1
98
91
92
93
A4061
Garreg
Lwyd
Nant Drysiog
Nant Melyn
Rhondda River
Afon Rhondda Fawr
Bryn y Gelli-uchaf
Nant Brynygelli-uchaf
Mynydd Ystradffernol
Craig Blaenrhondda
Mynydd Blaenrhondda
Cwar Melyn
Cwar
Du
Nant y Bwlch
Cwar Hendy
Foel
Goch
RHIGOS RD
CAROLINE ST
CROSS BROOK ST
DAVID ST
CHAPEL ST
BROOK ST
COLDRA RD
CF42
Blaenrhondda
Nant Lluest
Cwm Lluest
Nant Ystradffernol
PO
BRYN HENLLAN
TAN-Y-PYCH
PEN-PYCH
CL
CLYNGWYN RD
Pen-
pych
CASTLETON AVE
COLDRA RD
Prim
Sch
CLYNGWYN
TERR
BLAENRHONDDA RD
UPPER
ST ALBAN'S
RD
ST ALBAN'S RD
HALIFAX TERR
NEW ST
BLAEN-Y-CWM TERR
BRYN WYNDHAM TERR
Nant Berw Wion
Nany yr Ychen
HENDRE
SELAIG
B4522
Ty'r-cwar
Ty-
Draw
GRAIG-Y-DDELW
BLAEN-Y-CWM RD
TYDRAW TERR 1
ST ALBAN'S TERR 2
Tynewydd
WYNDHAM ST
SALMA ST
SCOTT ST
MOUNTAIN AVE
LLYS
SOAR
1 WINDSOR ST
2 PLAS HORAB
3 BETHANY CT
4 GLENRHONDDA CT
A4061
LLEWELLYN
DILLWYN ST
SCHOOL ST
DELWEN
TERR
HENDREWEN RD
CHAPEL ST
MICHAEL'S RD
Nant y Gwair
PO
PH
Blaencwm
GLANSELSIG
ST
EILEEN PL
Rhondda River/Afon Rhondda Fawr
PO
EILEEN
TERR
GWENDOLINE ST
MARGARET ST
MISKIN ST
WILLIAM ST
VICTORIA
PARK PL
ABERTONLLWYD ST
DUMFRIES ST
STUART ST
BUTE ST
DUNRAVEN ST
B4522
A4061
Nant Selsig
Craig y Ddelw
TREM Y
MYNYDD
UPPER
TAFF ST
TAFF ST
PARK CL
EMMANUEL CL
STATION ST
DAVID ST
P
COLLINS
CL
TREHERBERT
LC
CWMSAERBREN FLATS 1
CWMSAERBREN ST 2
STATION TERR 3
Treherbert
Cwar yr
Offeiriad
A
B
C
D
E
F
227
77

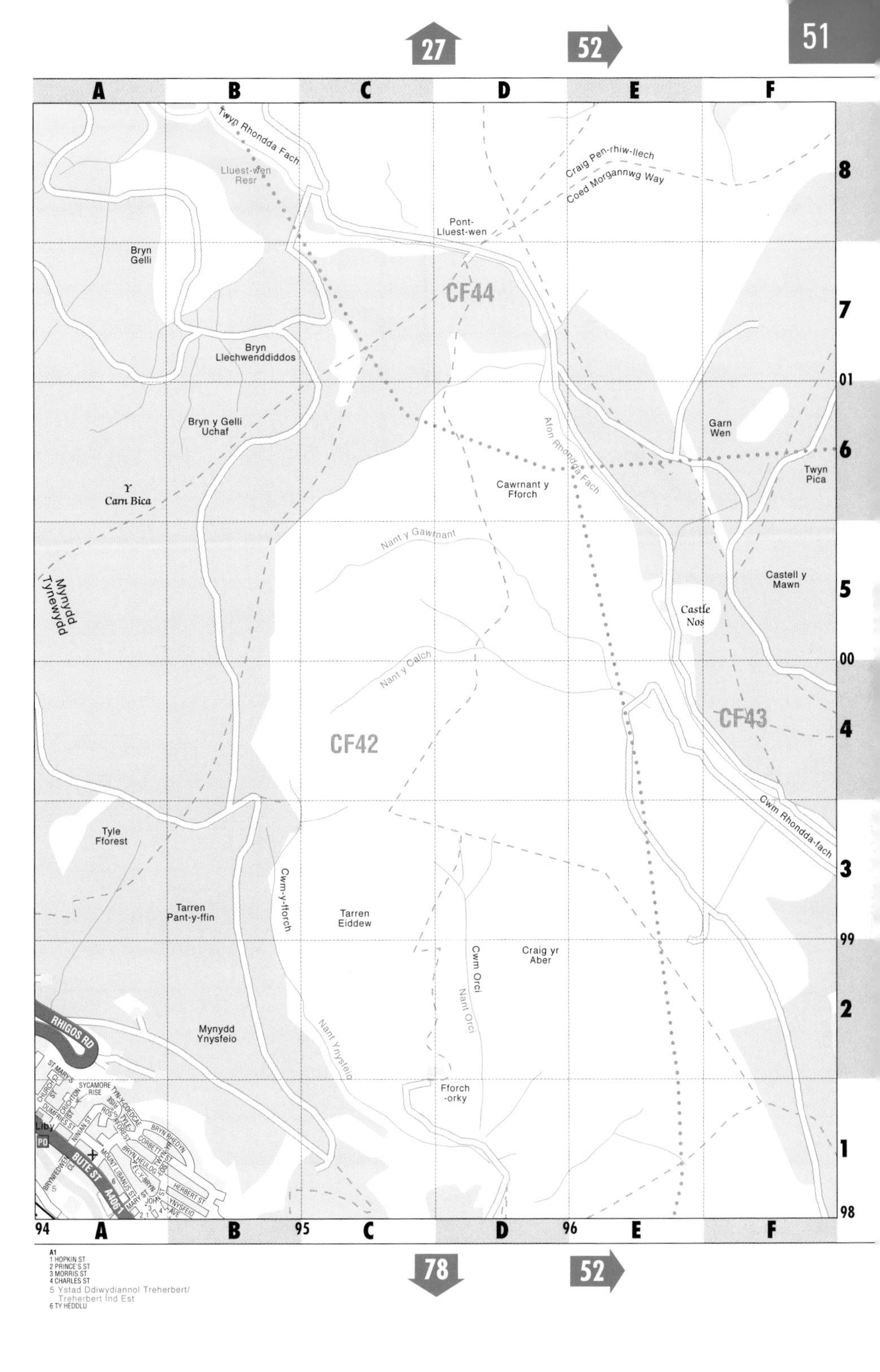

A1
1 HOPKIN ST
2 PRINCE'S ST
3 MORRIS ST
4 CHARLES ST
5 Ystad Ddiwydiannol Treherbert/
Treherbert Ind Est
6 TY HEDDLU

51 28

A
B
C
D
E
F
8
7
01
6
5
00
4
3
99
2
1
98
97
98
99
A4233
Dumfries Park
Craig Rhiw-ddu
Graig Rhiwmynach
Troedrhiw lech Foel
MAERDY RD
Cefnrhos-gwawr
Fire Tower
P
Hafod-wen
Panwen Garreg-wen
Rhos-gwawr
Nant Aman Fach
CF44
Pen Foel Aman
Coed Blaenaman-fach
Craig Fforchaman
Bryn Du
Nant Aman Fawr
Glynhafod Jun Sch
GLYNHAFOD ST
GLANRHYD ST
KINGSBURY PL
BRYNHYFRYD
GLANAMAN RD
Cwm Aman
Twyn Croesffordd
PWLLFA PL
CF43
Afon Rhondda Fach
Craig Bedwlwyn
Craig Tirllaethdy
Bedwlwyn
Cefn Craig Amos
SPRINGFIELD RD
WOOD ST
PARK
NORTH TERR
JAMES ST
PARK RD
GRIFFITH ST
EDWARD ST
Liby
STATION RD
STATION TERR
Maerdy
Maerdy Farm
Mynydd y Ffaldau
INSTITUTE ST
PO
CHURCH ST
HILL ST
MILES ST
SCHOOL
PENTRE RD
SUNNY HILL
MAERDY CT
OXFORD ST
MAERDY RD FLATS
ROWLEY TERR
BROOK ST
WILSON PL
Cwm Rhondda-fach
Craig y Gilwern
Maerdy Inf Sch
MAERDY RD
A4233
ROYAL COTTS
CAIRN CT

51 79

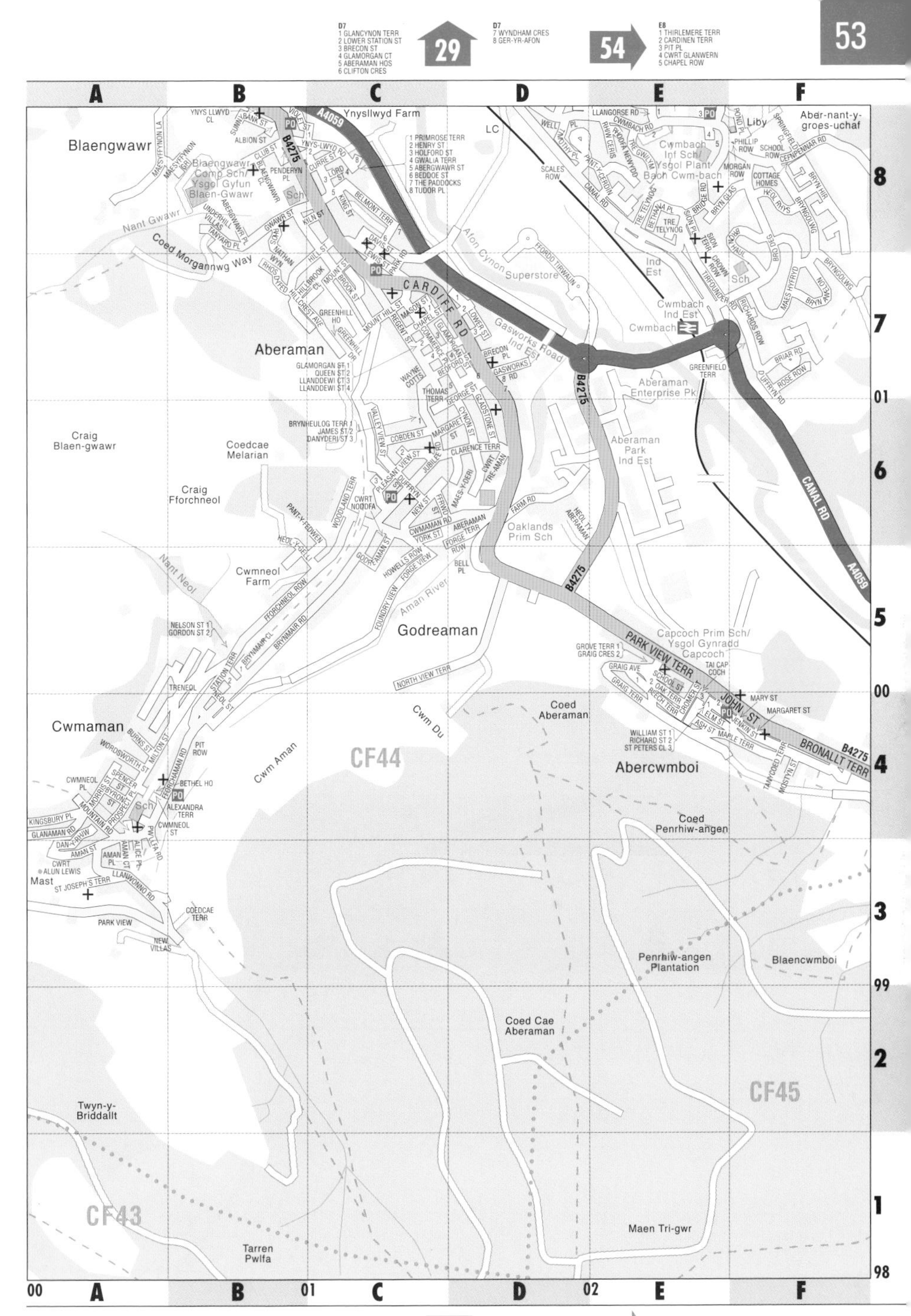
Blaengwawr
Ynysllwyd Farm
Aberaman
Craig Blaen-gwawr
Coedcae Melarian
Craig Fforchneol
Cwmneol Farm
Godreaman
Cwmaman
Cwm Aman
Cwm Du
CF44
Coed Aberaman
Abercwmboi
Coed Penrhiw-angen
Penrhiw-angen Plantation
Blaencwmboi
Coed Cae Aberaman
CF45
Twyn-y-Briddallt
CF43
Tarren Pwlfa
Maen Tri-gwr
Cwmbach
Cwmbach Ind Est
Aberaman Enterprise Pk
Aberaman Park Ind Est
Oaklands Prim Sch
Capcoch Prim Sch/ Ysgol Gynradd Capcoch
Superstore
Liby
Aber-nant-y-groes-uchaf
CARDIFF RD
CANAL RD
PARK VIEW TERR
BRONALLT TERR
Coed Morgannwg Way
Gasworks Road
A4059
B4275

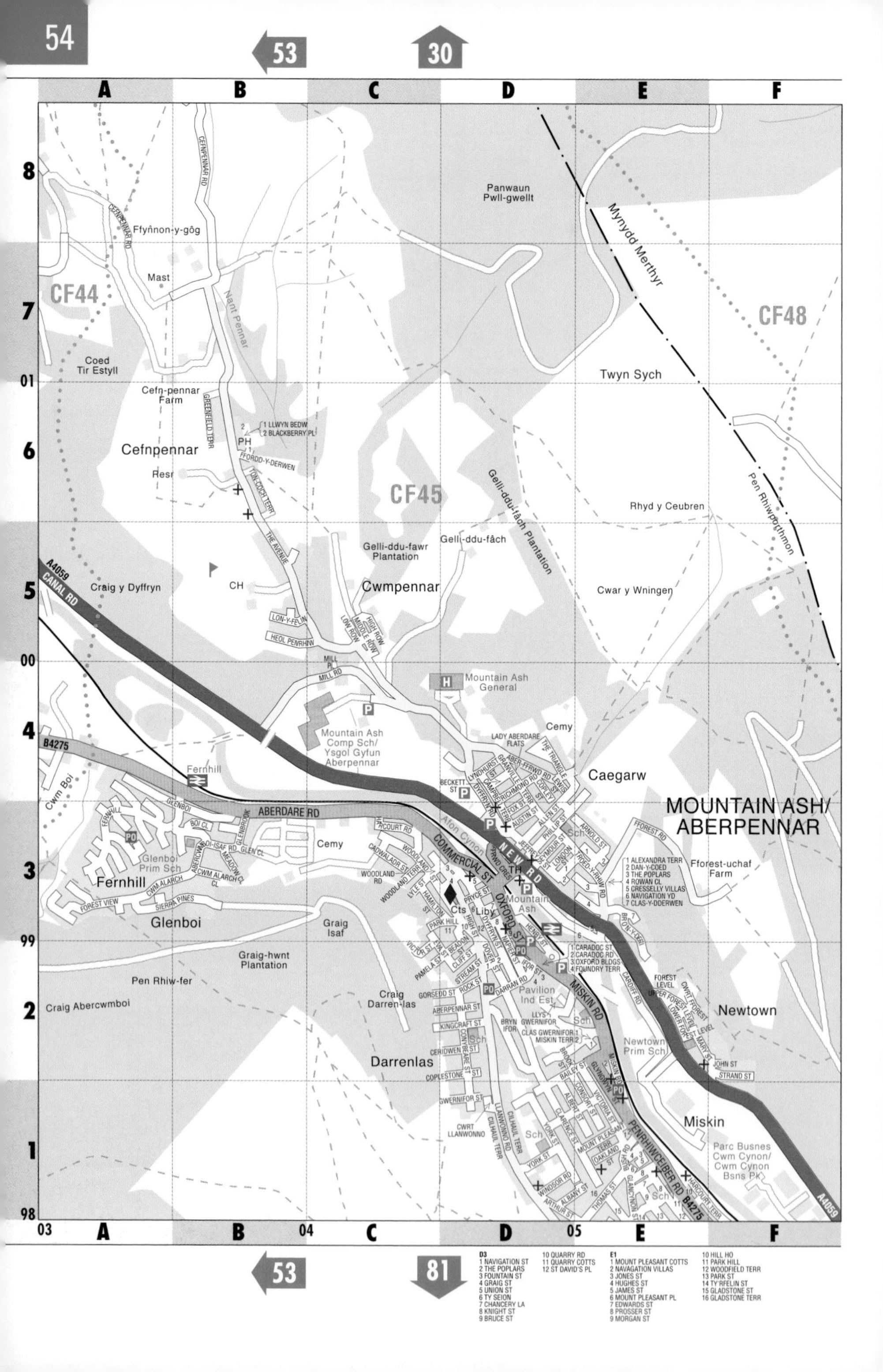

54
53
30
A
B
C
D
E
F
8
7
6
5
4
3
2
1
01
00
99
98
03
04
05
Panwaun
Pwll-gwellt
Mynydd Merthyr
CEFNPENNAR RD
Ffynnon-y-gôg
Mast
CF44
CF48
CF45
Nant Pennar
Coed
Tir Estyll
Cefn-pennar
Farm
Twyn Sych
GREENFIELD TERR
1 LLWYN BEDW
2 BLACKBERRY PL
PH
Cefnpennar
FFORDD-Y-DERWEN
Resr
TON-COCH TERR
Gelli-ddu-fâch Plantation
Rhyd y Ceubren
Pen Rhiwporthmon
THE AVENUE
Gelli-ddu-fawr
Plantation
Gelli-ddu-fâch
A4059
CANAL RD
Craig y Dyffryn
CH
Cwmpenar
Cwar y Wningen
LON-Y-FELIN
HEOL PENRHIW
LOW ROW
MIDDLE ROW
HIGH ROW
MILL PL
MILL RD
Mountain Ash
General
Mountain Ash
Comp Sch/
Ysgol Gyfun
Aberpennar
Cemy
LADY ABERDARE
FLATS
THE TRIANGLE
B4275
Fernhill
Cwm Boi
Caegarw
BECKETT ST
LYNDHURST ST
GRANVILLE
ABER-FFRWD RD
LEWIS
CAMPBELL TERR
RICHMOND RD
COPLEY
DYFFRYN RD
FOX ST
AUSTIN ST
ALLEN ST
MOUNTAIN ASH/
ABERPENNAR
GLENBOI
ABERDARE RD
FERNHILL
BOI CL
GLENBROOK
BOI-ISAF RD
GLEN CL
ABERCWMBOI
MEADOW CL
CWM ALARCH CL
Cemy
HARCOURT RD
WOODLAND
CADWALADR ST
Afon Cynon
COMMERCIAL ST
NEW RD
JEFFREY ST
SEYMOUR ST
PHILLIP ST
LONDON ST
ARNOLD ST
FFOREST RD
FFRWD-Y-RHIW RD
1 ALEXANDRA TERR
2 DAN-Y-COED
3 THE POPLARS
4 ROWAN CL
5 CRESSELLY VILLAS
6 NAVIGATION YD
7 CLAS-Y-DDERWEN
Fforest-uchaf
Farm
Glenboi
Prim Sch
Fernhill
CWM ALARCH
WOODLAND RD
WOODLAND TERR
LYLE ST
HAMILTON ST
TH
Mountain Ash
Cts
Liby
PRYCE ST
OXFORD ST
FOREST VIEW
SIERRA PINES
Glenboi
Graig
Isaf
PARK HILL
HIGH ST
HENRY ST
BRON-Y-DERI
VICTOR ST
EVA ST
BEADON ST
CLIFF ST
DOVER ST
1 CARADOC ST
2 CARADOC RD
3 OXFORD BLDGS
4 FOUNDRY TERR
Graig-hwnt
Plantation
PAMELA ST
STREAM ST
ROCK ST
IFOR ST
CARDIFF RD
FOREST LEVEL
UPPER FOREST LEVEL
CWRT FFOREST
LOWER FOREST LEVEL
Pen Rhiw-fer
GORSEDD ST
DARRAN RD
Pavilion
Ind Est
MISKIN RD
Craig Abercwmboi
Craig
Darren-las
ABERPENNAR ST
LLYS GWERNIFOR
Newtown
KINGCRAFT ST
BRYN IFOR
CLAS GWERNIFOR
MISKIN TERR
Newtown
Prim Sch
MARY ST
CONYBEARE ST
CERIDWEN ST
Darrenlas
BROOK ST
BAILEY ST
GLYNGWYN ST
JOHN ST
STRAND ST
COPLESTONE ST
CONSORT ST
VICTORIA ST
ALBERT ST
GWERNIFOR ST
CLARENCE ST
Miskin
CWRT
LLANWONNO
LLANWONNO RD
CILHAUL TERR
YORK ST
MOUNT PLEASANT TERR
PENRHIWCEIBER RD
Parc Busnes
Cwm Cynon/
Cwm Cynon
Bsns Pk
YORK ST
OAKLAND TERR
WINDSOR RD
HARCOURT TERR
ALBANY ST
THOMAS ST
GLAMORGAN
ARTHUR ST
A4059
B4275
53
81
D3
1 NAVIGATION ST
2 THE POPLARS
3 FOUNTAIN ST
4 GRAIG ST
5 UNION ST
6 TY SEION
7 CHANCERY LA
8 KNIGHT ST
9 BRUCE ST
10 QUARRY RD
11 QUARRY COTTS
12 ST DAVID'S PL
E1
1 MOUNT PLEASANT COTTS
2 NAVAGATION VILLAS
3 JONES ST
4 HUGHES ST
5 JAMES ST
6 MOUNT PLEASANT PL
7 EDWARDS ST
8 PROSSER ST
9 MORGAN ST
10 HILL HO
11 PARK HILL
12 WOODFIELD TERR
13 PARK ST
14 TY'RFELIN ST
15 GLADSTONE ST
16 GLADSTONE TERR

31

56

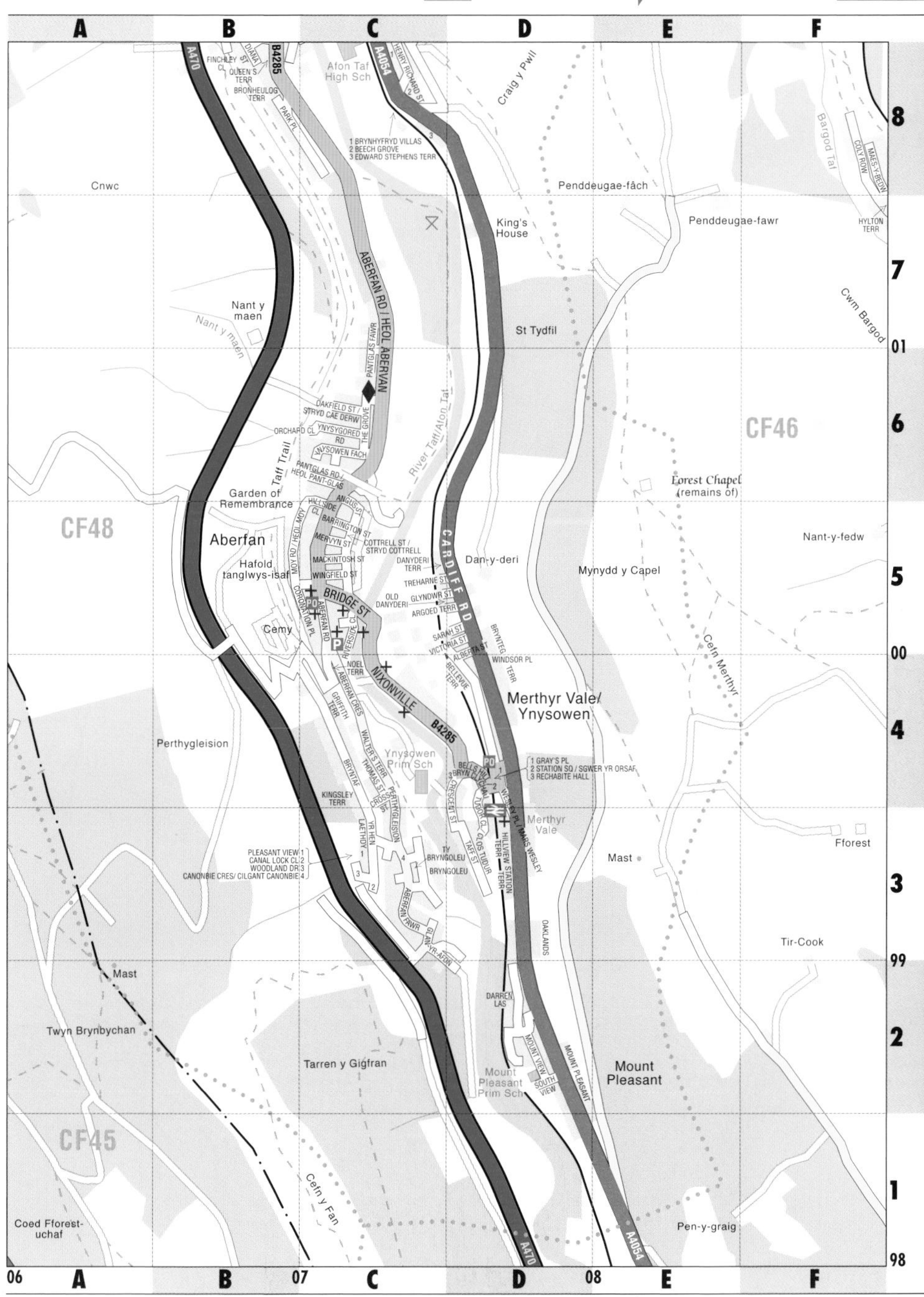
A
B
C
D
E
F
8
7
01
6
5
00
4
3
99
2
1
98
06
07
08
A470
B4285
A4054
Afon Taf High Sch
Craig y Pwll
Bargod Taf
COLY ROW
MAES-Y-BEDW
HYLTON TERR
FINCHLEY CL
DIANA ST
QUEEN'S TERR
BRONHEULOG TERR
PARK PL
HENRY RICHARD ST
1 BRYNHYFRYD VILLAS
2 BEECH GROVE
3 EDWARD STEPHENS TERR
Cnwc
Penddeugae-fâch
Penddeugae-fawr
King's House
ABERFAN RD / HEOL ABERVAN
Cwm Bargod
Nant y maen
St Tydfil
PANTGLAS FAWR
OAKFIELD ST / STRYD CAE DERW
ORCHARD CL
YNYSYGORED RD
THE GROVE
YNYSOWEN FACH
CF46
CF48
Taff Trail
River Taff/Afon Taf
PANTGLAS RD / HEOL PANT-GLAS
Forest Chapel (remains of)
Garden of Remembrance
HILLSIDE CL
ANGUS ST
BARRINGTON ST
Aberfan
MOY RD / HEOL MOY
MERVYN ST
COTTRELL ST / STRYD COTTRELL
CARDIFF RD
Nant-y-fedw
MACKINTOSH ST
DANYDERI TERR
Dan-y-deri
Mynydd y Capel
Hafold tanglwys-isaf
WINGFIELD ST
TREHARNE ST
BRIDGE ST
OLD DANYDERI
GLYNDWR ST
ARGOED TERR
CORONATION PL
ABERFAN RD
RIVERSIDE CL
Cemy
SARAH ST
VICTORIA ST
ALBERTA ST
BRYNTEG TERR
WINDSOR PL
Cefn Merthyr
NOEL TERR
NIXONVILLE
BELLEVUE TERR
ABERFAN CRES
GRIFFITH TERR
Merthyr Vale/ Ynysowen
B4285
Perthygleision
WALTER'S TERR
Ynysowen Prim Sch
THOMAS ST
BRYNTAF
BELLS HILL
BRYN CLOCHAN
CRESCENT ST
1 GRAY'S PL
2 STATION SQ / SGWER YR ORSAF
3 RECHABITE HALL
KINGSLEY TERR
CROSS ST
PERTHYGLEISION
TUDOR CL
WESLEY PL / MARS WESLEY
Merthyr Vale
LAETHDY
YR HEN
TY BRYNGOLEU
BRYNGOLEU
CLOS TUDUR
TAFF ST
HILLVIEW TERR
STATION TERR
Fforest
PLEASANT VIEW 1
CANAL LOCK CL 2
WOODLAND DR 3
CANONBIE CRES / CILGANT CANONBIE 4
Mast
ABERFAN FAWR
GLAN-YR-AFON
OAKLANDS
Tir-Cook
Mast
DARREN LAS
Twyn Brynbychan
MOUNT VIEW
MOUNT PLEASANT
Tarren y Gigfran
Mount Pleasant Prim Sch
SOUTH VIEW
Mount Pleasant
CF45
Cefn y Fan
Coed Fforest-uchaf
Pen-y-graig
A470
A4054

82

56

55
32

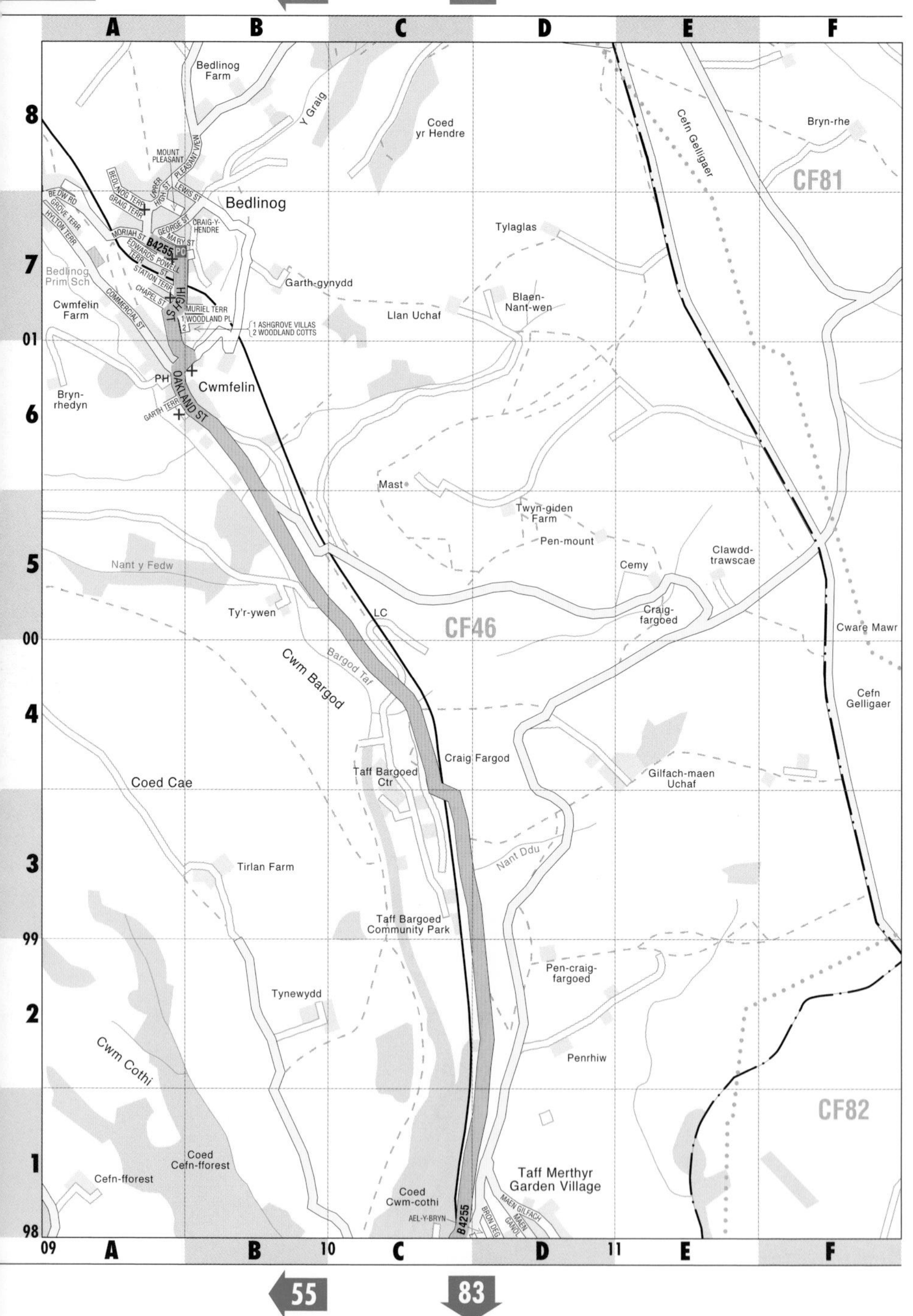
A
B
C
D
E
F
8
7
01
6
5
00
4
3
99
2
1
98
09
10
11
Bedlinog Farm
Y Graig
Coed yr Hendre
Bryn-rhe
CF81
Cefn Gelligaer
MOUNT PLEASANT
PLEASANT VIEW
BEDLINOG TERR
UPPER HIGH ST
LEWIS ST
BEDW RD
GRAIG TERR
GROVE TERR
HYLTON TERR
Bedlinog
GEORGE ST
CRAIG-Y-HENDRE
MORIAH ST
MARY ST
B4255
PO
EDWARDS POWELL TERR
ST
STATION TERR
CHAPEL ST
HIGH ST
MURIEL TERR
1 WOODLAND PL
1 ASHGROVE VILLAS
2 WOODLAND COTTS
Bedlinog Prim Sch
Cwmfelin Farm
COMMERCIAL ST
Tylaglas
Garth-gynydd
Blaen-Nant-wen
Llan Uchaf
PH
Cwmfelin
OAKLAND ST
GARTH TERR
Bryn-rhedyn
Mast
Twyn-giden Farm
Pen-mount
Clawdd-trawscae
Cemy
Nant y Fedw
Ty'r-ywen
LC
CF46
Craig-fargoed
Cware Mawr
Cwm Bargod
Bargod Taf
Cefn Gelligaer
Craig Fargod
Taff Bargoed Ctr
Gilfach-maen Uchaf
Coed Cae
Nant Ddu
Tirlan Farm
Taff Bargoed Community Park
Pen-craig-fargoed
Tynewydd
Penrhiw
Cwm Cothi
CF82
Coed Cefn-fforest
Cefn-fforest
Taff Merthyr Garden Village
Coed Cwm-cothi
AEL-Y-BRYN
B4255
BRON DEG
MAEN GANOL
MAEN GILFACH

55
83

33

58

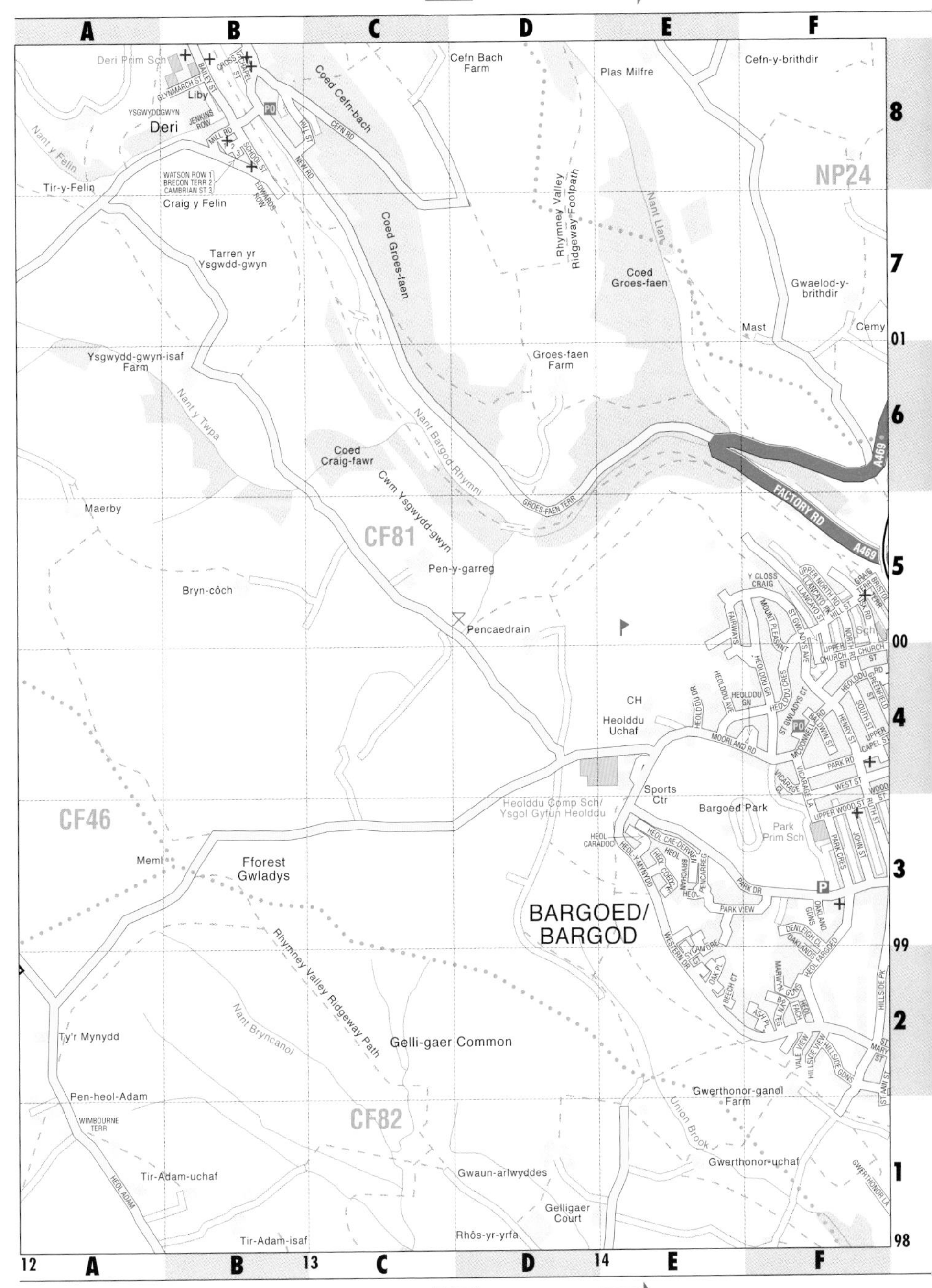
A
B
C
D
E
F
8
7
01
6
5
00
4
3
99
2
1
98
12
13
14
Deri Prim Sch
CROSS ST
CHAPEL ST
BAILEY ST
GLYNMARCH ST
Liby
YSGWYDDGWYN
JENKINS ROW
Deri
MILL RD
SCHOOL ST
WATSON ROW 1
BRECON TERR 2
CAMBRIAN ST 3
EDWARDS ROW
PO
HILL ST
NEW RD
CEFN RD
Coed Cefn-bach
Cefn Bach Farm
Plas Milfre
Cefn-y-brithdir
NP24
Nant y Felin
Tir-y-Felin
Craig y Felin
Tarren yr Ysgwdd-gwyn
Coed Groes-faen
Rhymney Valley Ridgeway Footpath
Nant Llan
Coed Groes-faen
Gwaelod-y-brithdir
Mast
Cemy
Ysgwydd-gwyn-isaf Farm
Groes-faen Farm
Nant y Twpa
Nant Bargod Rhymni
Coed Craig-fawr
Cwm Ysgwydd-gwyn
A469
FACTORY RD
GROES-FAEN TERR
Maerby
CF81
A469
Pen-y-garreg
Bryn-côch
Y CLOSS CRAIG
UPPER NORTH RD
LLANCAYO PK
LLANCAYO ST
HILL ST
CRAIG TERR
BRISTOL TERR
USK RD
FAIRWAYS
MOUNT PLEASANT
ST GWLADYS AVE
NORTH RD
Sch
Pencaedrain
UPPER CHURCH ST
CHURCH ST
HEOLDDU GR
HEOLDDU CRES
HEOLDDU RD
GREENFIELD ST
HEOLDDU DR
HEOLDDU AVE
HEOLDDU GN
ST GWLADYS CT
CH
Heolddu Uchaf
ST GWLADYS PL
BALDWIN ST
SOUTH ST
HENRY ST
MCDONNELL RD
UPPER CAPEL ST
MOORLAND RD
PO
PARK RD
VICARAGE CL
VICARAGE LA
WEST ST
WOOD ST
Sports Ctr
RUTH ST
UPPER WOOD ST
CF46
Heolddu Comp Sch/ Ysgol Gyfun Heolddu
Bargoed Park
Park Prim Sch
JOHN ST
HEOL CARADOC
HEOL CAE-DERWEN
HEOL Y-MYNYDD
HEOL BRYCHAN
HEOL COEDCAE
PENCARREG
PARK CRES
Meml
Fforest Gwladys
PARK DR
P
PARK VIEW
OAKLAND GDNS
BARGOED/ BARGOD
DENLEIGH CL
OAKLANDS
HEOL FARGOED
WESTERN DR
SYCAMORE CT
OAK PL
Rhymney Valley Ridgeway Path
BEECH CT
MARWYN
HEOL FACH
ASH PL
Nant Bryncanol
HILLSIDE PK
Ty'r Mynydd
Gelli-gaer Common
VALE VIEW
HILLSIDE VIEW
HILLSIDE GDNS
MARY ST
Pen-heol-Adam
Gwerthonor-ganol Farm
ST ANN ST
WIMBOURNE TERR
CF82
Union Brook
Gwerthonor-uchaf
GWERTHONOR LA
Tir-Adam-uchaf
HEOL ADAM
Gwaun-arlwyddes
Gelligaer Court
Tir-Adam-isaf
Rhôs-yr-yrfa

84
58

57
34

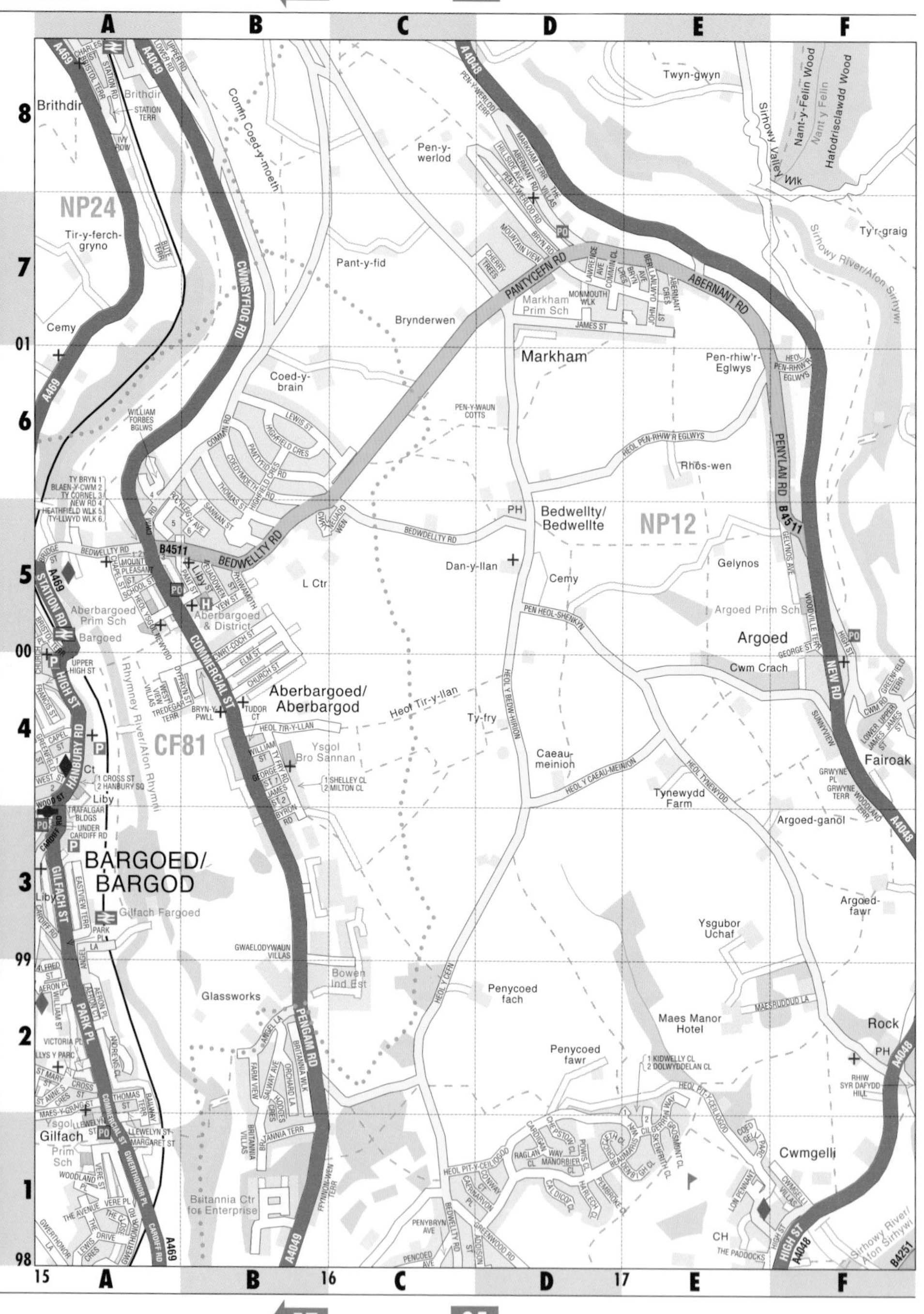
A
B
C
D
E
F
8
7
01
6
5
00
4
3
99
2
1
98
15
16
17
Brithdir
NP24
Tir-y-ferch-gryno
Cemy
CWMSYFIOG RD
Comin Coed-y-moeth
Pen-y-werlod
Pant-y-fid
Brynderwen
Coed-y-brain
PANTYCEFN RD
Markham Prim Sch
Markham
JAMES ST
ABERNANT RD
Twyn-gwyn
Nant-y-Felin Wood
Hafodrisclawdd Wood
Sirhowy Valley Wlk
Ty'r-graig
Sirhowy River/Afon Sirhywi
Pen-rhiw'r-Eglwys
PENYLAN RD
B4511
HEOL PEN-RHIW'R EGLWYS
Rhos-wen
BEDWELLTY RD
Bedwellty/Bedwellte
NP12
Dan-y-llan
Cemy
Gelynos
Argoed Prim Sch
Argoed
Cwm Crach
NEW RD
Fairoak
PH
L Ctr
Aberbargoed Prim Sch
Bargoed
Aberbargoed & District
COMMERCIAL ST
Aberbargoed/Aberbargod
Heol Tir-y-llan
Ty-fry
HEOL Y BEDW-HIRION
Caeau-meinion
HEOL Y CAEAU-MEINION
Tynewydd Farm
HEOL TYNEWYDD
Argoed-ganol
A4048
CF81
Rhymney River/Afon Rhymni
Ysgol Bro Sannan
HANBURY RD
HIGH ST
STATION RD
A469
Liby
BARGOED/BARGOD
GILFACH ST
Gilfach Fargoed
Argoed-fawr
Ysgubor Uchaf
GWAELODYWAUN VILLAS
Bowen Ind Est
Glassworks
PENGAM RD
HEOL Y CEFN
Penycoed fach
Maes Manor Hotel
MAESRUDDUD LA
Rock
Penycoed fawr
HEOL PIT-Y-CEILIOGOD
Cwmgelli
PARK PL
Ysgol Gilfach Prim Sch
Britannia Ctr for Enterprise
A4049
A469
CH
THE PADDOCKS
HIGH ST
B4251

57
85

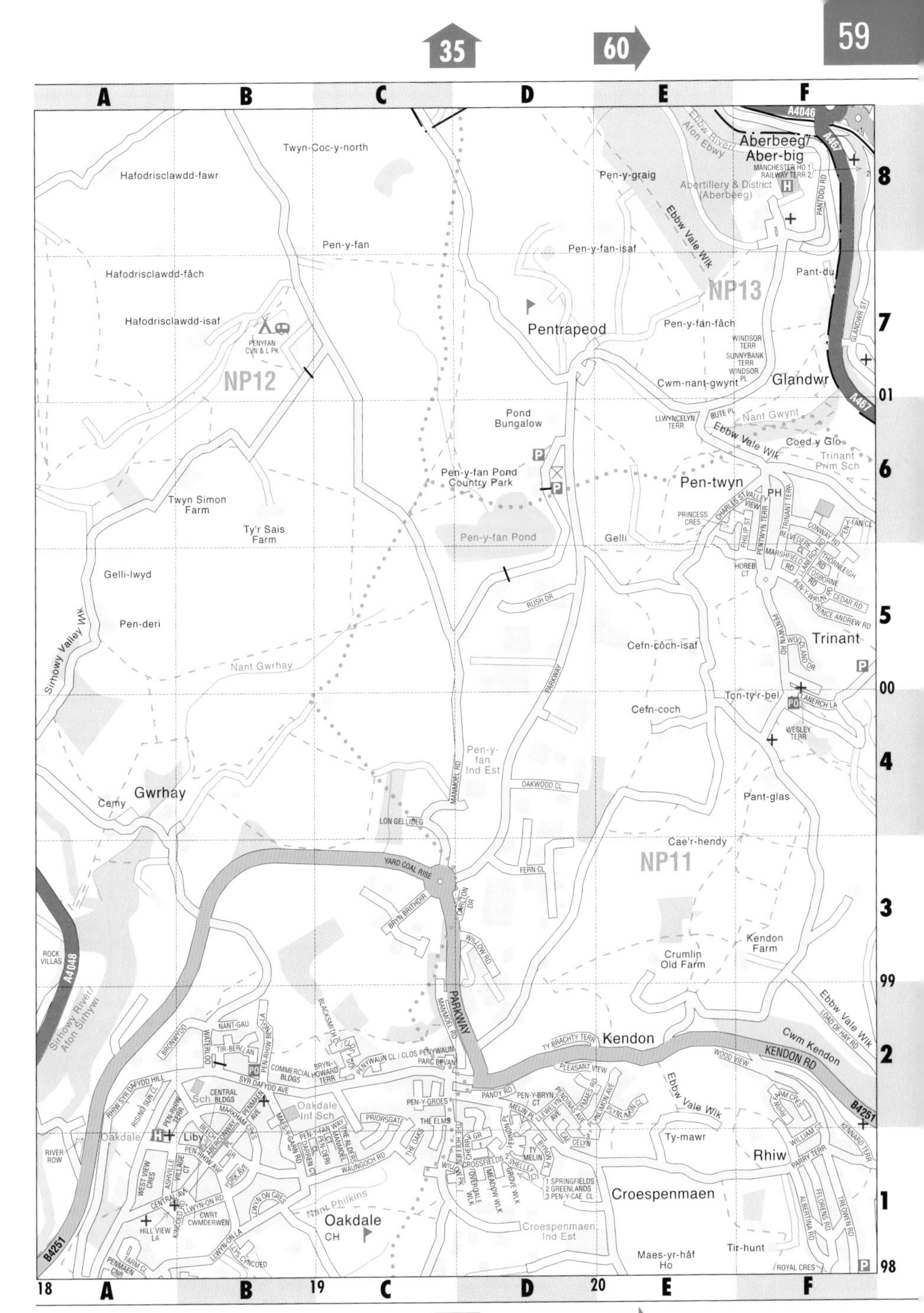
35
60
A
B
C
D
E
F
8
7
01
6
5
00
4
3
99
2
1
98
18
19
20
Twyn-Coc-y-north
Hafodrisclawdd-fawr
Pen-y-fan
Hafodrisclawdd-fâch
Hafodrisclawdd-isaf
PENYFAN CVN & L PK
NP12
Twyn Simon Farm
Ty'r Sais Farm
Gelli-lwyd
Pen-deri
Nant Gwrhay
Sirhowy Valley Wlk
Gwrhay
Cerny
ROCK VILLAS
A4048
Sirhowy River Afon Sirhywi
Oakdale
RIVER ROW
B4251
Aberbeeg/ Aber-big
A4046
A467
Ebbw River Afon Ebwy
MANCHESTER HO
RAILWAY TERR
Pen-y-graig
Abertillery & District (Aberbeeg)
PANTDDU RD
Ebbw Vale Wlk
Pen-y-fan-isaf
Pant-du
NP13
Pentrapeod
Pen-y-fan-fâch
WINDSOR TERR
SUNNYBANK TERR
WINDSOR PL
GLANDWR ST
Cwm-nant-gwynt
Glandwr
Pond Bungalow
LLWYNCELYN TERR
BUTE PL
Nant Gwynt
Coed y Glo
Trinant Prim Sch
Pen-y-fan Pond Country Park
Pen-y-fan Pond
Pen-twyn
PH
PRINCESS CRES
CHARLES ST
VALLEY VIEW
PHILIP ST
PENTWYN TERR
TRINANT TERR
CONWAY RD
BELVEDERE CL
MARSHFIELD RD
LANERCH RD
THORNLEIGH
HOREB CT
OSBORNE RD
PEN-Y-WAUN RD
CEDAR RD
PRINCE ANDREW RD
Gelli
RUSH DR
PARKWAY
Cefn-côch-isaf
PENTWYN RD
WOODLAND DR
Trinant
Ton-ty'r-bel
LANERCH LA
WESLEY TERR
Cefn-coch
Pen-y-fan Ind Est
MANMOEL RD
OAKWOOD CL
Pant-glas
LON GELLIDEG
Cae'r-hendy
NP11
YARD COAL RISE
FERN CL
BRYN BRITHDIR
CARLTON DR
WILLOW RD
Kendon Farm
Crumlin Old Farm
Ebbw Vale Wlk
LOAD OF HAY RD
Cwm Kendon
KENDON RD
Kendon
TY BRACHTY TERR
WOOD VIEW
PLEASANT VIEW
BRONWYDD
NANT-GAU
WATERLOO
TIR-BERLLAN
PEN-RHIW BELLA
BLACKSMITH CL
COMMERCIAL BLDGS
BRYN-HOWARD TERR
PENYWAUN CL / CLOS PENYWAUN
PARC BEVAN
RHIW SYR DAFYDD HILL
SYR DAFYDD AVE
RISING SUN CL
CENTRAL BLDGS
PENMAEN AVE
Sch
Oakdale Inf Sch
MARKHAM CRES
PEN-RHIW TERR
Liby
PEN-Y-FAN WAY
PRIORSGATE
PEN-Y-GROES
THE ELMS
THE OAKS
THE HOLLIES
PANDY RD
PEN-Y-BRYN CT
MELIN PL
LLEWELYN AVE
PENDINAS AVE
PENMAEN RD
PLYNLIMON AVE
PLYNLIMON CL
TY MELIN
CAE CELYN
Ebbw Vale Wlk
Ty-mawr
Rhiw
FARM CRES
WILLIAM ST
KENNARD RD
PARRY TERR
DARREN CT
PEN-DERI
WAUNGOCH RD
CROSSFIELDS
MEADOW WLK
GROVE WLK
SHELLEY CL
1 SPRINGFIELDS
2 GREENLANDS
3 PEN-Y-CAE CL
Croespenmaen
ALBERTINA RD
FFLORENS RD
TREOWEN RD
WEST VIEW CRES
ASHVILLE
VILLAGE CT
CENTRAL AVE
LLWYN-ON RD
CWRT CWMDERWEN
YORK AVE
LLWYN ON CRES
Nant Phillkins
Oakdale
CH
Croespenmaen Ind Est
HILL VIEW LA
KINCOED RD
LLWYN-ON LA
LLYS CYNCOED
FARM CL
PENMAEN CNR
Maes-yr-hâf Ho
Tir-hunt
ROYAL CRES
86
60

59 36

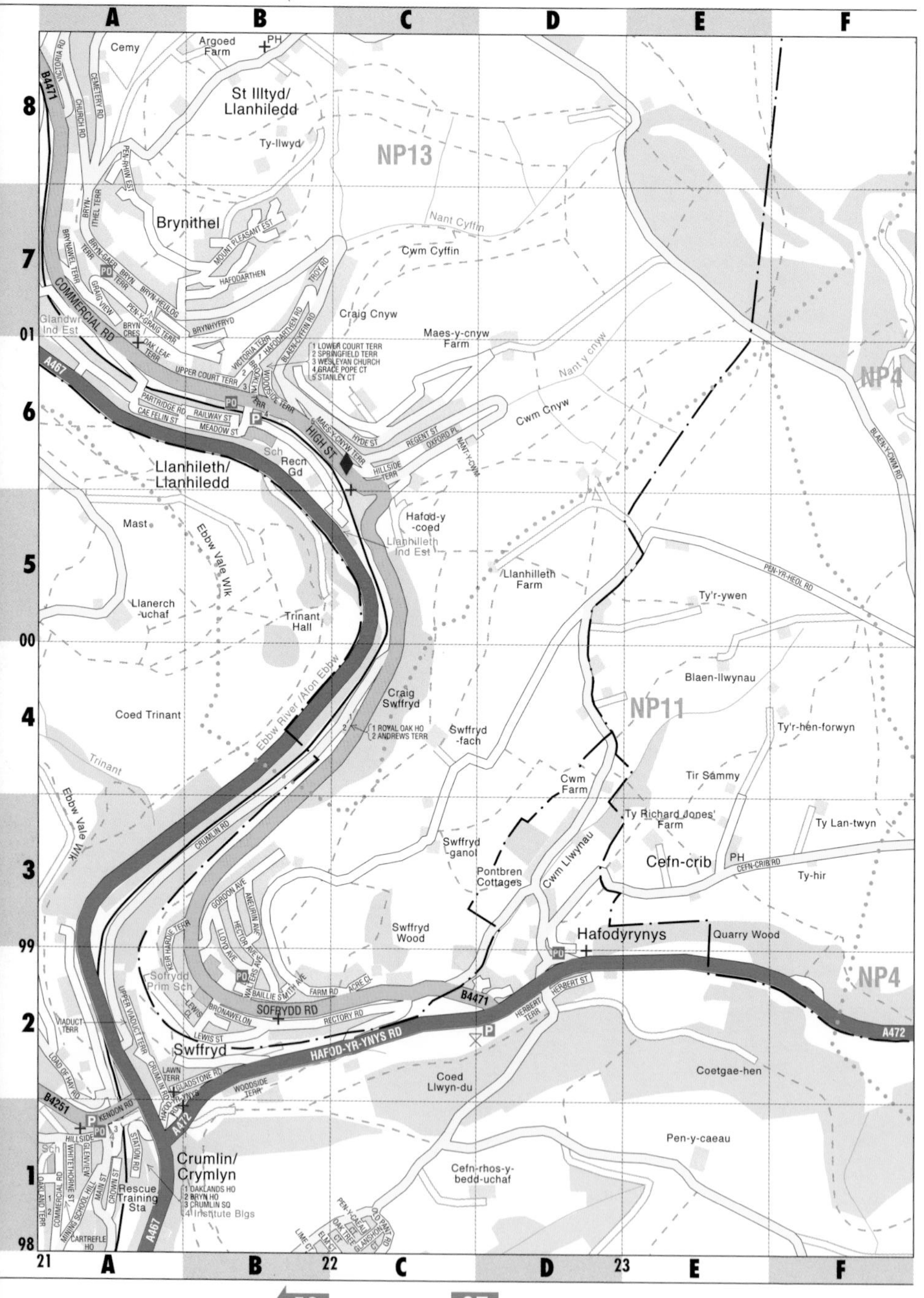

St Illtyd/ Llanhiledd
Brynithel
NP13
Cwm Cyffin
Craig Cnyw
Maes-y-cnyw Farm
Cwm Cnyw
Llanhileth/ Llanhiledd
Hafod-y -coed
Llanhilleth Ind Est
Llanhilleth Farm
Ty'r-ywen
Llanerch -uchaf
Trinant Hall
Blaen-llwynau
Coed Trinant
Craig Swffryd
Swffryd -fach
NP11
Ty'r-hen-forwyn
Tir Sammy
Cwm Farm
Ty Richard Jones' Farm
Ty Lan-twyn
Swffryd ganol
Cefn-crib
Ty-hir
Pontbren Cottages
Swffryd Wood
Hafodyrynys
Quarry Wood
NP4
Swffryd
Coed Llwyn-du
Coetgae-hen
Crumlin/ Crymlyn
Pen-y-caeau
Cefn-rhos-y-bedd-uchaf
Rescue Training Sta
1 OAKLANDS HO
2 BRYN HO
3 CRUMLIN SQ
4 Institute Blgs
1 LOWER COURT TERR
2 SPRINGFIELD TERR
3 WESLEYAN CHURCH
4 GRACE POPE CT
5 STANLEY CT
1 ROYAL OAK HO
2 ANDREWS TERR
HIGH ST
COMMERCIAL RD
SOFRYDD RD
HAFOD-YR-YNYS RD
A467
A472
B4471
B4251
Ebbw Vale Wlk
Ebbw River /Afon Ebbw

59 87

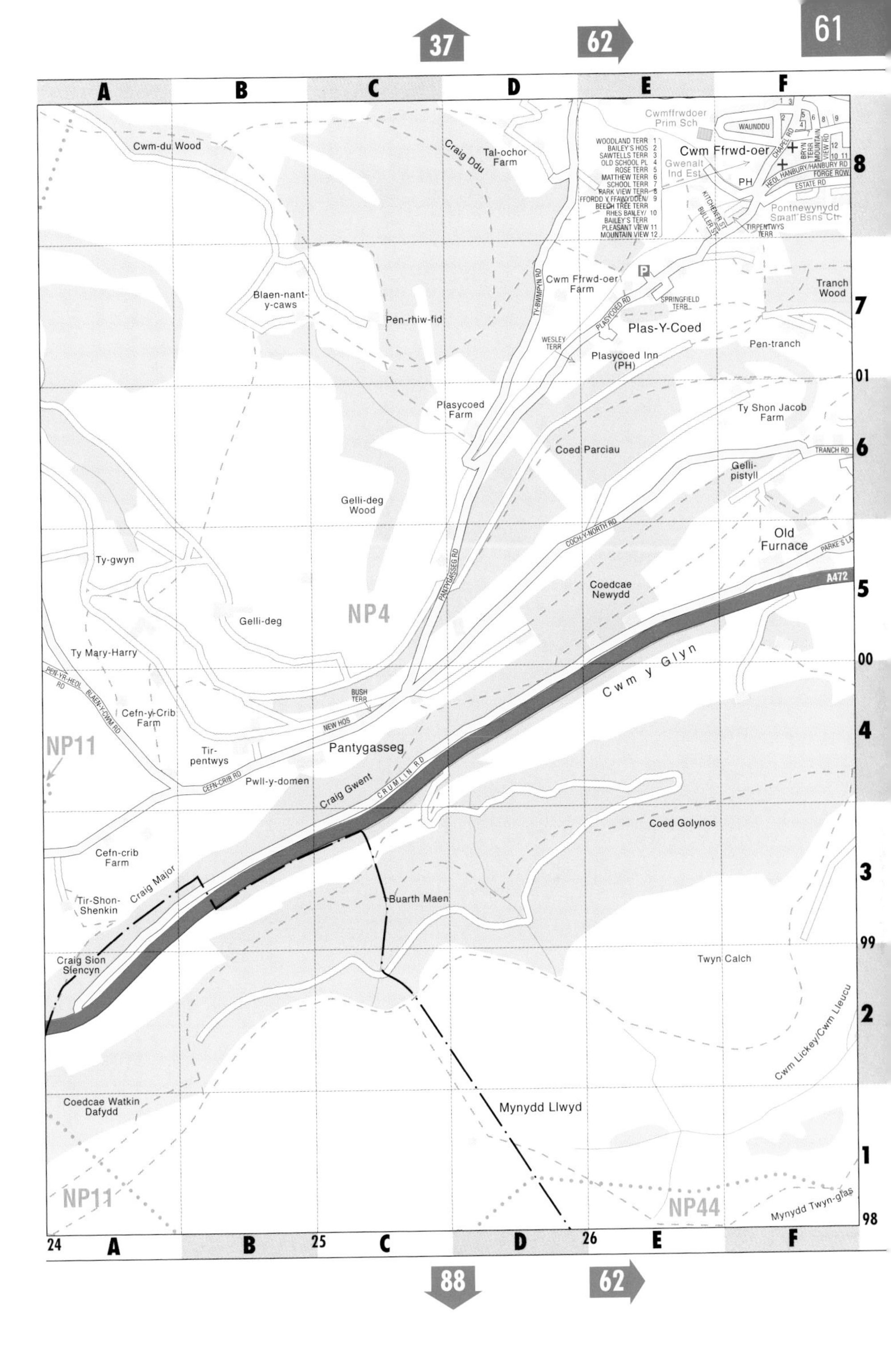
37
62
A
B
C
D
E
F
Cwm-du Wood
Craig Ddu
Tal-ochor Farm
Cwmffrwdoer Prim Sch
WAUNDDU
WOODLAND TERR 1
BAILEY'S HOS 2
SAWTELLS TERR 3
OLD SCHOOL PL 4
ROSE TERR 5
MATTHEW TERR 6
SCHOOL TERR 7
PARK VIEW TERR 8
FFORDD Y FFAWYDDEN/ 9
BEECH TREE TERR
RHES BAILEY/ 10
BAILEY'S TERR
PLEASANT VIEW 11
MOUNTAIN VIEW 12
Cwm Ffrwd-oer
Gwenalt Ind Est
PH
CHAPEL RD
BRYN TERR
MOUNTAIN VIEW RD
HEOL HANBURY/HANBURY RD
FORGE ROW
ESTATE RD
KITCHENER ST
BULLER ST
Pontnewynydd Small Bsns Ctr
TIRPENTWYS TERR
8
Blaen-nant-y-caws
Pen-rhiw-fid
TY-BWMPYN RD
Cwm Ffrwd-oer Farm
SPRINGFIELD TERR
PLASYCOED RD
Plas-Y-Coed
Tranch Wood
7
WESLEY TERR
Plasycoed Inn (PH)
Pen-tranch
01
Plasycoed Farm
Ty Shon Jacob Farm
Coed Parciau
TRANCH RD
6
Gelli-pistyll
Gelli-deg Wood
COCH-Y-NORTH RD
Old Furnace
PARKE'S LA
Ty-gwyn
PANTYGASSEG RD
Coedcae Newydd
A472
5
Gelli-deg
NP4
Ty Mary-Harry
00
PEN-YR-HEOL RD
BLAEN-Y-CWM RD
Cwm y Glyn
BUSH TERR
Cefn-y-Crib Farm
NEW HOS
4
NP11
Tir-pentwys
Pantygasseg
CEFN-CRIB RD
Pwll-y-domen
Craig Gwent
CRUMLIN RD
Coed Golynos
Cefn-crib Farm
Craig Major
3
Tir-Shon-Shenkin
Buarth Maen
99
Craig Sion Siencyn
Twyn Calch
2
Cwm Lickey/Cwm Lleucu
Coedcae Watkin Dafydd
Mynydd Llwyd
1
NP11
NP44
Mynydd Twyn-gfas
98
24
25
26
88
62

61
38

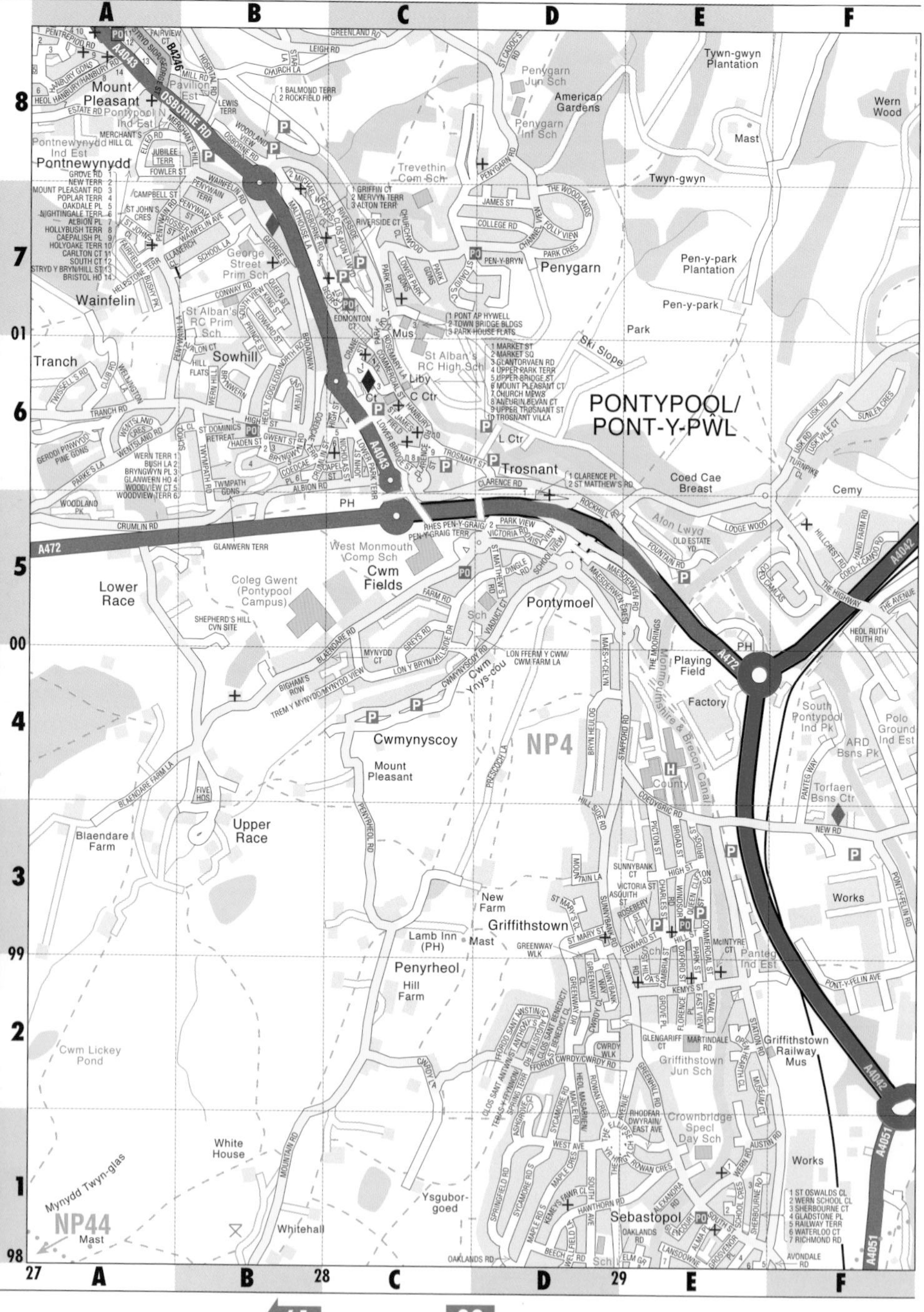
A
B
C
D
E
F
8
7
01
6
5
00
4
3
99
2
1
98
27
28
29
Mount Pleasant
Pontypool N Ind Est
Pontnewynydd Ind Est
Pontnewynydd
Wainfelin
Tranch
Sowhill
George Street Prim Sch
St Alban's RC Prim Sch
Trevethin Com Sch
Penygarn Jun Sch
Penygarn Inf Sch
American Gardens
Tywn-gwyn Plantation
Wern Wood
Mast
Twyn-gwyn
Penygarn
Pen-y-park Plantation
Pen-y-park
Park
Ski Slope
PONTYPOOL/
PONT-Y-PŴL
Mus
St Alban's RC High Sch
Liby
C Ctr
Ct
L Ctr
Trosnant
Coed Cae Breast
Cemy
Afon Lwyd
West Monmouth Comp Sch
Cwm Fields
Lower Race
Coleg Gwent (Pontypool Campus)
Shepherd's Hill Cvn Site
Pontymoel
Playing Field
Factory
South Pontypool Ind Pk
Polo Ground Ind Est
ARD Bsns Pk
Torfaen Bsns Ctr
Cwm Ynys-cou
Cwmynyscoy
Mount Pleasant
NP4
County
Monmouthshire & Brecon Canal
Upper Race
Blaendare Farm
New Farm
Griffithstown
Lamb Inn (PH)
Mast
Penyrheol
Hill Farm
Panteg Ind Est
Works
Cwm Lickey Pond
Griffithstown Jun Sch
Griffithstown Railway Mus
Crownbridge Specl Day Sch
White House
Works
Ysgubor-goed
Whitehall
Sebastopol
Mynydd Twyn-glas
NP44
Mast
A4043
A472
A4042
A4051
B4246
OSBORNE RD
CRUMLIN RD
PH
1 ST OSWALDS CL
2 WERN SCHOOL CL
3 SHERBOURNE CT
4 GLADSTONE PL
5 RAILWAY TERR
6 WATERLOO CT
7 RICHMOND RD
1 CLARENCE PL
2 ST MATTHEW'S RD
1 PONT AP HYWELL
2 TOWN BRIDGE BLDGS
3 PARK HOUSE FLATS
1 MARKET ST
2 MARKET SQ
3 GLANTORVAEN RD
4 UPPER PARK TERR
5 UPPER BRIDGE ST
6 MOUNT PLEASANT CT
7 CHURCH MEWS
8 ANEURIN BEVAN CT
9 UPPER TROSNANT ST
10 TROSNANT VILLA
1 GRIFFIN CT
2 MERVYN TERR
3 ALTON TERR
1 BALMOND TERR
2 ROCKFIELD HO
GROVE RD 1
NEW TERR 2
MOUNT PLEASANT RD 3
POPLAR TERR 4
OAKDALE PL 5
NIGHTINGALE TERR 6
ALBION PL 7
HOLLYBUSH TERR 8
CAEPALISH PL 9
HOLYOAKE TERR 10
CARLTON CT 11
SOUTH CT 12
STRYD Y BRYN/HILL ST 13
BRISTOL HO 14
WERN TERR 1
BUSH LA 2
BRYNGWYN PL 3
GLANWERN HO 4
WOODVIEW CT 5
WOODVIEW TERR 6

61
89

39

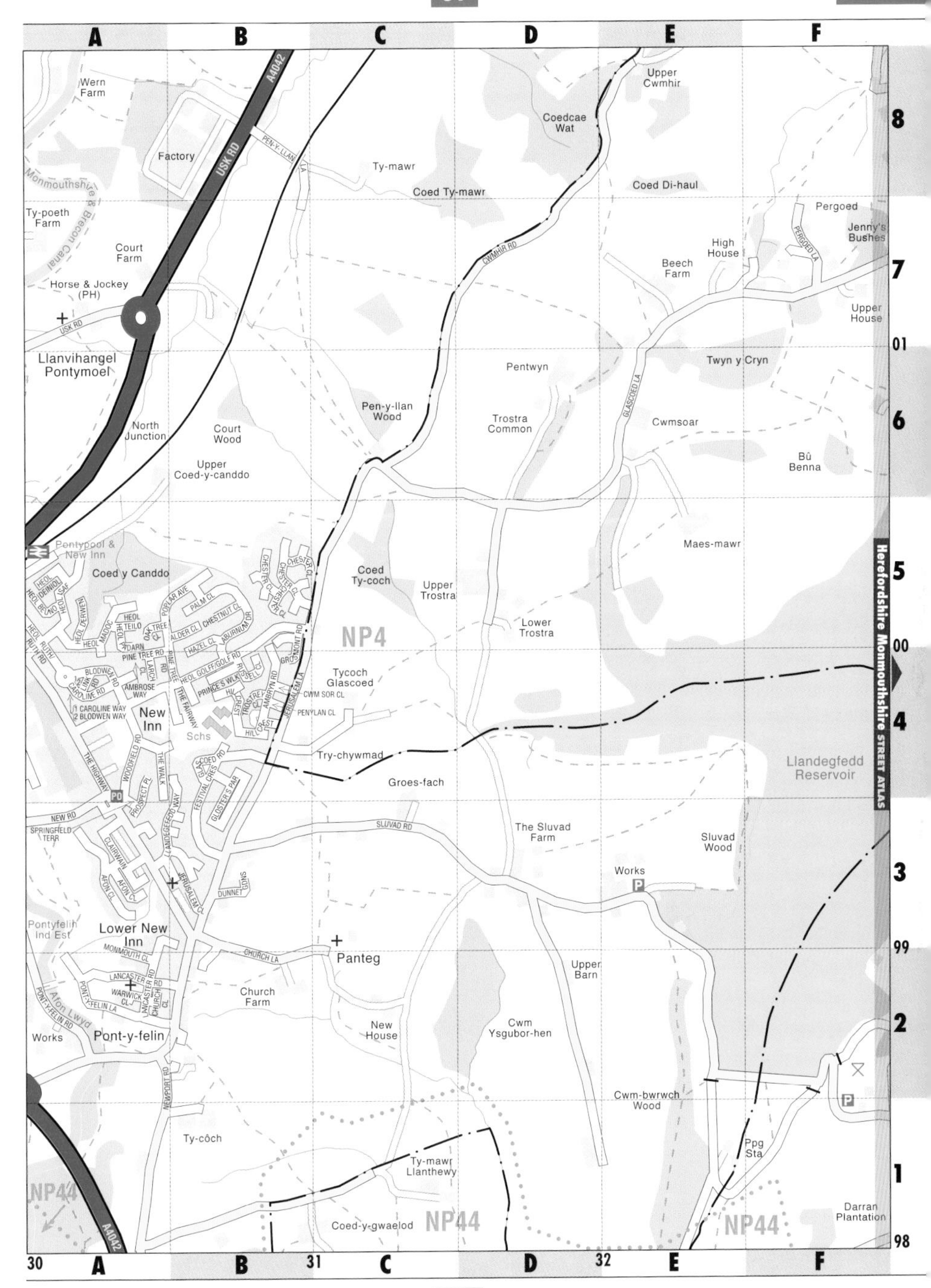

A
B
C
D
E
F
8
7
01
6
5
00
4
3
99
2
1
98
30
31
32
Wern Farm
Factory
A4042
USK RD
PEN-Y-LLAN LA
Ty-mawr
Coed Ty-mawr
Coedcae Wat
Upper Cwmhir
Coed Di-haul
Monmouthshire & Brecon Canal
Ty-poeth Farm
Court Farm
Horse & Jockey (PH)
USK RD
Llanvihangel Pontymoel
CWMHIR RD
Pergoed
Jenny's Bushes
High House
PERGOED LA
Beech Farm
Upper House
Pentwyn
Twyn y Cryn
GLASCOED LA
Cwmsoar
North Junction
Court Wood
Pen-y-llan Wood
Trostra Common
Upper Coed-y-canddo
Bû Benna
Maes-mawr
Pontypool & New Inn
Coed y Canddo
Coed Ty-coch
Upper Trostra
Lower Trostra
NP4
Herefordshire Monmouthshire STREET ATLAS
New Inn
Schs
Tycoch Glascoed
CWM SOR CL
PENYLAN CL
1 CAROLINE WAY
2 BLODWEN WAY
Try-chywmad
Groes-fach
Llandegfedd Reservoir
NEW RD
SPRINGFIELD TERR
SLUVAD RD
The Sluvad Farm
Sluvad Wood
Works
Pontyfelin Ind Est
Lower New Inn
CHURCH LA
Panteg
Upper Barn
Church Farm
New House
Cwm Ysgubor-hen
Afon Lwyd
Works
Pont-y-felin
PONT-Y-FELIN RD
NEWPORT RD
Cwm-bwrwch Wood
Ty-côch
Ppg Sta
Ty-mawr Llanthewy
NP44
Coed-y-gwaelod
NP44
NP44
Darran Plantation
A4042

90

229
41

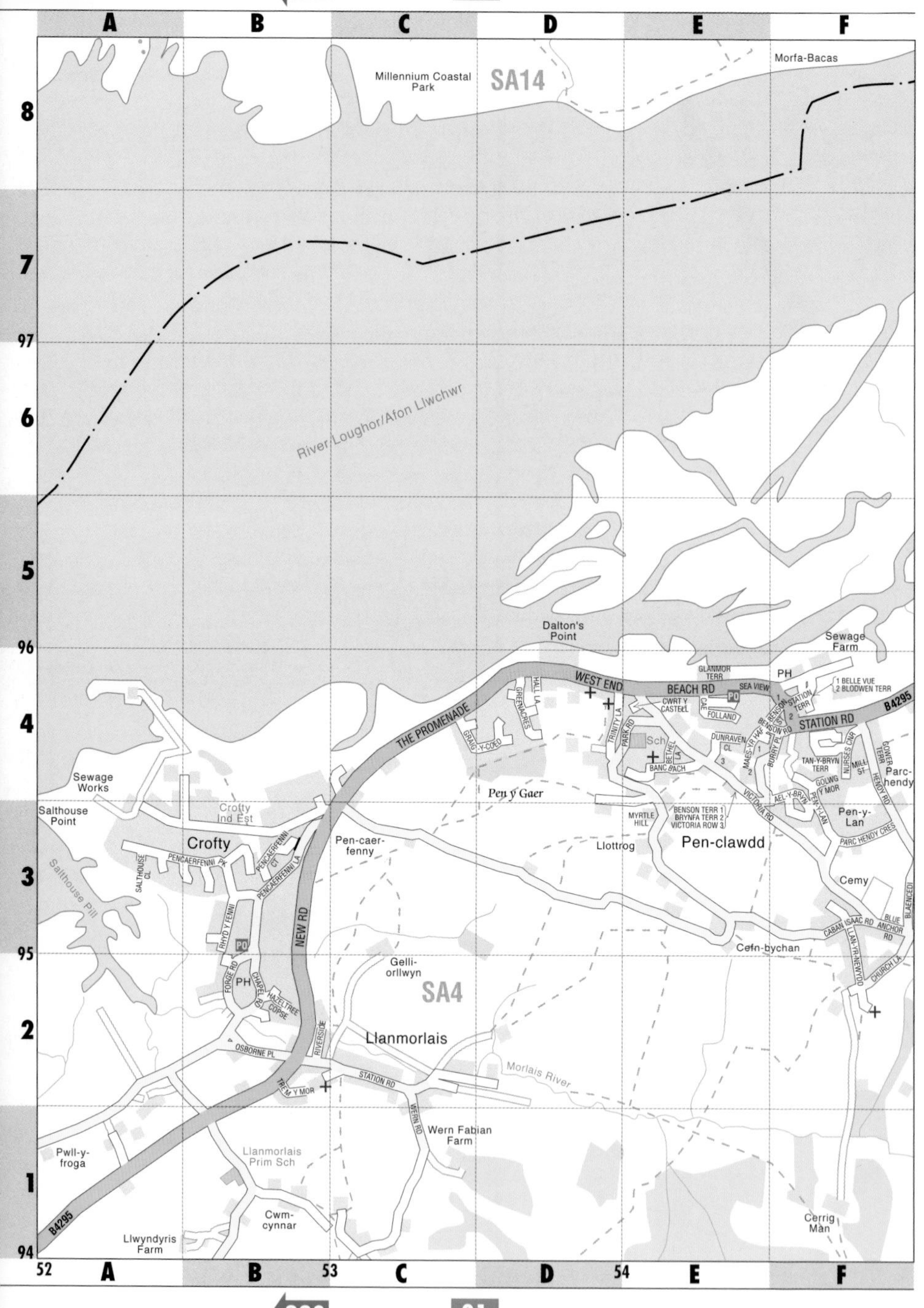
Millennium Coastal Park
SA14
Morfa-Bacas
River Loughor/Afon Llwchwr
Dalton's Point
Sewage Farm
PH
WEST END
BEACH RD
STATION RD
B4295
THE PROMENADE
Sewage Works
Salthouse Point
Salthouse Pill
Crofty Ind Est
Crofty
Pen-caer-fenny
Pen y Gaer
Llottrog
Pen-clawdd
Sch
Parc-hendy
Pen-y-Lan
Cemy
Cefn-bychan
NEW RD
Gelli-orllwyn
SA4
Llanmorlais
OSBORNE PL
STATION RD
Morlais River
Wern Fabian Farm
Llanmorlais Prim Sch
Pwll-y-froga
Cwm-cynnar
Llwyndyris Farm
Cerrig Man
PENCAERFENNI PK
PENCAERFENNI LA
FORGE RD
CHAPEL RD
HAZELTREE COPSE
RIVERSIDE
WERN RD
PARC HENDY CRES
CABAN ISAAC RD
BLUE ANCHOR RD
CHURCH LA
LLAN-YR-NEWYDD
GOWER TERR
HENDY RD
1 BELLE VUE
2 BLODWEN TERR
GLANMOR TERR
SEA VIEW
CWRT Y CASTELL
CAE FOLLAND
DUNRAVEN CL
BANC BACH
BENSON TERR 1
BRYNFA TERR 2
VICTORIA ROW 3
MYRTLE HILL
TAN-Y-BRYN TERR
GOLWG Y MOR
AEL-Y-BRYN
VICTORIA RD
GREENACRES
GRAIG-Y-COED
HALL LA
TRINITY LA
PARK RD
BETHEL LA

229
91

42

66

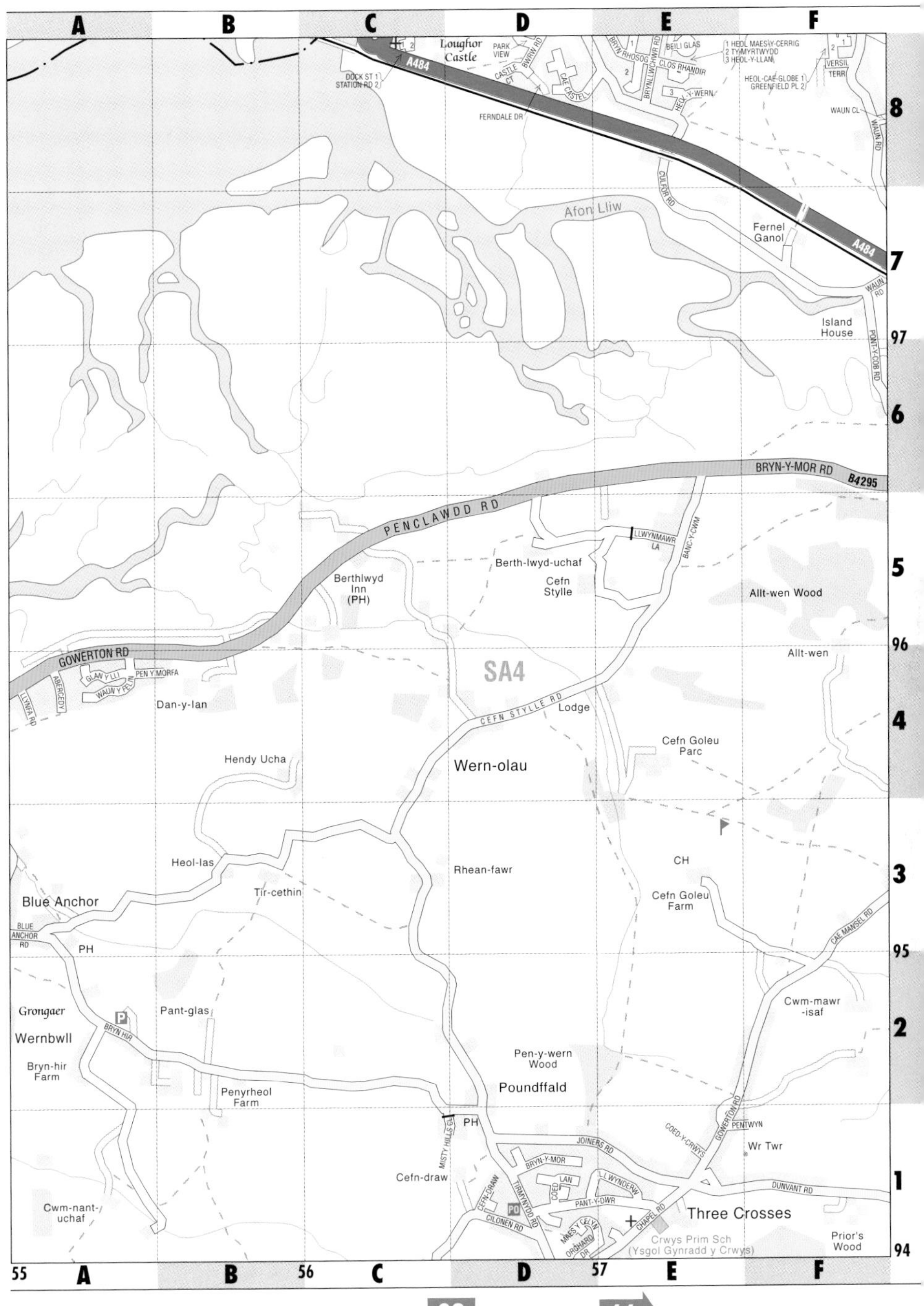

A
B
C
D
E
F
Loughor Castle
PARK VIEW
DOCK ST 1
STATION RD 2
A484
CASTLE CT
CAE CASTELL
FERNDALE DR
BRYN RHOSOG
BEILI GLAS
CLOS RHANDIR
HEOL-Y-WERN
1 HEOL MAES-Y-CERRIG
2 TY-MYRTWYDD
3 HEOL-Y-LLAN
HEOL-CAE-GLOBE 1
GREENFIELD PL 2
VERSIL TERR
WAUN CL
WAUN RD
CULFOR RD
Afon Lliw
Fernel Ganol
Island House
PONT-Y-COB RD
BRYN-Y-MOR RD
B4295
PENCLAWDD RD
LLWYNMAWR LA
BANC-Y-CWM
Berth-lwyd-uchaf
Cefn Stylle
Berthlwyd Inn (PH)
Allt-wen Wood
Allt-wen
GOWERTON RD
GLAN Y LLI
WAUN Y PELIN
PEN Y MORFA
ABERCEDY
LLYNFA RD
Dan-y-lan
SA4
CEFN STYLLE RD
Lodge
Cefn Goleu Parc
Hendy Ucha
Wern-olau
Heol-las
Rhean-fawr
CH
Blue Anchor
Tir-cethin
Cefn Goleu Farm
BLUE ANCHOR RD
PH
CAE MANSEL RD
Grongaer
Wernbwll
Pant-glas
BRYN HIR
Cwm-mawr -isaf
Bryn-hir Farm
Pen-y-wern Wood
Penyrheol Farm
Poundffald
MISTY HILLS CL
PH
JOINERS RD
GOWERTON RD
PENTWYN
COED-Y-CRWYS
Wr Twr
BRYN-Y-MOR
Cefn-draw
LLWYNDERW
DUNVANT RD
CEFN-DRAW
TIRMYNYDD RD
COED LAN
PANT-Y-DWR
PO
CILONEN RD
MAES Y CELYN
ORCHARD DR
CHAPEL RD
Three Crosses
Cwm-nant-uchaf
Crwys Prim Sch (Ysgol Gynradd y Crwys)
Prior's Wood
8
7
97
6
5
96
4
3
95
2
1
94
55
56
57

92

66

65
43

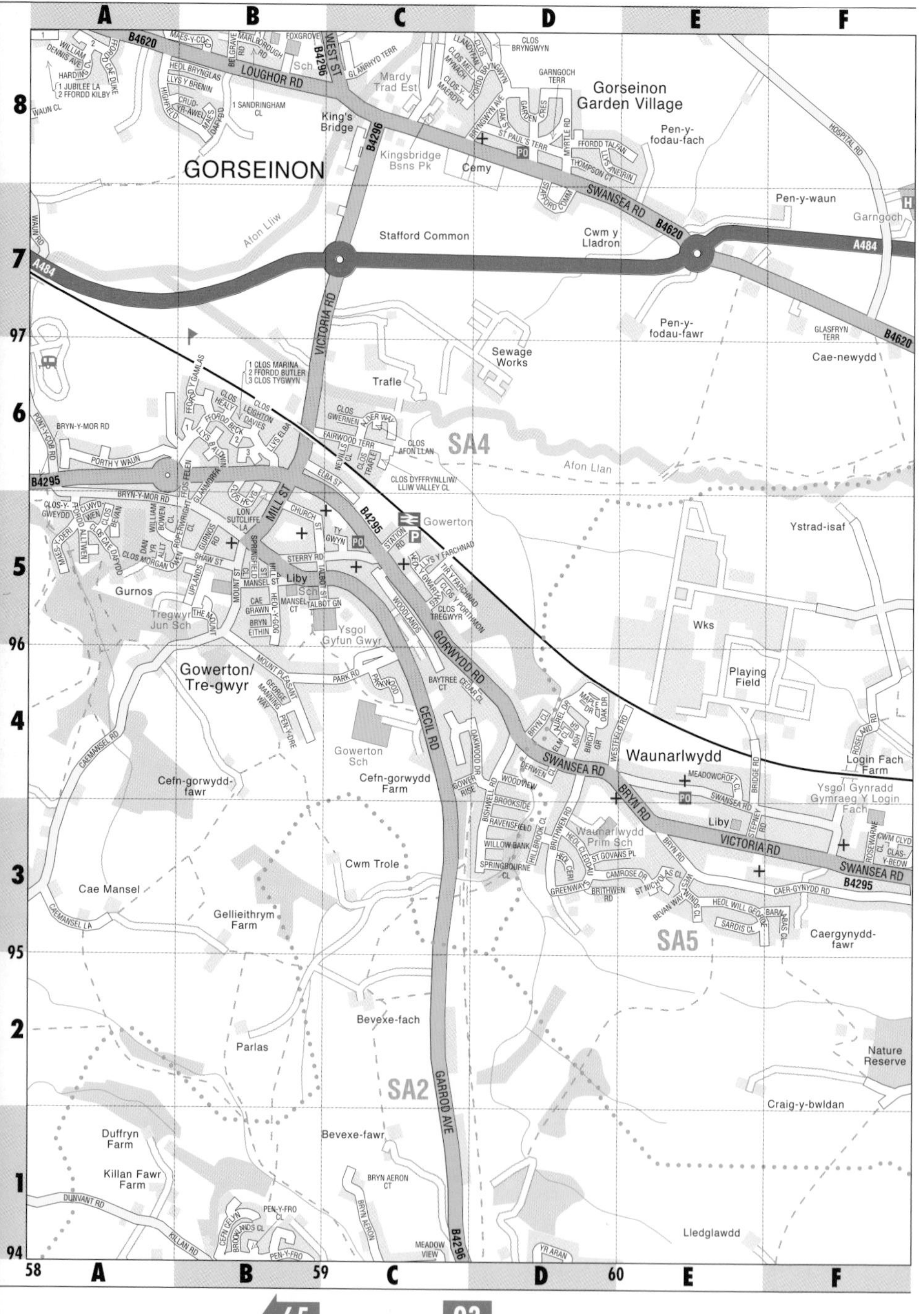
GORSEINON
Gorseinon Garden Village
LOUGHOR RD
SWANSEA RD
B4620
A484
B4296
B4295
WEST ST
King's Bridge
Mardy Trad Est
Kingsbridge Bsns Pk
Cemy
Pen-y-fodau-fach
Pen-y-waun
Garngoch
HOSPITAL RD
Stafford Common
Cwm y Lladron
Afon Lliw
VICTORIA RD
Pen-y-fodau-fawr
GLASFRYN TERR
Cae-newydd
Sewage Works
Trafle
SA4
Afon Llan
CLOS DYFFRYNLLIW/ LLIW VALLEY CL
Gowerton
MILL ST
GORWYDD RD
Ystrad-isaf
Wks
Playing Field
Gurnos
Tregwyr Jun Sch
Ysgol Gyfun Gwyr
Gowerton/ Tre-gwyr
CECIL RD
Gowerton Sch
Waunarlwydd
Login Fach Farm
Ysgol Gynradd Gymraeg Y Login Fach
Cefn-gorwydd-fawr
Cefn-gorwydd Farm
Waunarlwydd Prim Sch
BRYN RD
Cwm Trole
Cae Mansel
Gellieithrym Farm
SA5
Caergynydd-fawr
Bevexe-fach
Parlas
Nature Reserve
SA2
GARROD AVE
Craig-y-bwldan
Duffryn Farm
Bevexe-fawr
Killan Fawr Farm
DUNVANT RD
KILLAN RD
BRYN AERON CT
Lledglawdd

65
93

44
68

A B C D E F

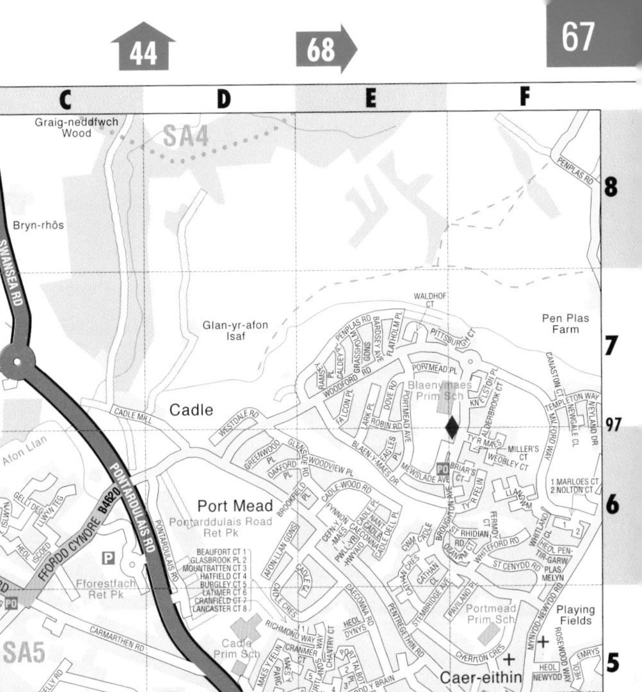

61 A B 62 C D 63 E F

94
68

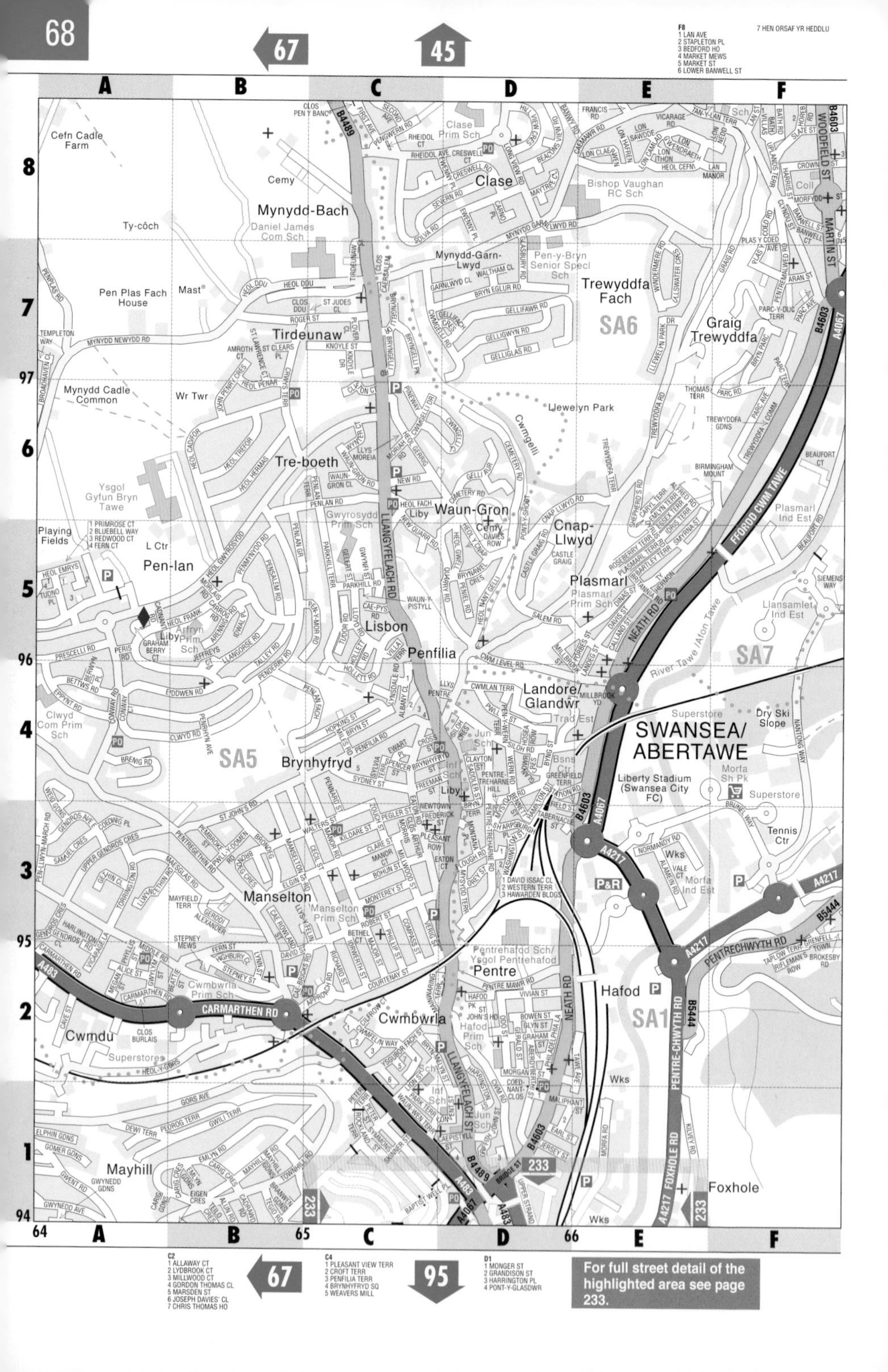
68
67
45
F8
1 LAN AVE
2 STAPLETON PL
3 BEDFORD HO
4 MARKET MEWS
5 MARKET ST
6 LOWER BANWELL ST
7 HEN ORSAF YR HEDDLU
Cefn Cadle Farm
Cemy
Mynydd-Bach
Daniel James Com Sch
Ty-côch
Clase
Clase Prim Sch
Bishop Vaughan RC Sch
Mynydd-Garn-Lwyd
Pen-y-Bryn Senior Specl Sch
Trewyddfa Fach
SA6
Graig Trewyddfa
Pen Plas Fach House
Mast
Tirdeunaw
Mynydd Cadle Common
Wr Twr
Llewelyn Park
Cwmgelli
Tre-boeth
Ysgol Gyfun Bryn Tawe
Gwyrosydd Prim Sch
Waun-Gron
Cnap-Llwyd
Plasmarl
Plasmarl Prim Sch
Plasmarl Ind Est
FFORDD CWM TAWE
Playing Fields
1 PRIMROSE CT
2 BLUEBELL WAY
3 REDWOOD CT
4 FERN CT
L Ctr
Pen-lan
Arfryn Sch
Lisbon
Penfilia
LLANGYFELACH RD
Llansamlet Ind Est
SA7
River Tawe/Afon Tawe
Landore/Glandŵr
Clwyd Com Prim Sch
SA5
Brynhyfryd
SWANSEA/ABERTAWE
Superstore
Dry Ski Slope
Liberty Stadium (Swansea City FC)
Morfa Sh Pk
Tennis Ctr
Manselton
Manselton Prim Sch
1 DAVID ISSAC CL
2 WESTERN TERR
3 HAWARDEN BLDGS
Morfa Ind Est
Pentrehafod Sch/Ysgol Pentrehafod
Pentre
Hafod
SA1
CARMARTHEN RD
Cwmbwrla
Cwmbwrla Prim Sch
Cwmdu
Superstores
Hafod Prim Sch
NEATH RD
PENTRE-CHWYTH RD
PENTRECHWYTH RD
Wks
Mayhill
FOXHOLE RD
Foxhole
233
64
65
66
94
95
96
97
C2
1 ALLAWAY CT
2 LYDBROOK CT
3 MILLWOOD CT
4 GORDON THOMAS CL
5 MARSDEN ST
6 JOSEPH DAVIES' CL
7 CHRIS THOMAS HO
C4
1 PLEASANT VIEW TERR
2 CROFT TERR
3 PENFILIA TERR
4 BRYNHYFRYD SQ
5 WEAVERS MILL
D1
1 MONGER ST
2 GRANDISON ST
3 HARRINGTON PL
4 PONT-Y-GLASDWR
95
For full street detail of the highlighted area see page 233.

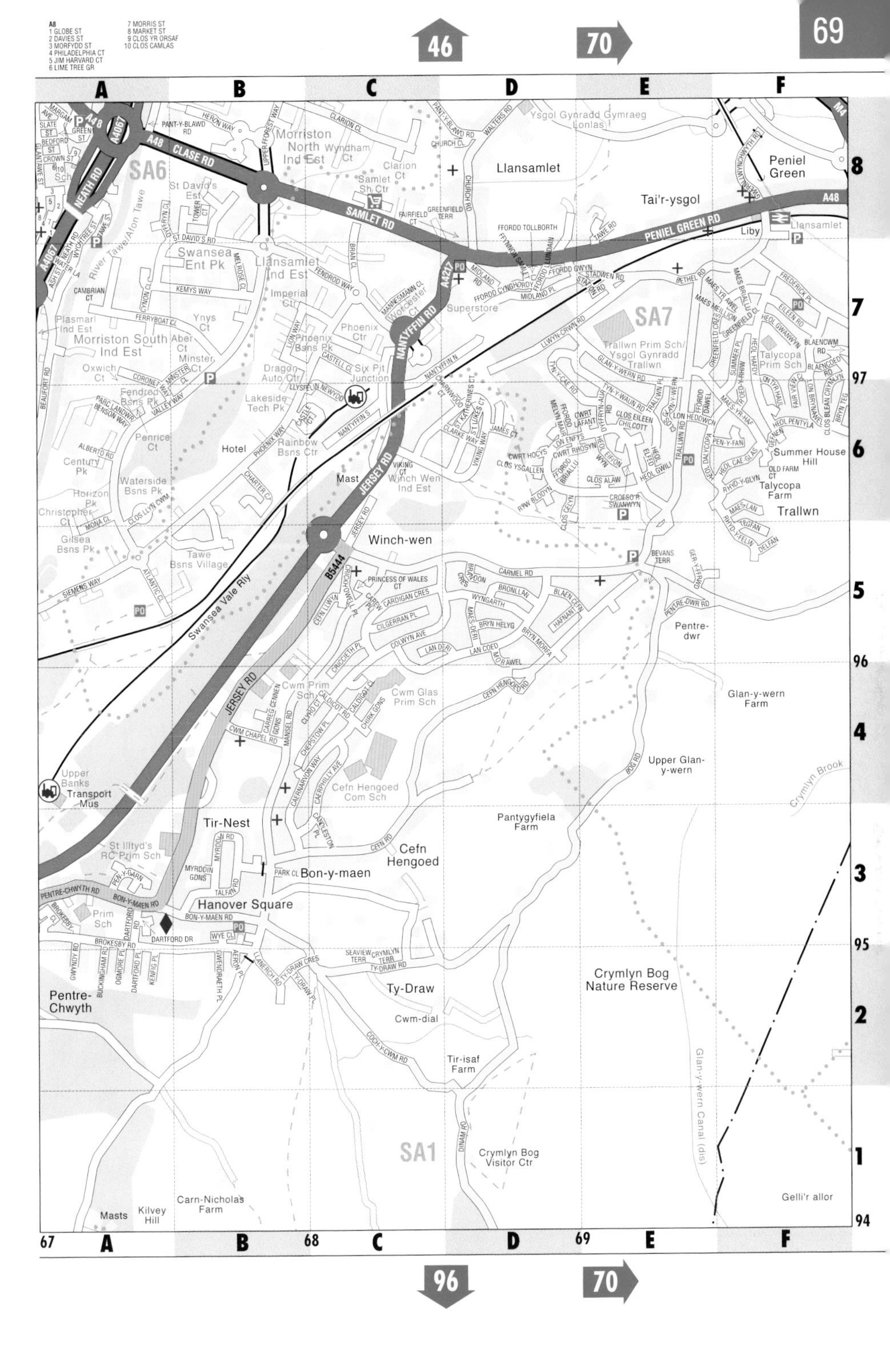

A8
1 GLOBE ST
2 DAVIES ST
3 MORFYDD ST
4 PHILADELPHIA CT
5 JIM HARVARD CT
6 LIME TREE GR
7 MORRIS ST
8 MARKET ST
9 CLOS YR ORSAF
10 CLOS CAMLAS
46
70
69
A
B
C
D
E
F
8
7
97
6
5
96
4
3
95
2
1
94
67
68
69
96
70
SA6
SA7
SA1
A48
A4067
M4
CLASE RD
NEATH RD
SAMLET RD
PENIEL GREEN RD
NANTYFFIN RD
A4217
JERSEY RD
B5444
Morriston North Ind Est
Llansamlet
Peniel Green
Tai'r-ysgol
Ysgol Gynradd Gymraeg Lonlas
Wyndham Ct
Clarion Ct
Samlet Sh Ctr
St David's Est
Swansea Ent Pk
Llansamlet Ind Est
Imperial Ctr
Worcester Ct
Superstore
Phoenix Ctr
Phoenix Bsns Pk
Six Pit Junction
Dragon Auto Ctr
Lakeside Tech Pk
Rainbow Bsns Ctr
Hotel
Plasmarl Ind Est
Morriston South Ind Est
Ynys Ct
Aber Ct
Minster Ct
Oxwich Ct
Fendrod Bsns Pk
Penrice Ct
Century Pk
Waterside Bsns Pk
Horizon Pk
Christopher Ct
Gilsea Bsns Pk
Tawe Bsns Village
River Tawe/Afon Tawe
Swansea Vale Rly
Trallwn Prim Sch/ Ysgol Gynradd Trallwn
Talycopa Prim Sch
Summer House Hill
Talycopa Farm
Trallwn
Llansamlet
Liby
Mast
Winch Wen Ind Est
Winch-wen
Pentre-dwr
Glan-y-wern Farm
Upper Glan-y-wern
Crymlyn Brook
Cwm Prim Sch
Cwm Glas Prim Sch
Cefn Hengoed Com Sch
Upper Banks
Transport Mus
Tir-Nest
St Illtyd's RC Prim Sch
Pantygyfiela Farm
Cefn Hengoed
Bon-y-maen
Hanover Square
Prim Sch
Pentre-Chwyth
Ty-Draw
Cwm-dial
Crymlyn Bog Nature Reserve
Tir-isaf Farm
Glan-y-wern Canal (dis)
Crymlyn Bog Visitor Ctr
Carn-Nicholas Farm
Kilvey Hill
Masts
Gelli'r allor
CARMEL RD
CEFN RD
BOG RD
CEFN HENGOED RD
PENTRE-CHWYTH RD
BON-Y-MAEN RD
DARTFORD DR
BROKESBY RD
TY-DRAW RD
COCH-Y-CWM RD
DINAM RD
STADWEN RD
LLWYN-CRWN RD
GLAN-Y-WERN RD
PENTRE-DWR RD
SIEMENS WAY
PHOENIX WAY

69
47

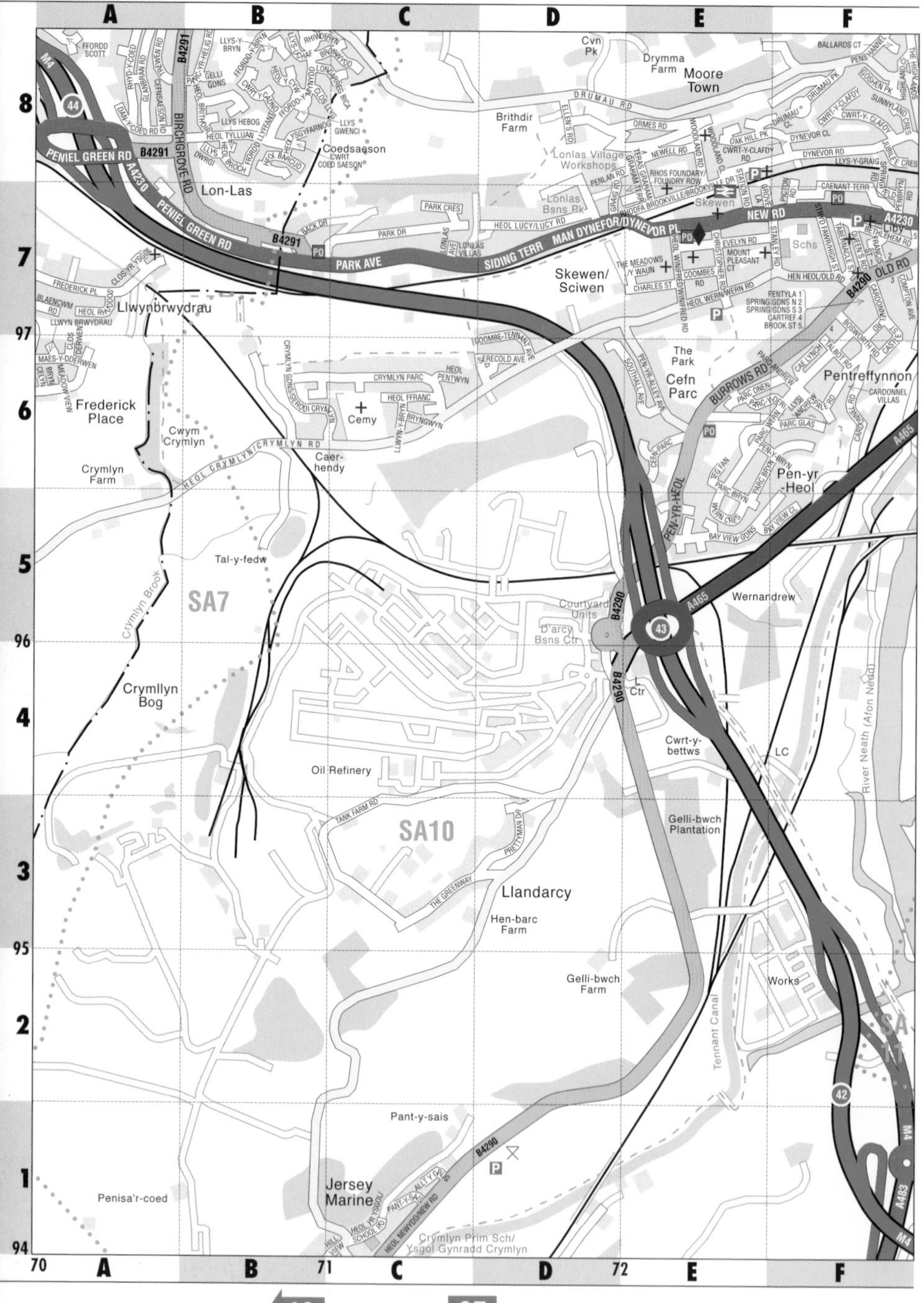
A
B
C
D
E
F
Moore Town
Drymma Farm
Cvn Pk
Brithdir Farm
Coedsaeson
Lon-Las
PENIEL GREEN RD
BIRCHGROVE RD
B4291
A4230
PARK AVE
SIDING TERR
MAN DYNEFOR/DYNEVOR PL
NEW RD
Lonlas Village Workshops
Lonlas Bsns Pk
Skewen
Skewen/ Sciwen
Llwynbrwydrau
Frederick Place
Cwym Crymlyn
Crymlyn Farm
CRYMLYN RD
Caer-hendy
Cemy
The Park
Cefn Parc
Pentreffynnon
Pen-yr -Heol
BURROWS RD
PEN-YR-HEOL
Tal-y-fedw
SA7
Crymlyn Brook
Courtyard Units
D'arcy Bsns Ctr
B4290
A465
Wernandrew
Crymllyn Bog
Oil Refinery
SA10
Cwrt-y-bettws
Gelli-bwch Plantation
Llandarcy
Hen-barc Farm
Gelli-bwch Farm
Works
Tennant Canal
River Neath (Afon Nedd)
Pant-y-sais
Jersey Marine
Penisa'r-coed
Crymlyn Prim Sch/ Ysgol Gynradd Crymlyn
M4
A483
SA11
8
7
97
6
5
96
4
3
95
2
1
94
70
71
72

69
97

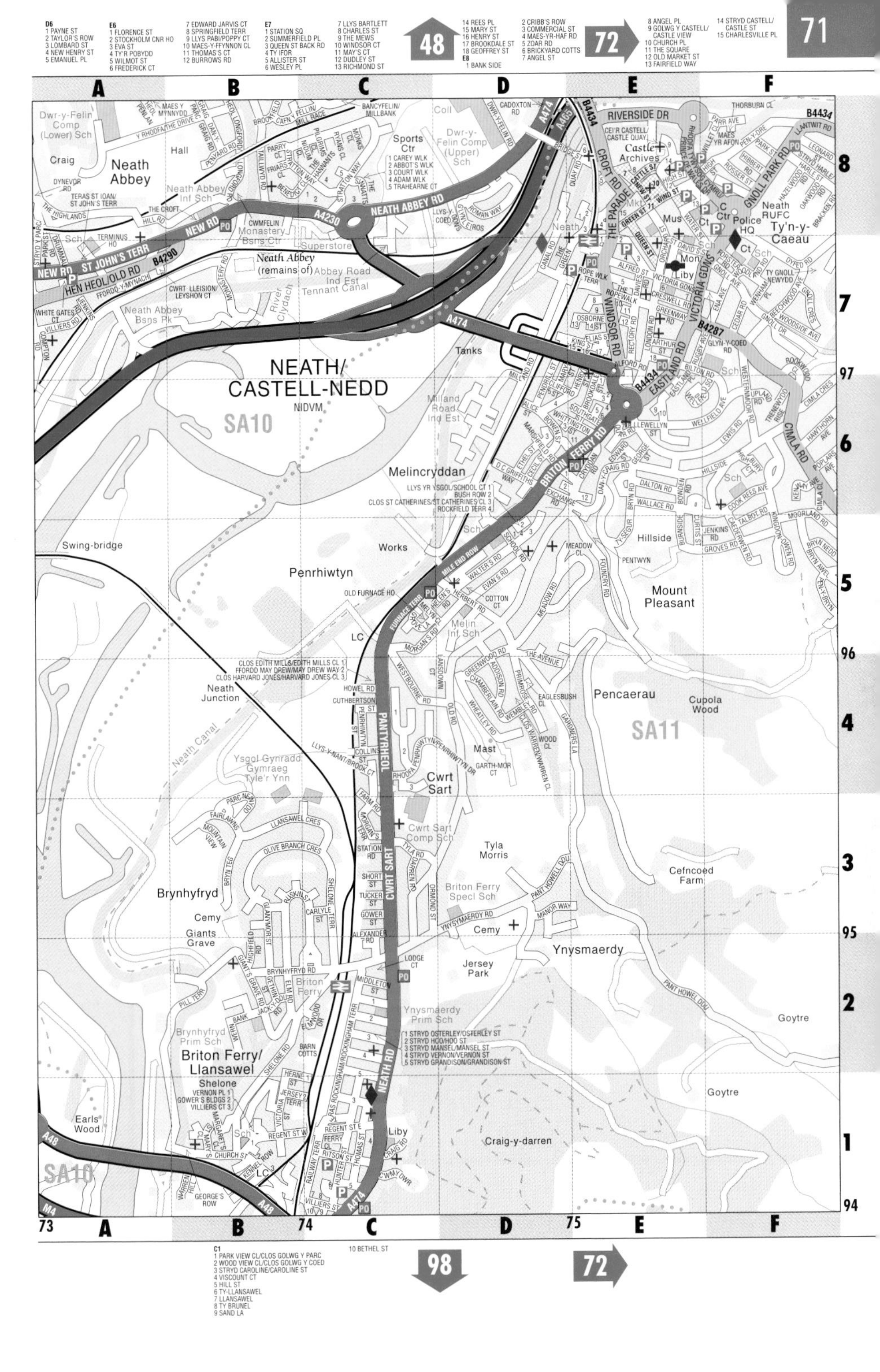

71
D6
1 PAYNE ST
2 TAYLOR'S ROW
3 LOMBARD ST
4 NEW HENRY ST
5 EMANUEL PL
E6
1 FLORENCE ST
2 STOCKHOLM CNR HO
3 EVA ST
4 TY'R POBYDD
5 WILMOT ST
6 FREDERICK CT
7 EDWARD JARVIS CT
8 SPRINGFIELD TERR
9 LLYS PABI/POPPY CT
10 MAES-Y-FFYNNON CL
11 THOMAS'S CT
12 BURROWS RD
E7
1 STATION SQ
2 SUMMERFIELD PL
3 QUEEN ST BACK RD
4 TY IFOR
5 ALLISTER ST
6 WESLEY PL
7 LLYS BARTLETT
8 CHARLES ST
9 THE MEWS
10 WINDSOR CT
11 MAY'S CT
12 DUDLEY ST
13 RICHMOND ST
48
14 REES PL
15 MARY ST
16 HENRY ST
17 BROOKDALE ST
18 GEOFFREY ST
E8
1 BANK SIDE
2 CRIBB'S ROW
3 COMMERCIAL ST
4 MAES-YR-HAF RD
5 ZOAR RD
6 BRICKYARD COTTS
7 ANGEL ST
72
8 ANGEL PL
9 GOLWG Y CASTELL/ CASTLE VIEW
10 CHURCH PL
11 THE SQUARE
12 OLD MARKET ST
13 FAIRFIELD WAY
14 STRYD CASTELL/ CASTLE ST
15 CHARLESVILLE PL
A
B
C
D
E
F
8
7
97
6
5
96
4
3
95
2
1
94
73
74
75
NEATH/
CASTELL-NEDD
NIDVM
SA10
SA11
Neath Abbey
Dwr-y-Felin Comp (Lower) Sch
Craig
Hall
Neath Abbey Inf Sch
Monastery Bsns Ctr
Neath Abbey (remains of)
Abbey Road Ind Est
Tennant Canal
Neath Abbey Bsns Pk
Superstore
Sports Ctr
Dwr-y-Felin Comp (Upper) Sch
Coll
NEATH ABBEY RD
NEW RD
ST JOHN'S TERR
HEN HEOL/OLD RD
RIVERSIDE DR
Castle
Archives
THE PARADE
CROFT RD
WINDSOR RD
VICTORIA GDNS
GNOLL PARK RD
EASTLAND RD
Neath RUFC
Police HQ
Ty'n-y-Caeau
Mus
Mon
Liby
Neath
Tanks
Milland Road Ind Est
Melincryddan
BRITON FERRY RD
Works
Swing-bridge
Penrhiwtyn
MILE END ROW
Hillside
Mount Pleasant
Melin Inf Sch
Neath Junction
Neath Canal
Pencaerau
Cupola Wood
PANTYRHEOL
Mast
Cwrt Sart
Ysgol Gynradd Gymraeg Tyle'r Ynn
Cwrt Sart Comp Sch
CWRT SART
Tyla Morris
Cefncoed Farm
Briton Ferry Specl Sch
Brynhyfryd
Cemy
Giants Grave
Ynysmaerdy
Jersey Park
Briton Ferry
Ynysmaerdy Prim Sch
Goytre
Brynhyfryd Prim Sch
Briton Ferry/ Llansawel
Shelone
NEATH RD
Earls Wood
Liby
Craig-y-darren
A474
A4230
A465
B4434
B4290
B4287
A48
M4
C1
1 PARK VIEW CL/CLOS GOLWG Y PARC
2 WOOD VIEW CL/CLOS GOLWG Y COED
3 STRYD CAROLINE/CAROLINE ST
4 VISCOUNT CT
5 HILL ST
6 TY-LLANSAWEL
7 LLANSAWEL
8 TY BRUNEL
9 SAND LA
10 BETHEL ST
98
72

71
49

Llantwit
Cemy
Mosshouse Wood
Gnoll Gardens
Gnoll Gds
Fishpond Wood
Brynau
Fernbank
Cefn Morfudd
Brynau Wood
SA11
Nant Cae'r-bryn
Cae'r-bryn
Preswylfa Farm
Preswylfa Dingle
Preswylfa Brook
Cimla
Crynallt Jun & Inf Schs
Cefn-Saeson Fawr
AFAN VALLEY RD
CIMLA RD
Cimla Common
Cefn Saeson Comp Sch
Cefn-Saeson Fâch
Baradychwallt
Level Crossing House
Abernant Farm
Cwm Pelenna
Ty'n-y-waun
Cwm Aber-nant
Cefn-crynallt
Crythan Brook
Pen-y-star
Efail-fâch
SA12
Crythan Farm
Hawdref-ganol
Tir-Evan-Llŵyd
Mynydd Hawdref
Gelli-gaer-fach
Cerrig Llwydion
Hawdref-fawr
Pant-Howel-Ddu
Gelli-gaer-fawr
Gaer fawr
Pelena River/Afon Pelenna
B4287
B4434

71
99

226
74

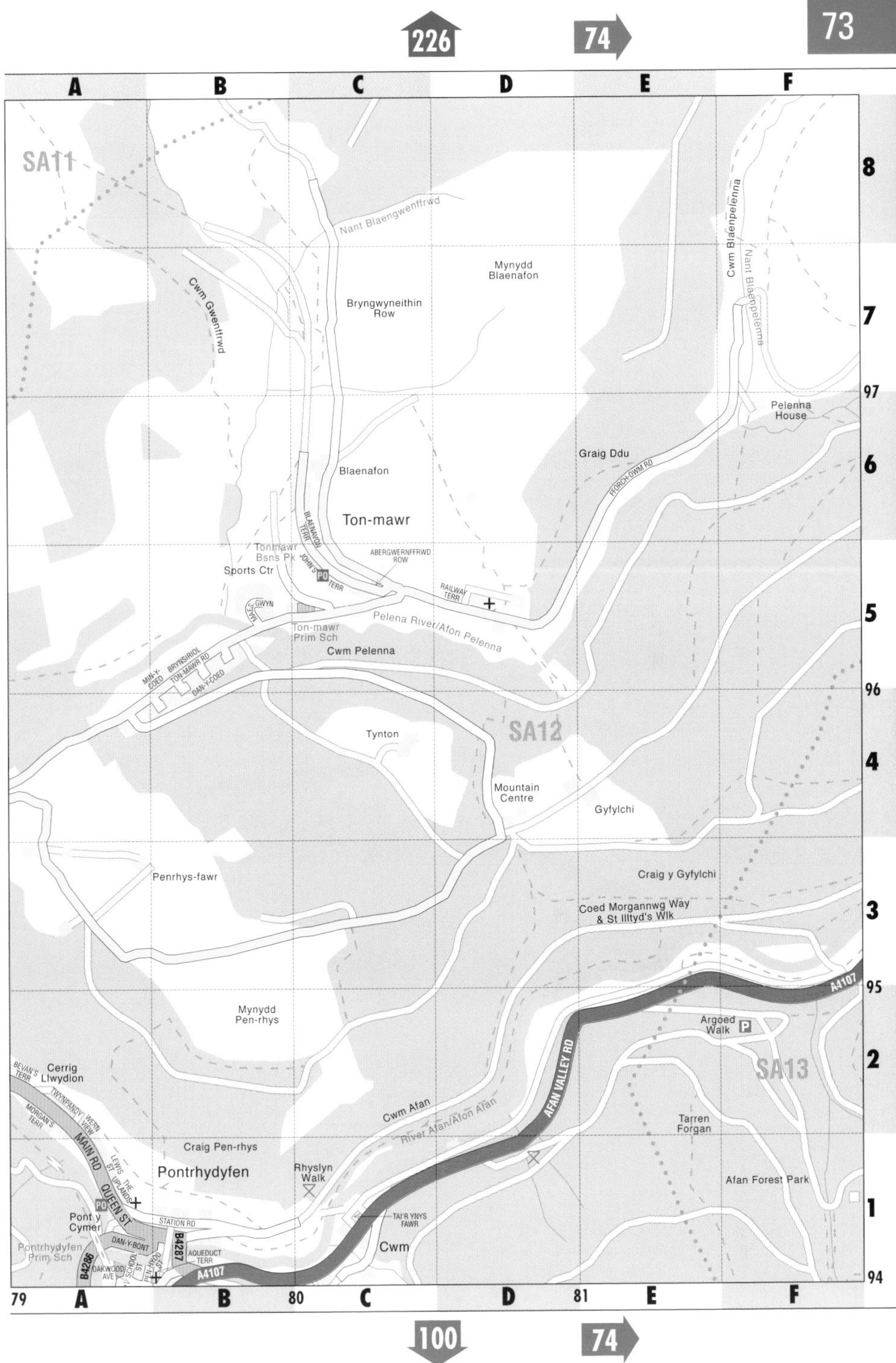
SA11
Nant Blaengwenffrwd
Mynydd Blaenafon
Bryngwyneithin Row
Cwm Gwenffrwd
Cwm Blaenpelenna
Nant Blaenpelenna
Pelenna House
Graig Ddu
FFORCH-DWM RD
Blaenafon
Ton-mawr
BLAENAVON TERR
JOHN'S TERR
ABERGWERNFFRWD ROW
Tonmawr Bsns Pk
Sports Ctr
RAILWAY TERR
MAES-GWYN
Ton-mawr Prim Sch
Pelena River/Afon Pelenna
Cwm Pelenna
MIN-Y-COED
BRYNSIRIOL
TON-MAWR RD
DAN-Y-COED
Tynton
SA12
Mountain Centre
Gyfylchi
Penrhys-fawr
Craig y Gyfylchi
Coed Morgannwg Way & St Illtyd's Wlk
A4107
Mynydd Pen-rhys
Argoed Walk
SA13
Cerrig Llwydion
BEVAN'S TERR
TWYNPANDY VIEW
MORGAN'S TERR
WERN VIEW
MAIN RD
AFAN VALLEY RD
Cwm Afan
River Afan/Afon Afan
Tarren Forgan
Craig Pen-rhys
Pontrhydyfen
Rhyslyn Walk
LEWIS ST
THE UPLANDS
QUEEN ST
Afan Forest Park
Pont y Cymer
STATION RD
TAI'R YNYS FAWR
Pontrhydyfen Prim Sch
DAN-Y-BONT
B4287
AQUEDUCT TERR
Cwm
B4286
OAKWOOD AVE
SCHOOL ST
PEN-HYDD ST
A B C D E F
8 7 6 5 4 3 2 1
97 96 95 94
79 80 81

100
74

73
226

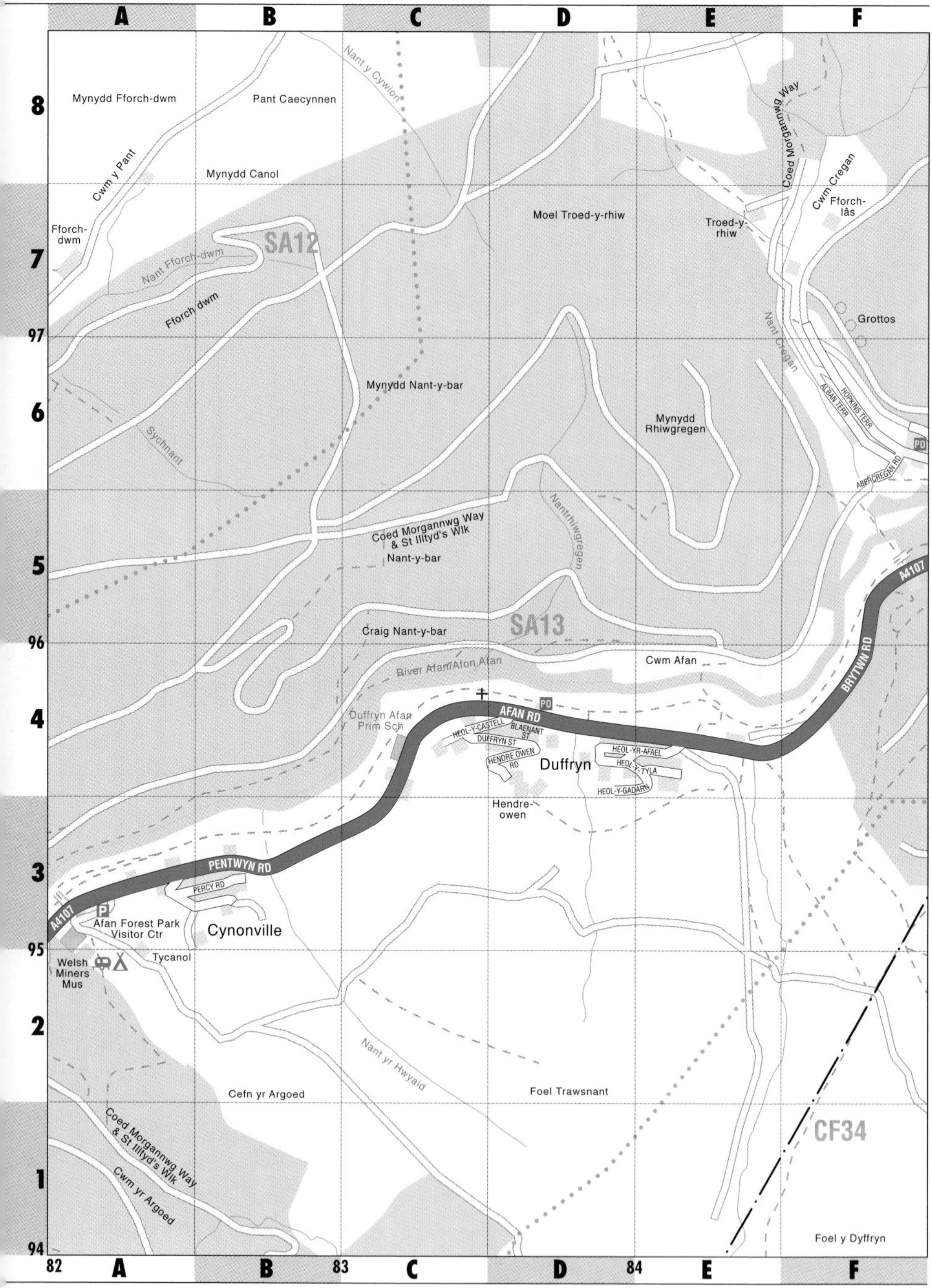

A B C D E F

8
7
97
6
5
96
4
3
95
2
1
94

Mynydd Fforch-dwm
Pant Caecynnen
Nant y Cywion
Coed Morgannwg Way
Cwm y Pant
Mynydd Canol
Fforch-dwm
SA12
Nant Fforch-dwm
Fforch-dwm
Moel Troed-y-rhiw
Troed-y-rhiw
Cwm Cregan
Fforch-lâs
Grottos
Nant Cregan
Mynydd Nant-y-bar
Sychnant
Mynydd Rhiwgregen
HOPKINS TERR
ALBAN TERR
PO
ABERCREGAN RD
Nantrhiwgregen
Coed Morgannwg Way & St Illtyd's Wlk
Nant-y-bar
A4107
Craig Nant-y-bar
SA13
BRYTWN RD
River Afan/Afon Afan
Cwm Afan
PO
AFAN RD
Duffryn Afan Prim Sch
HEOL-Y-CASTELL
BLAENANT ST
DUFFRYN ST
HENDRE OWEN RD
Duffryn
HEOL-YR-AFAEL
HEOL-Y-TYLA
HEOL-Y-GADARN
Hendre-owen
PENTWYN RD
PERCY RD
A4107
P
Afan Forest Park Visitor Ctr
Cynonville
Welsh Miners Mus
Tycanol
Nant yr Hwyaid
Cefn yr Argoed
Foel Trawsnant
Coed Morgannwg Way & St Illtyd's Wlk
Cwm yr Argoed
CF34
Foel y Dyffryn

82 A B 83 C D 84 E F

73
101

227
76

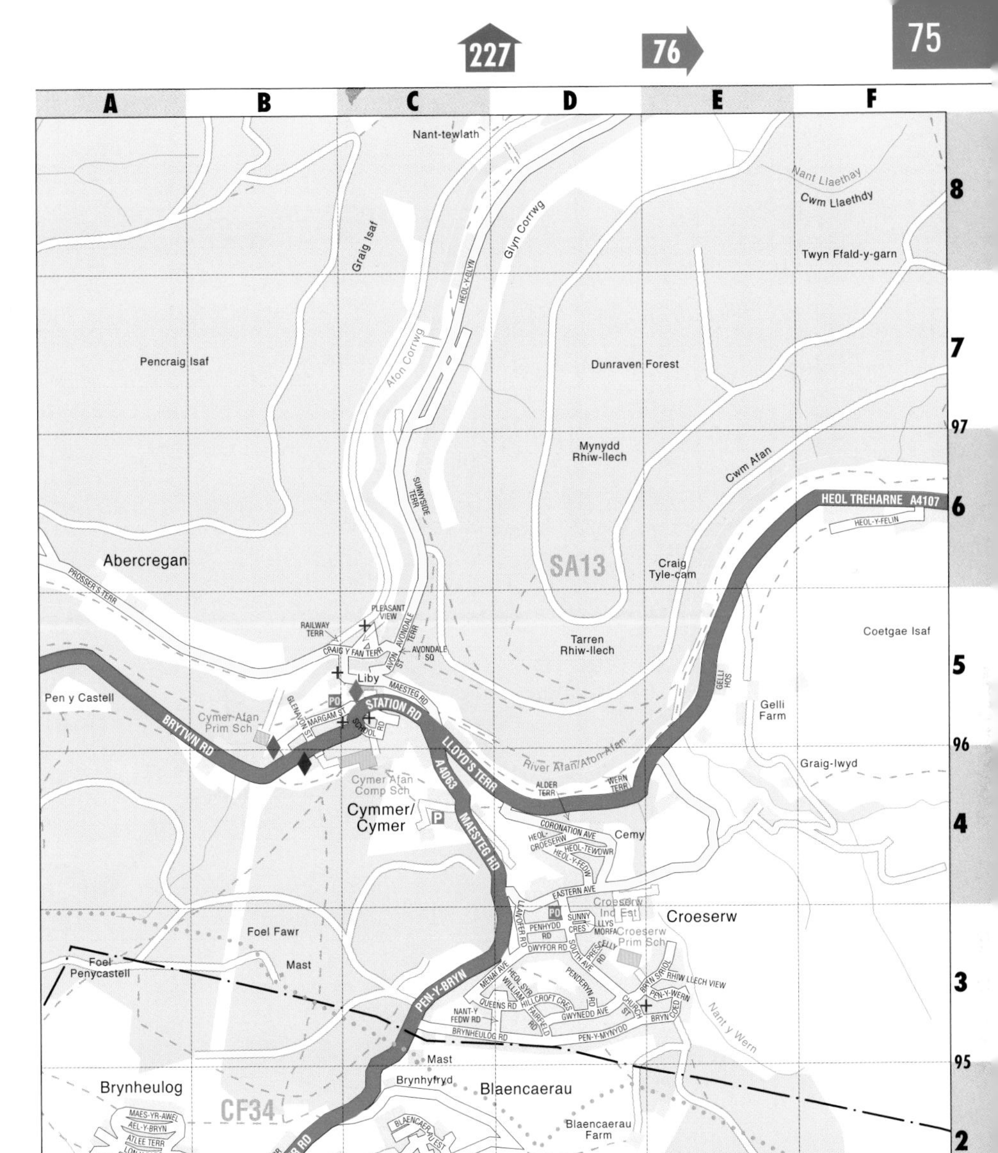
Nant-tewlath
Nant Llaethay
Cwm Llaethdy
Twyn Ffald-y-garn
Craig Isaf
Glyn Corrwg
HEOL-Y-GLYN
Pencraig Isaf
Afon Corrwg
Dunraven Forest
Mynydd Rhiw-llech
Cwm Afan
SUNNYSIDE TERR
HEOL TREHARNE A4107
HEOL-Y-FELIN
Abercregan
PROSSER'S TERR
SA13
Craig Tyle-cam
Tarren Rhiw-llech
Coetgae Isaf
PLEASANT VIEW
RAILWAY TERR
AVONDALE TERR
AVONDALE SQ
CRAIG Y FAN TERR
Pen y Castell
Liby
MAESTEG RD
STATION RD
GELLI HOS
Gelli Farm
BRYTWN RD
Cymer Afan Prim Sch
GLENAVON ST
MARGAM ST
SCHOOL RD
LLOYD'S TERR
River Afan/Afon Afan
Graig-lwyd
A4063
Cymer Afan Comp Sch
ALDER TERR
WERN TERR
Cymmer/ Cymer
MAESTEG RD
CORONATION AVE
HEOL-CROESERW
HEOL-TEWDWR
HEOL-Y-FEDW
Cemy
EASTERN AVE
Croeserw Ind Est
Croeserw
Foel Fawr
LLANOFER RD
PENHYDD RD
SUNNY CRES
LLYS MORFA
Croeserw Prim Sch
DWYFOR RD
SOUTH AVE
PRESCELLY RD
Foel Penycastell
Mast
MENAI AVE
HEOL SYR WILLIAM
HILLCROFT CRES
PENDERYN RD
BRYN SIRIOL
RHIW LLECH VIEW
PEN-Y-WERN
PEN-Y-BRYN
QUEENS RD
FAIRFIELD RD
GWYNEDD AVE
CHURCH ST
BRYN COED
NANT-Y FEDW RD
Nant y Wern
BRYNHEULOG RD
PEN-Y-MYNYDD
Mast
Brynhyfryd
Brynheulog
Blaencaerau
CF34
Blaencaerau Farm
MAES-YR-AWEL
AEL-Y-BRYN
ATLEE TERR
LON-Y-PARC
HARTSHORN TERR
HEOL CEULANYDD
GRIFFITHS TERR
BRYN TERR
CYMER RD
BLAENCAERAU EST
NORTH ST
ALEXANDRA RD
BRYNGLAS TERR
BLAENCAERAU RD
CHURCH ST
Mynydd Caerau
RATHBONE TERR
PROTHEROE ST
GEORGE ST
Blaencaerau Jun Sch
VICTORIA ST
HAMILTON TERR
ALEXANDRA PL
ALBERT ST
DAN-Y-BRYN
TREHARNE RD
CAERAU RD
RAILWAY TERR
LLYS SEION
NAVIGATION TERR 1
TALANA TERR 2
WOODLANDS TERR 3
GLAN-YR-AFON CT 4
Llynfi River/Afon Llynfi
TUDOR EST
Caerau
Caerau Forest
A4063 DYFFRYN RD
WESLEY ST
LLOYD ST
HERMON RD
GROSVENOR TERR
GREENFIELD TERR
PLEASANT VIEW
CARMEN ST
Nant Gwyn Bach
A B C D E F
8 7 6 5 4 3 2 1
97 96 95 94
85 86 87

102
76

75
227

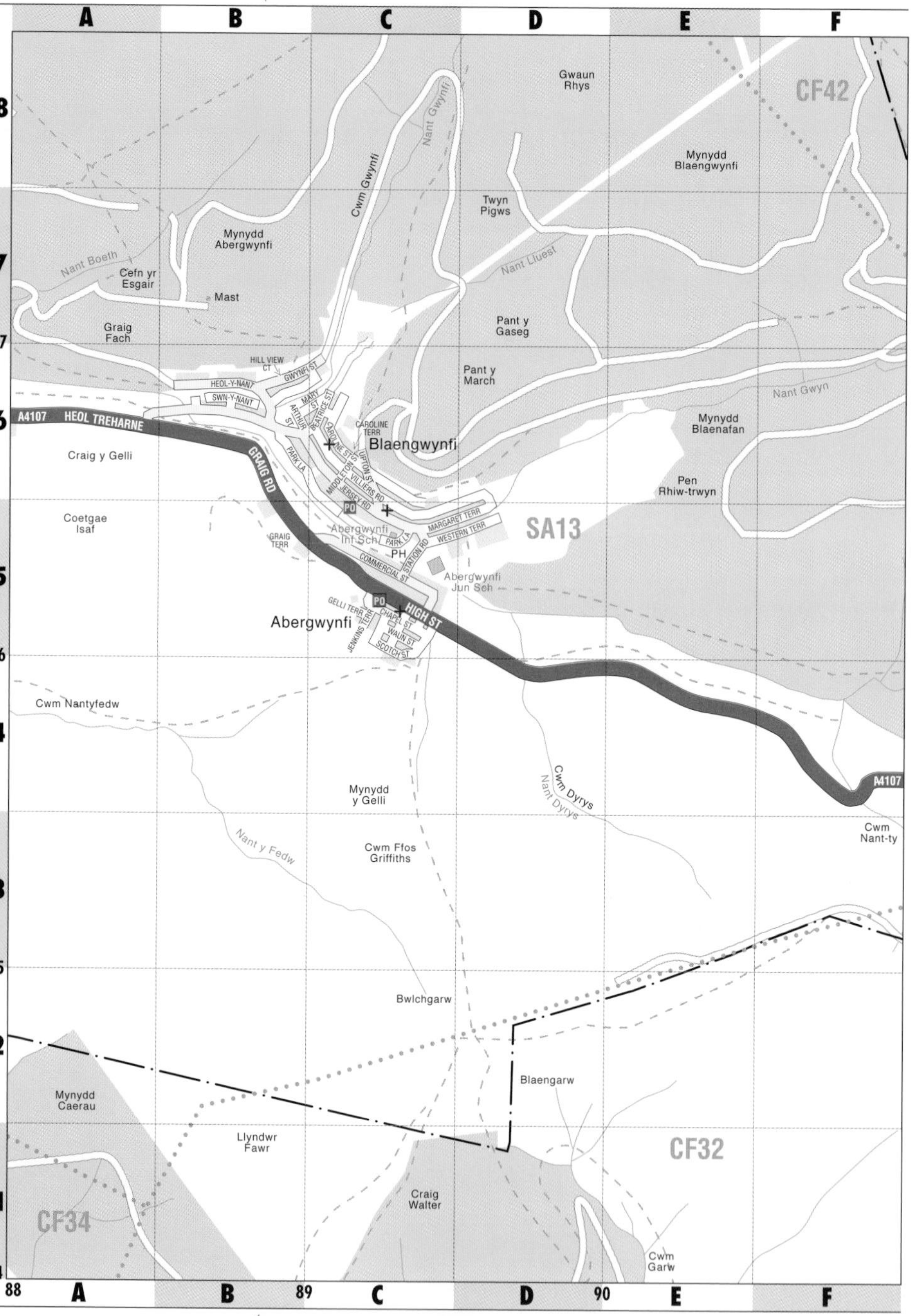

A B C D E F

8
Gwaun Rhys
CF42
Mynydd Blaengwynfi
Cwm Gwynfi
Nant Gwynfi
Twyn Pigws
Mynydd Abergwynfi
7
Nant Boeth
Cefn yr Esgair
Nant Lluest
Mast
Pant y Gaseg
Graig Fach
97
HILL VIEW CT
GWYNFI ST
HEOL-Y-NANT
Pant y March
SWN-Y-NANT
MARY ST
ARTHUR ST
BEATRICE ST
Nant Gwyn
6
A4107 HEOL TREHARNE
CAROLINE TERR
Mynydd Blaenafan
Blaengwynfi
Craig y Gelli
GRAIG RD
PARK LA
UPTON ST
MIDDLETON ST
VILLIERS RD
Pen Rhiw-trwyn
JERSEY RD
PO
Coetgae Isaf
MARGARET TERR
SA13
Abergwynfi Inf Sch
PARK LA
WESTERN TERR
GRAIG TERR
PH
STATION RD
5
COMMERCIAL ST
Abergwynfi Jun Sch
PO
GELLI TERR
CHAPEL ST
HIGH ST
Abergwynfi
JENKINS TERR
WAUN ST
SCOTCH ST
96
Cwm Nantyfedw
4
Mynydd y Gelli
Cwm Dyrys
Nant Dyrys
A4107
Cwm Nant-ty
Nant y Fedw
Cwm Ffos Griffiths
3
95
Bwlchgarw
2
Blaengarw
Mynydd Caerau
Llyndwr Fawr
CF32
1
Craig Walter
CF34
Cwm Garw
94

88 A B 89 C D 90 E F

75
103

50
78

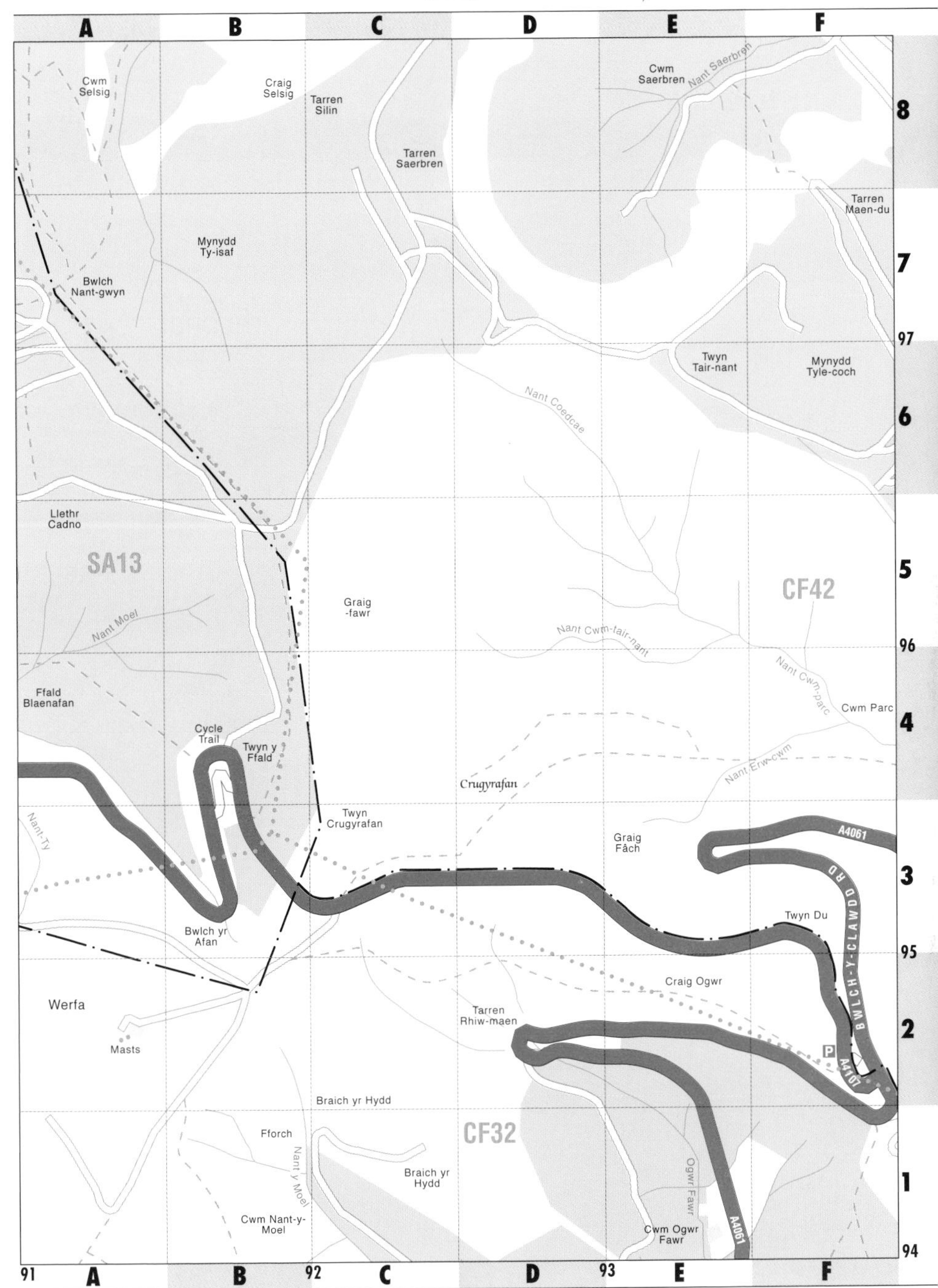

A
B
C
D
E
F
8
7
97
6
5
96
4
3
95
2
1
94
91
92
93
Cwm Selsig
Craig Selsig
Tarren Silin
Tarren Saerbren
Cwm Saerbren
Nant Saerbren
Tarren Maen-du
Mynydd Ty-isaf
Bwlch Nant-gwyn
Twyn Tair-nant
Mynydd Tyle-coch
Nant Coedcae
Llethr Cadno
SA13
CF42
Graig -fawr
Nant Moel
Nant Cwm-tair-nant
Nant Cwm-parc
Cwm Parc
Ffald Blaenafan
Cycle Trail
Twyn y Ffald
Nant Erw-cwm
Crugyrafan
Nant-Ty
Twyn Crugyrafan
Graig Fâch
A4061
BWLCH-Y-CLAWDD RD
Twyn Du
Bwlch yr Afan
Craig Ogwr
Werfa
Tarren Rhiw-maen
Masts
P
A4107
Braich yr Hydd
Fforch
CF32
Nant y Moel
Braich yr Hydd
Ogwr Fawr
Cwm Nant-y-Moel
Cwm Ogwr Fawr
A4061
104
78

77
51

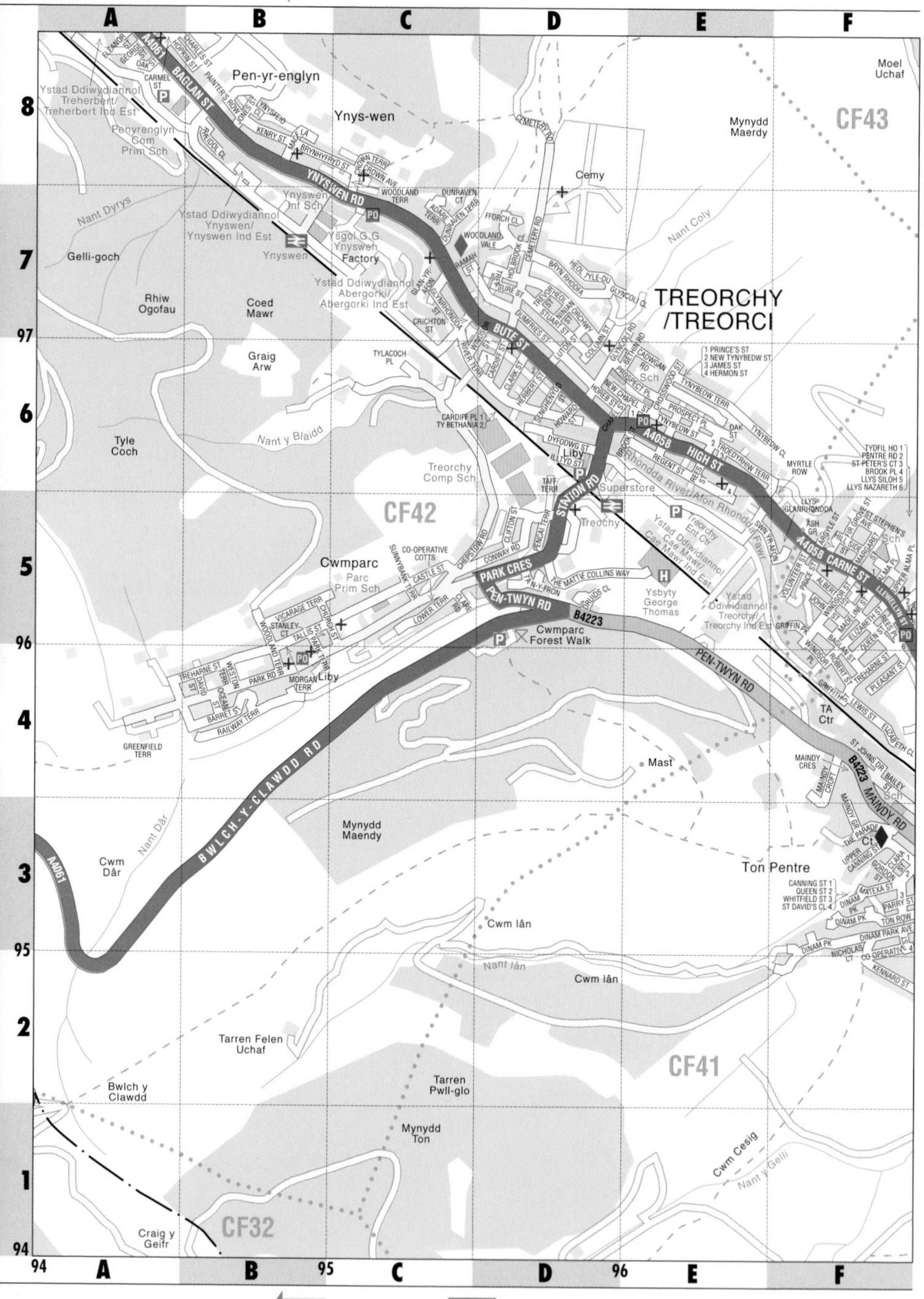
A
B
C
D
E
F
8
7
97
6
5
96
4
3
95
2
1
94
Pen-yr-englyn
Ynys-wen
Moel
Uchaf
Mynydd
Maerdy
CF43
Ystad Ddiwydiannol
Treherbert/
Treherbert Ind Est
Penyrenglyn
Com
Prim Sch
Cemy
Nant Dyrys
Ystad Ddiwydiannol
Ynyswen/
Ynyswen Ind Est
Ynyswen
Inf Sch
Ysgol G.G.
Ynyswen
Factory
Nant Coly
Gelli-goch
TREORCHY
/TREORCI
Rhiw
Ogofau
Coed
Mawr
Ystad Ddiwydiannol
Abergorki/
Abergorki Ind Est
Graig
Arw
Nant y Blaidd
Tyle
Coch
Treorchy
Comp Sch
Superstore
Rhondda River/Afon Rhondda Fawr
CF42
Treochy
Cwmparc
Parc
Prim Sch
Ysbyty
George
Thomas
Cwmparc
Forest Walk
Liby
TA
Ctr
Mast
Mynydd
Maendy
Cwm
Dâr
Nant Dâr
Ton Pentre
Cwm Iân
Nant Iân
Cwm Iân
Tarren Felen
Uchaf
CF41
Bwlch y
Clawdd
Tarren
Pwll-glo
Mynydd
Ton
Cwm Cesig
Nant y Gelli
Craig y
Geifr
CF32
A4061
BAGLAN ST
YNYSWEN RD
BUTE ST
A4058
HIGH ST
STATION RD
PARK CRES
PEN-TWYN RD
B4223
A4058 CARNE ST
MAINDY RD
BWLCH-Y-CLAWDD RD
1 PRINCE'S ST
2 NEW TYNYBEDW ST
3 JAMES ST
4 HERMON ST
TYDFIL HO 1
PENTRE RD 2
ST PETER'S CT 3
BROOK PL 4
LLYS SILOH 5
LLYS NAZARETH 6
CANNING ST 1
QUEEN ST 2
WHITFIELD ST 3
ST DAVID'S CL 4
94
95
96

77
105

52
80

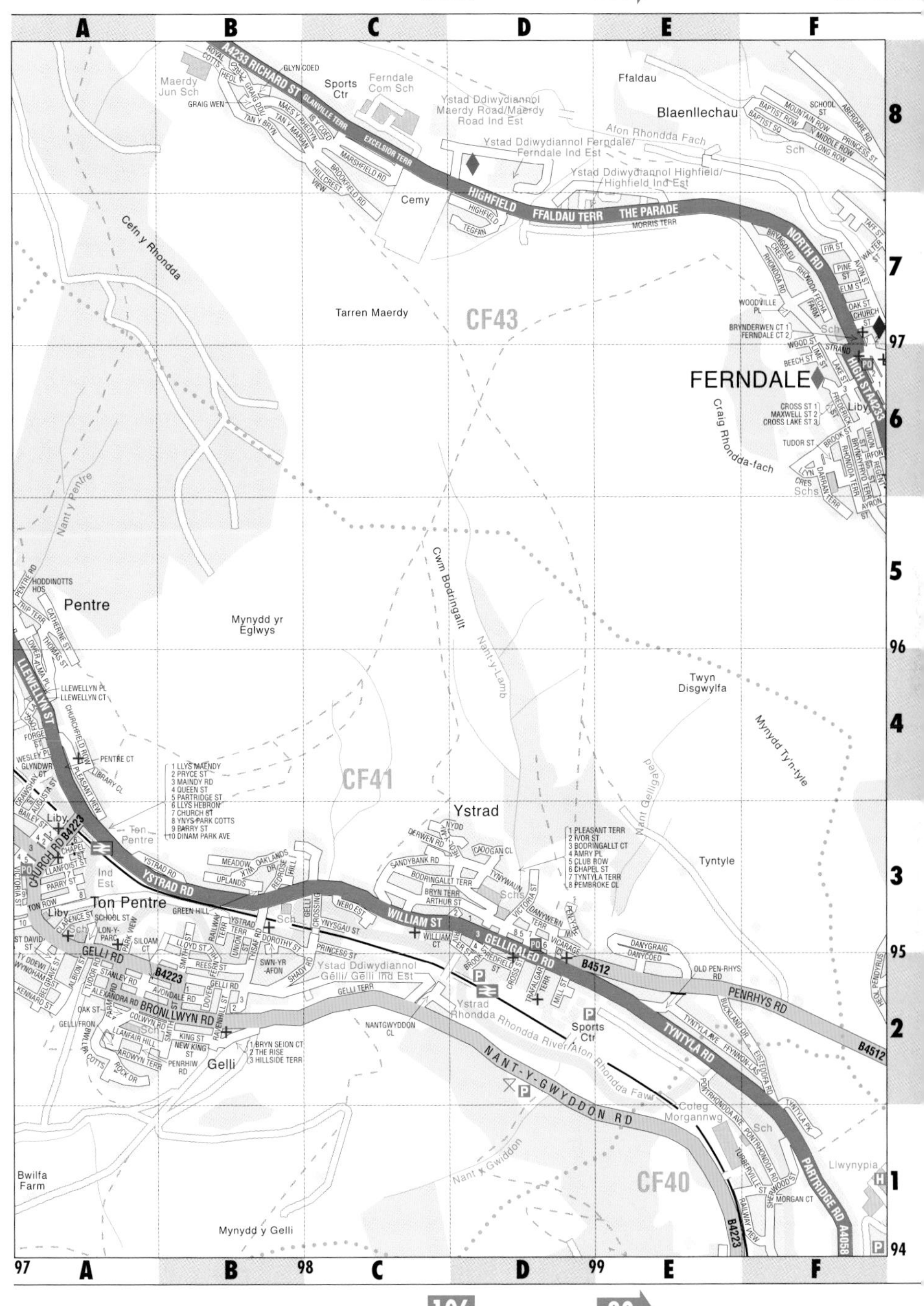

A
B
C
D
E
F
8
7
6
5
4
3
2
1
97
96
95
94
98
99
A4233 RICHARD ST
GLANVILLE TERR
EXCELSIOR TERR
HIGHFIELD
FFALDAU TERR
THE PARADE
NORTH RD
HIGH ST A4233
Maerdy Jun Sch
Sports Ctr
Ferndale Com Sch
Ystad Ddiwydiannol Maerdy Road/Maerdy Road Ind Est
Ystad Ddiwydiannol Ferndale/ Ferndale Ind Est
Ystad Ddiwydiannol Highfield/ Highfield Ind Est
Afon Rhondda Fach
Ffaldau
Blaenllechau
Cemy
Cefn y Rhondda
Tarren Maerdy
CF43
FERNDALE
Craig Rhondda-fach
Nant y Pentre
Cwm Bodringallt
Nant-y-Lamb
Pentre
Mynydd yr Eglwys
Twyn Disgwylfa
Mynydd Ty'n-tyle
CF41
Ystrad
Nant Gelliga
Tyntyle
LLEWELLYN ST
YSTRAD RD
Ton Pentre
Ind Est
WILLIAM ST
GELLIGALED RD
B4512
B4223
PENRHYS RD
TYNTYLA RD
Ystad Ddiwydiannol Gelli/ Gelli Ind Est
BRONLLWYN RD
Gelli
Ystrad Rhondda
Sports Ctr
Rhondda River/Afon Rhondda Fawr
NANT-Y-GWYDDON RD
Coleg Morgannwg
PARTRIDGE RD A4058
Llwynypia
Nant y Gwiddon
CF40
Bwlifa Farm
Mynydd y Gelli
1 LLYS MAENDY
2 PRYCE ST
3 MAINDY RD
4 QUEEN ST
5 PARTRIDGE ST
6 LLYS HEBRON
7 CHURCH ST
8 YNYS-PARK COTTS
9 PARRY ST
10 DINAM PARK AVE
1 PLEASANT TERR
2 IVOR ST
3 BODRINGALLT CT
4 AMRY PL
5 CLUB ROW
6 CHAPEL ST
7 TYNTYLA TERR
8 PEMBROKE CL
1 BRYN SEION CT
2 THE RISE
3 HILLSIDE TERR

79
53

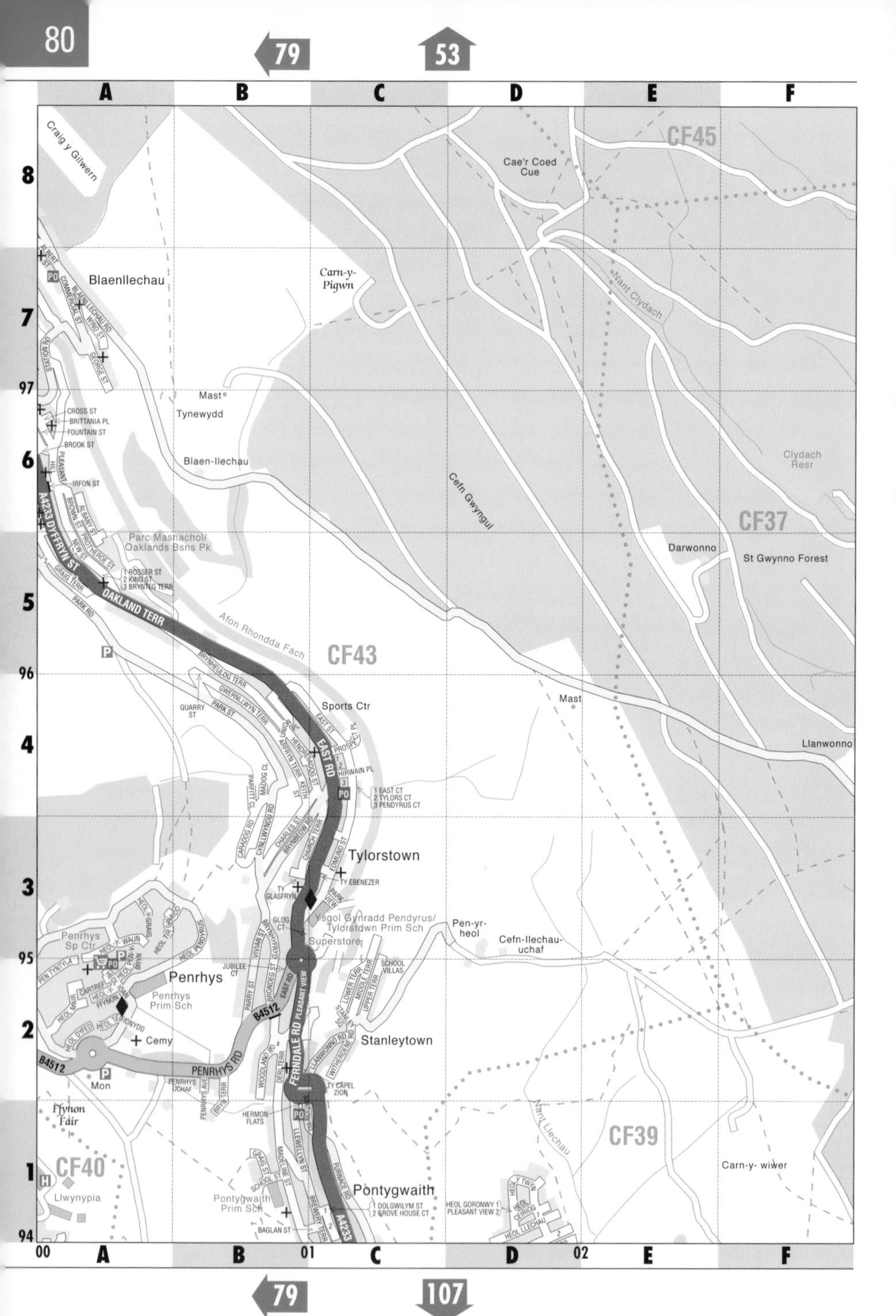
Craig y Gilwern
Blaenllechau
Carn-y-Pigwn
CF45
Cae'r Coed Cue
Nant Clydach
Mast
Tynewydd
Blaen-llechau
Cefn Gwyngul
Clydach Resr
CF37
Darwonno
St Gwynno Forest
Parc Masnachol/ Oaklands Bsns Pk
A4233 DYFFRYN ST
OAKLAND TERR
Afon Rhondda Fach
CF43
Sports Ctr
Mast
Llanwonno
EAST RD
Tylorstown
Ysgol Gynradd Pendyrus/ Tylorstown Prim Sch
Superstore
Pen-yr-heol
Cefn-llechau-uchaf
Penrhys Sp Ctr
Penrhys
Penrhys Prim Sch
Cemy
B4512
PENRHYS RD
FERNDALE RD
PLEASANT VIEW
Stanleytown
Mon
Ffynon Fair
Nant Llechau
CF39
CF40
Llwynypia
Pontygwaith
Pontygwaith Prim Sch
Carn-y- wiwer
A4233

79
107

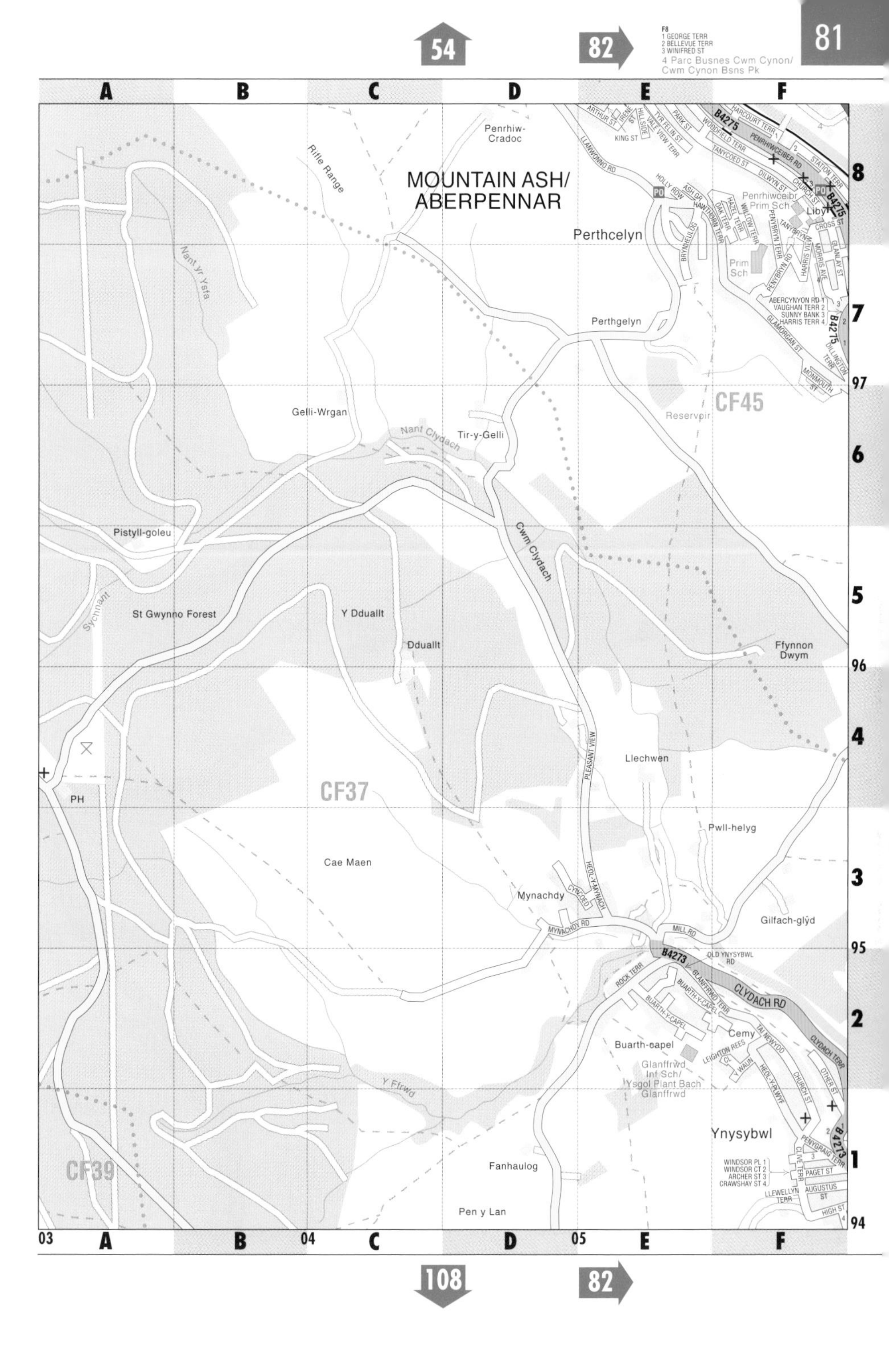
81
54
82
F8
1 GEORGE TERR
2 BELLEVUE TERR
3 WINIFRED ST
4 Parc Busnes Cwm Cynon/
Cwm Cynon Bsns Pk
A
B
C
D
E
F
8
7
97
6
5
96
4
3
95
2
1
94
03
04
05
MOUNTAIN ASH/
ABERPENNAR
Penrhiw-
Cradoc
Rifle Range
Perthcelyn
Perthgelyn
Penrhiwceibr
Prim Sch
Prim
Sch
Liby
ABERCYNYON RD 1
VAUGHAN TERR 2
SUNNY BANK 3
HARRIS TERR 4
CF45
Reservoir
Nant yr Ysfa
Gelli-Wrgan
Nant Clydach
Tir-y-Gelli
Pistyll-goleu
Cwm Clydach
St Gwynno Forest
Y Dduallt
Dduallt
Sychnant
Ffynnon
Dwym
Llechwen
PH
CF37
Pwll-helyg
Cae Maen
Mynachdy
Gilfach-glyd
MYNACHDY RD
MILL RD
B4273
OLD YNYSYBWL
RD
ROCK TERR
CLYDACH RD
Cemy
Buarth-capel
Glanffrwd
Inf Sch/
Ysgol Plant Bach
Glanffrwd
Y Ffrwd
Ynysybwl
WINDSOR PL 1
WINDSOR CT 2
ARCHER ST 3
CRAWSHAY ST 4
CF39
Fanhaulog
Pen y Lan
108
82

81
55

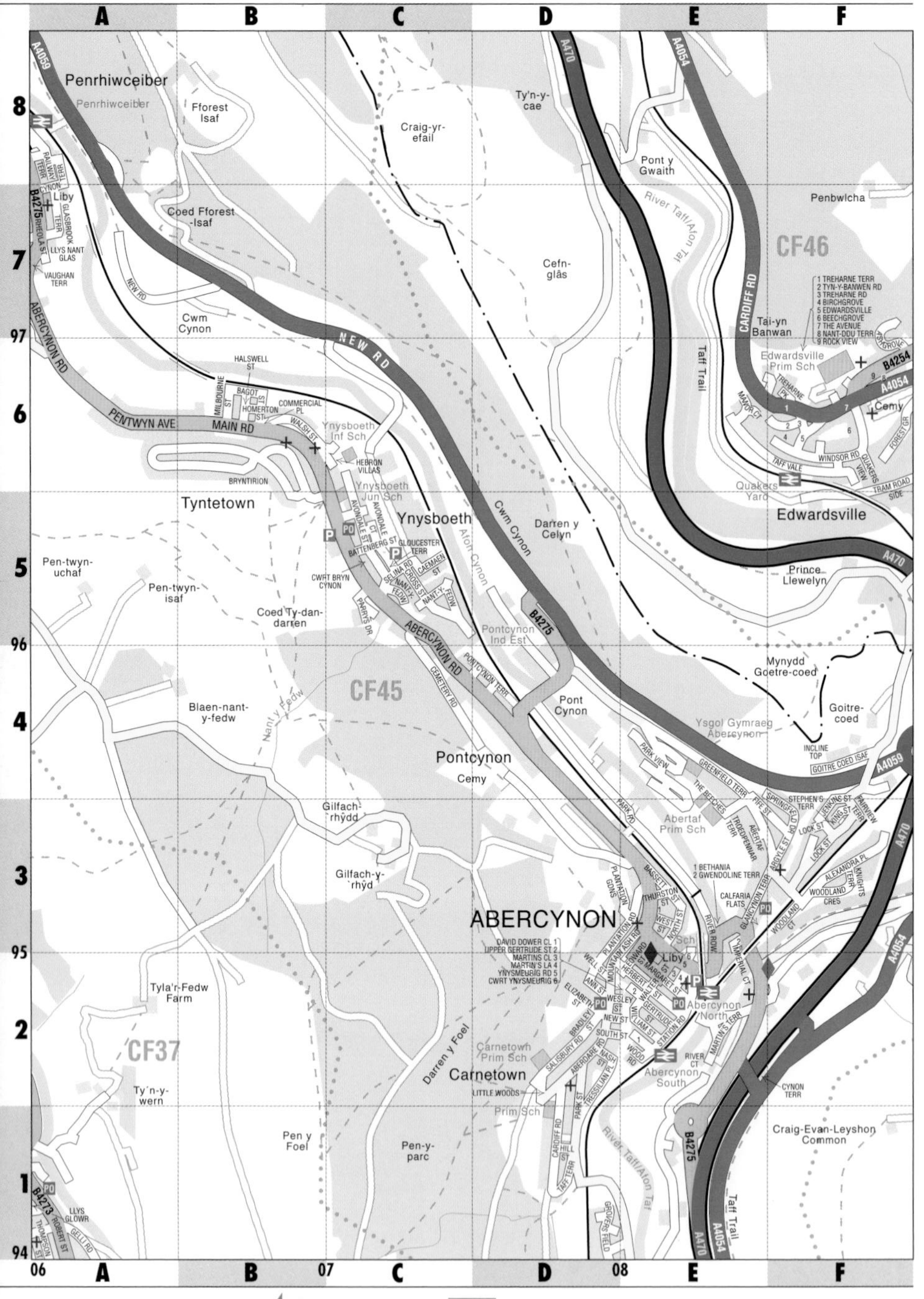
A
B
C
D
E
F
8
7
97
6
5
96
4
3
95
2
1
94
06
07
08
A4059
Penrhiwceiber
Fforest
Isaf
Craig-yr-
efail
Ty'n-y-
cae
A470
A4054
Pont y
Gwaith
River Taff/Afon Taf
Penbwlcha
CF46
Liby
Coed Fforest
-Isaf
B4275
RHEOLA ST
GLASBROOK
TERR
LLYS NANT
GLAS
VAUGHAN
TERR
NEW RD
Cefn-
glâs
CARDIFF RD
1 TREHARNE TERR
2 TYN-Y-BANWEN RD
3 TREHARNE RD
4 BIRCHGROVE
5 EDWARDSVILLE
6 BEECHGROVE
7 THE AVENUE
8 NANT-DDU TERR
9 ROCK VIEW
Tai-yn
Banwan
Edwardsville
Prim Sch
B4254
Taff Trail
Cwm
Cynon
ABERCYNON RD
HALSWELL
ST
MILBOURNE
ST
BAGOT
HOMERTON
COMMERCIAL
PL
PENTWYN AVE
MAIN RD
WALSH ST
Ynysboeth
Inf Sch
HEBRON
VILLAS
BRYNTIRION
Ynysboeth
Jun Sch
Tyntetown
Ynysboeth
AVONDALE
GLOUCESTER
TERR
BATTENBERG ST
CAEMAEN
ST
Cwm Cynon
Afon Cynon
Darren y
Celyn
Cemy
TREHARNE
MANOR CT
WINDSOR RD
TAFF VALE
Quakers
Yard
QUAKERS
VIEW
TRAM ROAD
SIDE
Edwardsville
Prince
Llewelyn
Pen-twyn-
uchaf
Pen-twyn-
isaf
CWRT BRYN
CYNON
SELINA RD
CROSS ST
NANT-Y-
FEDW
PARRYS DR
Coed Ty-dan-
darren
Pontcynon
Ind Est
Mynydd
Goetre-coed
ABERCYNON RD
PONTCYNON TERR
CEMETERY RD
CF45
Blaen-nant-
y-fedw
Nant y Fedw
Pont
Cynon
Goitre-
coed
Ysgol Gymraeg
Abercynon
INCLINE
TOP
GOITRE COED ISAF
Pontcynon
Cemy
PARK VIEW
GREENFIELD TERR
THE BEECHES
FIFE ST
SPRINGFIELD DR
STEPHEN'S
TERR
JENKINS ST
KING ST
TERR
FAIRVIEW
Gilfach-
rhydd
PARK RD
Abertaf
Prim Sch
TROEDPENNAR
TERR
ABERTAF
ARGYLE ST
LOCK ST
ALEXANDRA PL
KNIGHTS
TERR
Gilfach-y-
'rhŷd
PLANTATION
GDNS
BASSETT ST
THURSTON
ST
1 BETHANIA
2 GWENDOLINE TERR
CALFARIA
FLATS
GLANCYNON TERR
WOODLAND
CRES
ABERCYNON
RIVER ROW
WOODLAND
CT
DAVID DOWER CL 1
UPPER GERTRUDE ST 2
MARTINS CL 3
MARTIN'S LA 4
YNYSMEURIG RD 5
CWRT YNYSMEURIG 6
Liby
IMPERIAL CT
A4054
Tyla'r-Fedw
Farm
ELIZABETH
ST
ANN ST
WESLEY
HERBERT ST
MARGARET ST
Abercynon
North
NEW ST
WILLIAM ST
STATION RD
MARTIN'S TERR
SOUTH ST
BRADLEY
CF37
Darren y Foel
Carnetown
Prim Sch
Carnetown
SALISBURY RD
ABERDARE RD
NASH ST
TRESILLIAN PL
WOOD RD
RIVER
CT
Abercynon
South
CYNON
TERR
Ty'n-y-
wern
LITTLE WOODS
Prim Sch
Craig-Evan-Leyshon
Common
Pen y
Foel
Pen-y-
parc
CARDIFF RD
HILL
TAFF TERR
River Taff/Afon Taf
GROVERS FIELD
B4275
Taff Trail
B4273
LLYS
GLOWR
ROBERT ST
GELLI RD
THOMPSON
ST
A470
A4054

81
109

B6
1 PROSSER ST
2 OLD STATION YD
3 VICTORIA ST
4 GLENVIEW VILLAS
5 EDWARD ST

56
84

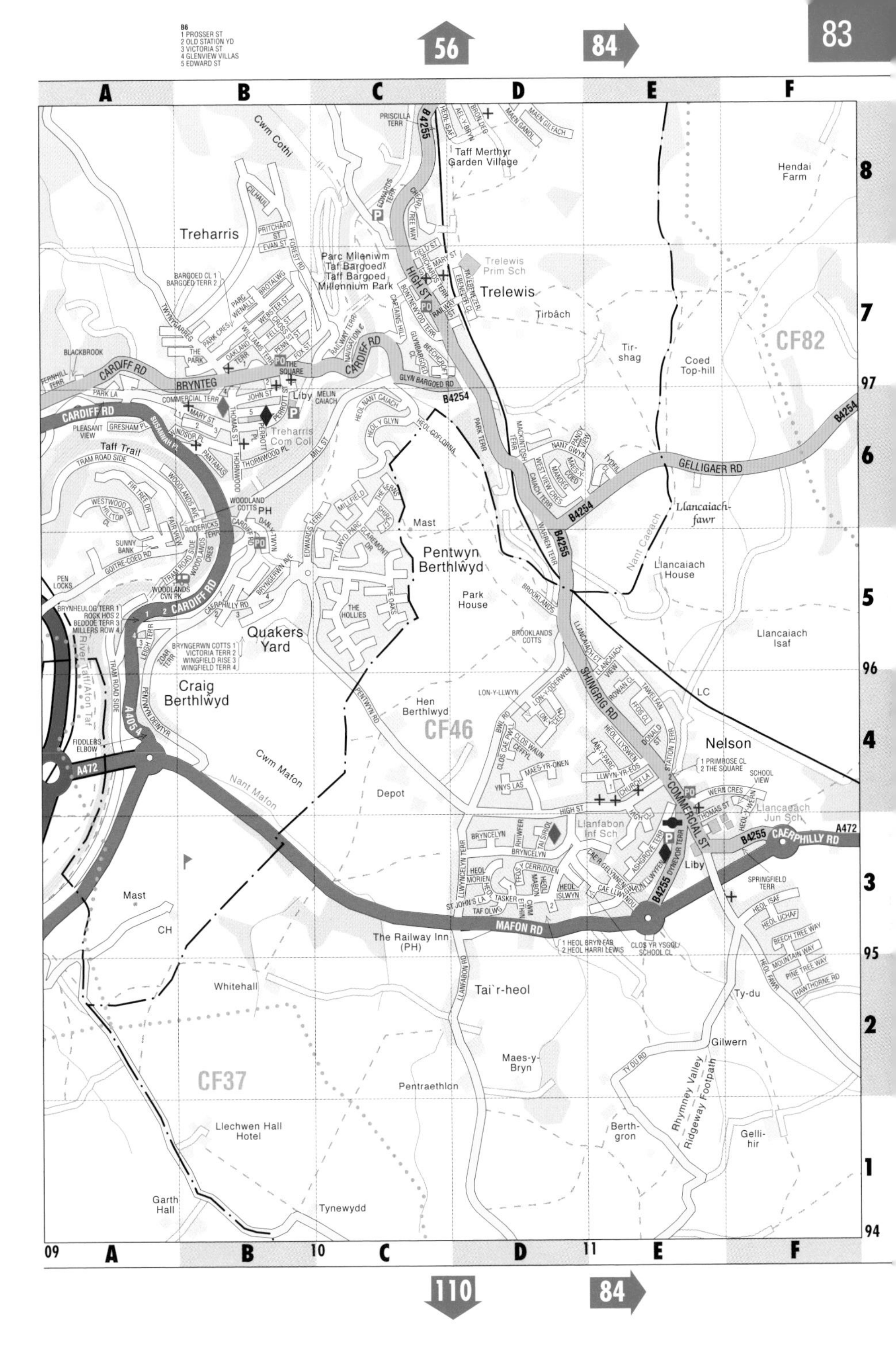

110
84

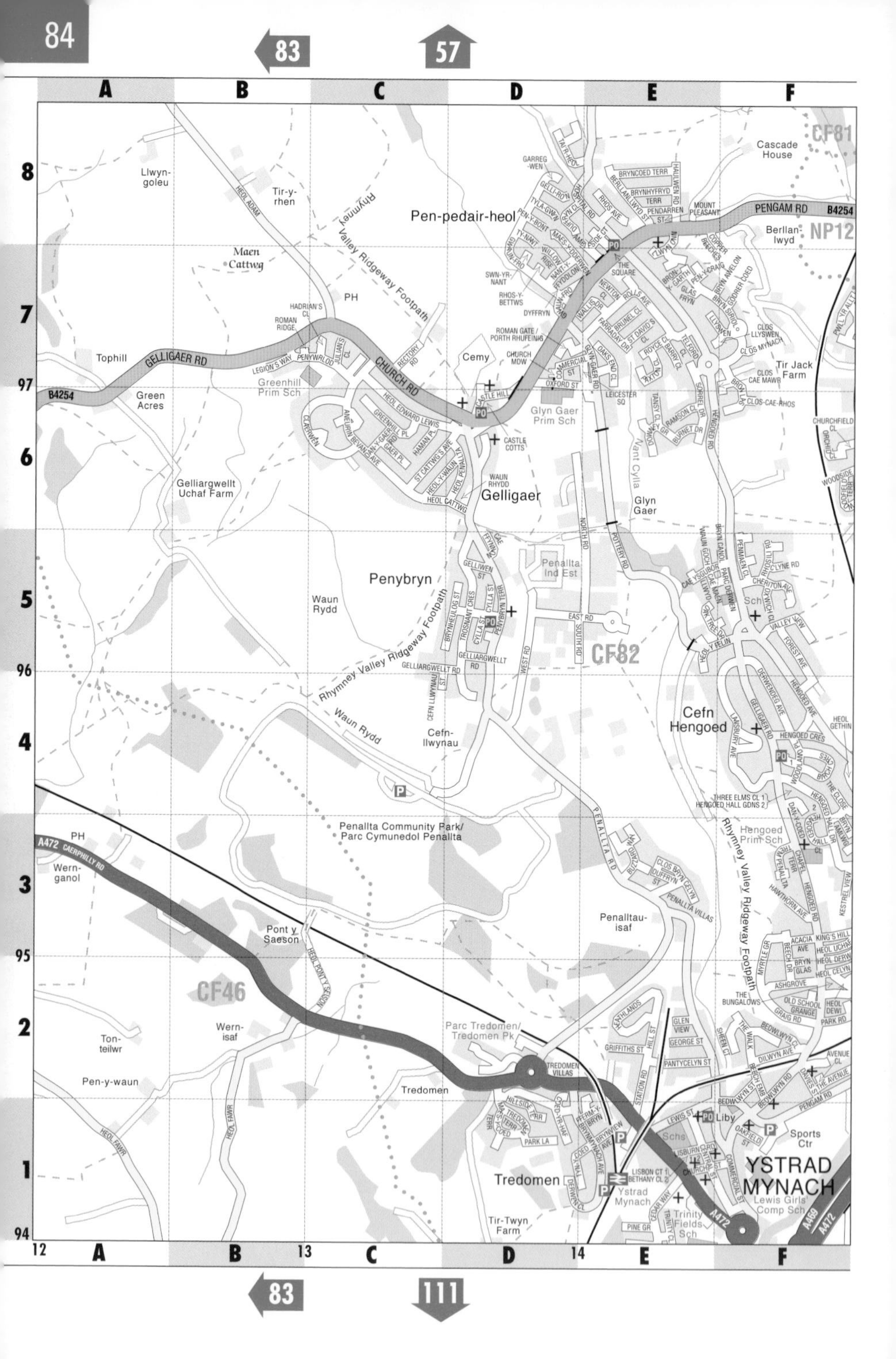

83
57
A
B
C
D
E
F
8
7
97
6
5
96
4
3
95
2
1
94
12
13
14
CF81
NP12
CF82
CF46
Llwyn-goleu
Tir-y-rhen
Maen Cattwg
Pen-pedair-heol
Cascade House
Berllan-lwyd
PENGAM RD
B4254
Rhymney Valley Ridgeway Footpath
PH
Tophill
GELLIGAER RD
Green Acres
Greenhill Prim Sch
CHURCH RD
Cemy
Glyn Gaer Prim Sch
Tir Jack Farm
Gelliargwellt Uchaf Farm
Gelligaer
Glyn Gaer
Nant Cylla
Penybryn
Waun Rydd
Penallta Ind Est
Cefn Hengoed
Cefn-llwynau
Penallta Community Park/
Parc Cymunedol Penallta
Hengoed Prim Sch
Wern-ganol
A472 CAERPHILLY RD
Pont y Saeson
Penalltau-isaf
Ton-teilwr
Wern-isaf
Pen-y-waun
Parc Tredomen/
Tredomen Pk
Tredomen
Tir-Twyn Farm
Ystrad Mynach
Trinity Fields Sch
YSTRAD MYNACH
Lewis Girls' Comp Sch
Sports Ctr
Liby
PENALLTA RD
HEOL FAWR
HEOL FAWR
A472
A469
83
111

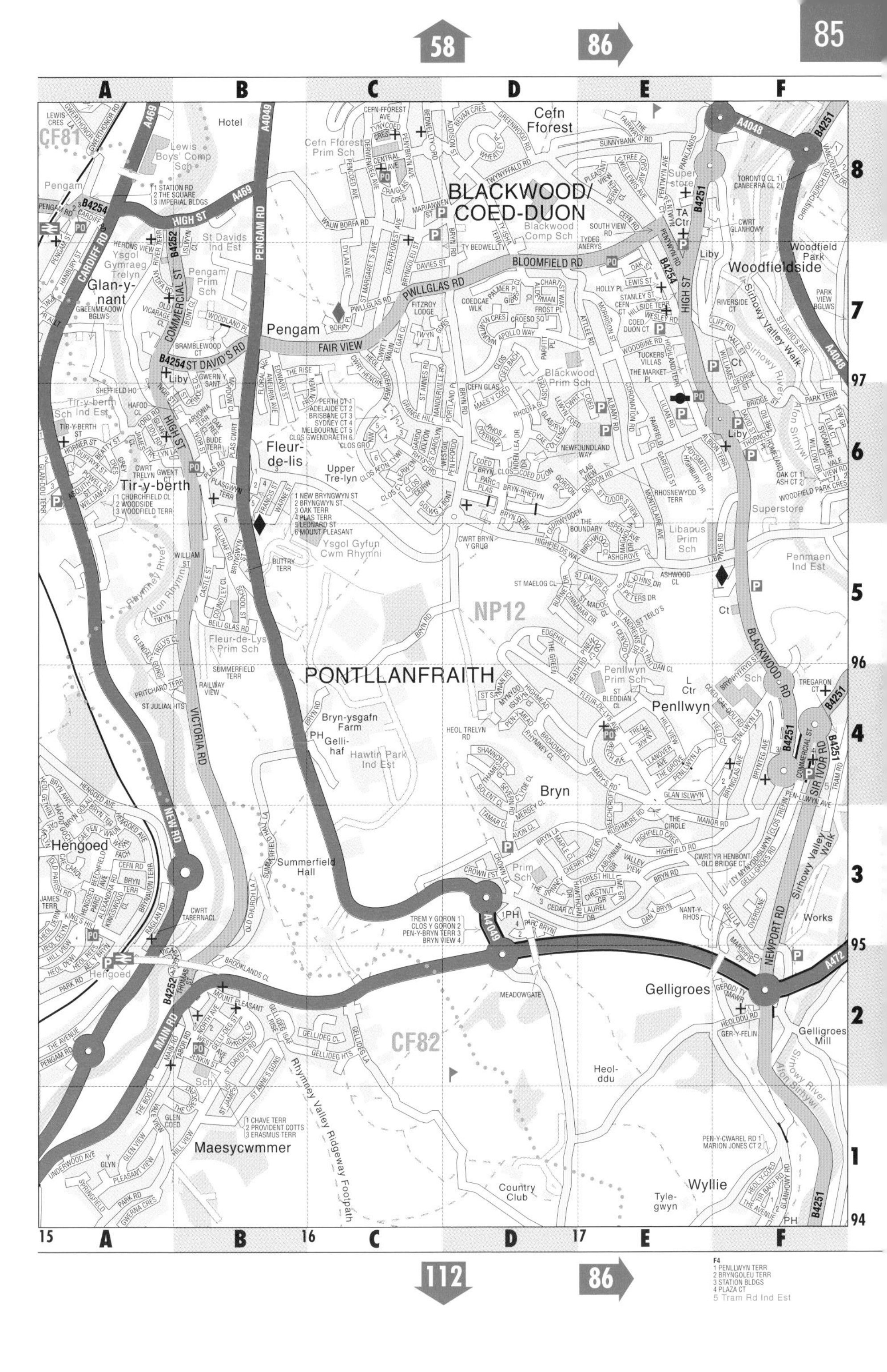
58
86
A
B
C
D
E
F
BLACKWOOD/
COED-DUON
Cefn
Fforest
Cefn Fforest
Prim Sch
Blackwood
Comp Sch
Woodfieldside
Woodfield
Park
Pengam
Glan-y-
nant
Ysgol
Gymraeg
Trelyn
Pengam
Prim
Sch
Lewis
Boys' Comp
Sch
St Davids
Ind Est
Tir-y-berth
Tir-y-berth
Ind Est
Fleur-
de-lis
Upper
Tre-lyn
Ysgol Gyfun
Cwm Rhymni
Blackwood
Prim Sch
Libanus
Prim
Sch
Superstore
Penmaen
Ind Est
NP12
CF81
CF82
PONTLLANFRAITH
Fleur-de-Lys
Prim Sch
Bryn-ysgafn
Farm
Gelli-
haf
Hawtin Park
Ind Est
Penllwyn
Prim Sch
Penllwyn
Bryn
Summerfield
Hall
Hengoed
Gelligroes
Gelligroes
Mill
Maesycwmmer
Heol-
ddu
Country
Club
Tyle-
gwyn
Wyllie
Works
Sirhowy Valley Walk
Sirhowy River
Afon Sirhywi
Rhymney River
Afon Rhymni
Rhymney Valley Ridgeway Footpath
A469
A4049
A4048
A4251
B4251
B4254
B4252
A472
HIGH ST
BLOOMFIELD RD
PWLLGLAS RD
FAIR VIEW
ST DAVID'S RD
COMMERCIAL ST
PENGAM RD
CARDIFF RD
VICTORIA RD
NEW RD
MAIN RD
BLACKWOOD RD
NEWPORT RD
SIR IVOR RD
1 STATION RD
2 THE SQUARE
3 IMPERIAL BLDGS
1 CHURCHFIELD CL
2 WOODSIDE
3 WOODFIELD TERR
1 NEW BRYNGWYN ST
2 BRYNGWYN ST
3 OAK TERR
4 PLAS TERR
5 LEONARD ST
6 MOUNT PLEASANT
PERTH CT 1
ADELAIDE CT 2
BRISBANE CT 3
SYDNEY CT 4
MELBOURNE CT 5
CLOS GWENDRAETH 6
TREM Y GORON 1
CLOS Y GORON 2
PEN-Y-BRYN TERR 3
BRYN VIEW 4
1 CHAVE TERR
2 PROVIDENT COTTS
3 ERASMUS TERR
PEN-Y-CWAREL RD 1
MARION JONES CT 2
8
7
97
6
5
96
4
3
95
2
1
94
15
16
17
112
86
F4
1 PENLLWYN TERR
2 BRYNGOLEU TERR
3 STATION BLDGS
4 PLAZA CT
5 Tram Rd Ind Est

85
59

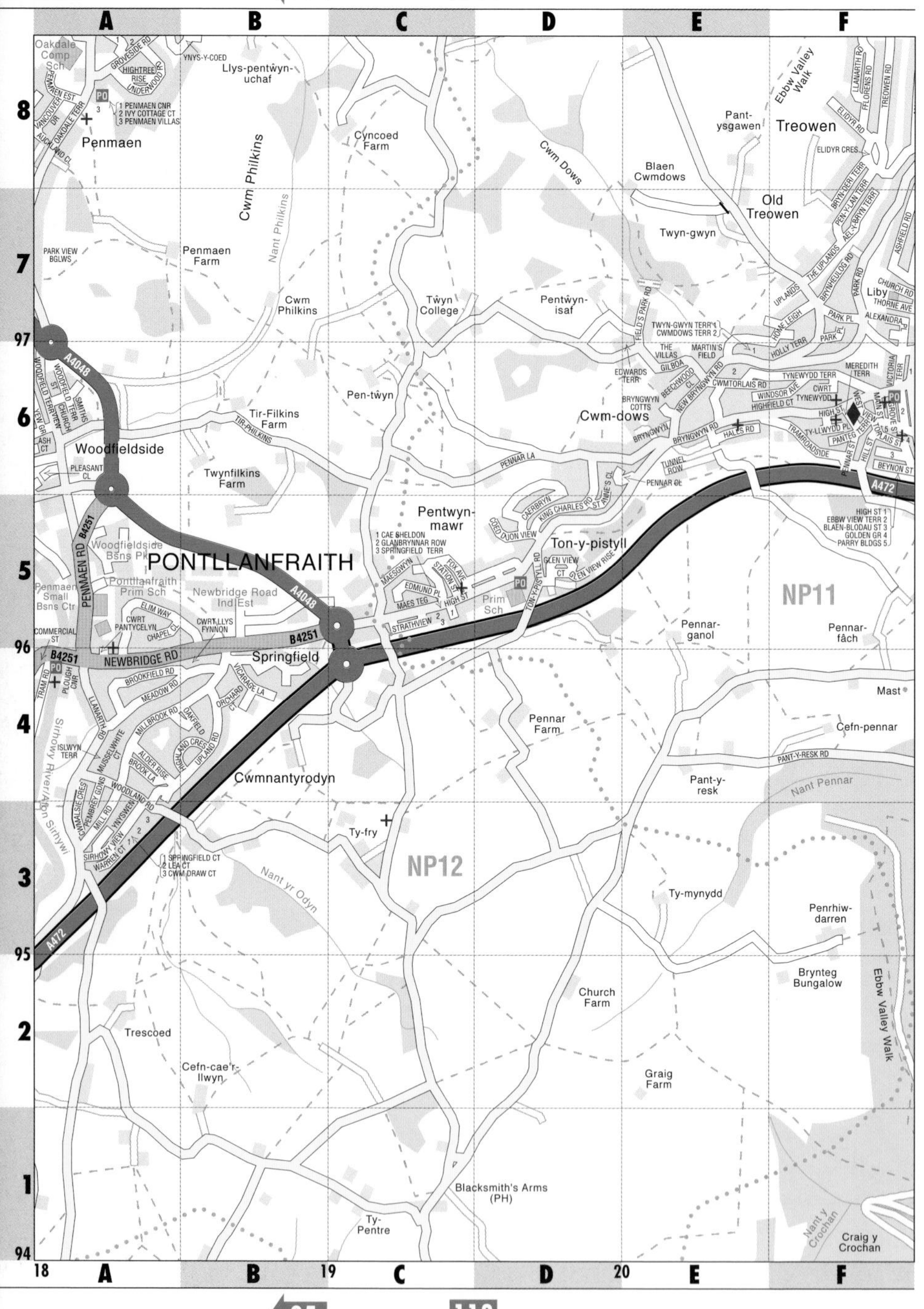
A
B
C
D
E
F
8
7
97
6
5
96
4
3
95
2
1
94
18
19
20
Oakdale Comp Sch
YNYS-Y-COED
Llys-pentŵyn-uchaf
Penmaen
Cwm Philkins
Nant Philkins
Cyncoed Farm
Cwm Dows
Pant-ysgawen
Ebbw Valley Walk
Treowen
Blaen Cwmdows
Old Treowen
Twyn-gwyn
Penmaen Farm
PARK VIEW BGLWS
Cwm Philkins
Tŵyn College
Pentŵyn-isaf
Liby
A4048
Pen-tŵyn
Tir-Filkins Farm
Woodfieldside
Cwm-dows
Twynfilkins Farm
PENNAR LA
Pentwyn-mawr
Ton-y-pistyll
A472
B4251
Woodfieldside Bsns Pk
PONTLLANFRAITH
Penmaen Small Bsns Ctr
Pontllanfraith Prim Sch
Newbridge Road Ind Est
Prim Sch
NP11
Pennar-ganol
Pennar-fâch
NEWBRIDGE RD
Springfield
Mast
Pennar Farm
Cefn-pennar
Sirhowy River/Afon Sirhywi
PANT-Y-RESK RD
Cwmnantyrodyn
Pant-y-resk
Nant Pennar
Ty-fry
NP12
Nant yr Odyn
Ty-mynydd
Penrhiw-darren
Brynteg Bungalow
Church Farm
Trescoed
Cefn-cae'r-llwyn
Graig Farm
Blacksmith's Arms (PH)
Ty-Pentre
Nant y Crochan
Craig y Crochan

85
113

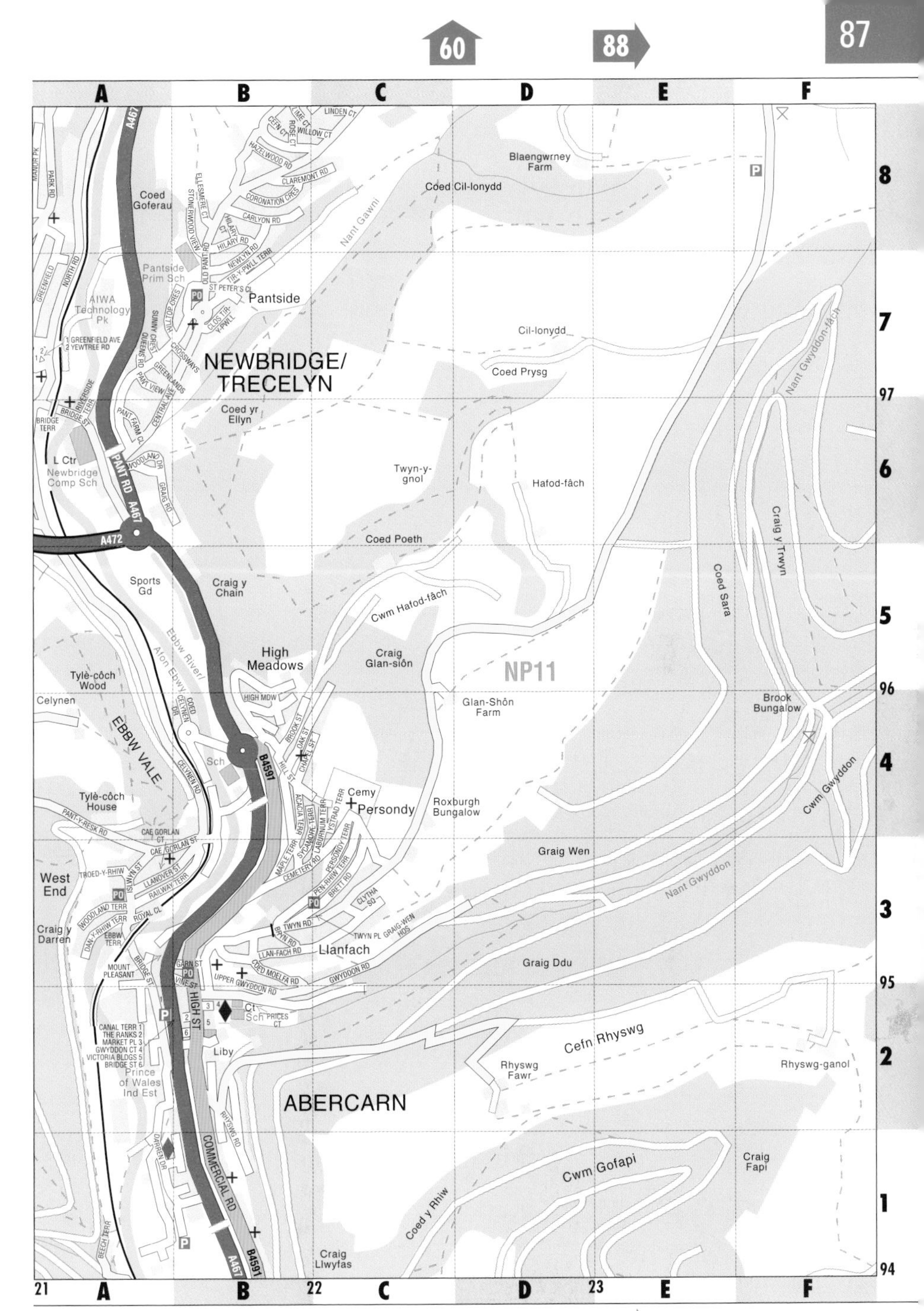
60
88
NEWBRIDGE/
TRECELYN
Pantside
Coed Goferau
Pantside Prim Sch
AIWA Technology Pk
Coed Cil-lonydd
Blaengwrney Farm
Nant Gawni
Cil-lonydd
Coed Prysg
Coed yr Ellyn
L Ctr
Newbridge Comp Sch
Twyn-y-gnol
Hafod-fâch
Coed Poeth
Sports Gd
Craig y Chain
Cwm Hafod-fâch
High Meadows
Craig Glan-siôn
NP11
Glan-Shôn Farm
Tylè-côch Wood
Celynen
EBBW VALE
Ebbw River/ Afon Ebwy
Tylè-côch House
Cemy
Persondy
Roxburgh Bungalow
Brook Bungalow
Craig y Trwyn
Coed Sara
Nant Gwyddon-fâch
Cwm Gwyddon
Graig Wen
Nant Gwyddon
West End
Craig y Darren
Llanfach
Graig Ddu
Cefn Rhyswg
Rhyswg Fawr
Rhyswg-ganol
Prince of Wales Ind Est
Liby
ABERCARN
Cwm Gofapi
Craig Fapi
Coed y Rhiw
Craig Llwyfas
A467
A472
B4591
PANT RD
HIGH ST
COMMERCIAL RD
CANAL TERR 1
THE RANKS 2
MARKET PL 3
GWYDDON CT 4
VICTORIA BLDGS 5
BRIDGE ST 6
A B C D E F
8 7 6 5 4 3 2 1
97 96 95 94
21 22 23
114
88

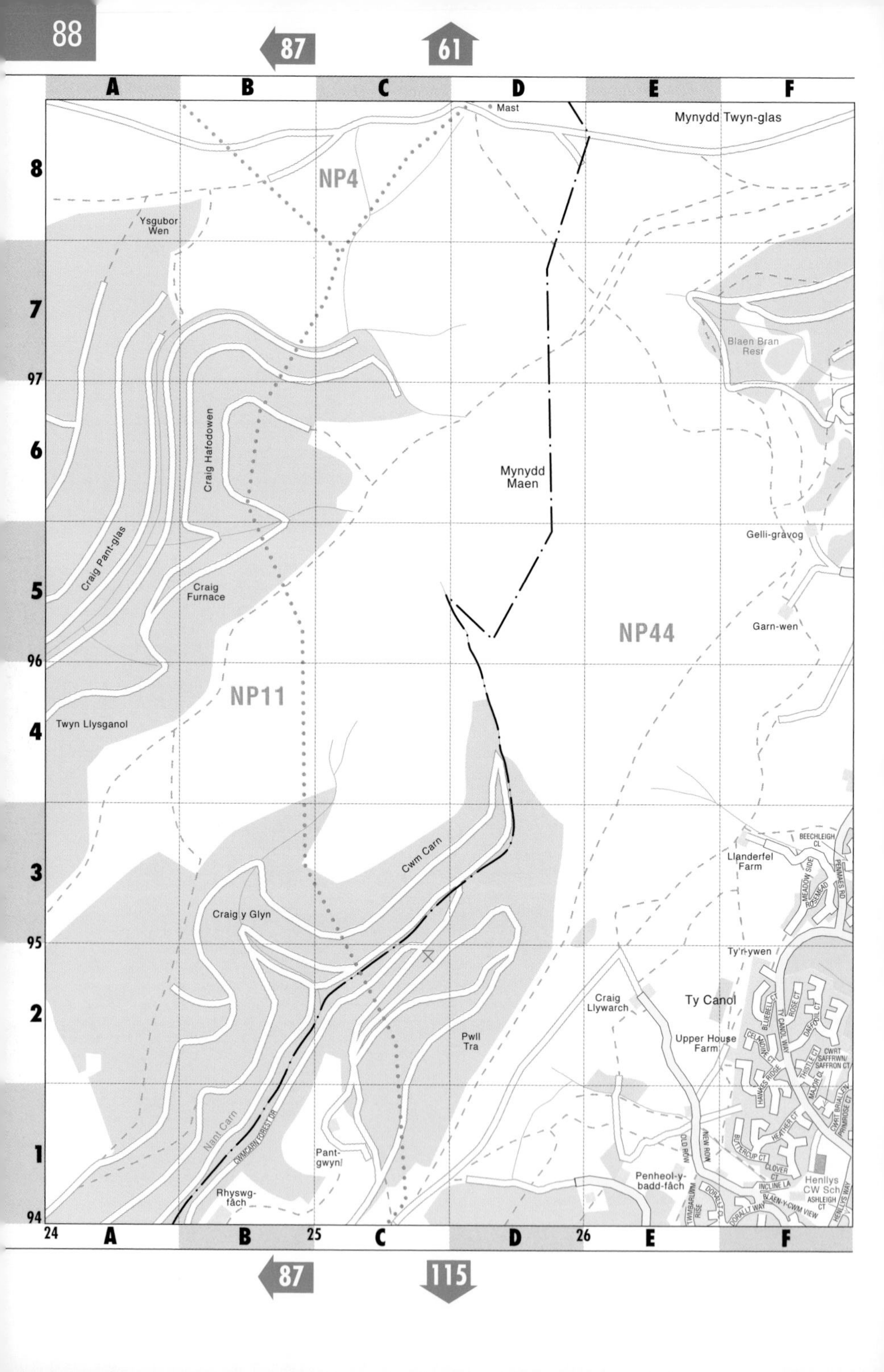
87
61
A
B
C
D
E
F
Mast
Mynydd Twyn-glas
NP4
Ysgubor Wen
Blaen Bran Resr
Craig Hafodowen
Mynydd Maen
Gelli-gravog
Craig Pant-glas
Craig Furnace
Garn-wen
NP44
NP11
Twyn Llysganol
BEECHLEIGH CL
Llanderfel Farm
MEADOW SIDE
ROSEMEAD
PENMAES RD
Cwm Carn
Craig y Glyn
Ty'n-ywen
Craig Llywarch
Ty Canol
Upper House Farm
Pwll Tra
BLUEBELL CT
TY CANOL WAY
ROSE CT
DAFFODIL CT
CELANDINE CT
THISTLE CT
CWRT SAFFRWN/ SAFFRON CT
HAWKES RIDGE
MAJOR CL
HEATHER CT
CWRT BRIALLEN/ PRIMROSE CT
BUTTERCUP CT
CLOVER CT
Nant Carn
CWMCARN FOREST DR
Pant-gwyn
OLD ROW
NEW ROW
Penheol-y-badd-fâch
INCLINE LA
Henllys CW Sch
Rhyswg-fâch
TWMBARLWM RISE
DORALLT CL
DORALLT WAY
BLAEN-Y-CWM VIEW
ASHLEIGH CT
HENLLYS WAY
8
7
97
6
5
96
4
3
95
2
1
94
24
25
26
87
115

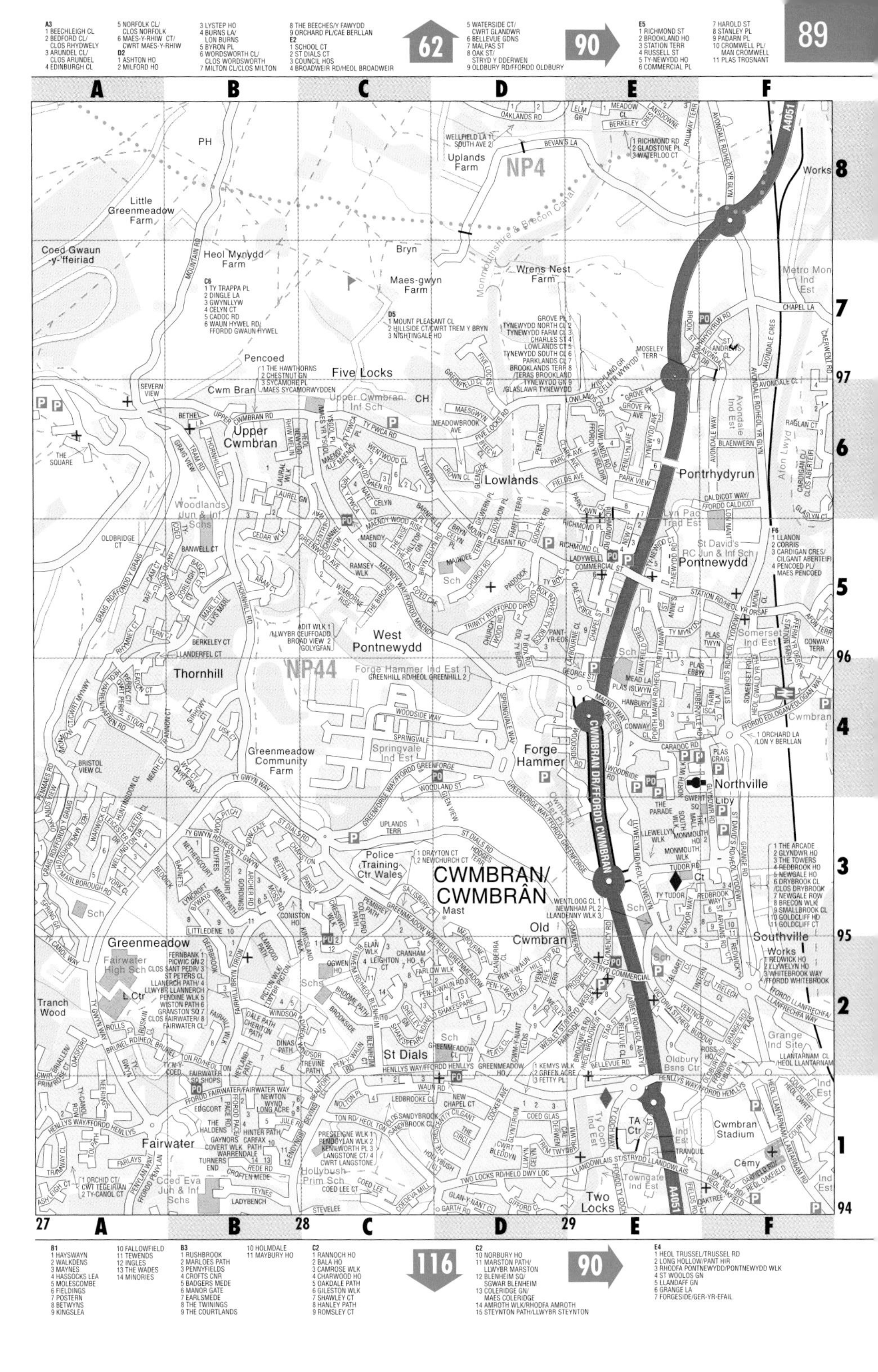
89
62
90
116
A3
1 BEECHLEIGH CL
2 BEDFORD CL/ CLOS RHYDWELY
3 ARUNDEL CL/ CLOS ARUNDEL
4 EDINBURGH CL
5 NORFOLK CL/ CLOS NORFOLK
6 MAES-Y-RHIW CT/ CWRT MAES-Y-RHIW
D2
1 ASHTON HO
2 MILFORD HO
3 LYSTEP HO
4 BURNS LA/ LON BURNS
5 BYRON PL
6 WORDSWORTH CL/ CLOS WORDSWORTH
7 MILTON CL/CLOS MILTON
8 THE BEECHES/Y FAWYDD
9 ORCHARD PL/CAE BERLLAN
E2
1 SCHOOL CT
2 ST DIALS CT
3 COUNCIL HOS
4 BROADWEIR RD/HEOL BROADWEIR
5 WATERSIDE CT/ CWRT GLANDWR
6 BELLEVUE GDNS
7 MALPAS ST
8 OAK ST/ STRYD Y DDERWEN
9 OLDBURY RD/FFORDD OLDBURY
E5
1 RICHMOND ST
2 BROOKLAND HO
3 STATION TERR
4 RUSSELL ST
5 TY-NEWYDD HO
6 COMMERCIAL PL
7 HAROLD ST
8 STANLEY PL
9 PADARN PL
10 CROMWELL PL/ MAN CROMWELL
11 PLAS TROSNANT
A B C D E F
8 7 97 6 5 96 4 3 95 2 1 94
27 28 29
NP4
NP44
Little Greenmeadow Farm
Coed Gwaun -y-'ffeiriad
Heol Mynydd Farm
Uplands Farm
Bryn
Maes-gwyn Farm
Wrens Nest Farm
Monmouthshire & Brecon Canal
Pencoed
Five Locks
Cwm Bran
Upper Cwmbran
Upper Cwmbran Inf Sch
Lowlands
Pontrhydyrun
Avondale Ind Est
Metro Mon Ind Est
Works
Woodlands Jun & Inf Schs
Thornhill
West Pontnewydd
Pontnewydd
Lyn Pac Trad Est
St David's RC Jun & Inf Sch
Somerset Ind Est
Forge Hammer Ind Est
Springvale Ind Est
Greenmeadow Community Farm
Forge Hammer
Cwmbran
Northville
Police Training Ctr Wales
CWMBRAN/ CWMBRÂN
CWMBRAN DR/FFORDD CWMBRAN
Mast
Old Cwmbran
Southville
Greenmeadow
Fairwater High Sch
L Ctr
Tranch Wood
St Dials
Oldbury Bsns Ctr
Grange Ind Site
Cwmbran Stadium
Cemy
Fairwater
Coed Eva Jun & Inf Schs
Hollybush Prim Sch
Ty Coch Ind Est
TA Ctr
Towngate Ind Est
Two Locks
A4051
B1
1 HAYSWAYN
2 WALKDENS
3 MAYNES
4 HASSOCKS LEA
5 MOLESCOMBE
6 FIELDINGS
7 POSTERN
8 BETWYNS
9 KINGSLEA
10 FALLOWFIELD
11 TEWENDS
12 INGLES
13 THE WADES
14 MINORIES
B3
1 RUSHBROOK
2 MARLOES PATH
3 PENNYFIELDS
4 CROFTS CNR
5 BADGERS MEDE
6 MANOR GATE
7 EARLSMEDE
8 THE TWININGS
9 THE COURTLANDS
10 HOLMDALE
11 MAYBURY HO
C2
1 RANNOCH HO
2 BALA HO
3 CAMROSE WLK
4 CHARWOOD HO
5 OAKDALE PATH
6 GILESTON WLK
7 SHAWLEY CT
8 HANLEY PATH
9 ROMSLEY CT
C2
10 NORBURY HO
11 MARSTON PATH/ LLWYBR MARSTON
12 BLENHEIM SQ/ SGWAR BLENHEIM
13 COLERIDGE GN/ MAES COLERIDGE
14 AMROTH WLK/RHODFA AMROTH
15 STEYNTON PATH/LLWYBR STEYNTON
E4
1 HEOL TRUSSEL/TRUSSEL RD
2 LONG HOLLOW/PANT HIR
3 RHODFA PONTNEWYDD/PONTNEWYDD WLK
4 ST WOOLOS GN
5 LLANDAFF GN
6 GRANGE LA
7 FORGESIDE/GER-YR-EFAIL

A5
1 HAWTHORN CT
2 ST MARY'S RD/HEOL SANTS FAIR
3 BRONLLYS PL
4 WOODLAND VIEW/GOLYGFA'R GOEDWIG
5 FIELD VIEW/FFORDD GWEL Y CAEAU

89

A6
1 CHEPSTOW RISE/ CEFNEN CAS-GWENT
2 HARLECH CL/ CLOS HARLECH
3 CARDIGAN CRES/ CILGANT ABERTEIFI

63

4 GOWER GN/MAES GWR
5 GARW WOOD DR/LON COED GARW
6 HAZEL WLK/RHODFA HELYS
7 STREEPFIELD/CAE SERTH
8 GREENCOURT/CWRT GWYRRD

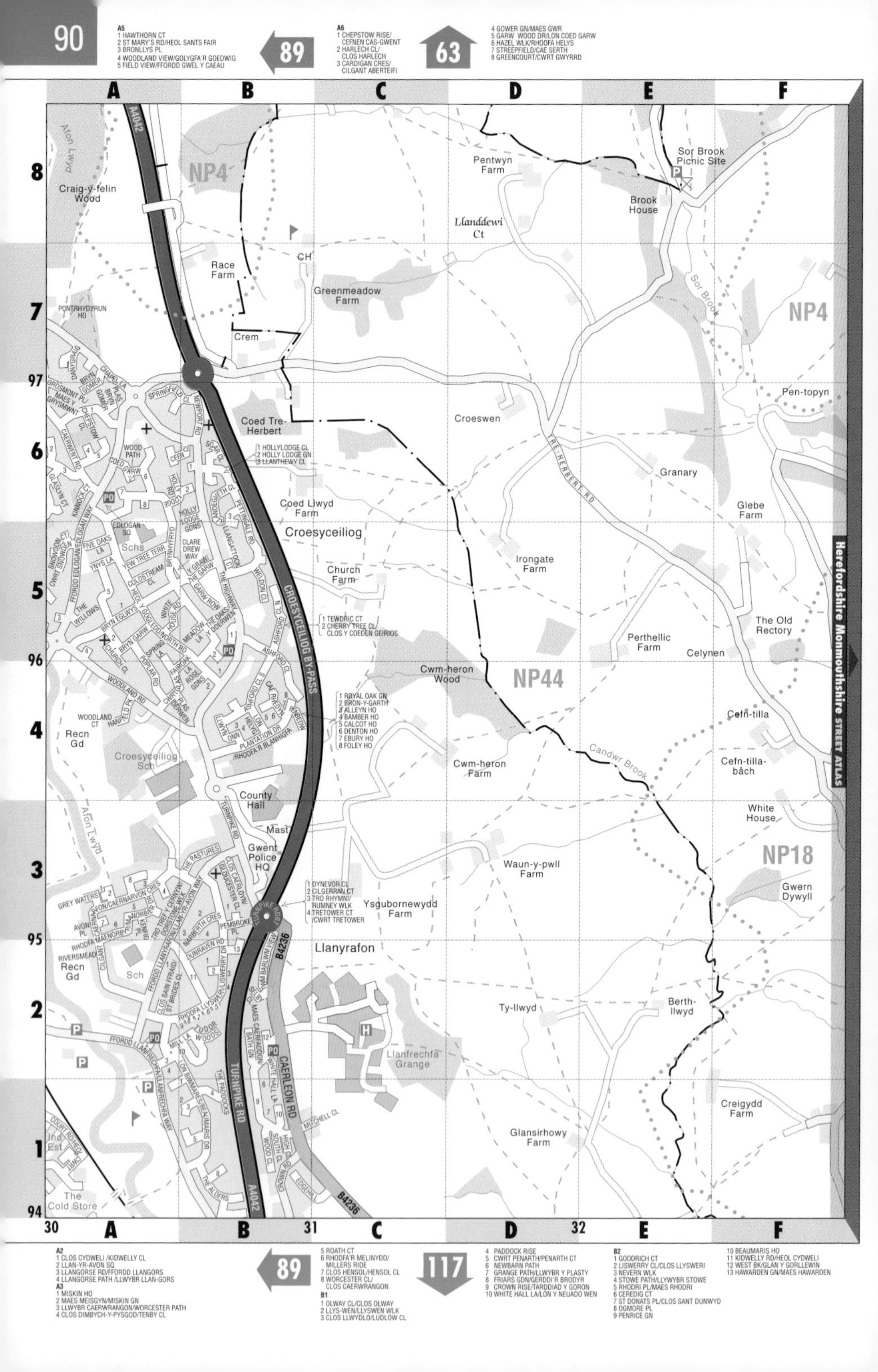

A2
1 CLOS CYDWELI /KIDWELLY CL
2 LLAN-YR-AVON SQ
3 LLANGORSE RD/FFORDD LLANGORS
4 LLANGORSE PATH /LLWYBR LLAN-GORS
A3
1 MISKIN HO
2 MAES MEISGYN/MISKIN GN
3 LLWYBR CAERWRANGON/WORCESTER PATH
4 CLOS DIMBYCH-Y-PYSGOD/TENBY CL

89

5 ROATH CT
6 RHODFA'R MELINYDD/ MILLERS RIDE
7 CLOS HENSOL/HENSOL CL
8 WORCESTER CL/ CLOS CAERWRANGON
B1
1 OLWAY CL/CLOS OLWAY
2 LLYS-WEN/LLYSWEN WLK
3 CLOS LLWYDLO/LUDLOW CL

117

4 PADDOCK RISE
5 CWRT PENARTH/PENARTH CT
6 NEWBARN PATH
7 GRANGE PATH/LLWYBR Y PLASTY
8 FRIARS GDN/GERDDI'R BRODYR
9 CROWN RISE/TARDDIAD Y GORON
10 WHITE HALL LA/LON Y NEUADD WEN

B2
1 GOODRICH CT
2 LISWERRY CL/CLOS LLYSWERI
3 NEVERN WLK
4 STOWE PATH/LLWYBR STOWE
5 RHODRI PL/MAES RHODRI
6 CEREDIG CT
7 ST DONATS PL/CLOS SANT DUNWYD
8 OGMORE PL
9 PENRICE GN

10 BEAUMARIS HO
11 KIDWELLY RD/HEOL CYDWELI
12 WEST BK/GLAN Y GORLLEWIN
13 HAWARDEN GN/MAES HAWARDEN

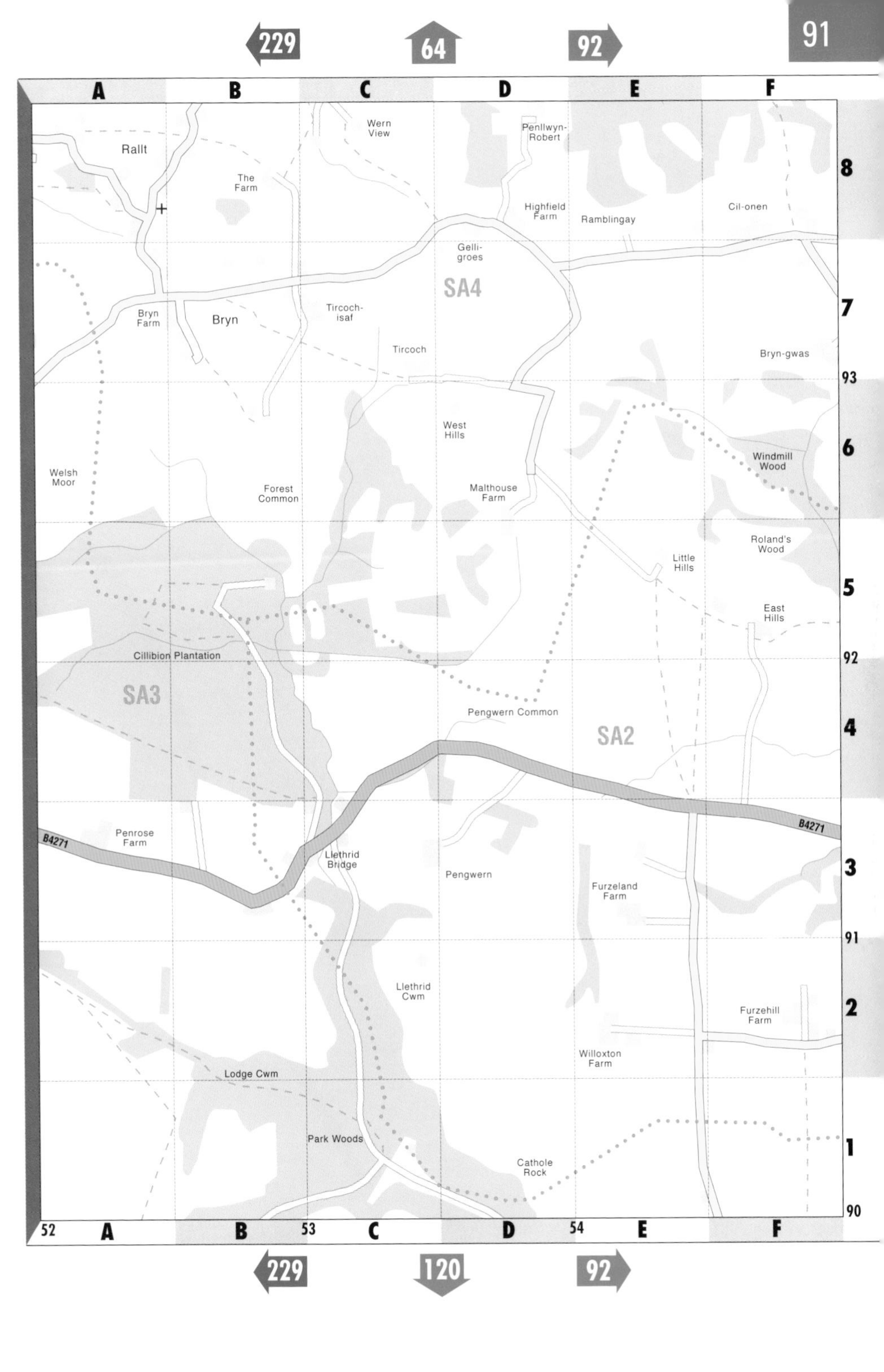
229
64
92
Rallt
The Farm
Wern View
Penllwyn-Robert
Highfield Farm
Ramblingay
Cil-onen
Gelli-groes
SA4
Bryn Farm
Bryn
Tircoch-isaf
Tircoch
Bryn-gwas
West Hills
Windmill Wood
Welsh Moor
Forest Common
Malthouse Farm
Roland's Wood
Little Hills
East Hills
Cillibion Plantation
SA3
Pengwern Common
SA2
B4271
Penrose Farm
Llethrid Bridge
Pengwern
Furzeland Farm
Llethrid Cwm
Furzehill Farm
Willoxton Farm
Lodge Cwm
Park Woods
Cathole Rock
A
B
C
D
E
F
8
7
93
6
5
92
4
3
91
2
1
90
52
53
54
229
120
92

91 65

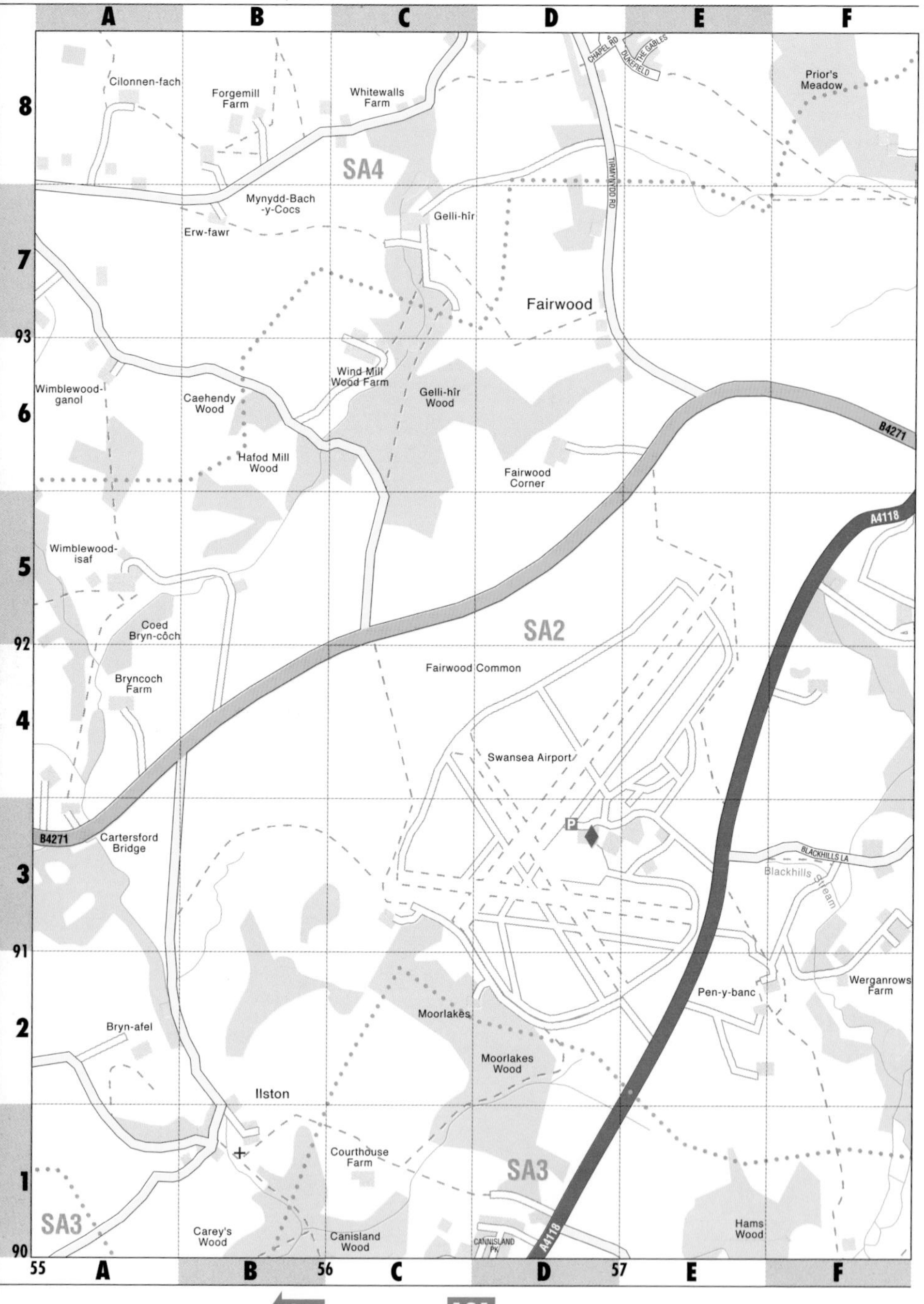

A B C D E F
8 7 6 5 4 3 2 1
93 92 91 90
55 56 57
Cilonnen-fach
Forgemill Farm
Whitewalls Farm
CHAPEL RD
THE GABLES
DUKEFIELD
Prior's Meadow
SA4
TIRMYNYDD RD
Mynydd-Bach -y-Cocs
Erw-fawr
Gelli-hîr
Fairwood
Wind Mill Wood Farm
Wimblewood-ganol
Caehendy Wood
Gelli-hîr Wood
B4271
Hafod Mill Wood
Fairwood Corner
A4118
Wimblewood-isaf
SA2
Coed Bryn-côch
Fairwood Common
Bryncoch Farm
Swansea Airport
B4271
Cartersford Bridge
BLACKHILLS LA
Blackhills Stream
Pen-y-banc
Werganrows Farm
Moorlakes
Bryn-afel
Moorlakes Wood
Ilston
Courthouse Farm
SA3
SA3
Hams Wood
Carey's Wood
Canisland Wood
CANNISLAND PK
A4118

91 121

66
94

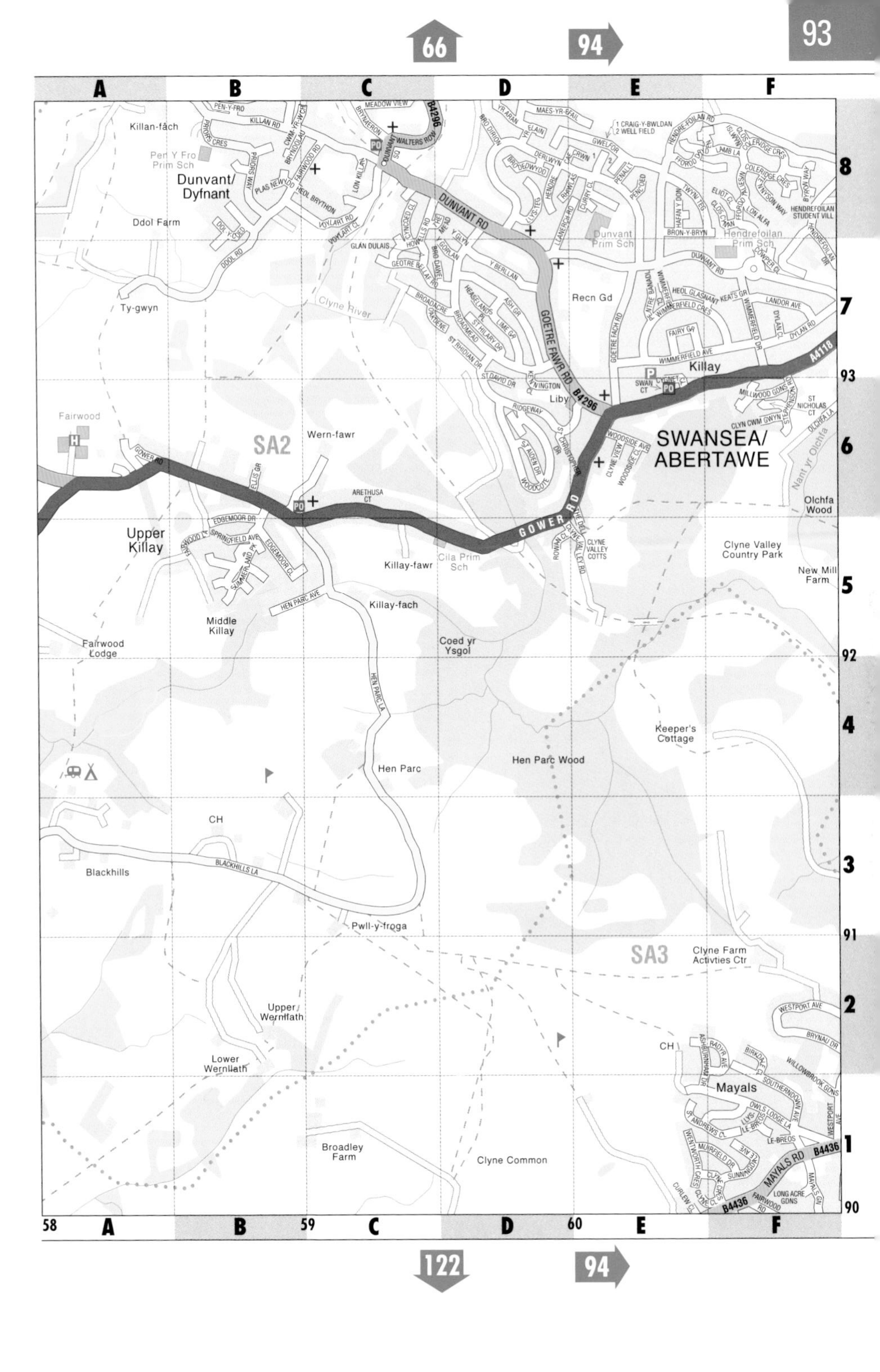
A
B
C
D
E
F
Killan-fâch
Pen Y Fro Prim Sch
Dunvant/ Dyfnant
Ddol Farm
Ty-gwyn
DUNVANT RD
GOETRE FAWR RD
B4296
Dunvant Prim Sch
Hendrefoilan Prim Sch
HENDREFOILAN STUDENT VILL
Recn Gd
Clyne River
Killay
A4118
Liby
Fairwood
SA2
Wern-fawr
SWANSEA/ ABERTAWE
Nant yr Olchfa
Olchfa Wood
GOWER RD
Upper Killay
Cila Prim Sch
Killay-fawr
Killay-fach
Clyne Valley Country Park
New Mill Farm
Middle Killay
Fairwood Lodge
Coed yr Ysgol
Keeper's Cottage
Hen Parc Wood
Hen Parc
CH
Blackhills
BLACKHILLS LA
Pwll-y-froga
SA3
Clyne Farm Activties Ctr
Upper Wernllath
Lower Wernllath
Mayals
Broadley Farm
Clyne Common
MAYALS RD
B4436
8
7
93
6
5
92
4
3
91
2
1
90
58
59
60

122
94

93
67

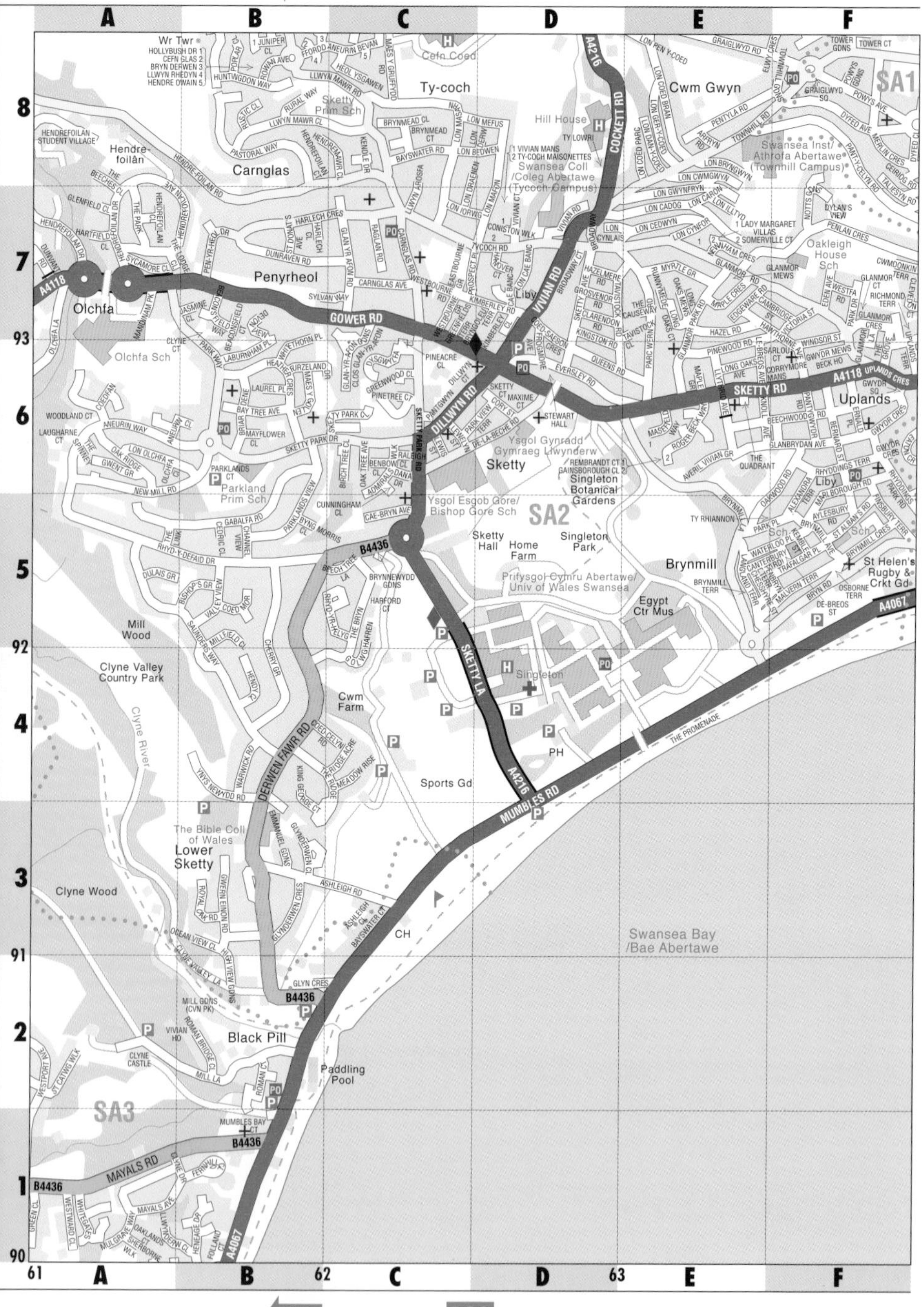
A
B
C
D
E
F
8
7
93
6
5
92
4
3
91
2
1
90
61
62
63
Cefn Coed
Ty-coch
Cwm Gwyn
SA1
Skettty Prim Sch
Hill House
Swansea Coll /Coleg Abertawe (Tycoch Campus)
Swansea Inst/ Athrofa Abertawe (Townhill Campus)
Hendrefoilân
Carnglas
Oakleigh House Sch
Penyrheol
Olchfa
Olchfa Sch
A4118
GOWER RD
COCKETT RD
VIVIAN RD
DILLWYN RD
SKETTY RD
SKETTY PARK RD
A4216
Liby
Uplands
Ysgol Gynradd Gymraeg Llwynderw
Sketty
Singleton Botanical Gardens
Parkland Prim Sch
Ysgol Esgob Gore/ Bishop Gore Sch
SA2
Skettty Hall
Home Farm
Singleton Park
Brynmill
St Helen's Rugby & Crkt Gd
Prifysgol Cymru Abertawe/ Univ of Wales Swansea
Egypt Ctr Mus
B4436
A4067
Mill Wood
Clyne Valley Country Park
Clyne River
Cwm Farm
Singleton
SKETTY LA
DERWEN FAWR RD
Sports Gd
MUMBLES RD
THE PROMENADE
The Bible Coll of Wales
Lower Sketty
Clyne Wood
CH
Swansea Bay /Bae Abertawe
Black Pill
Paddling Pool
Clyne Castle
SA3
MAYALS RD

93
123

For full street detail of the highlighted area see page 233.

68

96

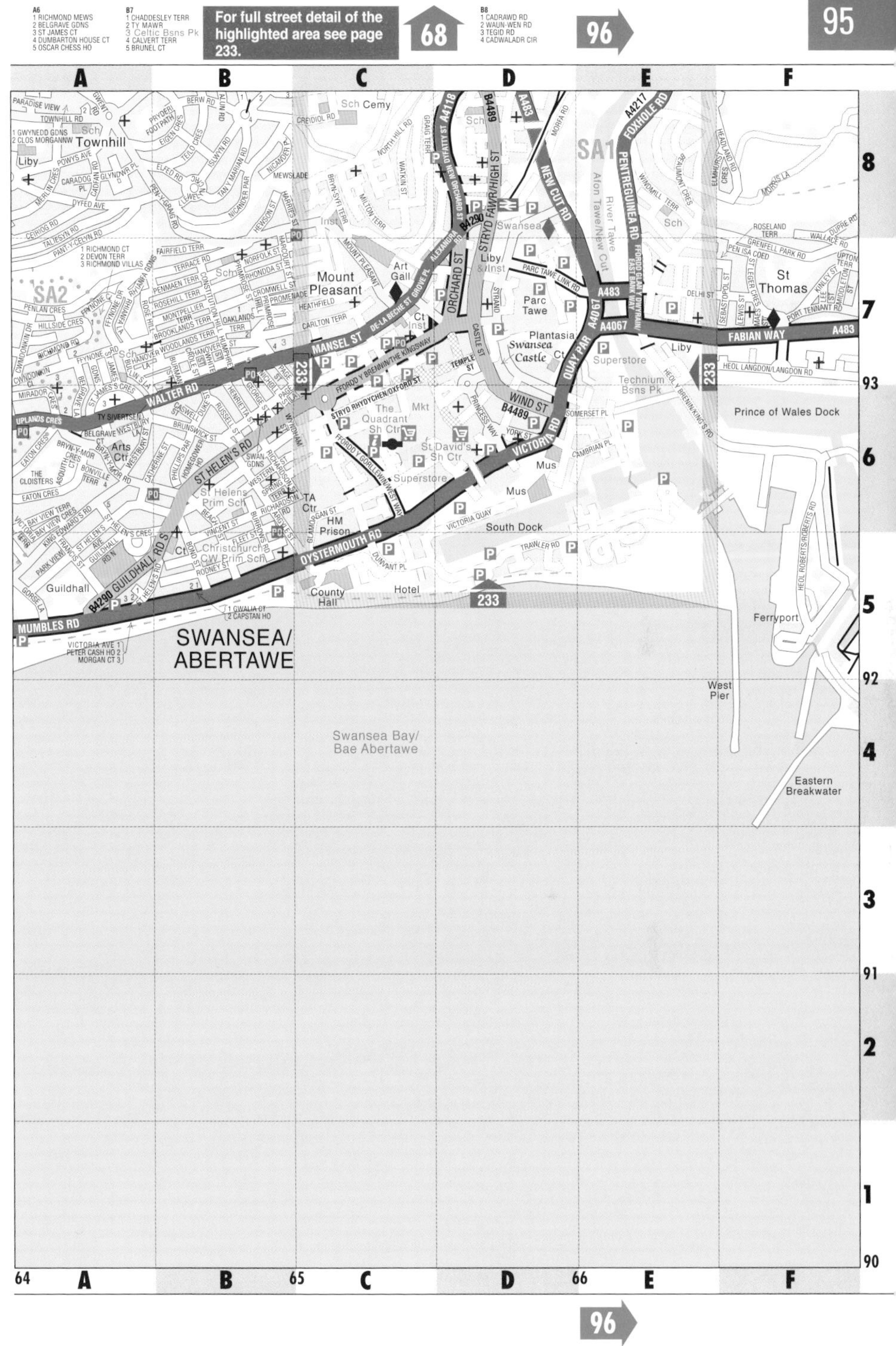

95
69

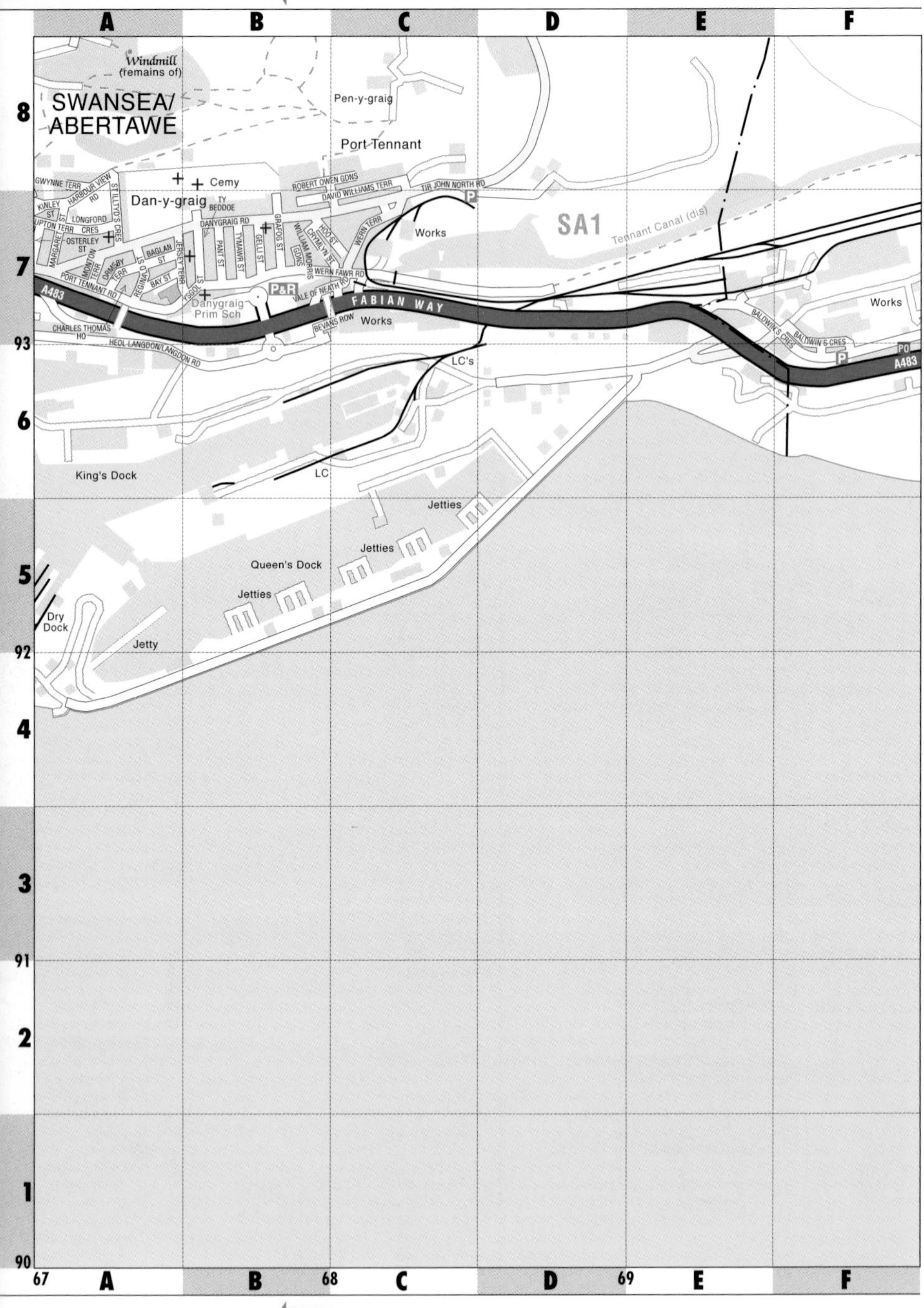
Windmill (remains of)
SWANSEA/ ABERTAWE
Pen-y-graig
Port Tennant
Cemy
Dan-y-graig
SA1
Tennant Canal (dis)
Works
FABIAN WAY
A483
Danygraig Prim Sch
P&R
Works
LC's
King's Dock
LC
Jetties
Queen's Dock
Dry Dock
Jetty
Works
BALDWIN'S CRES
PO

95

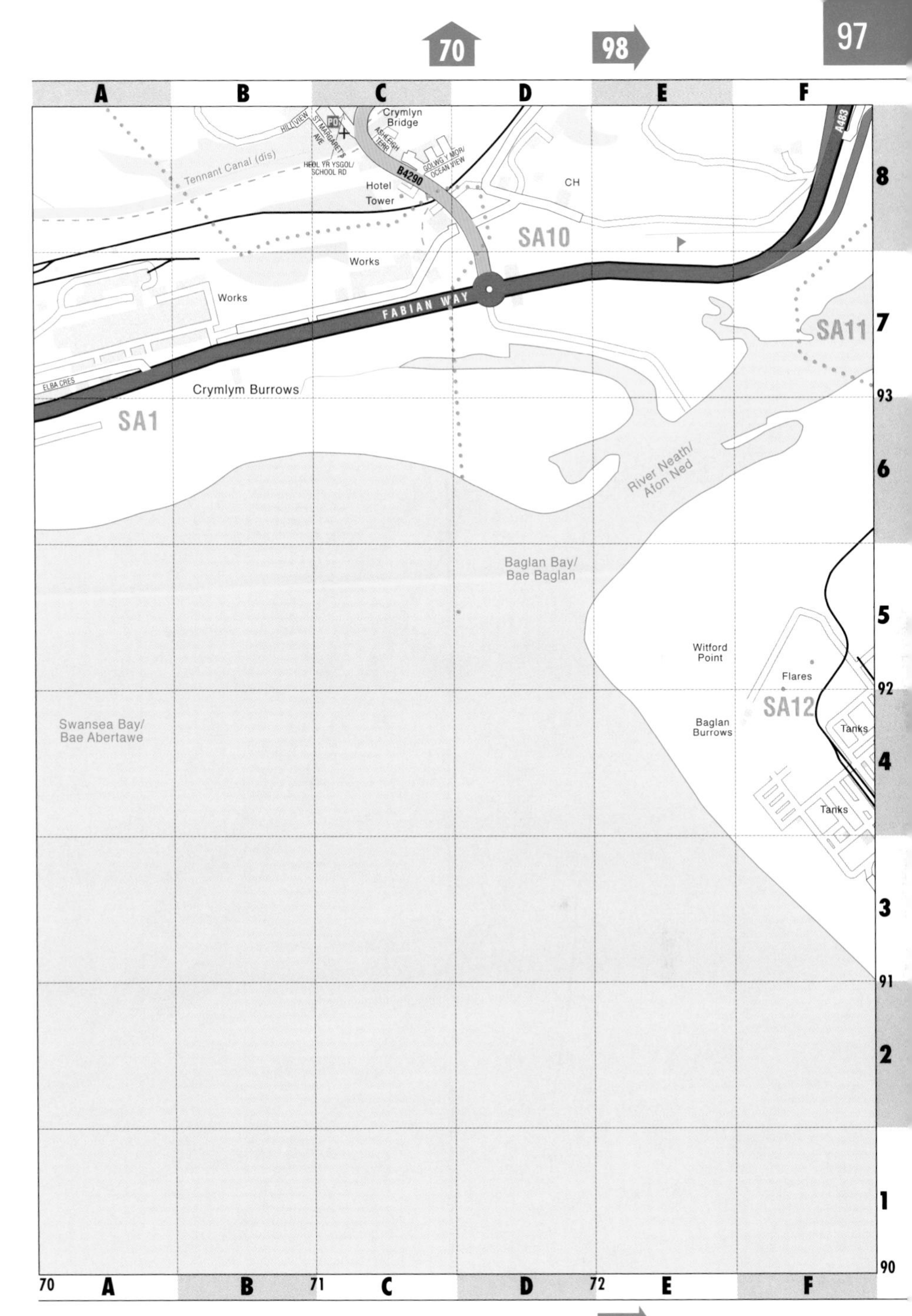
70
98
A
B
C
D
E
F
Crymlyn
Bridge
HILL VIEW
ST MARGARET'S AVE
ASHLEIGH TERR
GOLWG Y MOR/
OCEAN VIEW
HEOL YR YSGOL/
SCHOOL RD
Tennant Canal (dis)
B4290
Hotel
Tower
CH
SA10
A483
Works
Works
FABIAN WAY
ELBA CRES
Crymlym Burrows
SA1
SA11
River Neath/
Afon Ned
Baglan Bay/
Bae Baglan
Witford
Point
Flares
SA12
Baglan
Burrows
Tanks
Tanks
Swansea Bay/
Bae Abertawe
8
7
93
6
5
92
4
3
91
2
1
90
70
71
72
98

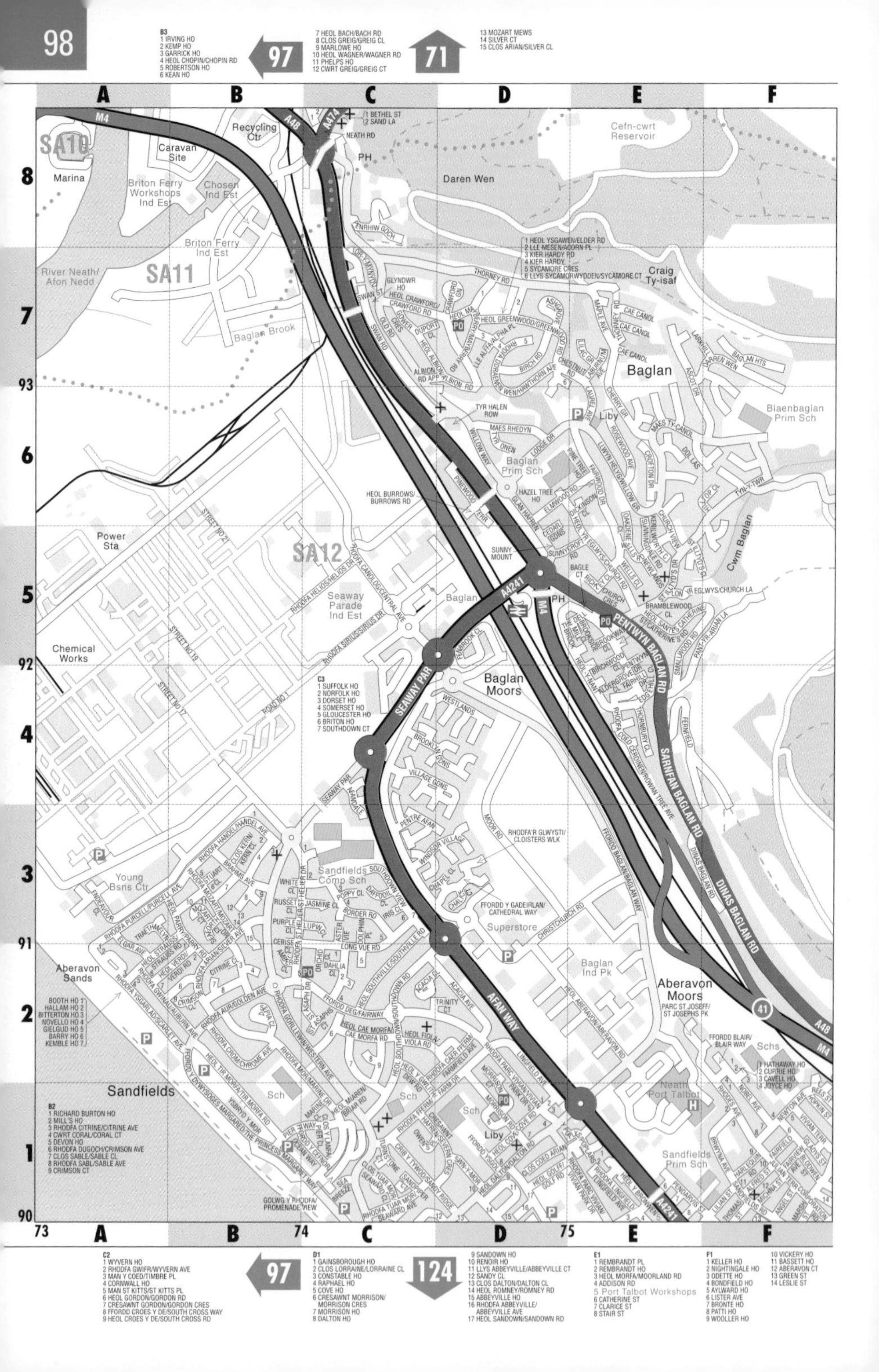
98
B3
1 IRVING HO
2 KEMP HO
3 GARRICK HO
4 HEOL CHOPIN/CHOPIN RD
5 ROBERTSON HO
6 KEAN HO
97
7 HEOL BACH/BACH RD
8 CLOS GREIG/GREIG CL
9 MARLOWE HO
10 HEOL WAGNER/WAGNER RD
11 PHELPS HO
12 CWRT GREIG/GREIG CT
71
13 MOZART MEWS
14 SILVER CT
15 CLOS ARIAN/SILVER CL
A
B
C
D
E
F
8
7
93
6
5
92
4
3
91
2
1
90
73
74
75
M4
A48
A474
SA10
SA11
SA12
Marina
Caravan Site
Recycling Ctr
Briton Ferry Workshops Ind Est
Chosen Ind Est
Briton Ferry Ind Est
River Neath/ Afon Nedd
Baglan Brook
Cefn-cwrt Reservoir
Daren Wen
Craig Ty-isaf
Baglan
Blaenbaglan Prim Sch
Baglan Prim Sch
Cwm Baglan
Power Sta
Chemical Works
Seaway Parade Ind Est
Baglan Moors
A4241
SEAWAY PAR
PENTWYN BAGLAN RD
SARNFAN BAGLAN RD
DINAS BAGLAN RD
Young Bsns Ctr
Sandfields Comp Sch
Superstore
Baglan Ind Pk
Aberavon Moors
Aberavon Sands
AFAN WAY
Sandfields
Neath Port Talbot
Sandfields Prim Sch
Sch
Schs
Liby
A4241
C3
1 SUFFOLK HO
2 NORFOLK HO
3 DORSET HO
4 SOMERSET HO
5 GLOUCESTER HO
6 BRITON HO
7 SOUTHDOWN CT
1 HEOL YSGAWEN/ELDER RD
2 LLE MESEN/ACORN PL
3 KIER HARDY RD
4 KIER HARDY
5 SYCAMORE CRES
6 LLYS SYCAMORWYDDEN/SYCAMORE CT
BOOTH HO 1
HALLAM HO 2
BITTERTON HO 3
NOVELLO HO 4
GIELGUD HO 5
BARRY HO 6
KEMBLE HO 7
B2
1 RICHARD BURTON HO
2 MILL'S HO
3 RHODFA CITRINE/CITRINE AVE
4 CWRT CORAL/CORAL CT
5 DEVON HO
6 RHODFA DUGOCH/CRIMSON AVE
7 CLOS SABLE/SABLE CL
8 RHODFA SABL/SABLE AVE
9 CRIMSON CT
1 HATHAWAY HO
2 CURRIE HO
3 CAVELL HO
4 JOYCE HO
C2
1 WYVERN HO
2 RHODFA GWIFR/WYVERN AVE
3 MAN Y COED/TIMBRE PL
4 CORNWALL HO
5 MAN ST KITTS/ST KITTS PL
6 HEOL GORDON/GORDON RD
7 CRESAWNT GORDON/GORDON CRES
8 FFORDD CROES Y DE/SOUTH CROSS WAY
9 HEOL CROES Y DE/SOUTH CROSS RD
97
D1
1 GAINSBOROUGH HO
2 CLOS LORRAINE/LORRAINE CL
3 CONSTABLE HO
4 RAPHAEL HO
5 COVE HO
6 CRESAWNT MORRISON/ MORRISON CRES
7 MORRISON HO
8 DALTON HO
124
9 SANDOWN HO
10 RENOIR HO
11 LLYS ABBEYVILLE/ABBEYVILLE CT
12 SANDY CL
13 CLOS DALTON/DALTON CL
14 HEOL ROMNEY/ROMNEY RD
15 ABBEYVILLE HO
16 RHODFA ABBEYVILLE/ ABBEYVILLE AVE
17 HEOL SANDOWN/SANDOWN RD
E1
1 REMBRANDT PL
2 REMBRANDT HO
3 HEOL MORFA/MOORLAND RD
4 ADDISON RD
5 Port Talbot Workshops
6 CATHERINE ST
7 CLARICE ST
8 STAIR ST
F1
1 KELLER HO
2 NIGHTINGALE HO
3 ODETTE HO
4 BONDFIELD HO
5 AYLWARD HO
6 LISTER AVE
7 BRONTE HO
8 PATTI HO
9 WOOLLER HO
10 VICKERY HO
11 BASSETT HO
12 ABERAVON CT
13 GREEN ST
14 LESLIE ST

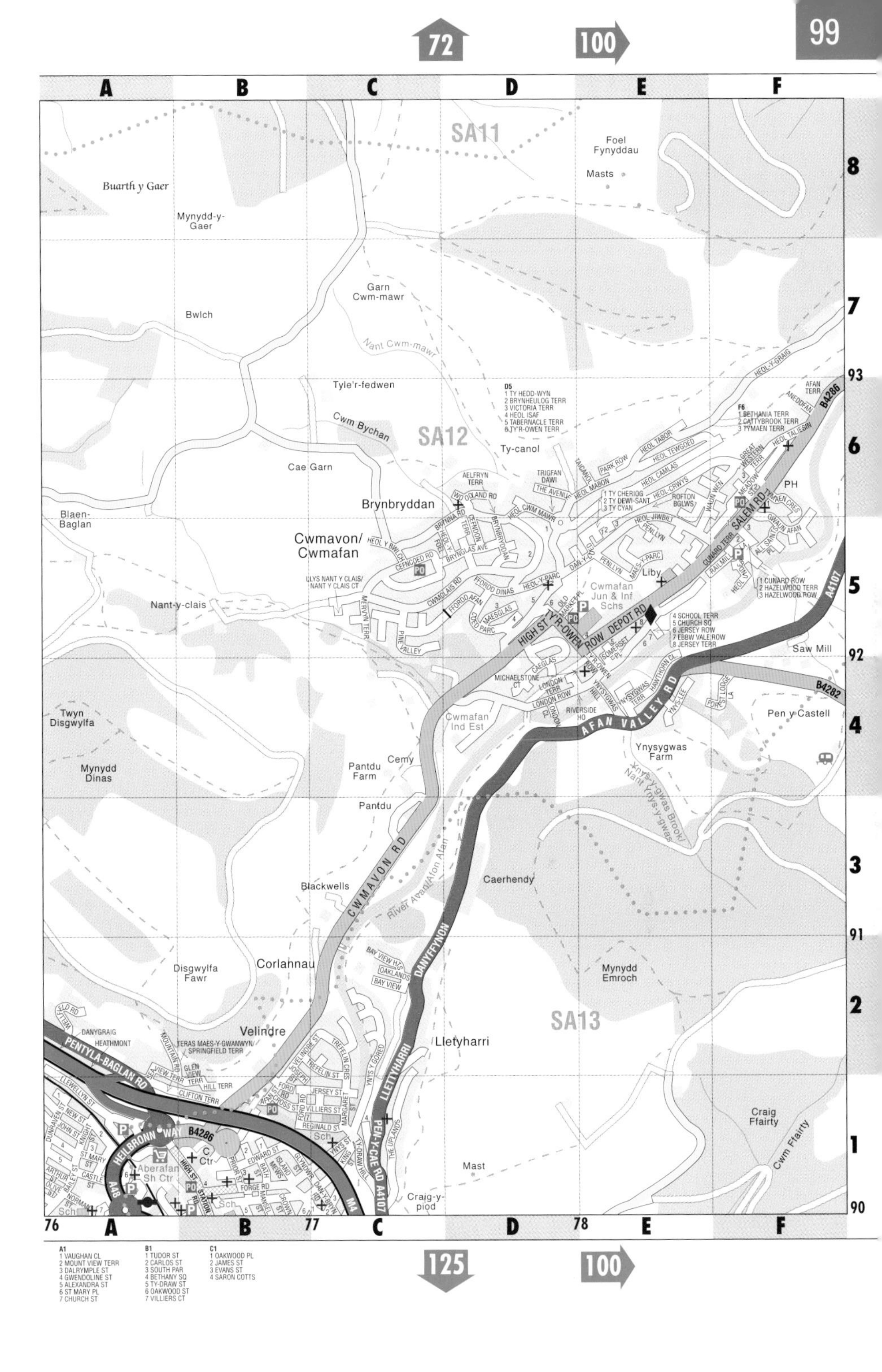
99
72
100
125
A
B
C
D
E
F
8
7
6
5
4
3
2
1
93
92
91
90
76
77
78
SA11
SA12
SA13
Foel
Fynyddau
Masts
Buarth y Gaer
Mynydd-y-
Gaer
Garn
Cwm-mawr
Bwlch
Nant Cwm-mawr
Tyle'r-fedwen
Cwm Bychan
Cae Garn
Ty-canol
Brynbryddan
Blaen-
Baglan
Cwmavon/
Cwmafan
Nant-y-clais
Cwmafan
Jun & Inf
Schs
Liby
PH
Saw Mill
Twyn
Disgwylfa
Mynydd
Dinas
Cwmafan
Ind Est
Pantdu
Farm
Cemy
Pantdu
Pen y Castell
Ynysygwas
Farm
Nant Ynys-y-gwas
Ynys-y-gwas Brook/
River Avan/Afon Afan
Blackwells
Caerhendy
Disgwylfa
Fawr
Corlannau
Mynydd
Emroch
Velindre
Lletyharri
Craig
Ffairty
Cwm Ffairty
Mast
Craig-y-
piod
Aberafan
Sh Ctr
C
Ctr
Sch
CWMAVON RD
AFAN VALLEY RD
DANYFFYNON
LLETTYHARRI
PEN-Y-CAE RD A4107
PENTYLA-BAGLAN RD
HEILBRONN WAY
HIGH ST
TY'R-OWEN ROW
DEPOT RD
SALEM RD
B4286
B4282
A4107
A48
D5
1 TY HEDD-WYN
2 BRYNHEULOG TERR
3 VICTORIA TERR
4 HEOL ISAF
5 TABERNACLE TERR
6 TY'R-OWEN TERR
F6
1 BETHANIA TERR
2 CATTYBROOK TERR
3 TYMAEN TERR
1 CUNARD ROW
2 HAZELWOOD TERR
3 HAZELWOOD ROW
4 SCHOOL TERR
5 CHURCH SQ
6 JERSEY ROW
7 EBBW VALE ROW
8 JERSEY TERR
1 TY CHERIOG
2 TY DEWI-SANT
3 TY CYAN
A1
1 VAUGHAN CL
2 MOUNT VIEW TERR
3 DALRYMPLE ST
4 GWENDOLINE ST
5 ALEXANDRA ST
6 ST MARY PL
7 CHURCH ST
B1
1 TUDOR ST
2 CARLOS ST
3 SOUTH PAR
4 BETHANY SQ
5 TY-DRAW ST
6 OAKWOOD ST
7 VILLIERS CT
C1
1 OAKWOOD PL
2 JAMES ST
3 EVANS ST
4 SARON COTTS

99
73

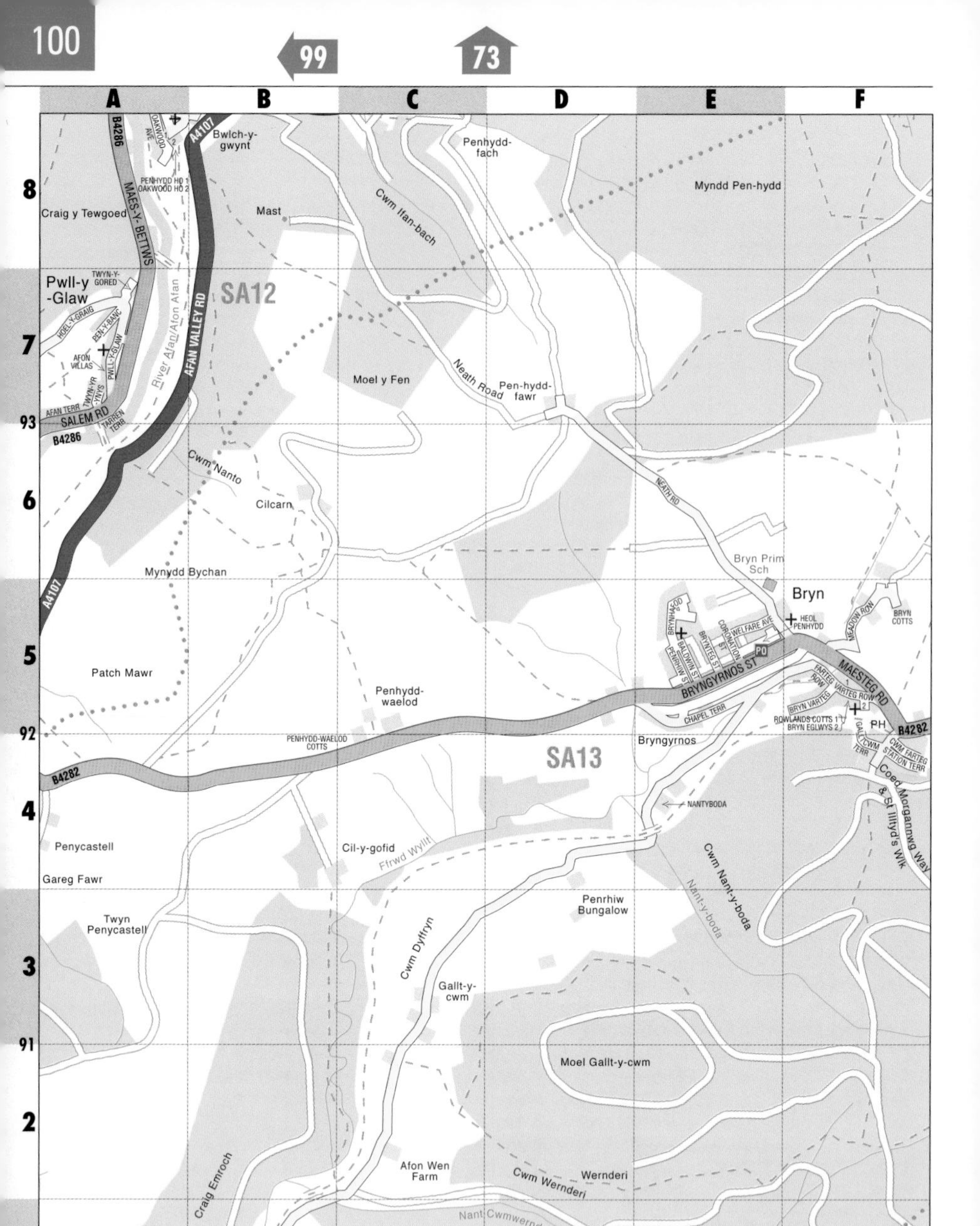
A
B
C
D
E
F
8
7
93
6
5
92
4
3
91
2
1
90
79
80
81
B4286
OAKWOOD AVE
A4107
Bwlch-y-gwynt
Penhydd-fach
Mynydd Pen-hydd
PENHYDD HO 1
OAKWOOD HO 2
MAES-Y-BETTWS
Craig y Tewgoed
Mast
Cwm Ifan-bach
Pwll-y-Glaw
TWYN-Y-GORED
SA12
HOEL-Y-GRAIG
PEN-Y-BANC
AFON VILLAS
PWLL-Y-GLAW
TWYN-YR-YNYS
River Afan/Afon Afan
AFAN VALLEY RD
Moel y Fen
Neath Road
Pen-hydd-fawr
AFAN TERR
SALEM RD
TARREN TERR
B4286
Cwm Nanto
Cilcarn
NEATH RD
Mynydd Bychan
Bryn Prim Sch
Bryn
A4107
BRYNHAFOD
BALDWIN ST
BRYNTEG ST
CORONATION ST
WELFARE AVE
HEOL PENHYDD
MEADOW ROW
BRYN COTTS
PENHIW ST
PO
Patch Mawr
BRYNGYRNOS ST
MAESTEG RD
Penhydd-waelod
FARTEG ROW
VARTEG ROW 1
VARTEG ROW 2
BRYN VARTEG
CHAPEL TERR
ROWLANDS COTTS 1
BRYN EGLWYS 2
PH
B4282
PENHYDD-WAELOD COTTS
Bryngyrnos
SA13
GALLT TERR
CWM TERR
CWM FARTEG
STATION TERR
B4282
Coed Morgannwg Way & St Illtyd's Wlk
NANTYBODA
Penycastell
Cil-y-gofid
Ffrwd Wyllt
Cwm Nant-y-boda
Nant-y-boda
Gareg Fawr
Twyn Penycastell
Penrhiw Bungalow
Cwm Dyffryn
Gallt-y-cwm
Moel Gallt-y-cwm
Craig Emroch
Afon Wen Farm
Cwm Wernderi
Wernderi
Nant Cwmwernderi
CF 34
Cwmwernderi Resr

99
126

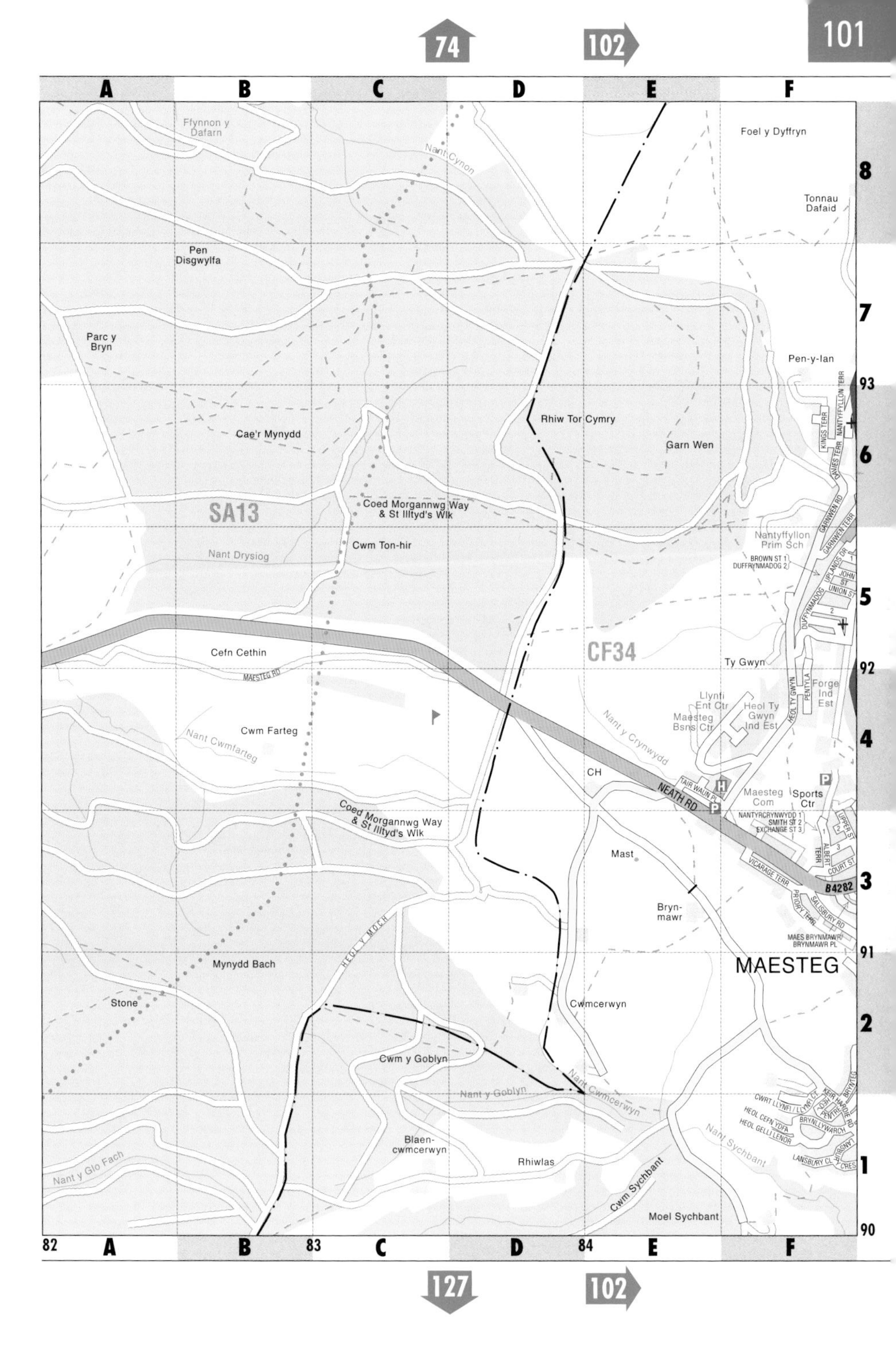
74
102
A
B
C
D
E
F
Ffynnon y Dafarn
Nant Cynon
Foel y Dyffryn
Tonnau Dafaid
Pen Disgwylfa
Parc y Bryn
Pen-y-lan
Rhiw Tor Cymry
Cae'r Mynydd
Garn Wen
KINGS TERR
NANTYFFYLLON TERR
DAVIES TERR
Coed Morgannwg Way & St Illtyd's Wlk
SA13
Cwm Ton-hir
Nant Drysiog
Nantyffyllon Prim Sch
GARNWEN RD
GARNWEN TERR
BROWN ST
DUFFRYNMADOG
UPLANDS DR
JOHN ST
UNION ST
Cefn Cethin
CF34
Ty Gwyn
MAESTEG RD
Llynfi Ent Ctr
Heol Ty Gwyn Ind Est
Maesteg Bsns Ctr
HEOL TY GWYN
PENTYLA
Forge Ind Est
Cwm Farteg
Nant Cwmfarteg
Nant y Crynwydd
CH
TAIR WAUN PL
NEATH RD
Maesteg Com
Sports Ctr
NANTYRCRYNWYDD
SMITH ST
EXCHANGE ST
UPPER ST
ALBERT TERR
COURT ST
Coed Morgannwg Way & St Illtyd's Wlk
Mast
VICARAGE TERR
B4282
Bryn-mawr
PRIORY TERR
SALISBURY RD
MAES BRYNMAWR
BRYNMAWR PL
HEOL Y MOCH
Mynydd Bach
MAESTEG
Stone
Cwmcerwyn
Cwm y Goblyn
Nant y Goblyn
Nant Cwmcerwyn
CWRT LLYNFI
LLYNFI CT
HEOL CEFN YDFA
HEOL GELLI LENOR
BRYNLLYWARCH
KEIR HARDIE RD
BRYNTEG
Blaen-cwmcerwyn
Rhiwlas
Nant Sychbant
LANSBURY CL
Nant y Glo Fach
Cwm Sychbant
Moel Sychbant
8
7
93
6
5
92
4
3
91
2
1
90
82
83
84
127
102

101
75

101
128

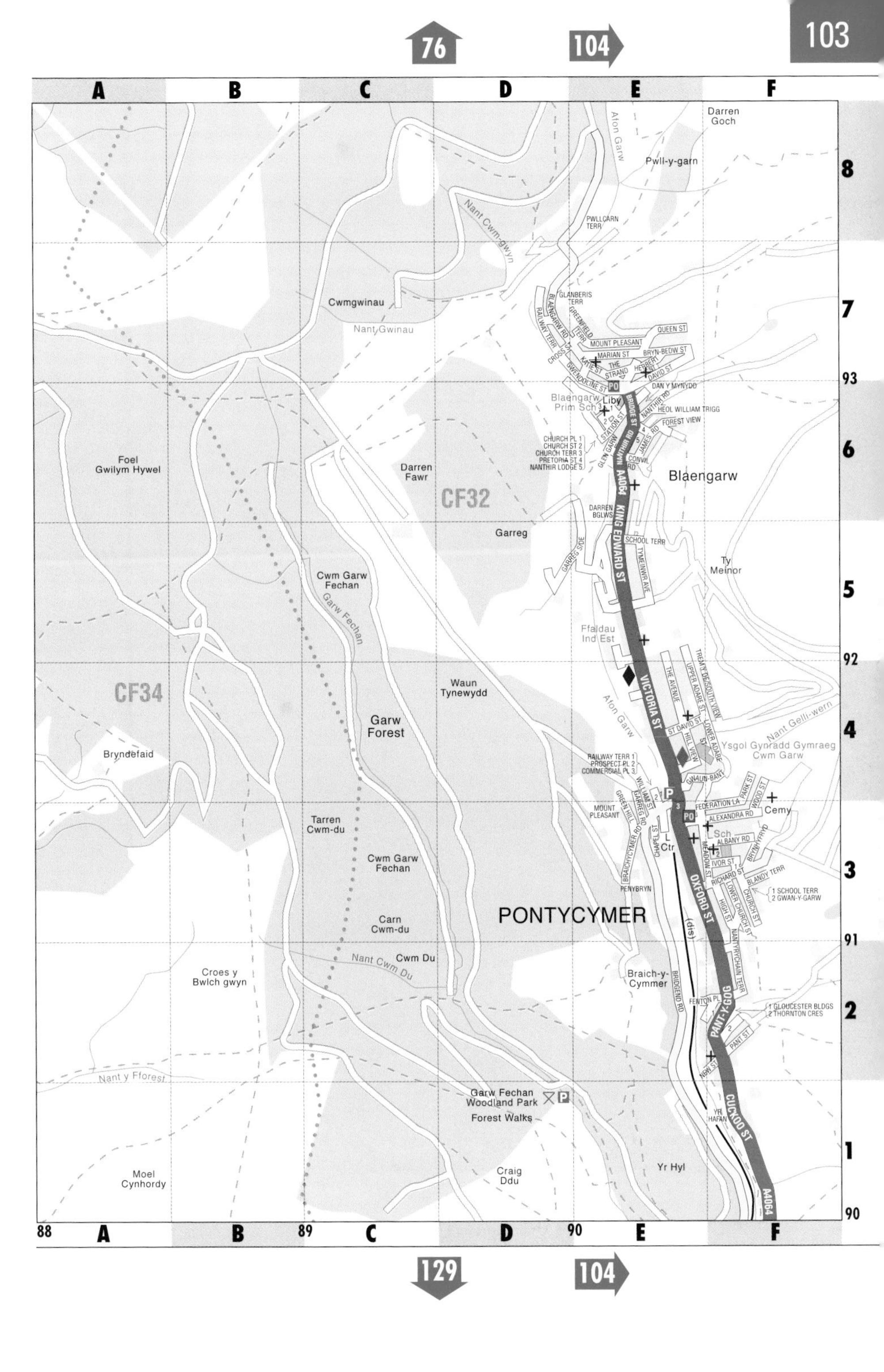

76
104
A
B
C
D
E
F
8
7
93
6
5
92
4
3
91
2
1
90
88
89
90
Darren Goch
Pwll-y-garn
Aton Garw
PWLLCARN TERR
Nant Cwm-gwyn
Cwmgwinau
Nant Gwinau
GLANBERIS TERR
BLAENGARW RD
GREENFIELD TERR
RAILWAY TERR
QUEEN ST
MOUNT PLEASANT
BRYN-BEDW ST
MARIAN ST
THE STRAND
HERBERT ST
DAVID ST
CROSS ST
KATIE ST
GWENDOLINE ST
PO
DAN Y MYNYDD
Blaengarw Prim Sch
Liby
BRIDGE ST
NANTHIR RD
HEOL WILLIAM TRIGG
FOREST VIEW
STATION ST
JAMES RD
CHURCH PL 1
CHURCH ST 2
CHURCH TERR 3
PRETORIA ST 4
NANTHIR LODGE 5
GLEN GARW
CONWIL RD
A4064
Blaengarw
Foel Gwilym Hywel
Darren Fawr
CF32
DARREN BGLWS
KING EDWARD ST
Garreg
SCHOOL TERR
GARREG SIDE
TYMEINWR AVE
Ty Meinor
Cwm Garw Fechan
Garw Fechan
Ffaldau Ind Est
CF34
Waun Tynewydd
VICTORIA ST
THE AVENUE
UPPER ADARE ST
TREM-Y-DE/SOUTH VIEW
Aton Garw
Garw Forest
ST DAVID ST
HILL VIEW
LOWER ADARE ST
Nant Gelli-wern
Ysgol Gynradd Gymraeg Cwm Garw
Bryndefaid
RAILWAY TERR 1
PROSPECT PL 2
COMMERCIAL PL 3
GWAUN-BANT
PARK ST
WOOD ST
FEDERATION LA
P
PO
WILLIAM ST
GARREG RD
GREEN HILL
MOUNT PLEASANT
ALEXANDRA RD
Cemy
Tarren Cwm-du
Sch
CHAPEL ST
L Ctr
MEADOW ST
ALBANY RD
BRYNHYFRYD
IVOR ST
BRAICHYCYMER RD
Cwm Garw Fechan
OXFORD ST
RICHARD ST
BLANDY TERR
1 SCHOOL TERR
2 GWAN-Y-GARW
PENYBRYN
HIGH ST
LOWER CHURCH ST
CHURCH ST
PONTYCYMER
Carn Cwm-du
(dis)
NANTYRCHAIN TERR
Croes y Bwlch gwyn
Nant Cwm Du
Cwm Du
Braich-y-Cymmer
BRIDGEND RD
FENTON PL
PANT-Y-GOG
1 GLOUCESTER BLDGS
2 THORNTON CRES
PANT ST
NEW ST
Nant y Fforest
Garw Fechan Woodland Park
P
Forest Walks
YR HAFAN
CUCKOO ST
Moel Cynhordy
Craig Ddu
Yr Hyl
A4064
129
104

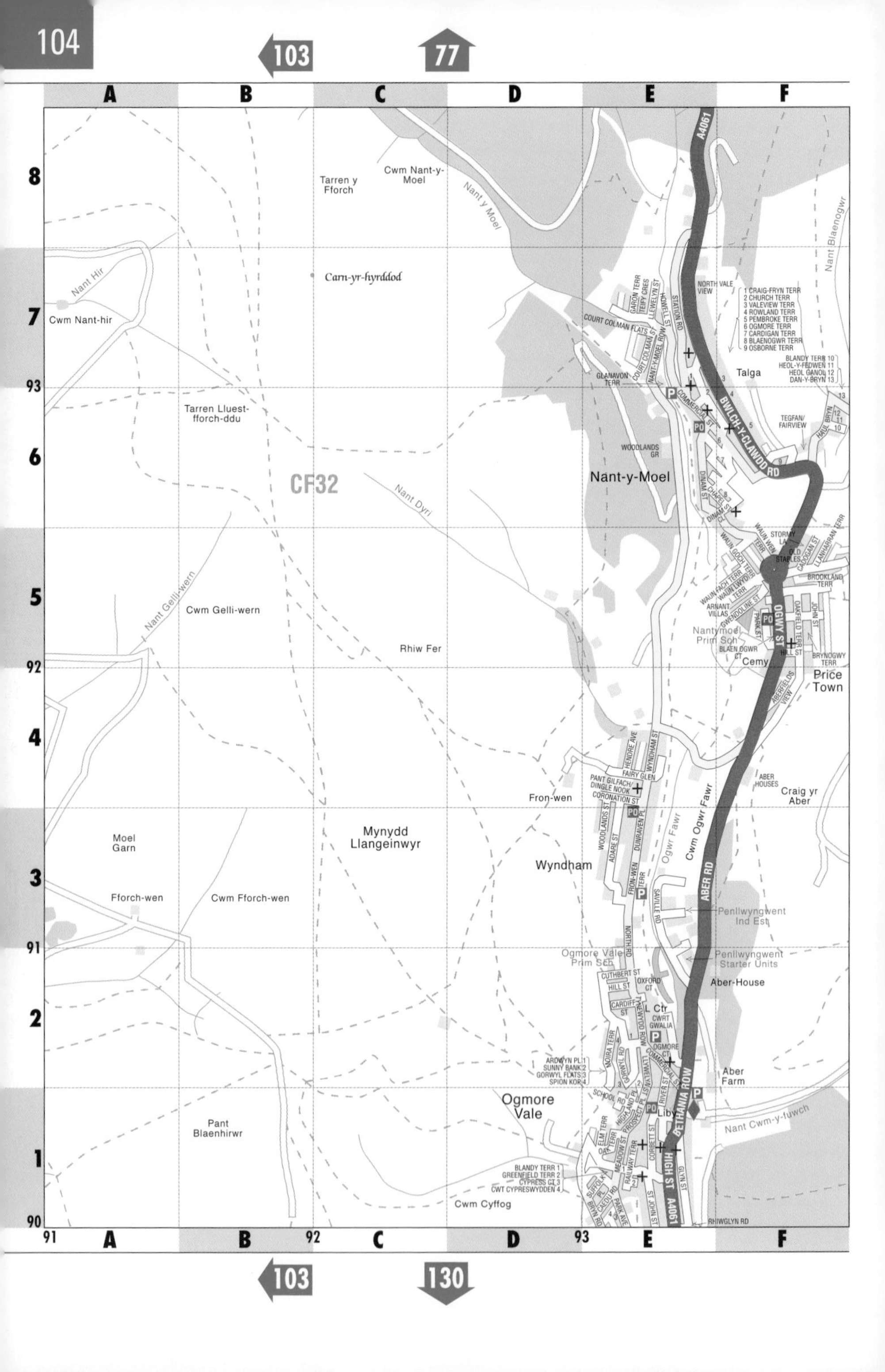

104
103
77
A
B
C
D
E
F
8
7
6
5
4
3
2
1
93
92
91
90
Tarren y Fforch
Cwm Nant-y-Moel
Nant y Moel
Carn-yr-hyrddod
Nant Hir
Cwm Nant-hir
Tarren Lluest-fforch-ddu
CF32
Nant Dyri
Nant-y-Moel
Talga
Nant Blaenogwr
A4061
BWLCH-Y-CLAWDD RD
1 CRAIG-FRYN TERR
2 CHURCH TERR
3 VALEVIEW TERR
4 ROWLAND TERR
5 PEMBROKE TERR
6 OGMORE TERR
7 CARDIGAN TERR
8 BLAENOGWR TERR
9 OSBORNE TERR
BLANDY TERR 10
HEOL-Y-FEDWEN 11
HEOL GANOL 12
DAN-Y-BRYN 13
TEGFAN/ FAIRVIEW
HAUL BRYN
NORTH VALE VIEW
STATION RD
HOWELL ST
LLEWELYN ST
TEIFY CRES
GARON TERR
COURT COLMAN FLATS
COURT COLMAN ST
NANT-Y-MOEL ROW
GLANAVON TERR
COMMERCIAL ST
WOODLANDS GR
DINAM ST
CHAPEL ST
DINAM ST CL
Nant Gelli-wern
Cwm Gelli-wern
Rhiw Fer
STORMY LA
OLD STABLES
CADOGAN ST
LLANHARRAN TERR
BROOKLAND TERR
WAUN WEN TERR
WAUN GOCH TERR
WAUN-FACH TERR
WAUN LWYD TERR
ARNANT VILLAS
GWENDOLINE ST
PARK ST
OGWY ST
OAKFIELD TERR
JOHN ST
Nantymoel Prim Sch
BLAEN OGWR CT
HILL ST
Cemy
BRYNOGWY TERR
Price Town
ABERFIELDS VIEW
HENDRE AVE
WYNDHAM ST
FAIRY GLEN
PANT GILFACH/ DINGLE NOOK
CORONATION ST
Fron-wen
ABER HOUSES
Craig yr Aber
Cwm Ogwr Fawr
Ogwr Fawr
Moel Garn
Mynydd Llangeinwyr
WOODLANDS ST
DUNRAVEN PL
ADARE ST
Wyndham
FRON-WEN TERR
ABER RD
SAVILLE RD
Fforch-wen
Cwm Fforch-wen
Penllwyngwent Ind Est
NORTH RD
Ogmore Vale Prim Sch
Penllwyngwent Starter Units
Aber-House
CUTHBERT ST
HILL ST
OXFORD CT
CARDIFF ST
TYNEWYDD ROW
L Ctr
CWRT GWALIA
OGMORE CT
MOIRA TERR
GORWYL RD
ARDWYN PL 1
SUNNY BANK 2
GORWYL FLATS 3
SPION KOP 4
LLYWELYN ST
COMMERCIAL ST
BETHANIA ROW
Aber Farm
SCHOOL RD
HIGHLAND PL
PROSPECT PL
RIVER ST
Liby
Ogmore Vale
Pant Blaenhirwr
Nant Cwm-y-fuwch
ELM TERR
OAK TERR
MEADOW ST
RAILWAY TERR
CORBETT ST
HIGH ST
GLYN ST
BLANDY TERR 1
GREENFIELD TERR 2
CYPRESS CT 3
CWT CYPRESWYDDEN 4
SUFFOLK PL
CAEDU RD
BRYN RD
PARK AVE
ST JOHN ST
Cwm Cyffog
RHIWGLYN RD
103
130

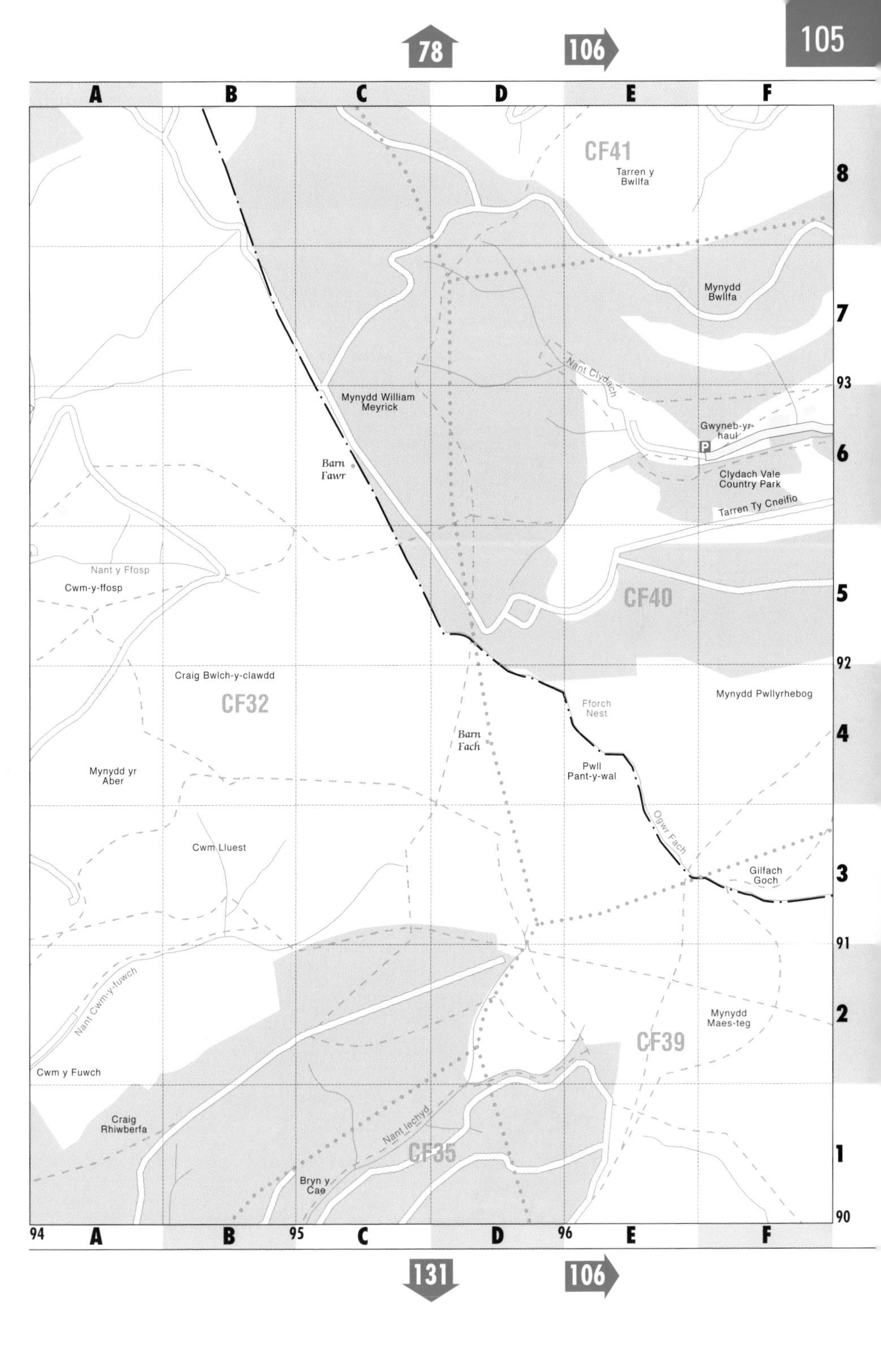
78
106
A
B
C
D
E
F
8
7
93
6
5
92
4
3
91
2
1
90
94
95
96
131
106
CF41
Tarren y Bwllfa
Mynydd Bwllfa
Nant Clydach
Mynydd William Meyrick
Gwyneb-yr-haul
Clydach Vale Country Park
Tarren Ty Cneifio
Barn Fawr
Nant y Ffosp
Cwm-y-ffosp
CF40
Craig Bwlch-y-clawdd
CF32
Fforch Nest
Mynydd Pwllyrhebog
Barn Fach
Mynydd yr Aber
Pwll Pant-y-wal
Ogwr Fach
Cwm Lluest
Gilfach Goch
Nant Cwm-y-fuwch
Mynydd Maes-teg
CF39
Cwm y Fuwch
Craig Rhiwberfa
Nant Iechyd
CF35
Bryn y Cae

105 79

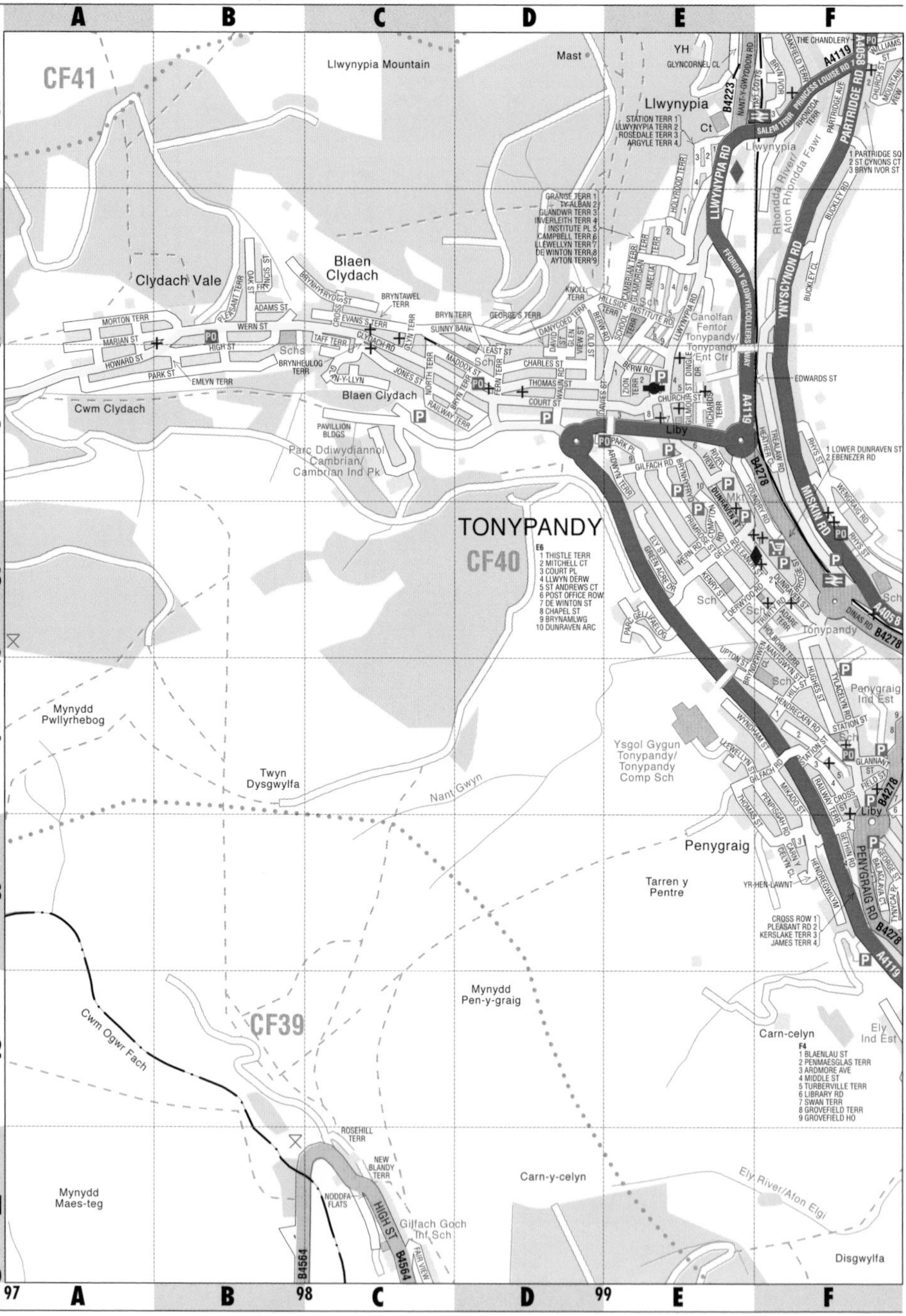

TONYPANDY

CF40

CF41

CF39

Llwynypia Mountain

Clydach Vale

Blaen Clydach

Cwm Clydach

Llwynypia

Parc Ddiwydiannol Cambrian/ Cambrian Ind Pk

Mynydd Pwllyrhebog

Twyn Dysgwylfa

Ysgol Gygun Tonypandy/ Tonypandy Comp Sch

Penygraig

Tarren y Pentre

Mynydd Pen-y-graig

Carn-celyn

Carn-y-celyn

Mynydd Maes-teg

Disgwylfa

Cwm Ogwr Fach

Ely River/Afon Elgi

Rhondda River/ Aton Rhondda Fawr

Nant Gwyn

Gilfach Goch Inf Sch

Canolfan Fentor Tonypandy/ Tonypandy Ent Ctr

1 PARTRIDGE SQ
2 ST CYNONS CT
3 BRYN IVOR ST

STATION TERR 1
LLWYNYPIA TERR 2
ROSEDALE TERR 3
ARGYLE TERR 4

GRANGE TERR 1
TY-ALBAN 2
GLANDWR TERR 3
INVERLEITH TERR 4
INSTITUTE PL 5
CAMPBELL TERR 6
LLEWELLYN TERR 7
DE WINTON TERR 8
AYTON TERR 9

1 LOWER DUNRAVEN ST
2 EBENEZER RD

E6
1 THISTLE TERR
2 MITCHELL CT
3 COURT PL
4 LLWYN DERW
5 ST ANDREWS CT
6 POST OFFICE ROW
7 DE WINTON ST
8 CHAPEL ST
9 BRYNAMLWG
10 DUNRAVEN ARC

CROSS ROW 1
PLEASANT RD 2
KERSLAKE TERR 3
JAMES TERR 4

F4
1 BLAENLAU ST
2 PENMAESGLAS TERR
3 ARDMORE AVE
4 MIDDLE ST
5 TURBERVILLE TERR
6 LIBRARY RD
7 SWAN TERR
8 GROVEFIELD TERR
9 GROVEFIELD HO

105 132

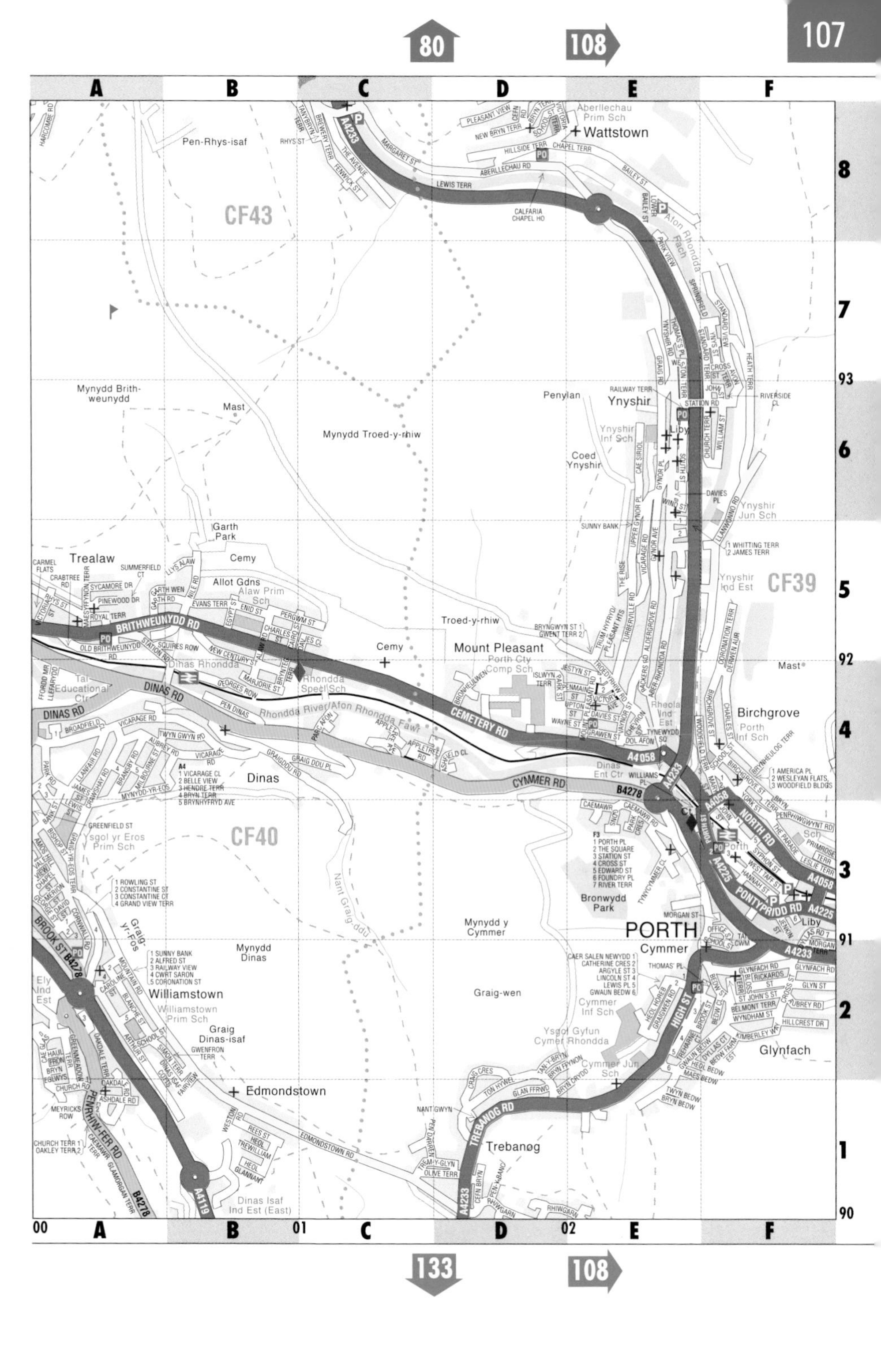
80
108
Wattstown
Aberllechau Prim Sch
Pen-Rhys-isaf
CF43
Mynydd Brith-weunydd
Mast
Mynydd Troed-y-rhiw
Penylan
Ynyshir
Ynyshir Inf Sch
Coed Ynyshir
Ynyshir Jun Sch
Ynyshir Ind Est
CF39
Garth Park
Trealaw
Cemy
Allot Gdns
Alaw Prim Sch
Troed-y-rhiw
Mount Pleasant
Porth Cty Comp Sch
Dinas Rhondda
Tal Educational Ctr
Rhondda Spec Sch
Rhondda River/Afon Rhondda Fawr
BRITHWEUNYDD RD
CEMETERY RD
DINAS RD
CYMMER RD
Birchgrove
Porth Inf Sch
Dinas
Dinas Ent Ctr
CF40
Ysgol yr Eros Prim Sch
Bronwydd Park
PORTH
Cymmer
Mynydd y Cymmer
Mynydd Dinas
Graig-yr-Fos
Williamstown
Williamstown Prim Sch
Graig Dinas-isaf
Graig-wen
Cymmer Inf Sch
Ysgol Gyfun Cymer Rhondda
Cymmer Jun Sch
Glynfach
Edmondstown
Trebanog
Dinas Isaf Ind Est (East)
Ely Ind Est
133
108

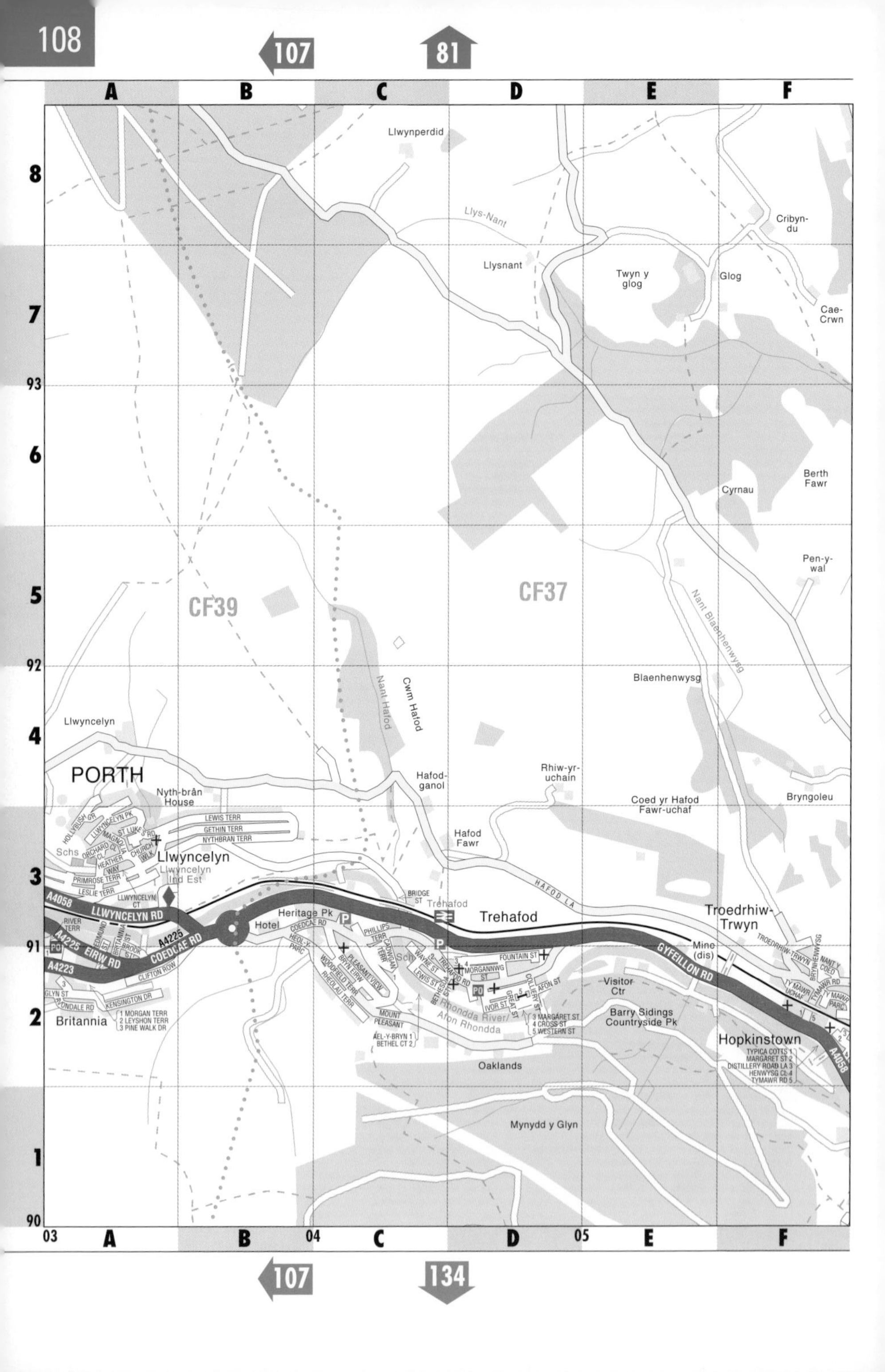
107
81
Llwynperdid
Llys-Nant
Llysnant
Twyn y glog
Glog
Cribyn-du
Cae-Crwn
Berth Fawr
Cyrnau
Pen-y-wal
CF39
CF37
Nant Blaenhenwysg
Nant Hafod
Cwm Hafod
Blaenhenwysg
Llwyncelyn
PORTH
Nyth-brân House
Hafod-ganol
Rhiw-yr-uchain
Coed yr Hafod Fawr-uchaf
Bryngoleu
Hafod Fawr
LEWIS TERR
GETHIN TERR
NYTHBRAN TERR
Schs
Llwyncelyn
Llwyncelyn Ind Est
PRIMROSE TERR
LESLIE TERR
A4058
LLWYNCELYN RD
BRIDGE ST
Trehafod
HAFOD LA
Troedrhiw-Trwyn
Heritage Pk
Hotel
COEDCAE RD
PHILLIPS TERR
A4225
EIRW RD
A4223
CLIFTON ROW
KENSINGTON DR
GLYN ST
RHONDALE RD
Britannia
1 MORGAN TERR
2 LEYSHON TERR
3 PINE WALK DR
FOUNTAIN ST
MORGANNWG ST
Mine (dis)
GYFEILLON RD
Visitor Ctr
Barry Sidings Countryside Pk
Rhondda River/ Afon Rhondda
3 MARGARET ST
4 CROSS ST
5 WESTERN ST
MOUNT PLEASANT
AEL-Y-BRYN 1
BETHEL CT 2
Oaklands
Hopkinstown
TYPICA COTTS 1
MARGARET ST 2
DISTILLERY ROAD LA 3
HENWYSG CL 4
TYMAWR RD 5
Mynydd y Glyn
134

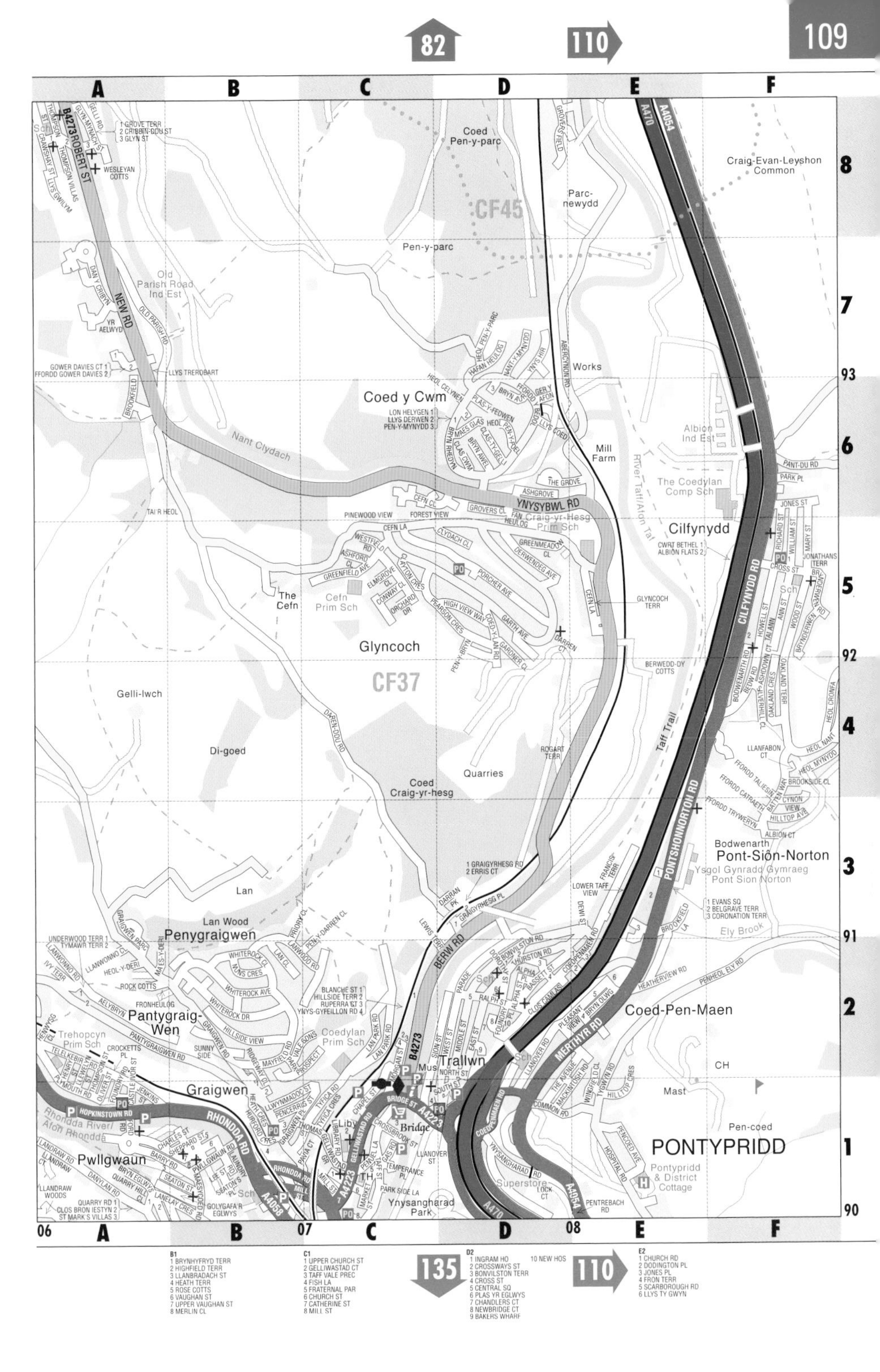
82
110
A
B
C
D
E
F
8
7
93
6
5
92
4
3
91
2
1
90
06
07
08
Coed
Pen-y-parc
CF45
Parc-
newydd
Craig-Evan-Leyshon
Common
Pen-y-parc
Old
Parish Road
Ind Est
NEW RD
B4273 ROBERT ST
1 GROVE TERR
2 CRIBBIN-DDU ST
3 GLYN ST
WESLEYAN
COTTS
YR
AELWYD
GOWER DAVIES CT 1
FFORDD GOWER DAVIES 2
LLYS TREODBART
BROOKFIELD
OLD PARISH RD
Coed y Cwm
LON HELYGEN 1
LLYS DERWEN 2
PEN-Y-MYNYDD 3
Works
Mill
Farm
A470
A4054
Albion
Ind Est
PANT-DU RD
PARK PL
Nant Clydach
ABERCYNON RD
THE GROVE
ASHGROVE
YNYSYBWL RD
River Taff/Afon Taf
The Coedylan
Comp Sch
Cilfynydd
JONES ST
CWRT BETHEL 1
ALBION FLATS 2
JONATHANS
TERR
CROSS ST
TAI'R HEOL
PINEWOOD VIEW
FOREST VIEW
CEFN CL
GROVERS CL
Craig-yr-Hesg
Prim Sch
CEFN LA
CLYDACH CL
GREENMEADOW
CL
DERWENDEG AVE
WESTFIELD
RD
ASHFORD
CL
GREENFIELD AVE
PORCHER AVE
The
Cefn
Cefn
Prim Sch
ELMGROVE
CL
CONWAY CL
ORCHARD
DR
HIGH VIEW WAY
PEARSON CRES
GARTH AVE
GLYNCOCH
TERR
CILFYNYDD RD
Glyncoch
CF37
BERWEDD-DY
COTTS
Gelli-lwch
DARREN-DDU RD
Taff Trail
Di-goed
ROGART
TERR
LLANFABON
CT
Quarries
Coed
Craig-yr-hesg
FFORDD TALIESIN
FFORDD CATRAETH
FFORDD TRYWERYN
BROOKSIDE CL
HILLTOP AVE
ALBION CT
Bodwenarth
Pont-Siôn-Norton
Ysgol Gynradd Gymraeg
Pont Sion Norton
1 GRAIGYRHESG RD
2 ERRIS CT
PONTSHONNORTON RD
LOWER TAFF
VIEW
FRANCIS
TERR
1 EVANS SQ
2 BELGRAVE TERR
3 CORONATION TERR
Lan
DARRAN
PK
GRAIGYRHESG PL
Lan Wood
Penygraigwen
Ely Brook
UNDERWOOD TERR 1
TYMAWR TERR 2
BERW RD
HEATHERVIEW RD
PENHEOL ELY RD
HEOL-Y-DERI
ROCK COTTS
WHITEROCK CL
WHITEROCK AVE
WHITEROCK DR
BLANCHE ST 1
HILLSIDE TERR 2
RUPERRA CT 3
YNYS-GYFEILLON RD 4
FRONHEULOG
Pantygraig-
Wen
HILLSIDE VIEW
Coedylan
Prim Sch
B4273
Coed-Pen-Maen
MERTHYR RD
Trehopcyn
Prim Sch
PANTYGRAIGWEN RD
SUNNY
SIDE
Mus
Trallwn
CH
Mast
Graigwen
HOPKINSTOWN RD
RHONDDA RD
BRIDGE ST
A4223
Bridge
Rhondda River/
Afon Rhondda
Pen-coed
Pwllgwaun
PONTYPRIDD
LLANOVER
ST
TEMPERANCE
PL
Pontypridd
& District
Cottage
QUARRY RD 1
CLOS BRON IESTYN 2
ST MARK'S VILLAS 3
GOLYGAFA'R
EGLWYS
A4058
PARK SIDE LA
Ynysangharad
Park
Superstore
LOCK
CT
A470
A4054
PENTREBACH
RD
06
A
B
07
C
D
08
E
F
B1
1 BRYNHYFRYD TERR
2 HIGHFIELD TERR
3 LLANBRADACH ST
4 HEATH TERR
5 ROSE COTTS
6 VAUGHAN ST
7 UPPER VAUGHAN ST
8 MERLIN CL
C1
1 UPPER CHURCH ST
2 GELLIWASTAD CT
3 TAFF VALE PREC
4 FISH LA
5 FRATERNAL PAR
6 CHURCH ST
7 CATHERINE ST
8 MILL ST
135
D2
1 INGRAM HO
2 CROSSWAYS ST
3 BONVILSTON TERR
4 CROSS ST
5 CENTRAL SQ
6 PLAS YR EGLWYS
7 CHANDLERS CT
8 NEWBRIDGE CT
9 BAKERS WHARF
10 NEW HOS
110
E2
1 CHURCH RD
2 DODINGTON PL
3 JONES PL
4 FRON TERR
5 SCARBOROUGH RD
6 LLYS TY GWYN

109
83

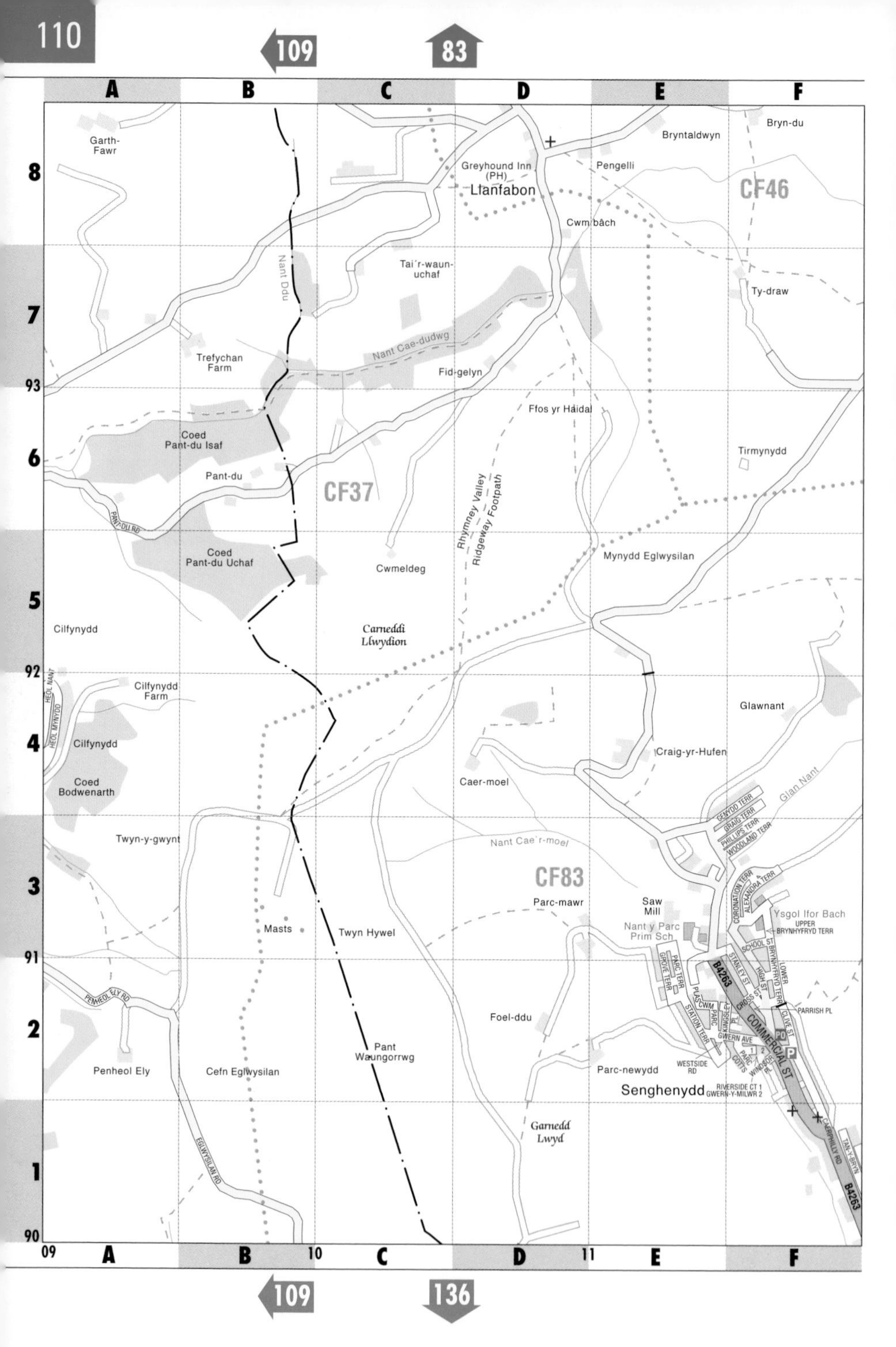

109
136

84
112

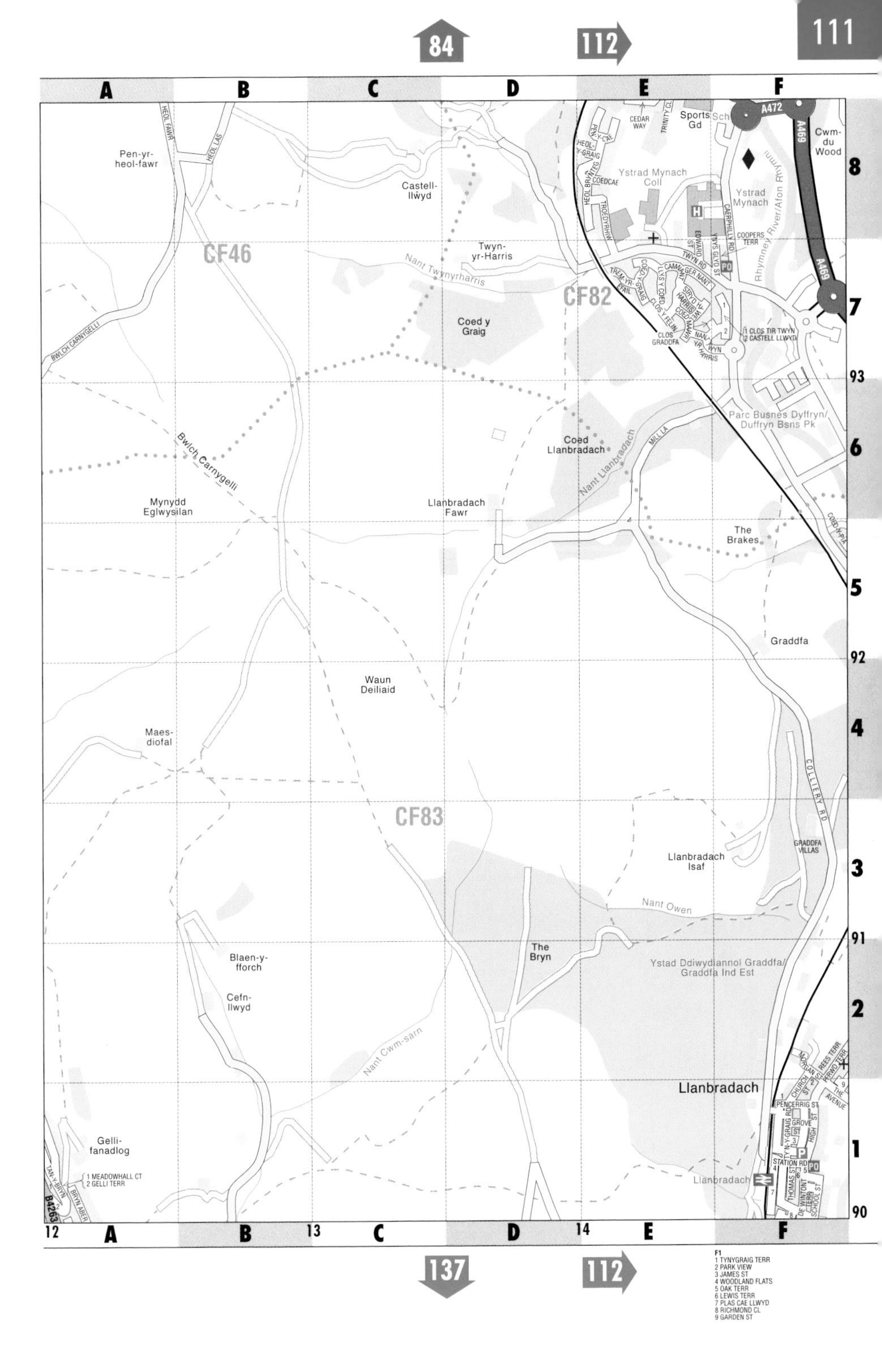

137
112

F1
1 TYNYGRAIG TERR
2 PARK VIEW
3 JAMES ST
4 WOODLAND FLATS
5 OAK TERR
6 LEWIS TERR
7 PLAS CAE LLWYD
8 RICHMOND CL
9 GARDEN ST

111
85
A
B
C
D
E
F
8
7
93
6
5
92
4
3
91
2
1
90
15
16
17
Gwernau-fawr
Nany y Twyn
NP12
Twyn-Shon-Ifan
Gwernau-ganol
Gwernau Hall
Ty'r-ywen
CF82
Ridgeway Footpath
Rhymney Valley
Pen-y-cwarel
Ffynnon-y-gwaed
Sirhowy Valley Walk
Sirhowy River/Afon Sirhywi
PONTGAM TERR
CAE'R-LLWYN TERR
THE GLADE
PEN-Y-CWAREL RD
GLANHOWY RD
B4251
A469
Pant-y-ffawydden
ALEXANDRA RD
GLENVIEW TERR 1
GREENFIELD TERR 2
THE GARDENS 3
ALEXANDRA CT 4
ISLWYN CL 5
Hotel
Bryn-ysgawen
Craig y Prisiad
Mast
Ty'n-y-coed
Nant y Ffrwd
Wern Cae-brith
BRIDGE ST
STATION AVE
JOHN ST
HIGH ST
Sirhowy Valley
Ynysddu Prim Sch
Mynydd Bach
Rhymney Valley
Ffrwd Farm
FFOS-YR-HEBOG
BRYNGWENNOL
COED-Y-PIA
TELOR-Y-COED
DAN-Y-DARREN
GRAIG YSGUTHAN
Tyle-crwth
NP11
Coed Ochr-ddu
Pen-y-rhiw
Coed Ffos-yr-hebog
Nant Cwmhenfelin
Coed Cae Hugh
Twyn Cae Hugh
Cwm Glas Inf Sch
GLYN COLLEN
GLYN BEDW
GLYN LLWYFEN
GLYN EDEW
SCHOOL CT
PANT GLAS
GLYN DERWEN
VICTORIA ST
HEOL TY GWYN
OAKFIELD ST
WINGFIELD CRES
PLASTURTWYN
Coed Margaret-Shôn
Ty-gwyn
Rhymney River/Afon Rhymni
CF83
Coed-y-Bont
Mynydd y Grug
LON-Y-AFON
GLENVIEW TERR
GARDEN ST
MONMOUTH VIEW
THE AVENUE
Nant y Bwch
Ty-isaf
Cwm-y-bwch
Mynydd Dimlaith
Mynydd Dimlaith
PANDY-MAWR RD
Cwm
MOUNTAIN RD
Dyffryn Isaf Farm
Pen-y-waun
111
138

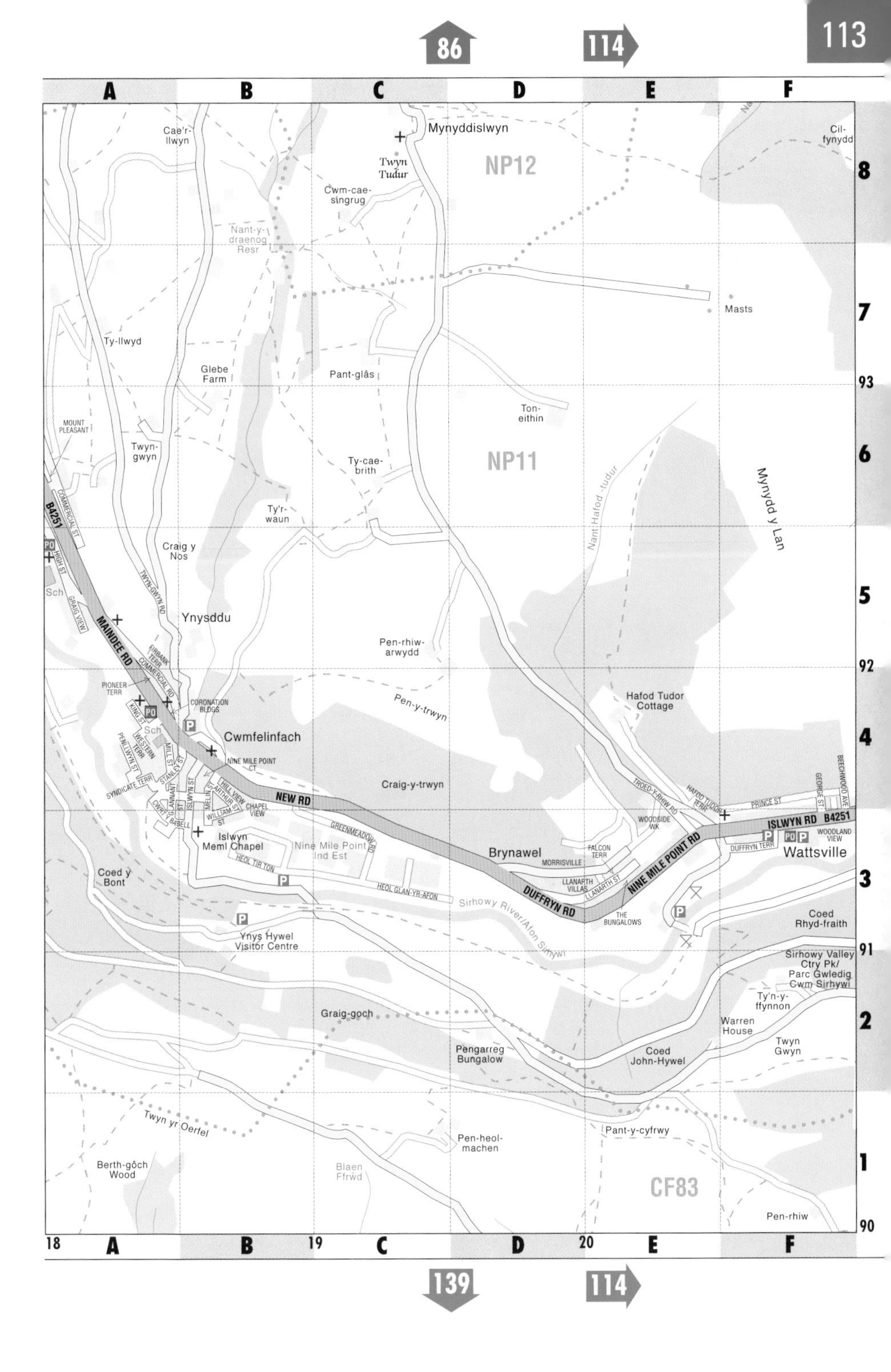
86
114
A
B
C
D
E
F
Mynyddislwyn
Twyn Tudur
NP12
Cae'r-llwyn
Cwm-cae-singrug
Cil-fynydd
Nant-y-draenog Resr
Masts
Ty-llwyd
Glebe Farm
Pant-glâs
Ton-eithin
MOUNT PLEASANT
Twyn-gwyn
Ty-cae-brith
NP11
Mynydd y Lan
Ty'r-waun
Nant Hafod -tudur
B4251
Craig y Nos
Sch
Ynysddu
MAINDEE RD
Pen-rhiw-arwydd
PIONEER TERR
CORONATION BLDGS
Pen-y-trwyn
Hafod Tudor Cottage
Cwmfelinfach
NINE MILE POINT CT
Craig-y-trwyn
NEW RD
PRINCE ST
ISLWYN RD
Islwyn Meml Chapel
Nine Mile Point Ind Est
Brynawel
MORRISVILLE
FALCON TERR
WOODSIDE WK
NINE MILE POINT RD
WOODLAND VIEW
DUFFRYN TERR
Wattsville
Coed y Bont
HEOL TIR TON
HEOL GLAN-YR-AFON
LLANARTH VILLAS
LLANARTH ST
DUFFRYN RD
THE BUNGALOWS
Sirhowy River/Afon Sirhywi
Coed Rhyd-fraith
Ynys Hywel Visitor Centre
Sirhowy Valley Ctry Pk/ Parc Gwledig Cwm Sirhywi
Ty'n-y-ffynnon
Graig-goch
Warren House
Pengarreg Bungalow
Coed John-Hywel
Twyn Gwyn
Twyn yr Oerfel
Pant-y-cyfrwy
Pen-heol-machen
Berth-gôch Wood
Blaen Ffrŵd
CF83
Pen-rhiw
8
7
93
6
5
92
4
3
91
2
1
90
18
19
20
139
114

113
87

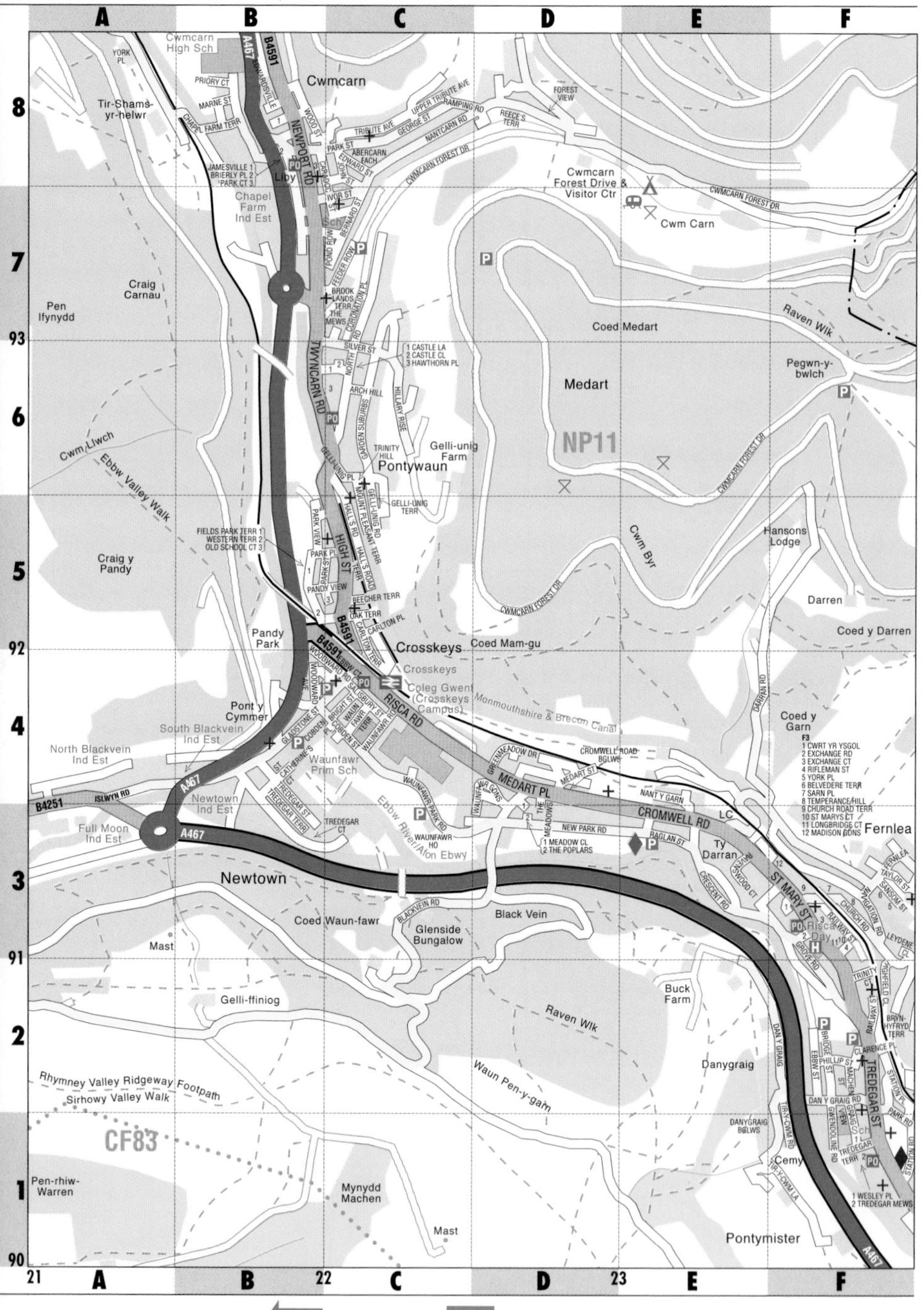

113
140

88
116

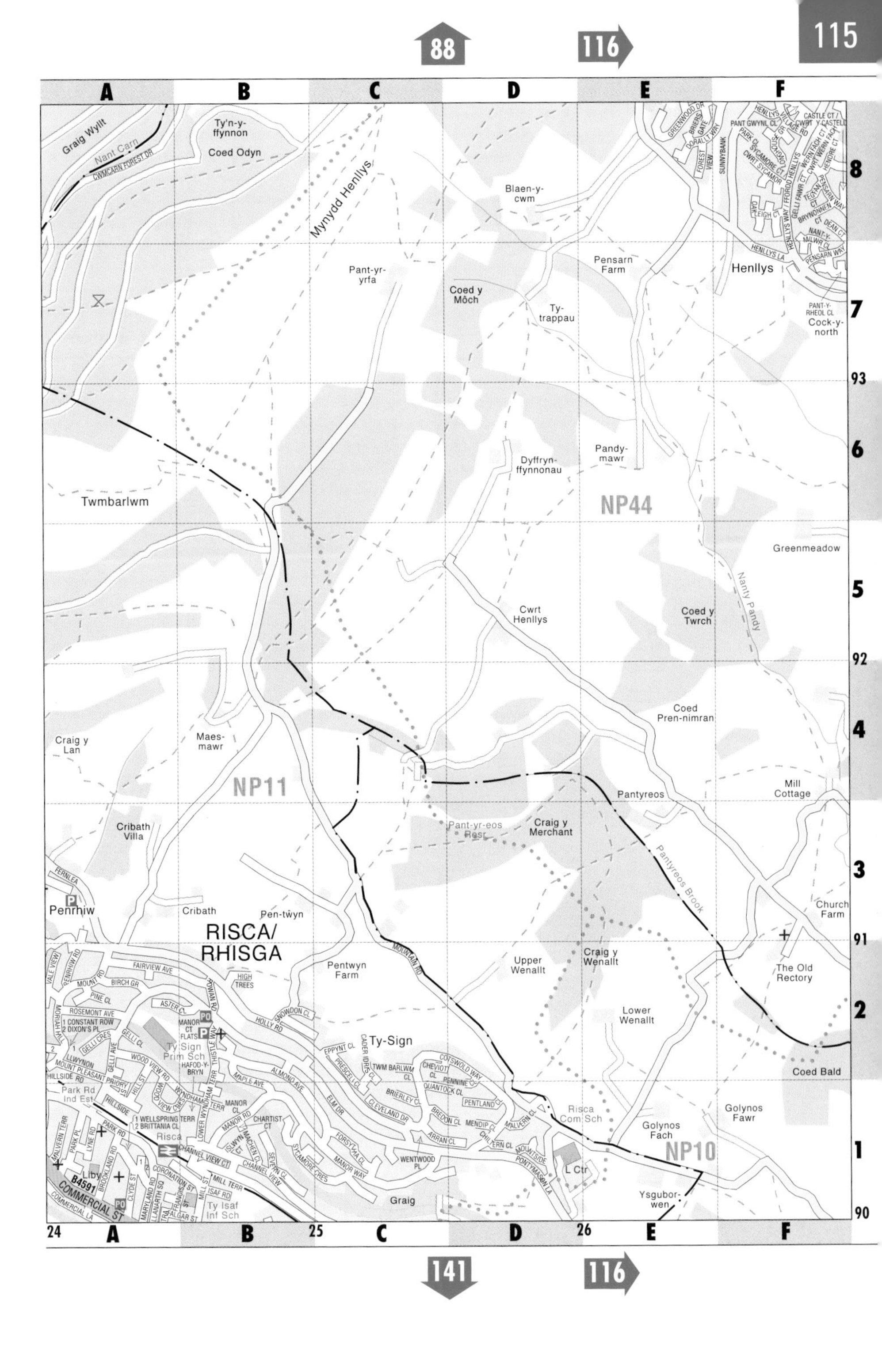

141
116

115
89

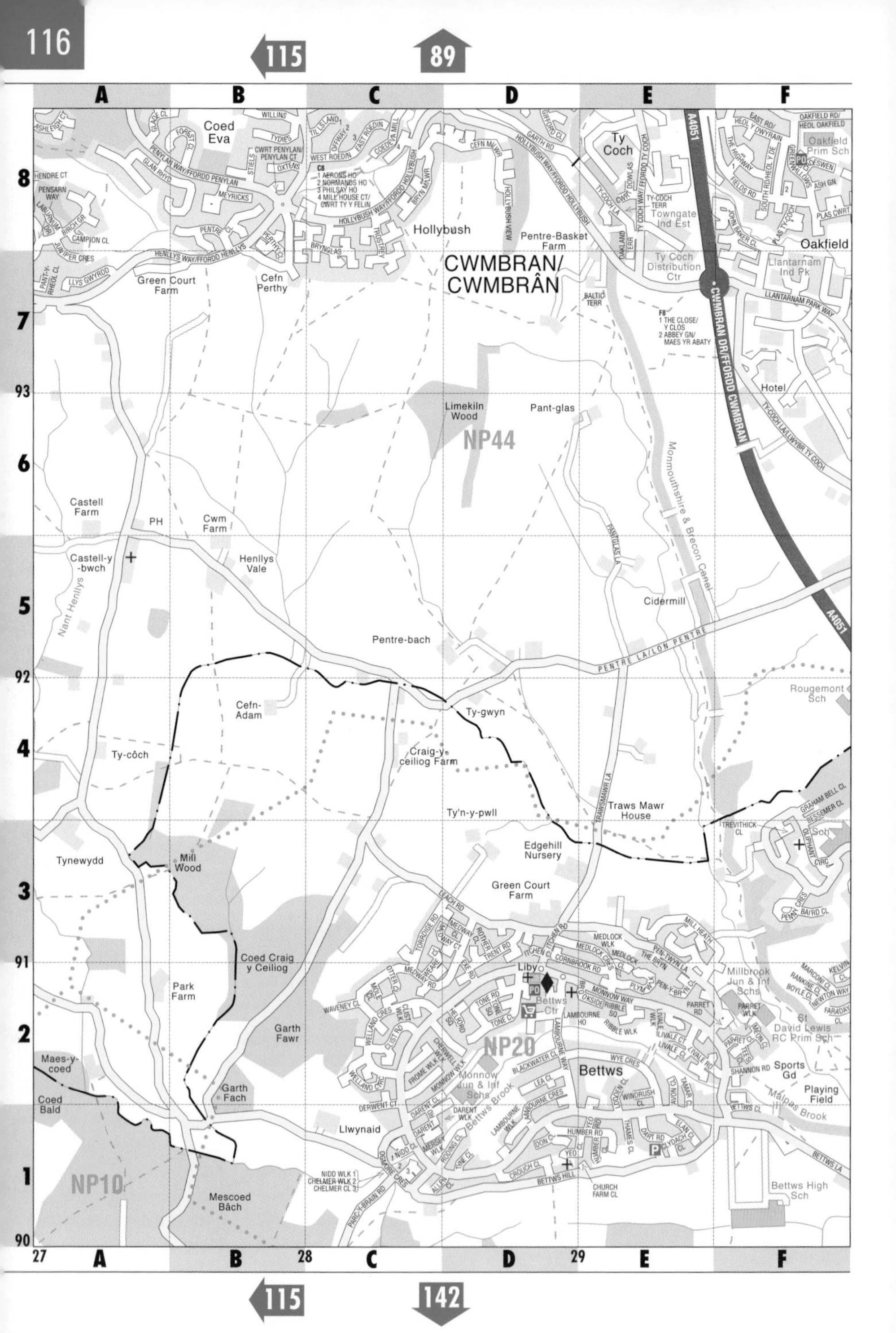

115
142

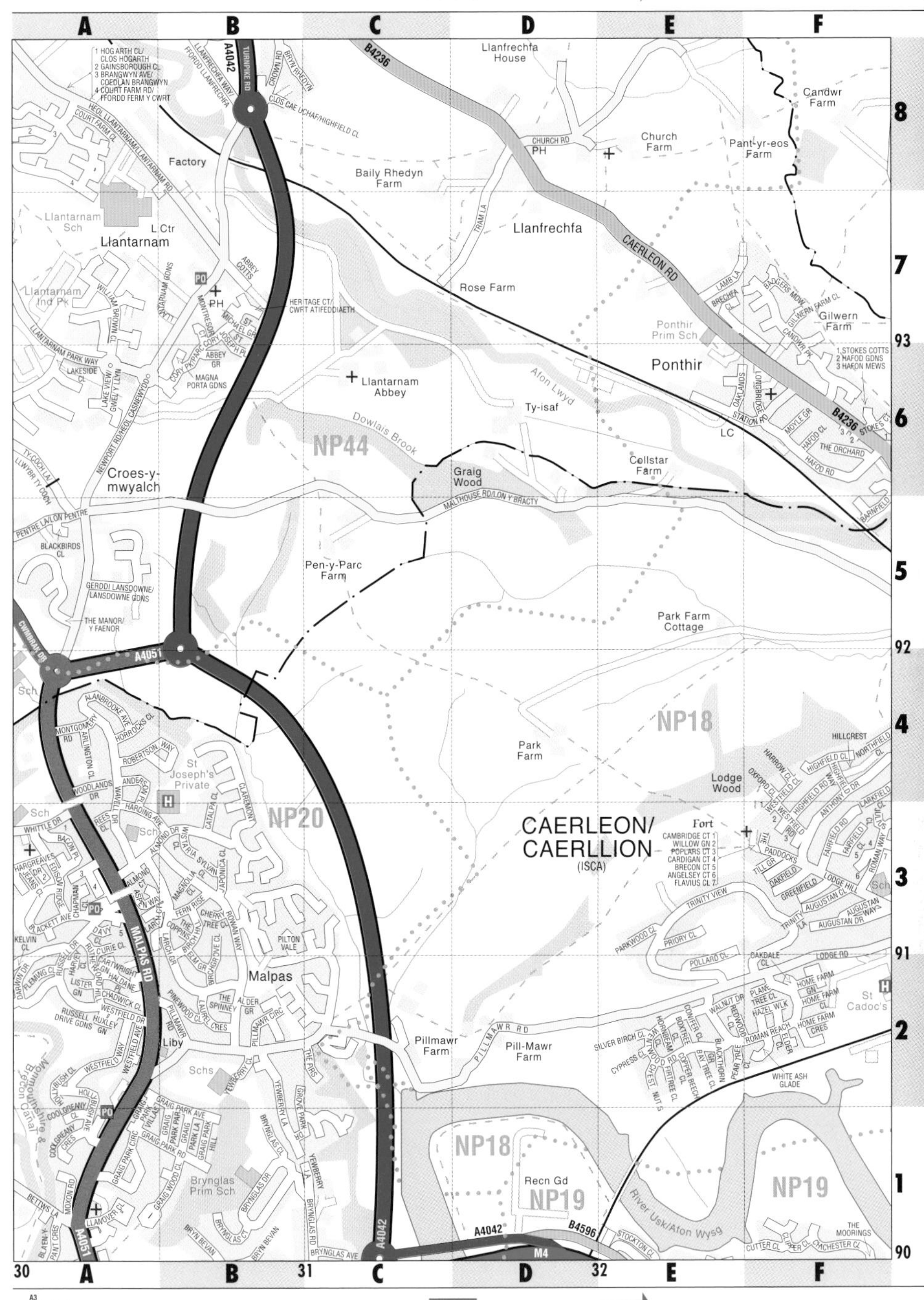

A3
1 WHITTLE CT
2 SIMPSON CL
3 LLEWELLYN GR
4 LLEWELLYN WLK
5 MOUNT PLEASANT

117

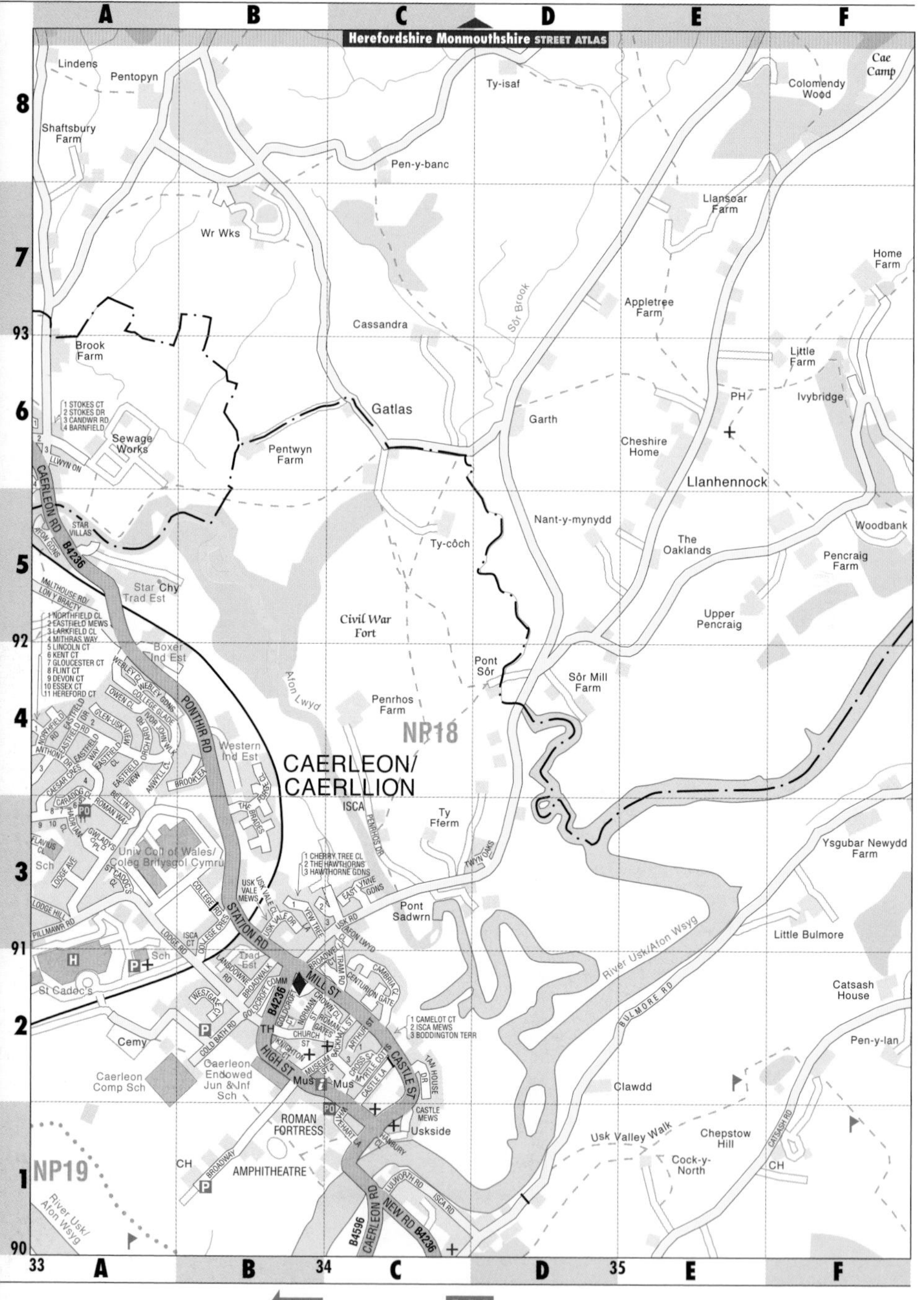
Herefordshire Monmouthshire STREET ATLAS
A
B
C
D
E
F
8
7
93
6
5
92
4
3
91
2
1
90
33
34
35
Lindens
Pentopyn
Shaftsbury Farm
Ty-isaf
Cae Camp
Colomendy Wood
Pen-y-banc
Llansoar Farm
Wr Wks
Home Farm
Appletree Farm
Sôr Brook
Cassandra
Brook Farm
Little Farm
PH
Ivybridge
Gatlas
Garth
Cheshire Home
Sewage Works
Pentwyn Farm
Llanhennock
LLWYN ON
CAERLEON RD
STAR VILLAS
Nant-y-mynydd
Woodbank
Ty-côch
The Oaklands
Pencraig Farm
B4236
Star Chy Trad Est
Civil War Fort
Upper Pencraig
Boxer Ind Est
Pont Sôr
Sôr Mill Farm
Afon Lwyd
Penrhos Farm
NP18
PONTHIR RD
Western Ind Est
CAERLEON/ CAERLLION
ISCA
Ty Fferm
TWYN OAKS
Ysgubar Newydd Farm
Univ Coll of Wales/ Coleg Brifysgol Cymru
Sch
Pont Sadwrn
STATION RD
River Usk/Afon Wsyg
Little Bulmore
H
P
Sch
Trad Est
MILL ST
St Cadoc's
BULMORE RD
Catsash House
Cemy
TH
Pen-y-lan
Caerleon Comp Sch
Caerleon Endowed Jun & Inf Sch
HIGH ST
CASTLE ST
Mus
Clawdd
ROMAN FORTRESS
Uskside
Usk Valley Walk
Chepstow Hill
Cock-y-North
CATSASH RD
NP19
CH
AMPHITHEATRE
River Usk/ Afon Wsyg
B4596
CAERLEON RD
NEW RD
B4236
1 STOKES CT
2 STOKES DR
3 CANDWR RD
4 BARNFIELD
MALTHOUSE RD/ LON Y BRACTY
1 NORTHFIELD CL
2 EASTFIELD MEWS
3 LARKFIELD CL
4 MITHRAS WAY
5 LINCOLN CT
6 KENT CT
7 GLOUCESTER CT
8 FLINT CT
9 DEVON CT
10 ESSEX CT
11 HEREFORD CT
1 CHERRY TREE CL
2 THE HAWTHORNS
3 HAWTHORNE GDNS
1 CAMELOT CT
2 ISCA MEWS
3 BODDINGTON TERR
LODGE HILL
PILLMAWR RD
LODGE RD
COLLEGE CRES
GOLDCROFT COMM
COLD BATH RD
BROADWAY
LULWORTH RD
ISCA RD
TAN HOUSE DR
CASTLE MEWS

117

144

Herefordshire Monmouthshire STREET ATLAS
A
B
C
D
E
F
Cefn-henllan
Cefn-henllan Wood
NP15
A449 Monmouth (A40)
Great House
Plâs Llecha
Kennel Wood
Garn-fawr
Garn-fâch
Old Kemeys
Burnt House
Caer Licyn
Motte & Bailey
Kemeys Inferior
Glen Usk
Pant-Gwyn
River Usk/Afon Wysg
Kemeys House
Kemeys Graig
Castle Mill
NP18
Kemeys Folly
CAERLICKEN LA
Usk Valley Walk
Great Caer-Licyn
Abernant Farm
Woodward's Farm
Little Caer-Licyn
COED-Y-CAERAU LA
Coed-y-caerau
Pen-toppen-ash
Great Bulmore
New Wood
Treclover
Mount Tudor
Cat's Ash
Mast
Llanbeder
CATSASH RD
Usk Valley Walk
OLD ROMAN RD
ROBIN HOOD LA
LANGSTONE RISE
TREGARN RD
A48 Chepstow
Langstone Prim Sch
TREGARN CT
Llanbedr Hall
Cat's Ash Farm
Tregarn House
TREGARN CL
The Gorelands
Priory Wood
CATS ASH RD
Langstone
PO
CHEPSTOW RD
Tregarn Mill
SHEPHERD DR
Nursery
MILLER CL
B4245
COOPER CL
CARPENTER CL
Motel
Priory Farm
PH
MAGOR RD
FORD FARM LA
PRIORY WAY
PRIORY GDNS
STOCKWOOD CL
ROSECROFT DR
PARK END
THE GLEN
Nursery
Nursery
Ford Farm
A449
A48
OLD CHEPSTOW RD
8
7
93
6
5
92
4
3
91
2
1
90
36
37
38

231
91

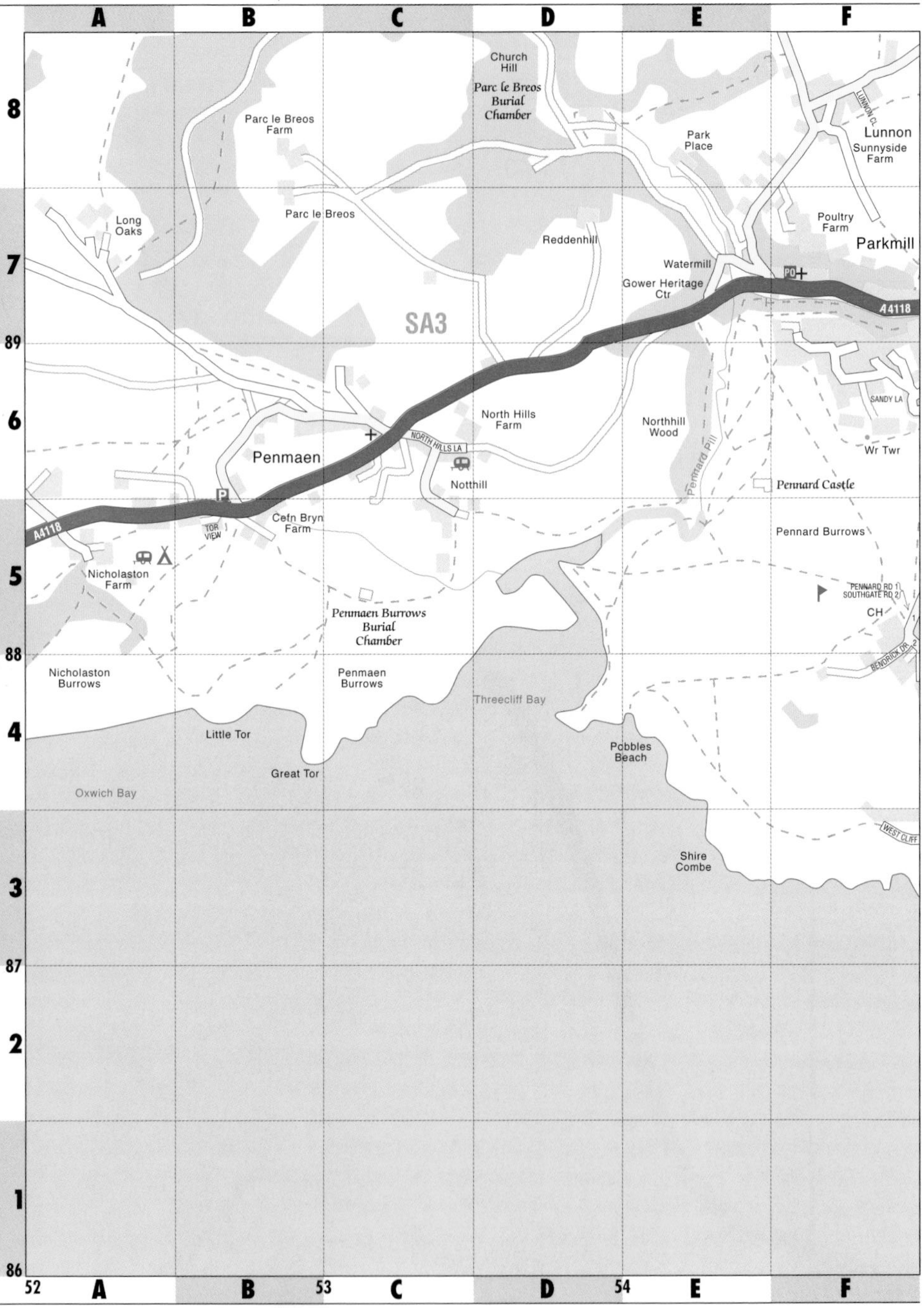
A
B
C
D
E
F
8
7
89
6
5
88
4
3
87
2
1
86
52
53
54
Church Hill
Parc le Breos Burial Chamber
Parc le Breos Farm
Park Place
Lunnon
LUNNON CL
Sunnyside Farm
Long Oaks
Parc le Breos
Poultry Farm
Reddenhill
Parkmill
Watermill
Gower Heritage Ctr
PO
A4118
SA3
SANDY LA
North Hills Farm
Northhill Wood
NORTH HILLS LA
Penmaen
Wr Twr
Notthill
Pennard Pill
Pennard Castle
P
Cefn Bryn Farm
TOR VIEW
A4118
Pennard Burrows
Nicholaston Farm
PENNARD RD 1
SOUTHGATE RD 2
CH
Penmaen Burrows Burial Chamber
BENDRICK DR
Nicholaston Burrows
Penmaen Burrows
Threecliff Bay
Little Tor
Pobbles Beach
Great Tor
Oxwich Bay
WEST CLIFF
Shire Combe

231

92
122

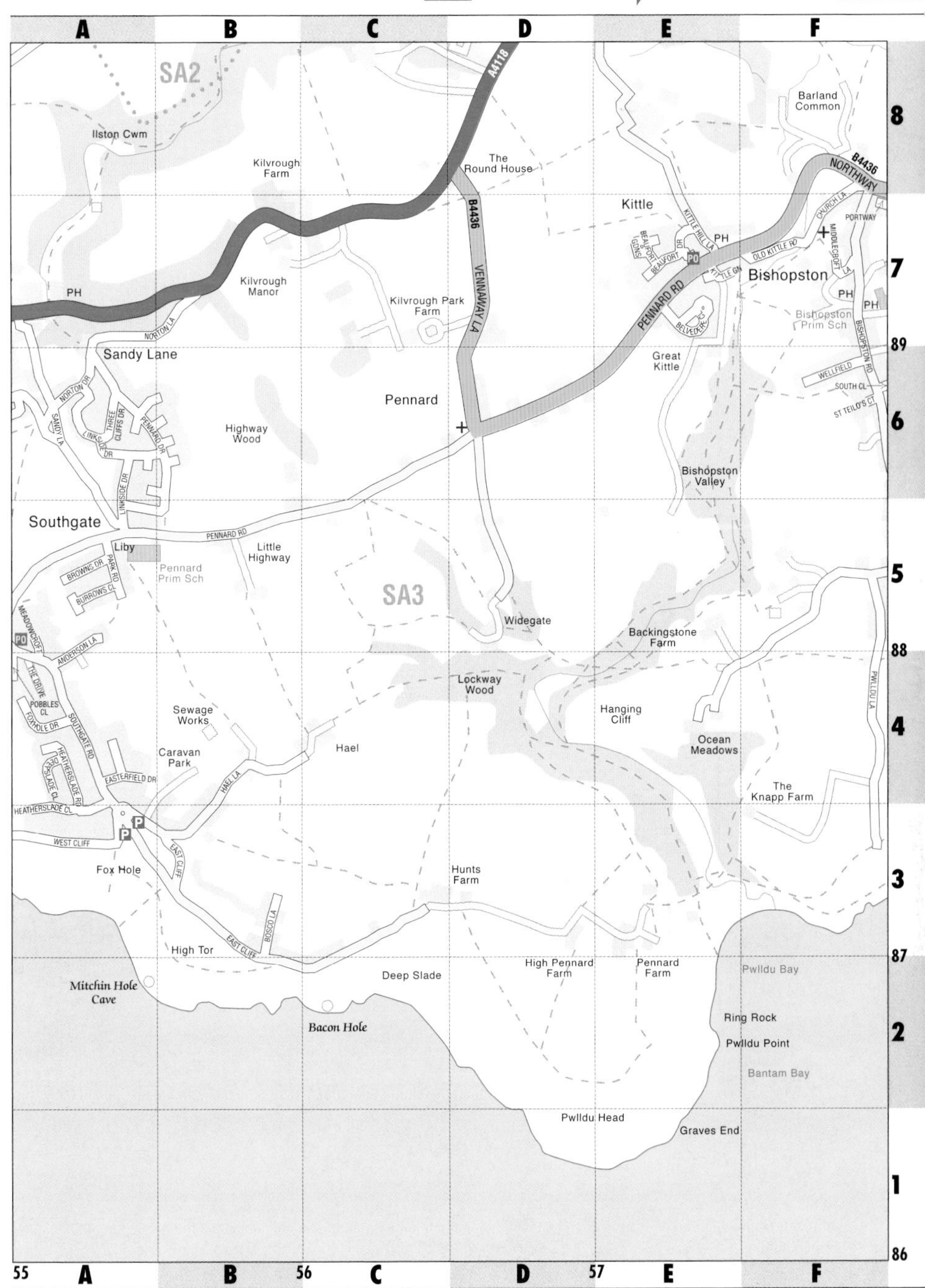
A
B
C
D
E
F
SA2
A4118
Ilston Cwm
Kilvrough Farm
The Round House
Barland Common
B4436
NORTHWAY
Kittle
KITTLE HILL LA
PH
CHURCH LA
PORTWAY
OLD KITTLE RD
MIDDLECROFT LA
BEAUFORT GDNS
BEAUFORT DR
PO
Bishopston
PH
PH
Bishopston Prim Sch
BISHOPSTON RD
VENNAWAY LA
Kilvrough Manor
Kilvrough Park Farm
PENNARD RD
BELVEDERE
PH
NORTON LA
Sandy Lane
Great Kittle
WELLFIELD
SOUTH CL
ST TEILO'S CT
NORTON DR
Pennard
THREE CLIFFS DR
PENNARD DR
SANDY LA
LINKSIDE DR
Highway Wood
Bishopston Valley
LINKSIDE DR
Southgate
PENNARD RD
Liby
Little Highway
Pennard Prim Sch
BROWNS DR
PARK RD
BURROWS CL
SA3
MEADOWCROFT
PO
Widegate
Backingstone Farm
ANDERSON LA
THE DRIVE
Lockway Wood
PWLLDU LA
POBBLES CL
FOXHOLE DR
SOUTHGATE RD
Sewage Works
Hanging Cliff
Hael
Ocean Meadows
Caravan Park
HEATHERSLADE RD
EASTERFIELD DR
HAEL LA
The Knapp Farm
HEATHERSLADE CL
P
P
WEST CLIFF
EAST CLIFF
Fox Hole
Hunts Farm
BOSCO LA
High Tor
EAST CLIFF
High Pennard Farm
Pennard Farm
Pwlldu Bay
Mitchin Hole Cave
Deep Slade
Bacon Hole
Ring Rock
Pwlldu Point
Bantam Bay
Pwlldu Head
Graves End
8
7
89
6
5
88
4
3
87
2
1
86
55
56
57
122

121
93

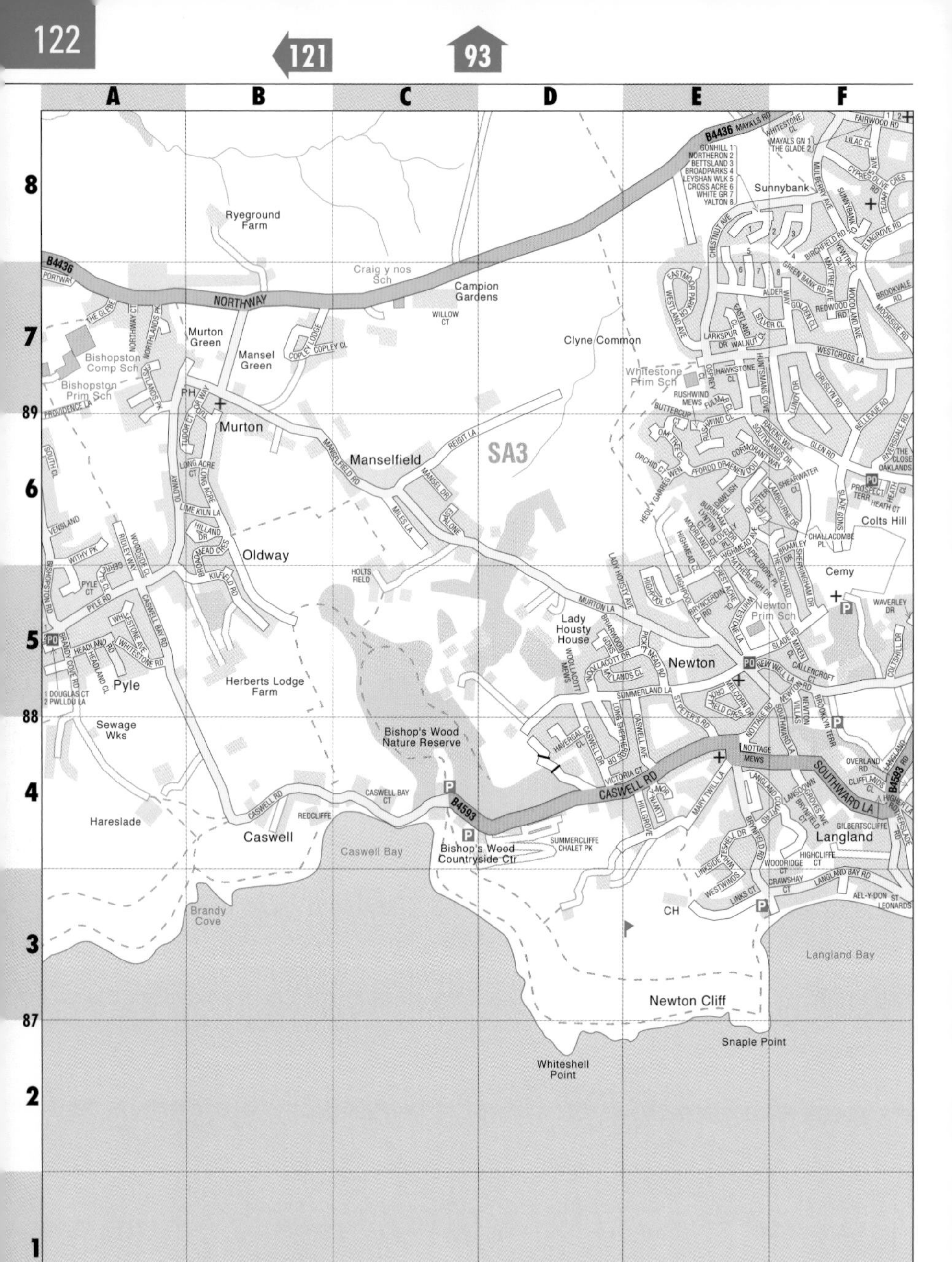
A
B
C
D
E
F
8
7
89
6
5
88
4
3
87
2
1
86
58
59
60
B4436
MAYALS RD
NORTHWAY
PORTWAY
Ryeground Farm
Craig y nos Sch
Campion Gardens
WILLOW CT
Clyne Common
Sunnybank
GONHILL 1
NORTHERON 2
BETTSLAND 3
BROADPARKS 4
LEYSHAN WLK 5
CROSS ACRE 6
WHITE GR 7
YALTON 8
WHITESTONE CL
MAYALS GN 1
THE GLADE 2
FAIRWOOD RD
LILAC CL
CYPRESS
OLIVE
CEDAR CRES
CHESTNUT AVE
MULBERRY AVE
SUNNYBANK CL
BIRCHFIELD RD
YEWTREE CL
ELMGROVE RD
GREEN BANK RD
MAYTREE CL
WOODLAND AVE
BROOKVALE RD
REDWOOD RD
MOORSIDE RD
ALDER WAY
GOLDEN CL
EASTMOOR
PARK CR
WESTLAND AVE
EASTLAND CL
SILVER CL
LARKSPUR DR
WALNUT CL
WESTCROSS LA
HUNTSMANS COVE
HAWKSTONE CL
OSPREY CL
Whitestone Prim Sch
RUSHWIND MEWS
FULMAR CL
BUTTERCUP CT
RUSHWIND CL
RAVENS WLK
SOUTHLANDS DR
LUNDY DR
DRUSLYN RD
BELLEVUE RD
GLEN RD
RIVERSDALE RD
THE CLOSE
OAKLANDS
OAK TREE CL
CORMORANT WAY
ORCHID CT
SHEARWATER CL
PO
PROSPECT TERR
HEATH CT
HEATH CL
SLADE GDNS
Colts Hill
CHALLACOMBE PL
DUNSTER CL
LAMBOURNE DR
BRAMLEY DR
SHERRINGHAM DR
THE ORCHARD
HIGHMEAD AVE
APPLEDORE PL
HATHERLEIGH RD
CREST ACRE CL
WHITESTONE LA
LADY HOUSTY AVE
HIGHPOOL CL
HIGHPOOL LA
BRYNCERDIN RD
Newton Prim Sch
Cemy
WAVERLEY DR
COLTSHILL DR
SLADE RD
MIXEN CL
CALLENCROFT
NEW WELL LA
MURTON LA
Lady Housty House
BRIARWOOD GDNS
PICKET MEAD RD
WOOLACOTT DR
WOOLACOTT MEWS
LANDS CL
Newton
SUMMERLAND LA
ST PETER'S RD
HEOL CORN DR
CROFT FIELD CRES
NOTTAGE RD
SOUTHWARD LA
NEWTON VILLAS
BROOKLYN TERR
OVERLAND RD
CLIFFLANDS CL
LANGLAND RD
B4593
SOUTHWARD LA
NOTTAGE MEWS
HAVERGAL CL
CASWELL DR
LONG SHEPHERDS DR
CASWELL AVE
VICTORIA CT
CASWELL RD
HILLGROVE
MARY TWILL LA
LANGLAND CT
LANGDOWN
BRYNFIELD CT
GROVES AVE
GILBERTSCLIFFE
HIGHER LA
Langland
LINKSIDE
WHITESHELL DR
BRYNFIELD RD
WESTWINDS
WOODRIDGE CT
HIGHCLIFFE CT
CRAWSHAY CT
LANGLAND BAY RD
LINKS CT
AEL-Y-DON
ST LEONARDS
CH
Langland Bay
Newton Cliff
Snaple Point
Whiteshell Point
SUMMERCLIFFE CHALET PK
Bishop's Wood Countryside Ctr
Bishop's Wood Nature Reserve
CASWELL BAY CT
REDCLIFFE
Caswell Bay
Caswell
CASWELL RD
Brandy Cove
Hareslade
Sewage Wks
Herberts Lodge Farm
HOLTS FIELD
SA3
Manselfield
REIGIT LA
MANSELFIELD RD
MANSEL DR
MILES LA
ALDONE
Oldway
Murton
Murton Green
Mansel Green
COPLEY LODGE
COPLEY CL
PH
TUDOR CT
OLDWAY
LONG ACRE CT
LONG ACRE
LIME KILN LA
HILLAND DR
KILFIELD RD
Bishopston Comp Sch
Bishopston Prim Sch
PROVIDENCE LA
THE GLEBE
NORTHWAY CT
NORTHLANDS PK
SOUTH CL
VENSLAND
WITHY PK
RIDLEY WAY
WOODSIDE CL
PYLE CT
PYLE RD
BISHOPSTON RD
CASWELL BAY RD
WHITESTONE AVE
WHITESTONE RD
HEADLAND RD
HEADLAND CL
BRANDY COVE RD
Pyle
1 DOUGLAS CT
2 PWLLDU LA

94

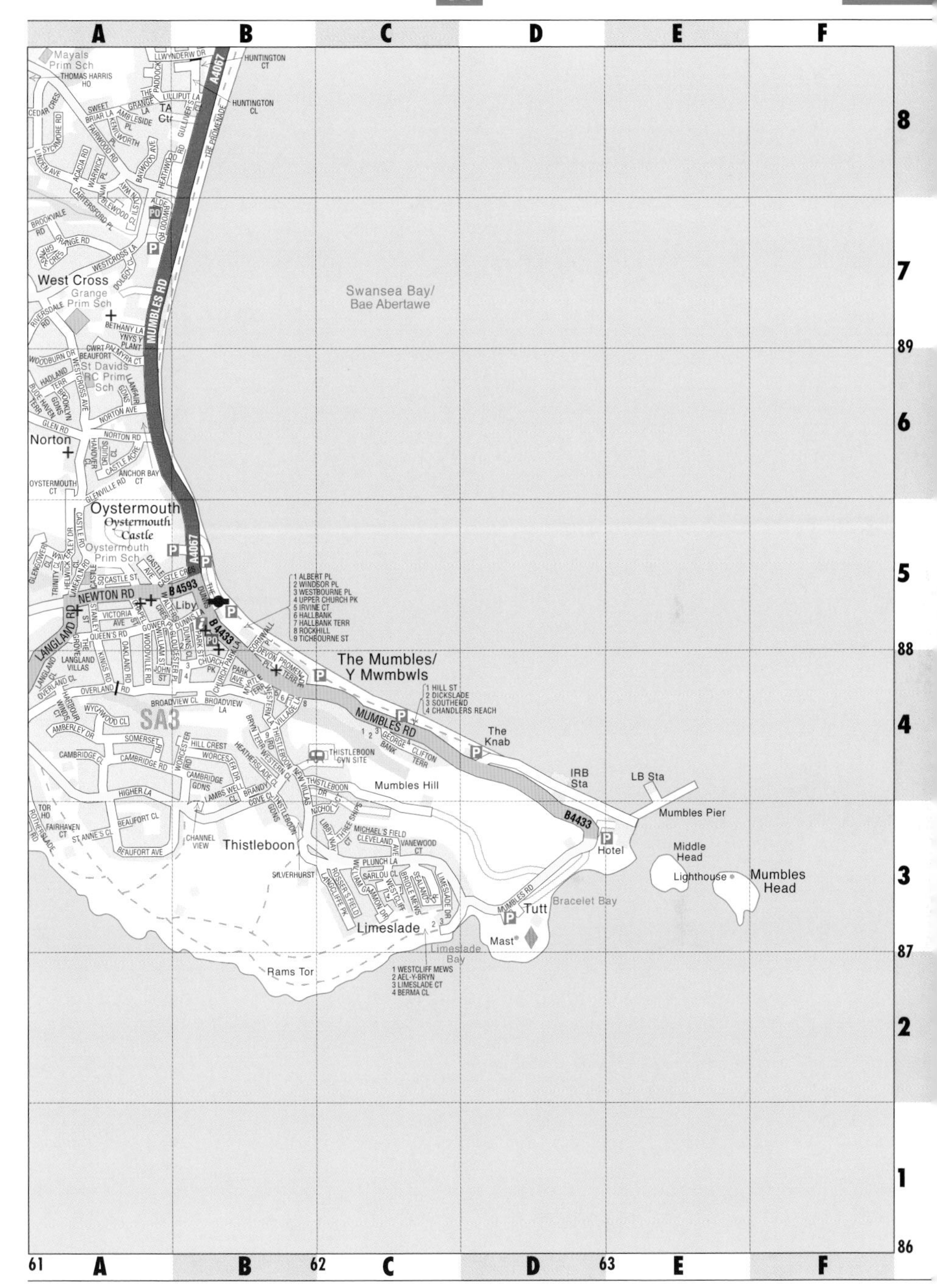

West Cross
Norton
Oystermouth
Oystermouth Castle
Swansea Bay/
Bae Abertawe
The Mumbles/
Y Mwmbwls
Mumbles Hill
Thistleboon
Limeslade
Rams Tor
The Knab
IRB Sta
LB Sta
Mumbles Pier
Middle Head
Lighthouse
Mumbles Head
Bracelet Bay
Tutt
Hotel
Mast
MUMBLES RD
A4067
B4593
B4433
SA3
1 ALBERT PL
2 WINDSOR PL
3 WESTBOURNE PL
4 UPPER CHURCH PK
5 IRVINE CT
6 HALLBANK
7 HALLBANK TERR
8 ROCKHILL
9 TICHBOURNE ST
1 HILL ST
2 DICKSLADE
3 SOUTHEND
4 CHANDLERS REACH
1 WESTCLIFF MEWS
2 AEL-Y-BRYN
3 LIMESLADE CT
4 BERMA CL

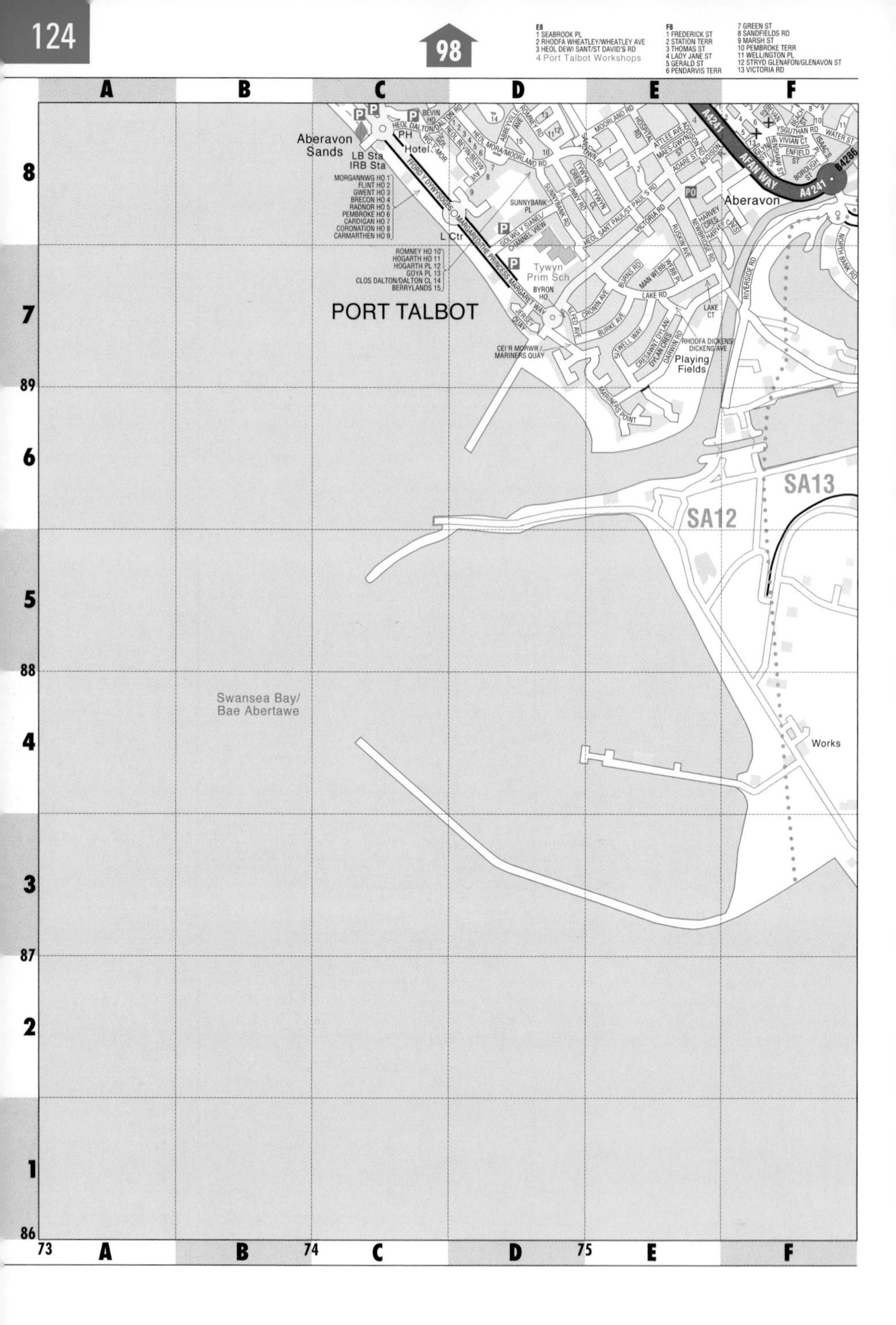
98
E8
1 SEABROOK PL
2 RHODFA WHEATLEY/WHEATLEY AVE
3 HEOL DEWI SANT/ST DAVID'S RD
4 Port Talbot Workshops
F8
1 FREDERICK ST
2 STATION TERR
3 THOMAS ST
4 LADY JANE ST
5 GERALD ST
6 PENDARVIS TERR
7 GREEN ST
8 SANDFIELDS RD
9 MARSH ST
10 PEMBROKE TERR
11 WELLINGTON PL
12 STRYD GLENAFON/GLENAVON ST
13 VICTORIA RD
A
B
C
D
E
F
8
7
89
6
5
88
4
3
87
2
1
86
73
74
75
Aberavon Sands
LB Sta
IRB Sta
PH
Hotel
MORGANNWG HO 1
FLINT HO 2
GWENT HO 3
BRECON HO 4
RADNOR HO 5
PEMBROKE HO 6
CARDIGAN HO 7
CORONATION HO 8
CARMARTHEN HO 9
ROMNEY HO 10
HOGARTH HO 11
HOGARTH PL 12
GOYA PL 13
CLOS DALTON/DALTON CL 14
BERRYLANDS 15
L Ctr
PORT TALBOT
SUNNYBANK PL
GOLWG Y SIANEL/CHANNEL VIEW
Tywyn Prim Sch
BYRON HO
JERSEY QUAY
CEI'R MORWR / MARINERS QUAY
MARINERS POINT
Playing Fields
RHODFA DICKENS/DICKENS AVE
LAKE CT
LAKE RD
Aberavon
A4241
AFAN WAY
B4286
RIVERSIDE RD
NORTH BANK RD
SA13
SA12
Swansea Bay/
Bae Abertawe
Works

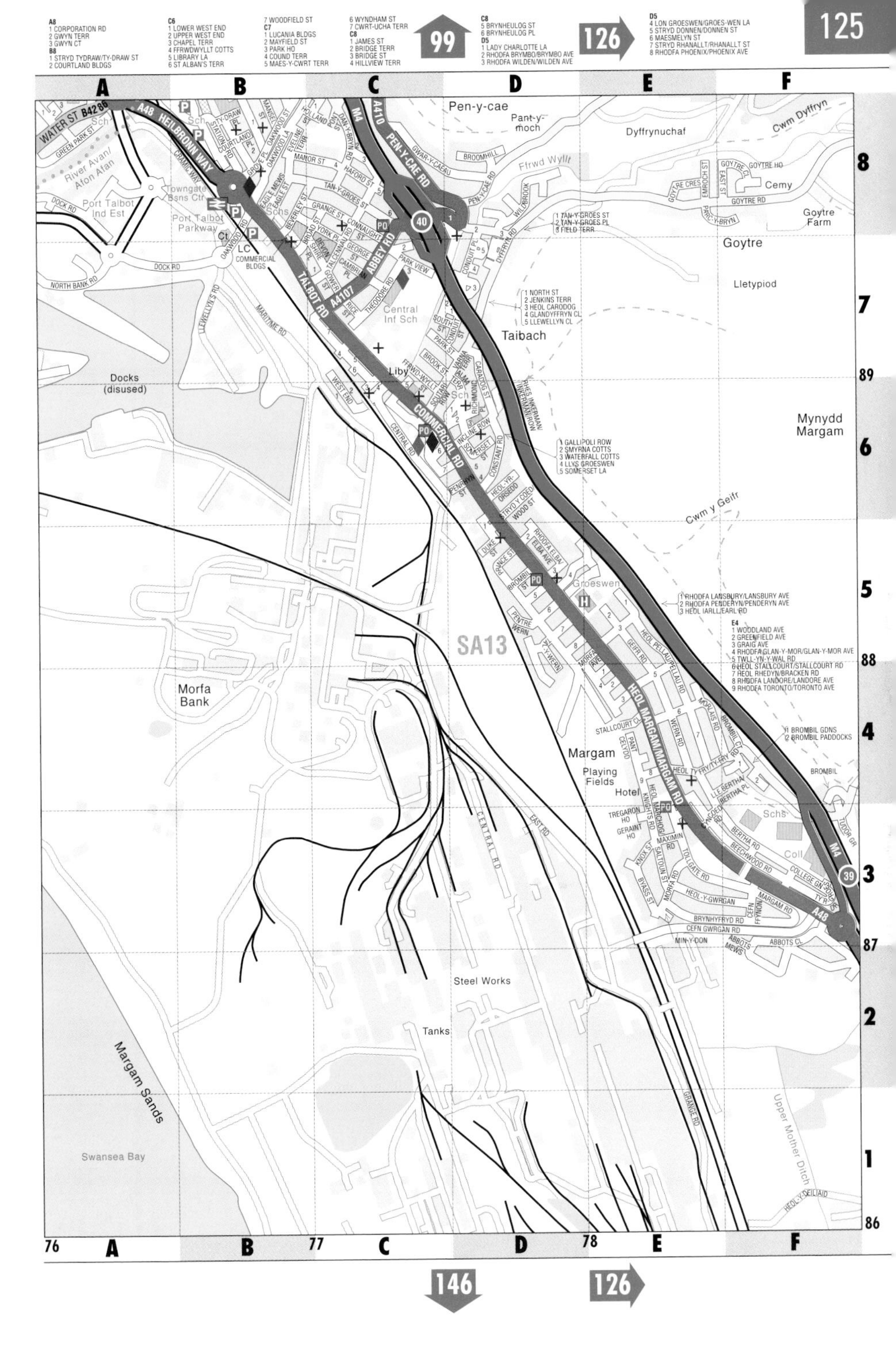

A8
1 CORPORATION RD
2 GWYN TERR
3 GWYN CT
B8
1 STRYD TYDRAW/TY-DRAW ST
2 COURTLAND BLDGS
C6
1 LOWER WEST END
2 UPPER WEST END
3 CHAPEL TERR
4 FFRWDWYLLT COTTS
5 LIBRARY LA
6 ST ALBAN'S TERR
7 WOODFIELD ST
C7
1 LUCANIA BLDGS
2 MAYFIELD ST
3 PARK HO
4 COUND TERR
5 MAES-Y-CWRT TERR
6 WYNDHAM ST
7 CWRT-UCHA TERR
C8
1 JAMES ST
2 BRIDGE TERR
3 BRIDGE ST
4 HILLVIEW TERR
99
C8
5 BRYNHEULOG ST
6 BRYNHEULOG PL
D5
1 LADY CHARLOTTE LA
2 RHODFA BRYMBO/BRYMBO AVE
3 RHODFA WILDEN/WILDEN AVE
126
D5
4 LON GROESWEN/GROES-WEN LA
5 STRYD DONNEN/DONNEN ST
6 MAESMELYN ST
7 STRYD RHANALLT/RHANALLT ST
8 RHODFA PHOENIX/PHOENIX AVE
125
A
B
C
D
E
F
Pen-y-cae
Pant-y-moch
Dyffrynuchaf
Cwm Dyffryn
Cemy
Goytre Farm
Goytre
Lletypiod
Taibach
Mynydd Margam
Cwm y Geifr
Groeswen
SA13
Margam
Playing Fields
Hotel
Morfa Bank
Docks (disused)
Steel Works
Tanks
Margam Sands
Swansea Bay
Upper Mother Ditch
Port Talbot Ind Est
Port Talbot Parkway
Towngate Bsns Ctr
River Avan/Aton Afan
Central Inf Sch
Liby
WATER ST
B4286
A48
HEILBRONN WAY
TALBOT RD
A4107
ABBEY RD
COMMERCIAL RD
HEOL MARGAM/MARGAM RD
M4
A410
PEN-Y-CAE RD
DOCK RD
NORTH BANK RD
CENTRAL RD
EAST RD
GRANGE RD
1 TAN-Y-GROES ST
2 TAN-Y-GROES PL
3 FIELD TERR
1 NORTH ST
2 JENKINS TERR
3 HEOL CARODOG
4 GLANDYFFRYN CL
5 LLEWELLYN CL
1 GALLIPOLI ROW
2 SMYRNA COTTS
3 WATERFALL COTTS
4 LLYS GROESWEN
5 SOMERSET LA
1 RHODFA LANSBURY/LANSBURY AVE
2 RHODFA PENDERYN/PENDERYN AVE
3 HEOL IARLL/EARL RD
E4
1 WOODLAND AVE
2 GREENFIELD AVE
3 GRAIG AVE
4 RHODFA GLAN-Y-MOR/GLAN-Y-MOR AVE
5 TWLL-YN-Y-WAL RD
6 HEOL STALLCOURT/STALLCOURT RD
7 HEOL RHEDYN/BRACKEN RD
8 RHODFA LANDORE/LANDORE AVE
9 RHODFA TORONTO/TORONTO AVE
1 BROMBIL GDNS
2 BROMBIL PADDOCKS
40
39
8
7
89
6
5
88
4
3
87
2
1
86
76
77
78
146
126

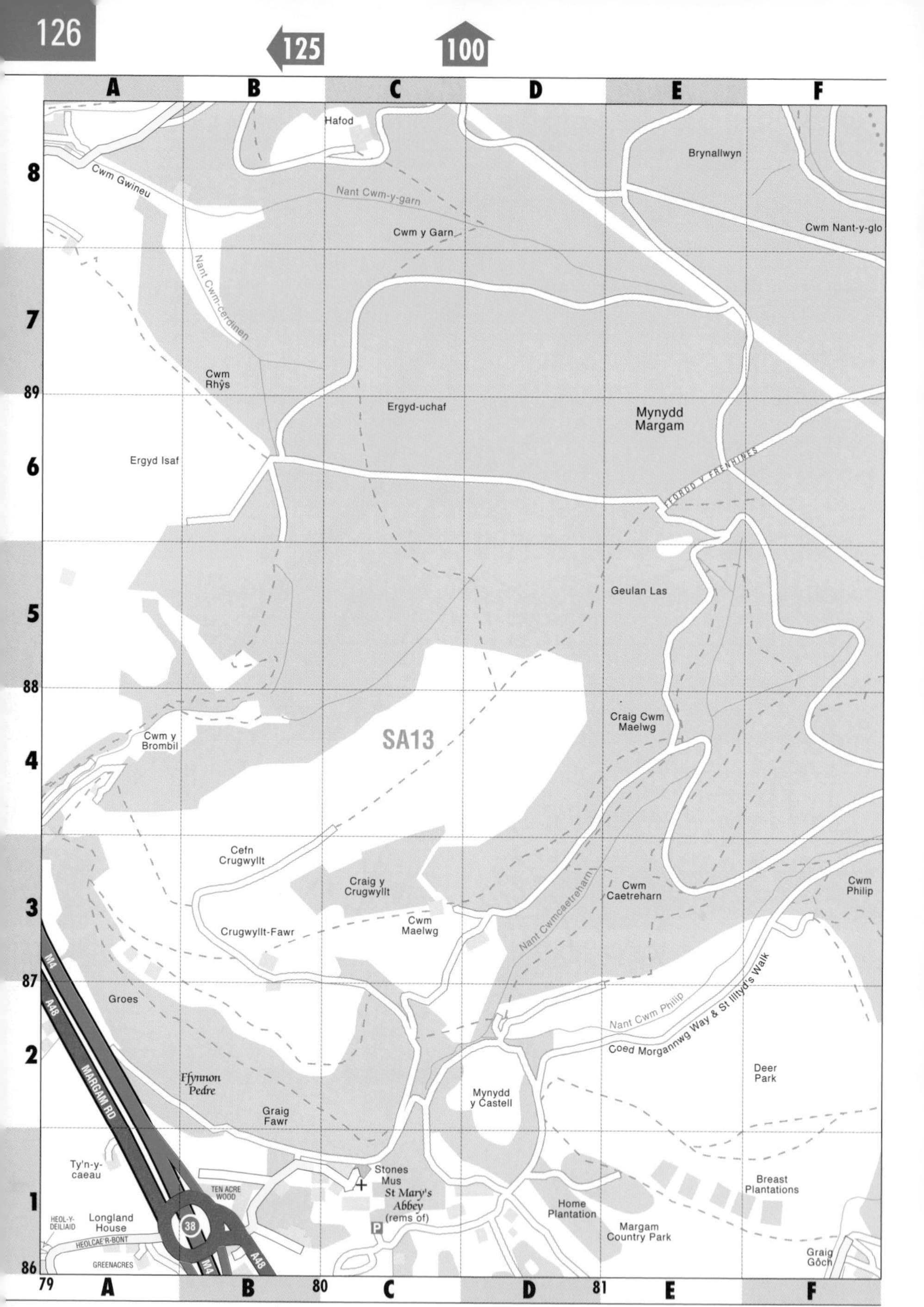
125
100
A
B
C
D
E
F
8
7
89
6
5
88
4
3
87
2
1
86
79
80
81
Hafod
Brynallwyn
Cwm Gwineu
Nant Cwm-y-garn
Cwm y Garn
Cwm Nant-y-glo
Nant Cwm-cerdinen
Cwm Rhŷs
Ergyd-uchaf
Mynydd Margam
Ergyd Isaf
Ffordd y Frenhines
Geulan Las
Craig Cwm Maelwg
Cwm y Brombil
SA13
Cefn Crugwyllt
Craig y Crugwyllt
Cwm Caetreharn
Cwm Philip
Nant Cwmcaetreharn
Crugwyllt-Fawr
Cwm Maelwg
Groes
Nant Cwm Philip
Coed Morgannwg Way & St Illtyd's Walk
M4
A48
MARGAM RD
Deer Park
Ffynnon Pedre
Mynydd y Castell
Graig Fawr
Ty'n-y-caeau
Stones Mus
St Mary's Abbey (rems of)
Breast Plantations
TEN ACRE WOOD
Home Plantation
HEOL-Y-DEILIAID
Longland House
HEOLCAE'R-BONT
38
Margam Country Park
GREENACRES
Graig Gôch
P
147

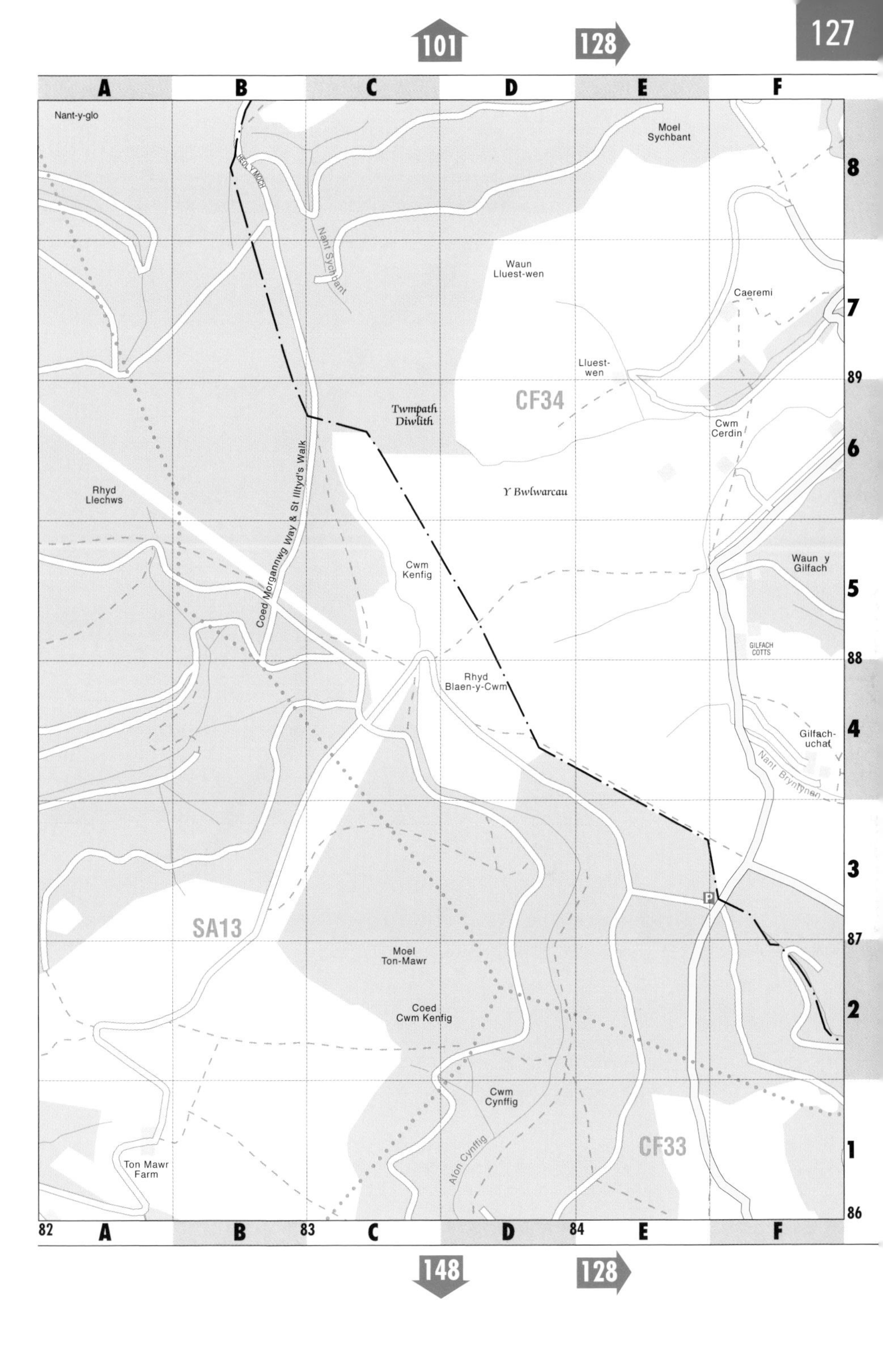
101
128
A
B
C
D
E
F
Nant-y-glo
Moel
Sychbant
HEOL Y MOCH
Nant Sychbant
Waun
Lluest-wen
Caeremi
Lluest-
wen
CF34
Twmpath
Diwlith
Cwm
Cerdin
Rhyd
Llechws
Coed Morgannwg Way & St Illtyd's Walk
Y Bwlwarcau
Waun y
Gilfach
Cwm
Kenfig
GILFACH
COTTS
Rhyd
Blaen-y-Cwm
Gilfach-
uchaf
Nant Brynlynan
SA13
Moel
Ton-Mawr
Coed
Cwm Kenfig
Cwm
Cynffig
Afon Cynffig
CF33
Ton Mawr
Farm
8
7
89
6
5
88
4
3
87
2
1
86
82
83
84
148
128

127
102

A B C D E F

8
Gellilenor-fach
GWENDOLINE TERR
BRYN CELYN
LLWYD ARTH RD
PARK VIEW
Garth (Mid-Glamorgan)
MAIDEN ST
JENKINS TERR
MILL ST
B4282
GLAN-YR-AFON
MILL VIEW
HAFAN DEG
FAIRMEAD
HELYG
RHOS
RHODFA'R COED
Y GOEDLAN
HEOL CERDIN
HEOL NEUADD DOMOS
CWRT Y FEDWEN
LLETY'R BUGAIL
GARTHOLWG
A4063
PH
Cwmfelin Prim Sch
Cwmfelin
MAESTEG RD
Pentre
Ty-maen
Craigtycanol
Cwm Du
Gelliheblyg
Nant Gwm-du

7
Moel Troed-y-rhiw
Drysity'n-y-waun
Pont Rhyd-y-cyff
DARREN VIEW
Y DDERWEN
STATION RD
GREENFIELD TERR
PH

89
MAESLLAN
LLAN RD
Llangynwyd Prim Sch
HEOL CYNWYD
HEOL CADRAWD
HEOL-Y-BRYN
CORONATION RD
HEOL CYNAN
HEOL-YR-YSGOL
PROSPECT PL
PARC-TYN-Y-WAUN
HEOL TYN-Y-WAUN
HEOL LLWYNDYRUS
HEOL WILHOPCYN
BRIDGEND RD
PO
Llangynwyd
PH
Llety Brongu

6
Llynfi River/Afon Llynfi
Ty'n-y-waun
Waun y Gilfach
Maesteg Comp (Upper) Sch
CF34
Cae-mab-Ifor

5
Foel fâch
Sewage Works

88
Gadlys
Nant y Gadlys
Gelli-siriol

4
Ty'nton
Bryn-Cynan
Nant Bryncynan
Brynllywarch-fawr
Bryn-y-fro

3
Maes-cadlawr
Mill

87
A4063

2
Cefn Ydfa
Cwm Nant-gwyn
CF32

1
Craig yr Aber
Nant Craigyraber
CF33
Mynydd Ty-talwyn
Cwm Cefnydfa

86

85 A B 86 C D 87 E F

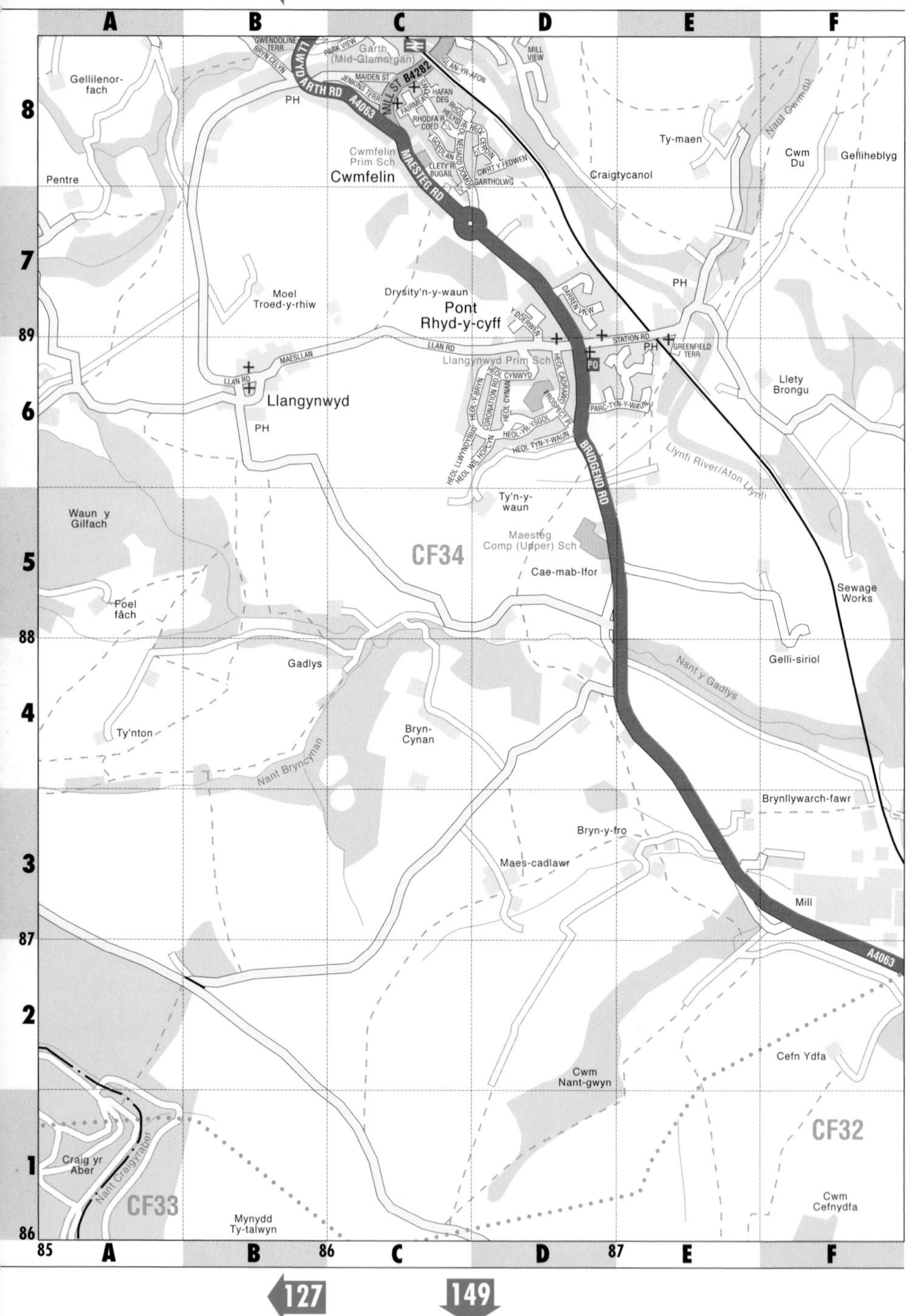

127
149

103
130

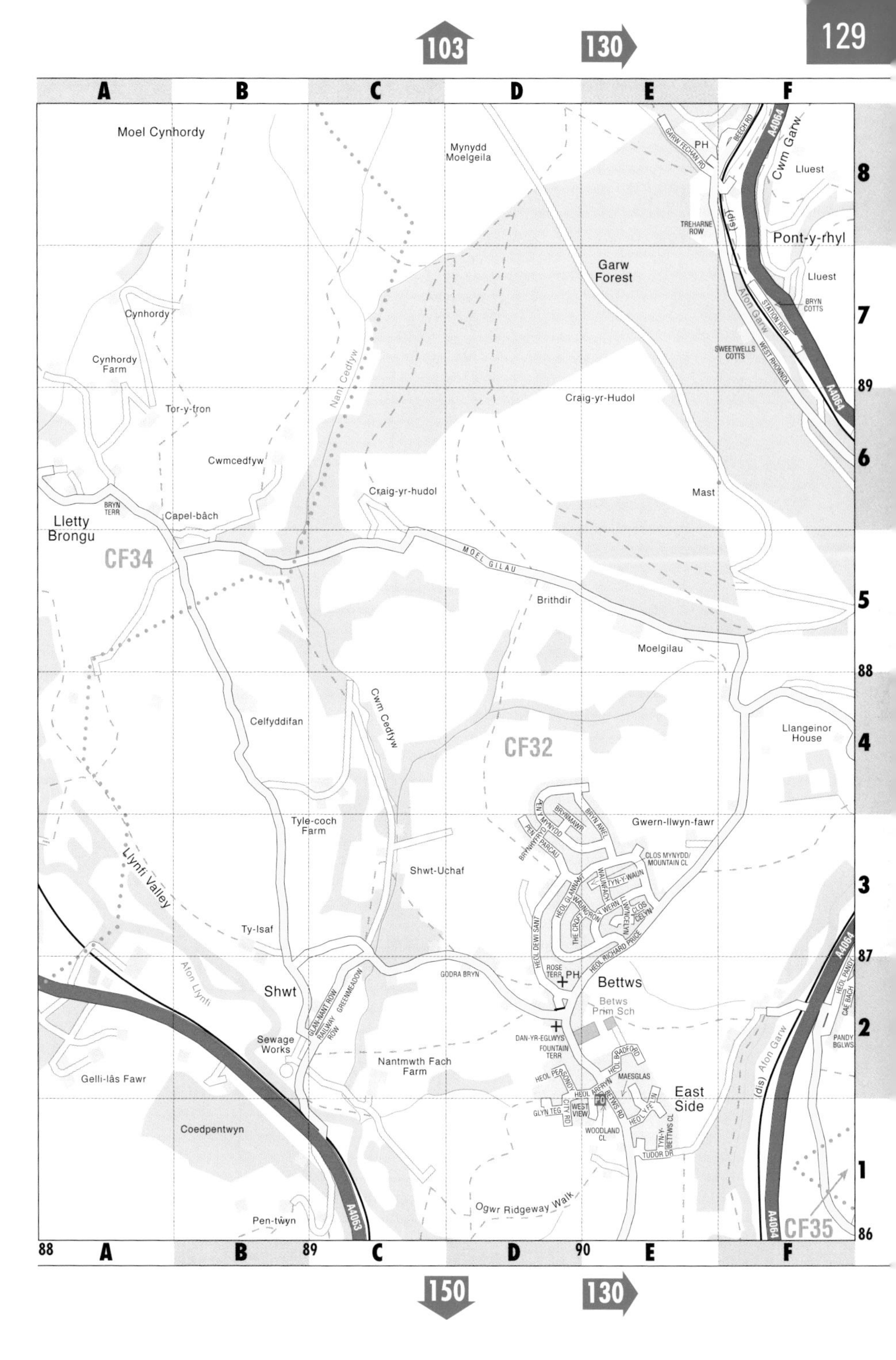

150
130

129
104

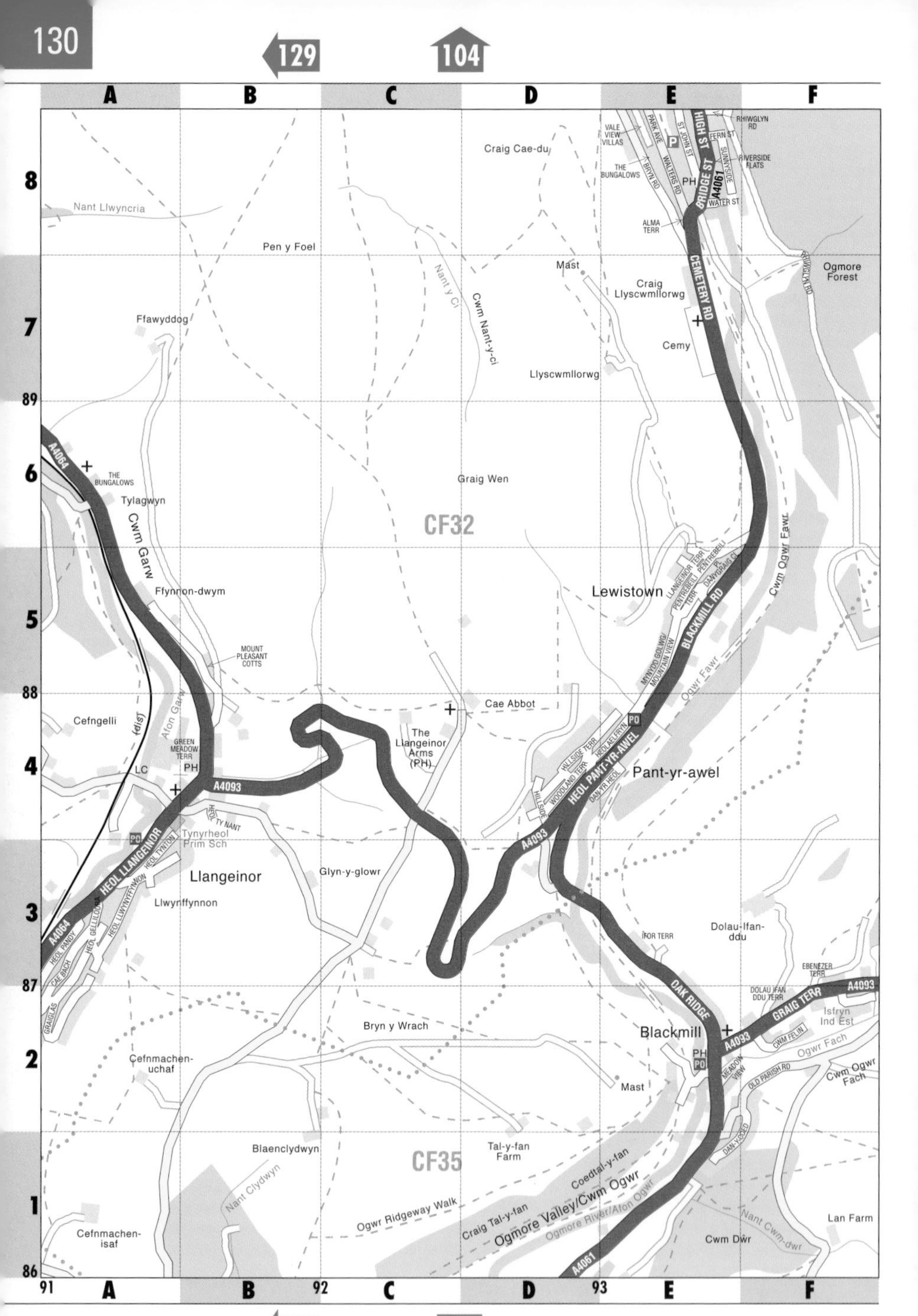

129
151

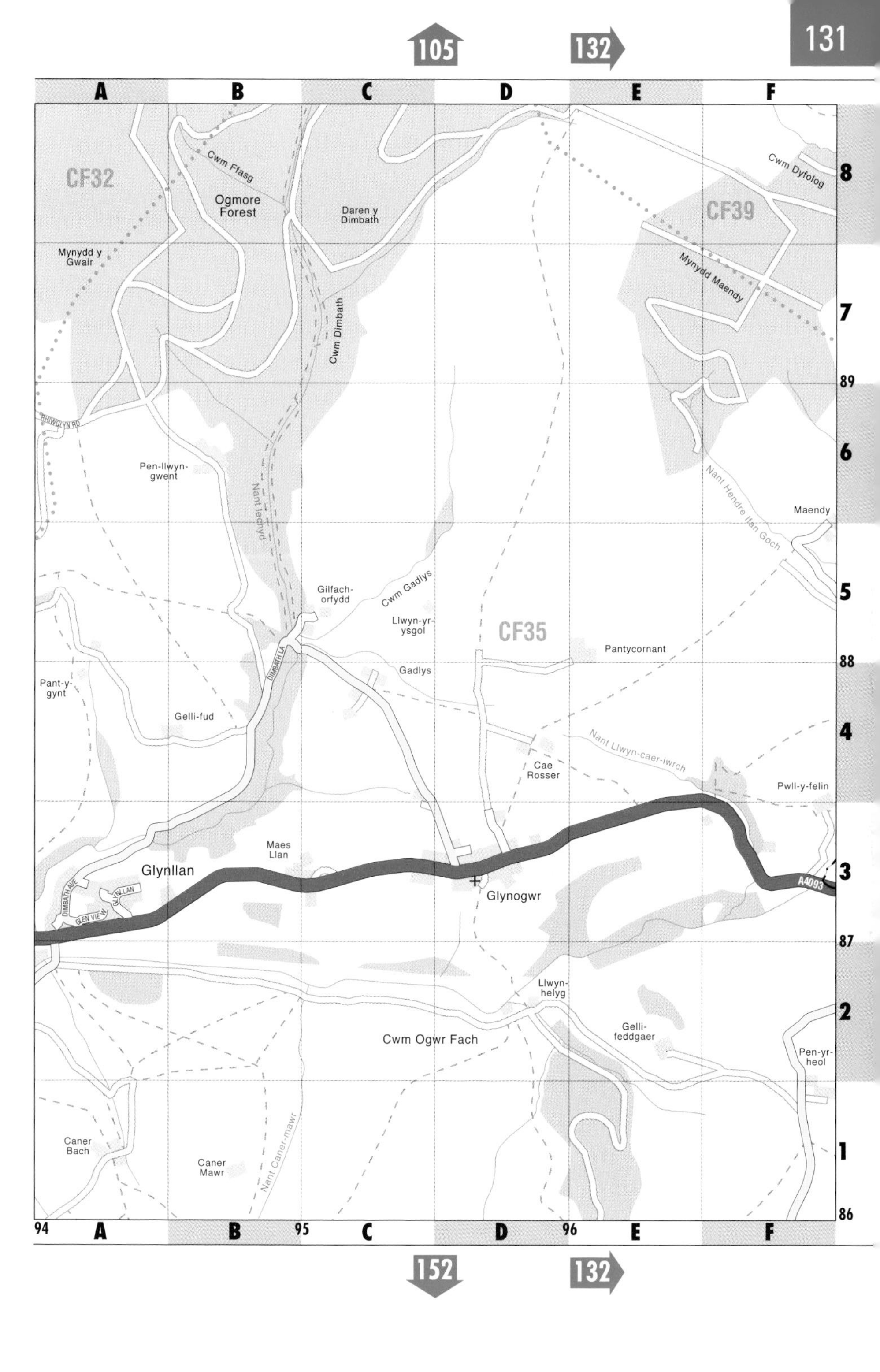
105
132
A
B
C
D
E
F
CF32
Cwm Ffasg
Ogmore Forest
Daren y Dimbath
Cwm Dyfolog
CF39
Mynydd y Gwair
Mynydd Maendy
Cwm Dimbath
RHIWGLYN RD
Pen-llwyn-gwent
Nant Iechyd
Nant Hendre Ilan Goch
Maendy
Gilfach-orfydd
Cwm Gadlys
Llwyn-yr-ysgol
CF35
Pantycornant
DIMBATH LA
Pant-y-gynt
Gadlys
Gelli-fud
Nant Llwyn-caer-iwrch
Cae Rosser
Pwll-y-felin
Maes Llan
Glynllan
DIMBATH AVE
GLYNLLAN
GLEN VIEW
Glynogwr
A4093
Llwyn-helyg
Gelli-feddgaer
Cwm Ogwr Fach
Pen-yr-heol
Caner Bach
Caner Mawr
Nant Caner-mawr
8
7
89
6
5
88
4
3
87
2
1
86
94
95
96
152
132

131
106

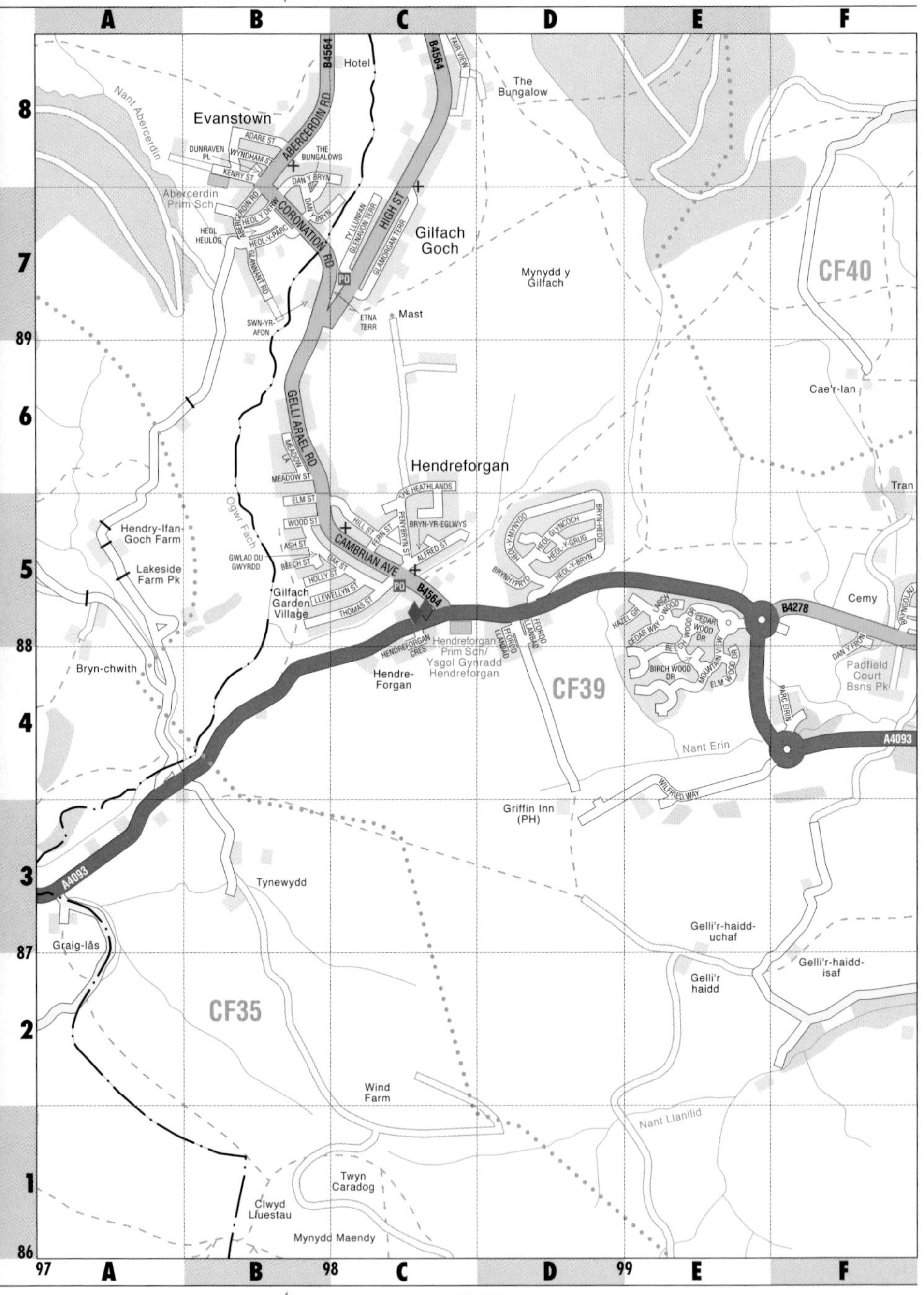

131
153

107
134

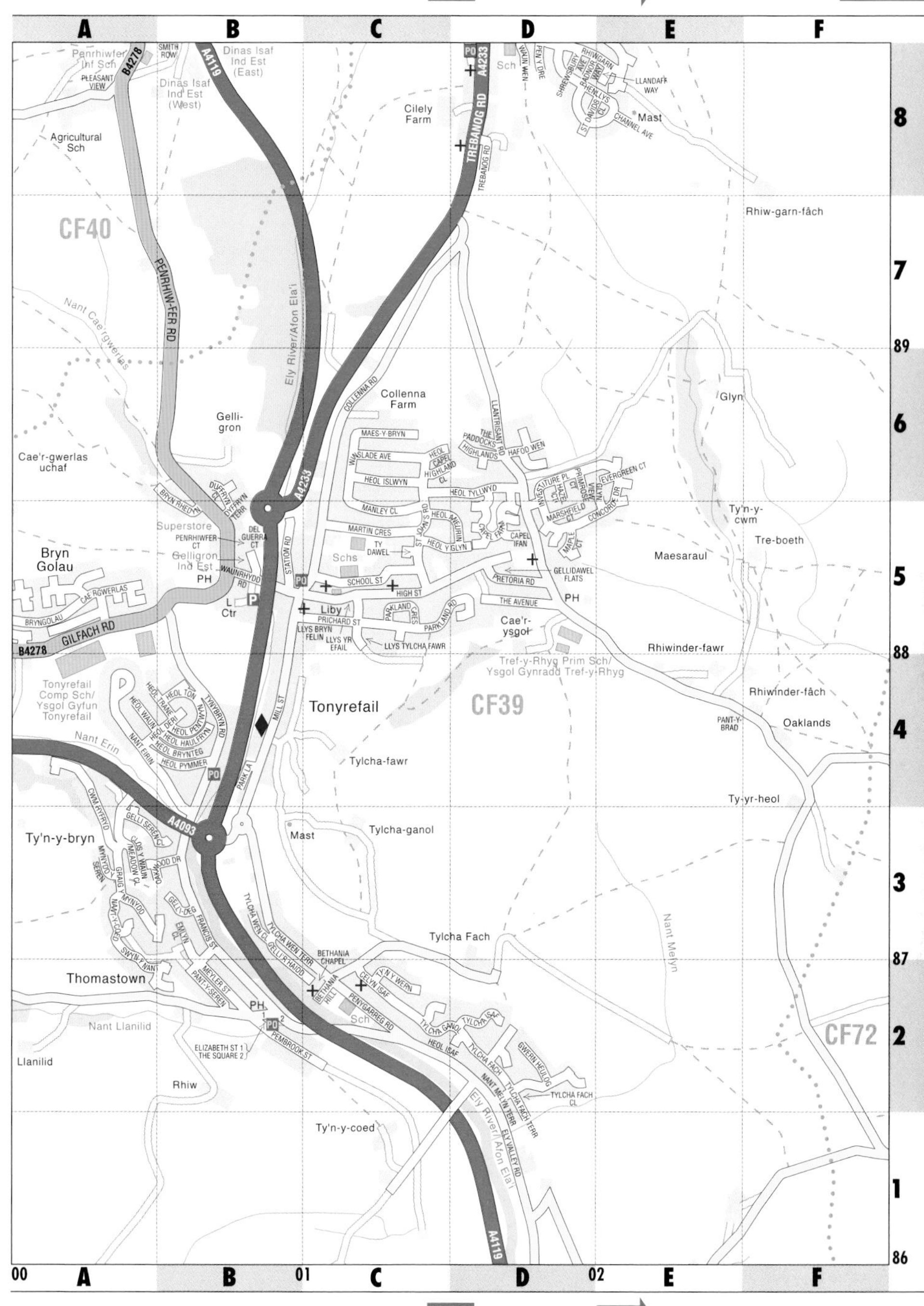

154
134

133
108

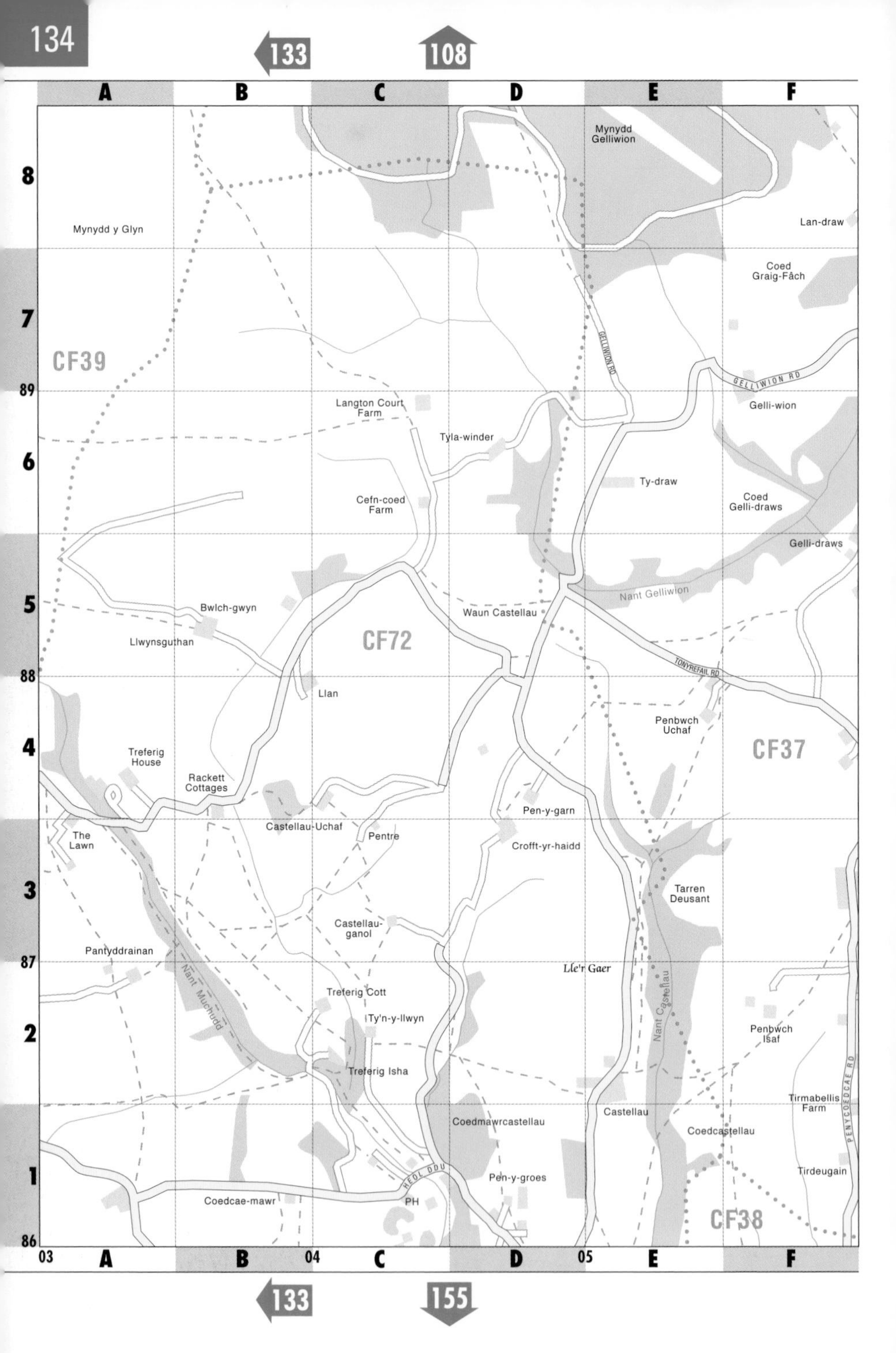

133
155

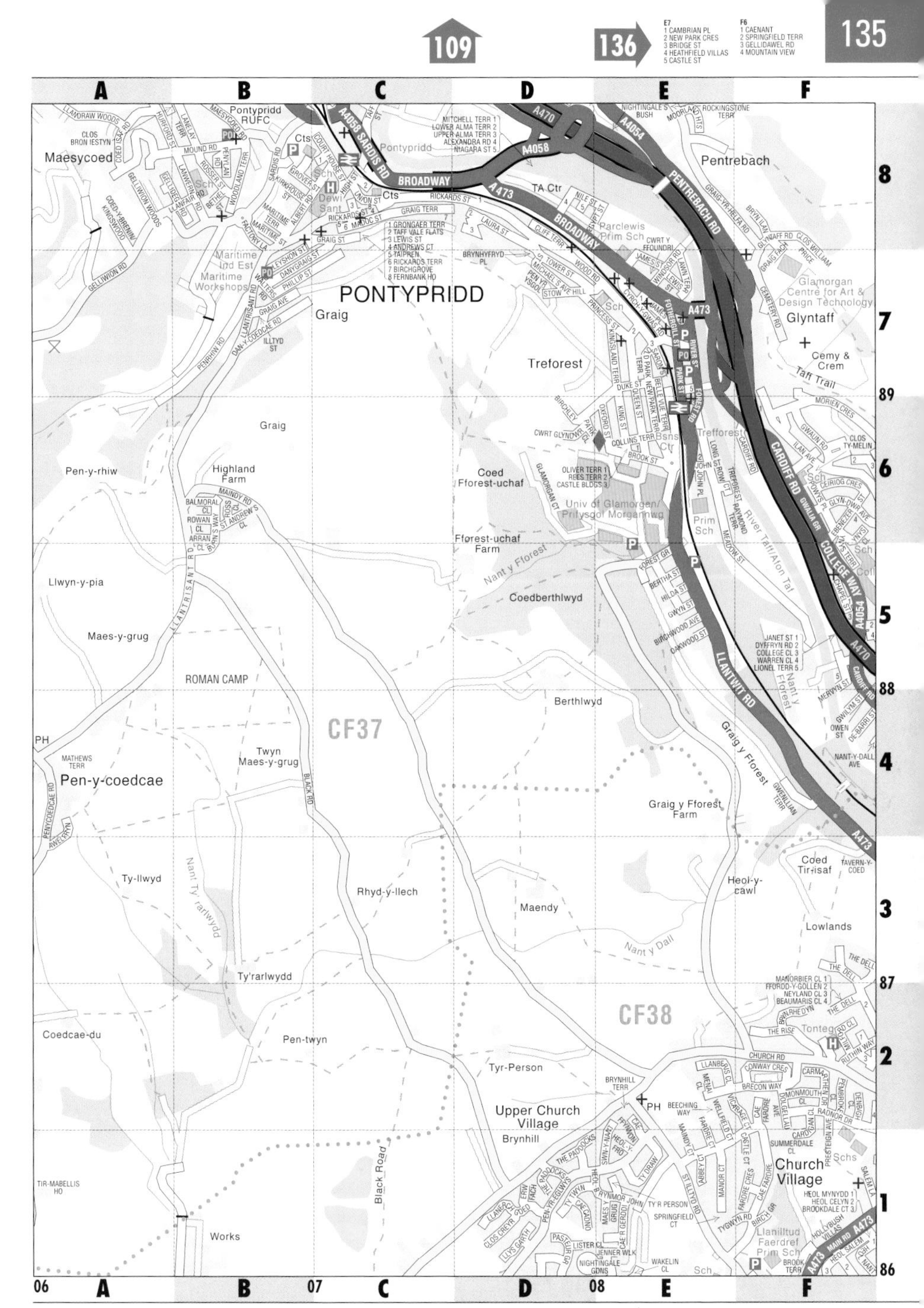
109
136
E7
1 CAMBRIAN PL
2 NEW PARK CRES
3 BRIDGE ST
4 HEATHFIELD VILLAS
5 CASTLE ST
F6
1 CAENANT
2 SPRINGFIELD TERR
3 GELLIDAWEL RD
4 MOUNTAIN VIEW
A
B
C
D
E
F
Pontypridd RUFC
Maesycoed
Pontypridd
A4058 SARDIS RD
BROADWAY
A473
A470
A4054
A4058
MITCHELL TERR 1
LOWER ALMA TERR 2
UPPER ALMA TERR 3
ALEXANDRA RD 4
NIAGARA ST 5
Pentrebach
PENTREBACH RD
TA Ctr
Cts
Dewi Sant
1 GRONGAER TERR
2 TAFF VALE FLATS
3 LEWIS ST
4 ANDREWS CT
5 TAIPREN
6 RICKARDS TERR
7 BIRCHGROVE
8 FERNBANK HO
Parclewis Prim Sch
Maritime Ind Est
Maritime Workshops
PONTYPRIDD
Graig
Glamorgan Centre for Art & Design Technology
Glyntaff
Cemy & Crem
Taff Trail
Treforest
Pen-y-rhiw
Highland Farm
Coed Fforest-uchaf
OLIVER TERR 1
REES TERR 2
CASTLE BLDGS 3
Univ of Glamorgan/ Prifysgol Morgannwg
Prim Sch
Fforest-uchaf Farm
Nant y Fforest
Coedberthlwyd
River Taff/Afon Taf
CARDIFF RD
COLLEGE WAY
Llwyn-y-pia
Maes-y-grug
ROMAN CAMP
JANET ST 1
DYFFRYN RD 2
COLLEGE CL 3
WARREN CL 4
LIONEL TERR 5
LLANTWIT RD
Berthlwyd
CF37
PH
MATHEWS TERR
Pen-y-coedcae
Twyn Maes-y-grug
Graig y Fforest
Graig y Fforest Farm
Coed Tir-isaf
Ty-llwyd
Rhyd-y-llech
Maendy
Heol-y-cawl
Lowlands
Nant y Dall
Ty'rarlwydd
MANORBIER CL 1
FFORDD-Y-GOLLEN 2
NEYLAND CL 3
BEAUMARIS CL 4
CF38
Coedcae-du
Pen-twyn
Tonteg
Tyr-Person
CHURCH RD
Upper Church Village
Brynhill
Church Village
HEOL MYNYDD 1
HEOL CELYN 2
BROOKDALE CT 3
Black Road
TIR-MABELLIS HO
Works
Llanilltud Faerdref Prim Sch
Sch
8
7
89
6
5
88
4
3
87
2
1
86
06
07
08

135 110

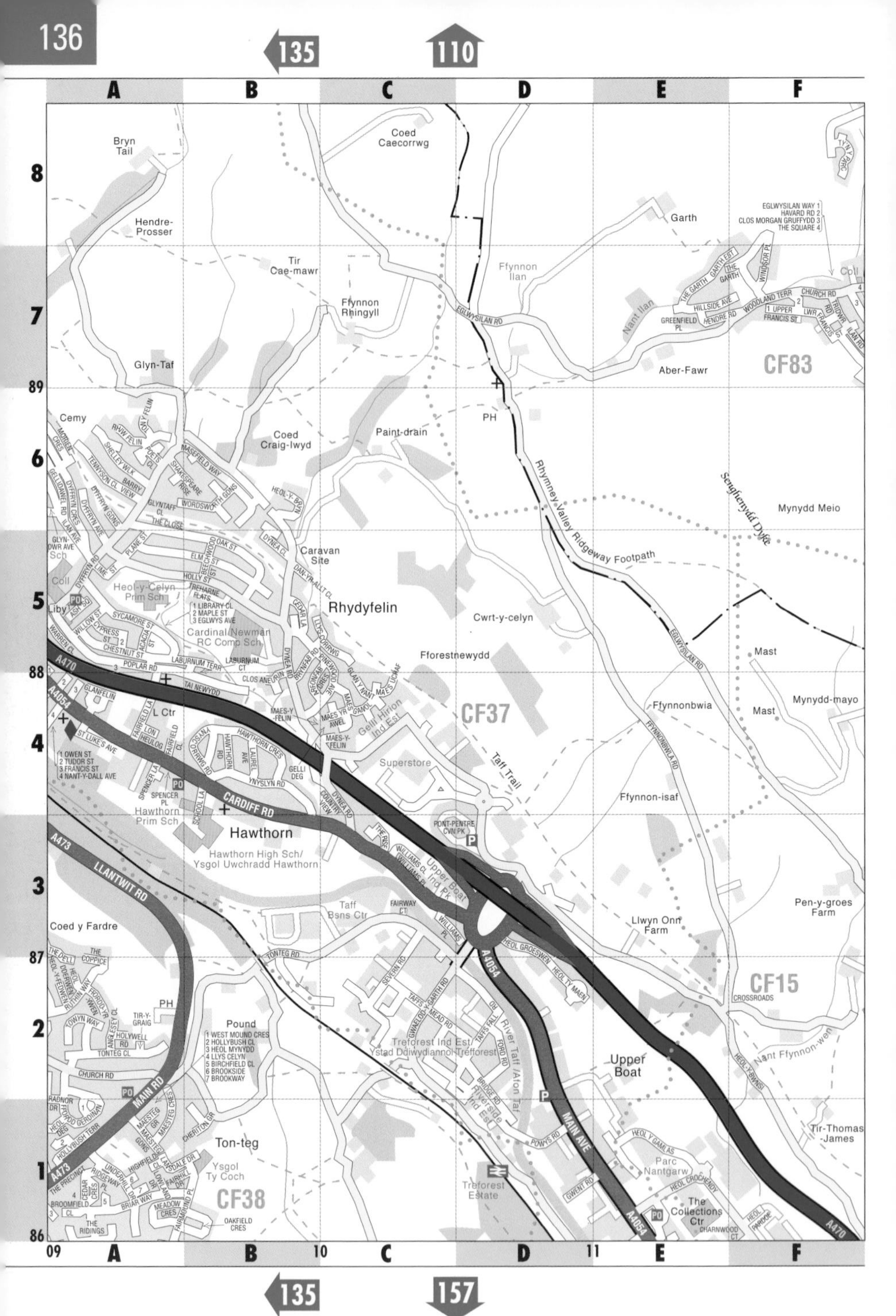

135 157

138

F5
1 ENERGLYN CRES
2 STANLEY DR
3 PANTYCELYN DR
4 HERBERT DR

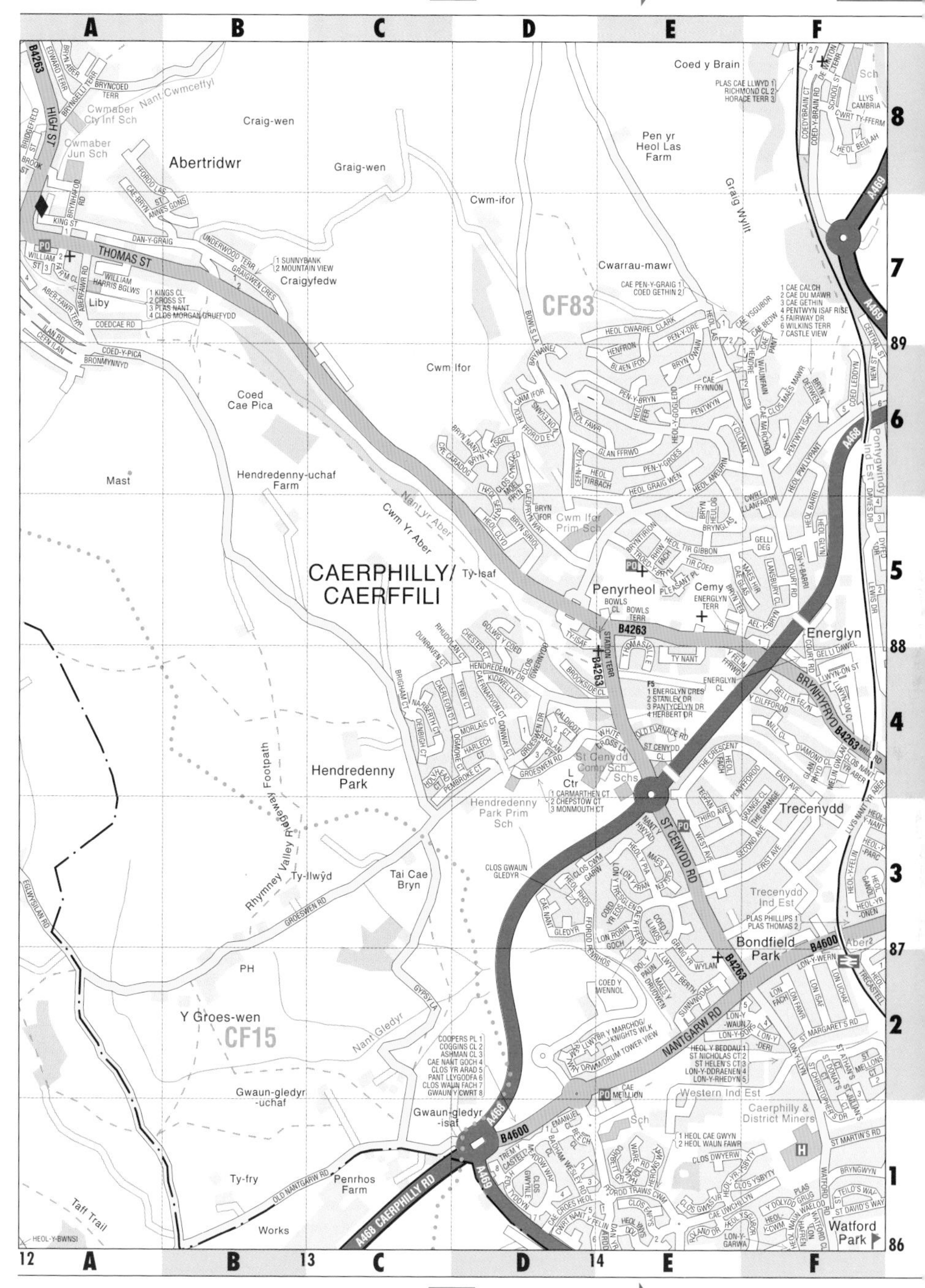

158

138

137
112

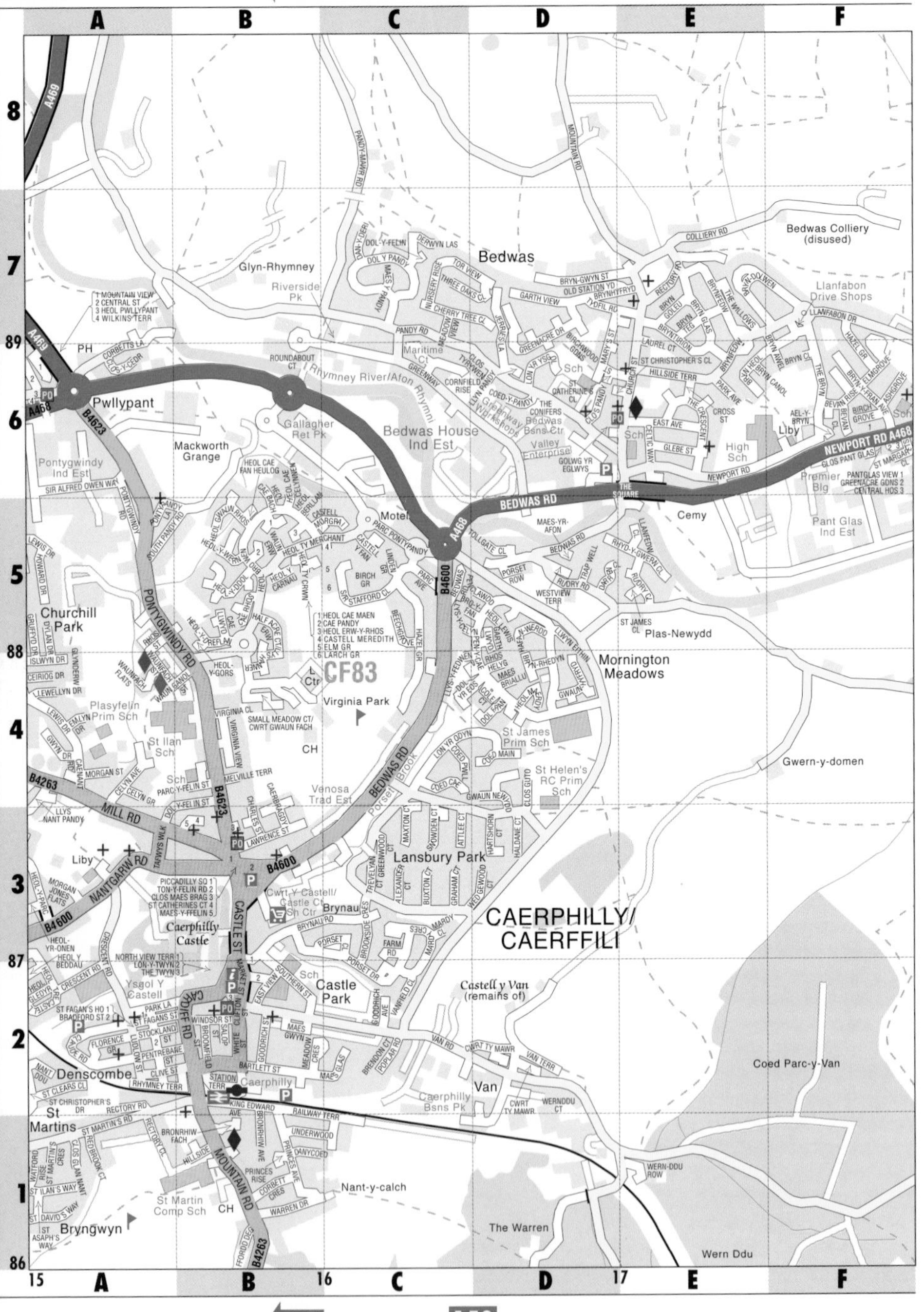

137
159

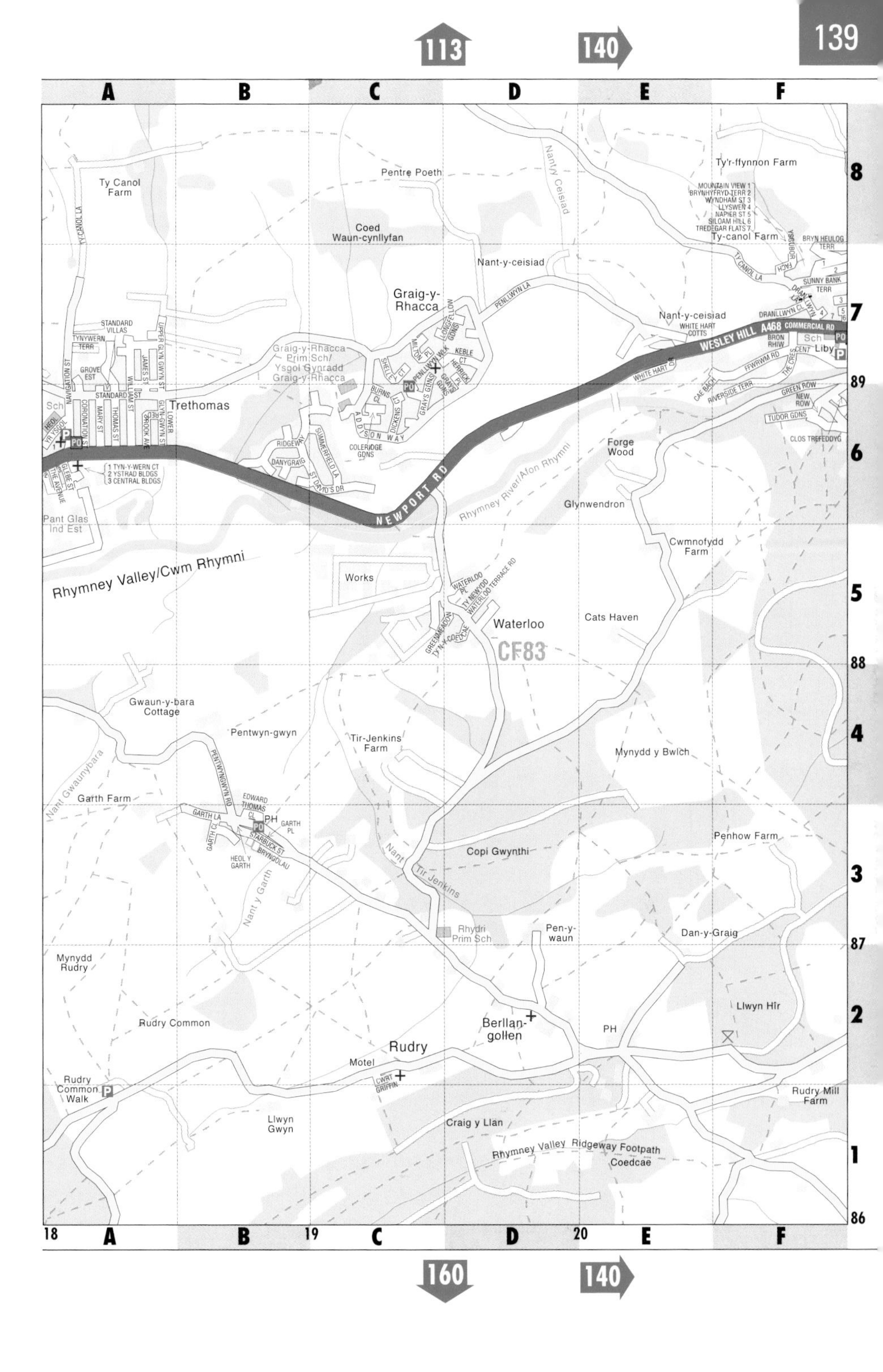
113
140
A
B
C
D
E
F
8
7
89
6
5
88
4
3
87
2
1
86
18
19
20
Ty Canol Farm
TY-CANOL LA
Pentre Poeth
Coed Waun-cynllyfan
Nant-y-ceisiad
Nant y Ceisiad
Ty'r-ffynnon Farm
MOUNTAIN VIEW 1
BRYNHYFRYD TERR 2
WYNDHAM ST 3
LLYSWEN 4
NAPIER ST 5
SILOAM HILL 6
TREDEGAR FLATS 7
Ty-canol Farm
BRYN HEULOG TERR
SUNNY BANK TERR
Graig-y-Rhacca
PENLLWYN LA
Nant-y-ceisiad
WHITE HART COTTS
WESLEY HILL
A468
COMMERCIAL RD
BRON RHIW
Sch
Liby
STANDARD VILLAS
TYNYWERN TERR
GROVE EST
STANDARD ST
Trethomas
Graig-y-Rhacca Prim Sch/ Ysgol Gynradd Graig-y-Rhacca
KEBLE CT
MILTON PL
SHELLEY CT
BURNS CL
DICKENS CT
ADDISON WAY
GRAYS GDNS
HERRICK PL
COLERIDGE GDNS
WHITE HART DR
FFWRWM RD
CAE BACH
RIVERSIDE TERR
GREEN ROW
NEW ROW
TUDOR GDNS
CLOS TREFEDDYG
Sch
NAVIGATION ST
CORONATION ST
MARY ST
THOMAS ST
RIDGEWAY
DANYGRAIG
SUMMERFIELD LA
ST DAVID'S DR
1 TYN-Y-WERN CT
2 YSTRAD BLDGS
3 CENTRAL BLDGS
Forge Wood
NEWPORT RD
Rhymney River/Afon Rhymni
Glynwendron
Pant Glas Ind Est
Cwmnofydd Farm
Rhymney Valley/Cwm Rhymni
Works
WATERLOO PL
TY NEWYDD
WATERLOO TERRACE RD
Waterloo
Cats Haven
CF83
Gwaun-y-bara Cottage
Pentwyn-gwyn
Tir-Jenkins Farm
Mynydd y Bwlch
Nant Gwaunybara
Garth Farm
PENTWYNGWYN RD
EDWARD THOMAS CL
PH
GARTH PL
GARTH LA
STARBUCK ST
BRYNGOLAU
HEOL Y GARTH
Copi Gwynthi
Penhow Farm
Nant Tir Jenkins
Nant y Garth
Rhydri Prim Sch
Pen-y-waun
Dan-y-Graig
Mynydd Rudry
Llwyn Hîr
Rudry Common
Berllan-gollen
PH
Motel
Rudry
CWRT GRIFFIN
Rudry Common Walk
Rudry Mill Farm
Llwyn Gwyn
Craig y Llan
Rhymney Valley Ridgeway Footpath
Coedcae
160
140

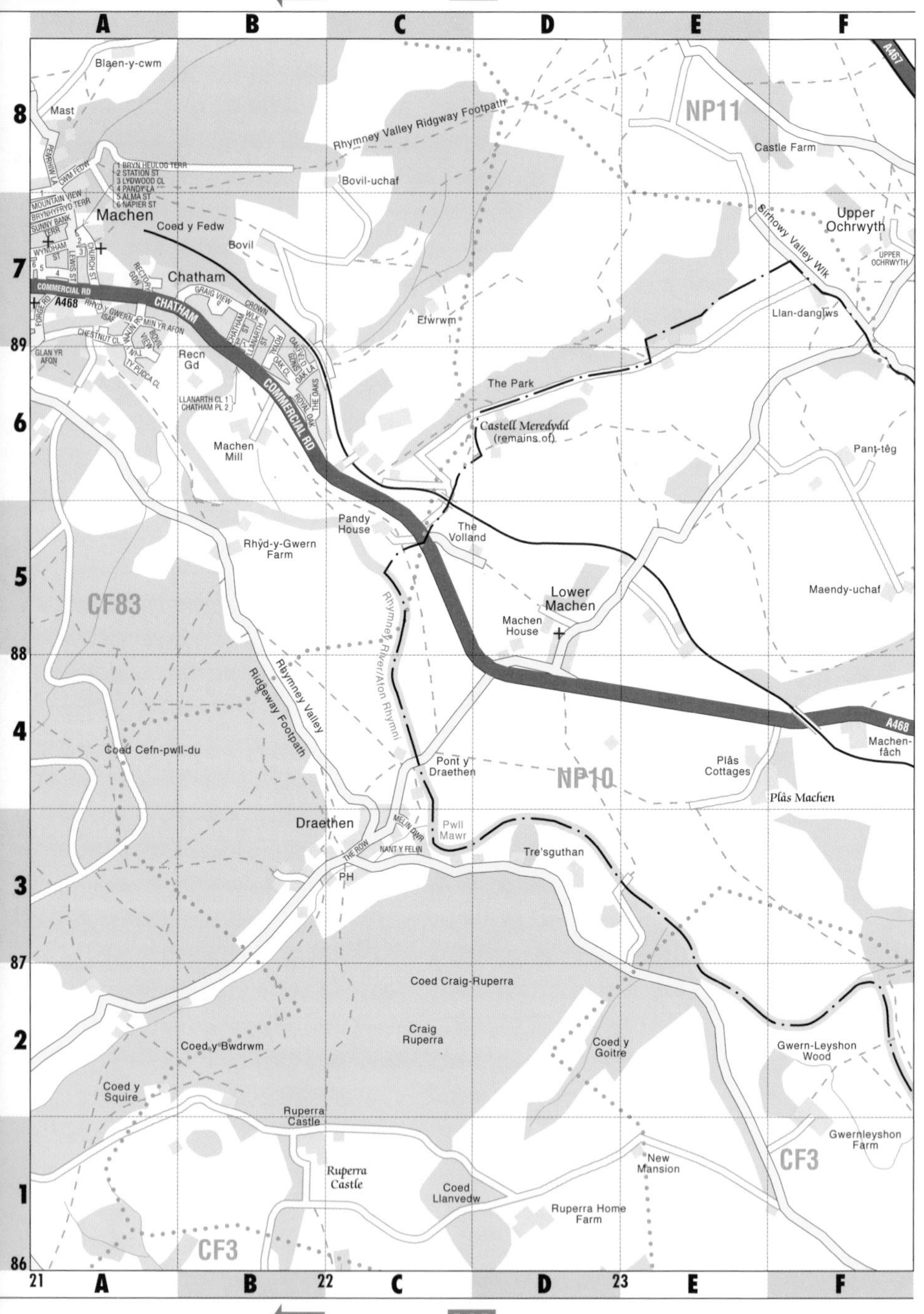

114

A B C D E F

8
7
89
6
5
88
4
3
87
2
1
86

Blaen-y-cwm
Mast
NP11
A467
Rhymney Valley Ridgway Footpath
Castle Farm
PENRHIW LA
CWM FEDW
1 BRYN HEULOG TERR
2 STATION ST
3 LYDWOOD CL
4 PANDY LA
5 ALMA ST
6 NAPIER ST
MOUNTAIN VIEW
BRYNHYFRYD TERR
SUNNY BANK TERR
Machen
Coed y Fedw
Bovil-uchaf
Bovil
WYNDHAM ST
LEWIS ST
CHURCH ST
Sirhowy Valley Wlk
Upper Ochrwyth
UPPER OCHRWYTH
Chatham
COMMERCIAL RD
A468
FORGE RD
RECTORY GDN
GRAIG VIEW
CROWN WLK
CHATHAM
RHYD Y GWERN ISAF
MIN YR AFON
BOVIL VIEW
CHESTNUT CL
CHATHAM ST
LLANARTH ST
Efwrwm
Llan-danglws
GLAN YR AFON
TY PUICCA CL
Recn Gd
ROYAL OAK CL
OAKFIELD GDNS
OAK LA
THE OAKS
ROYAL OAK
LLANARTH CL 1
CHATHAM PL 2
The Park
COMMERCIAL RD
Castell Meredydd
(remains of)
Machen Mill
Pant-têg
Pandy House
The Volland
Rhŷd-y-Gwern Farm
CF83
Lower Machen
Maendy-uchaf
Machen House
Rhymney River/Afon Rhymni
Rhymney Valley
Ridgeway Footpath
88
A468
Coed Cefn-pwll-du
Pont y Draethen
NP10
Plâs Cottages
Machen-fâch
Plâs Machen
Draethen
MELIN DWR
THE ROW
NANT Y FELIN
Pwll Mawr
Tre'sguthan
PH
Coed Craig-Ruperra
Craig Ruperra
Coed y Bwdrwm
Coed y Goitre
Gwern-Leyshon Wood
Coed y Squire
Ruperra Castle
Ruperra Castle
Gwernleyshon Farm
New Mansion
CF3
Coed Llanvedw
Ruperra Home Farm
CF3

21 A B 22 C D 23 E F

139

161

115
142

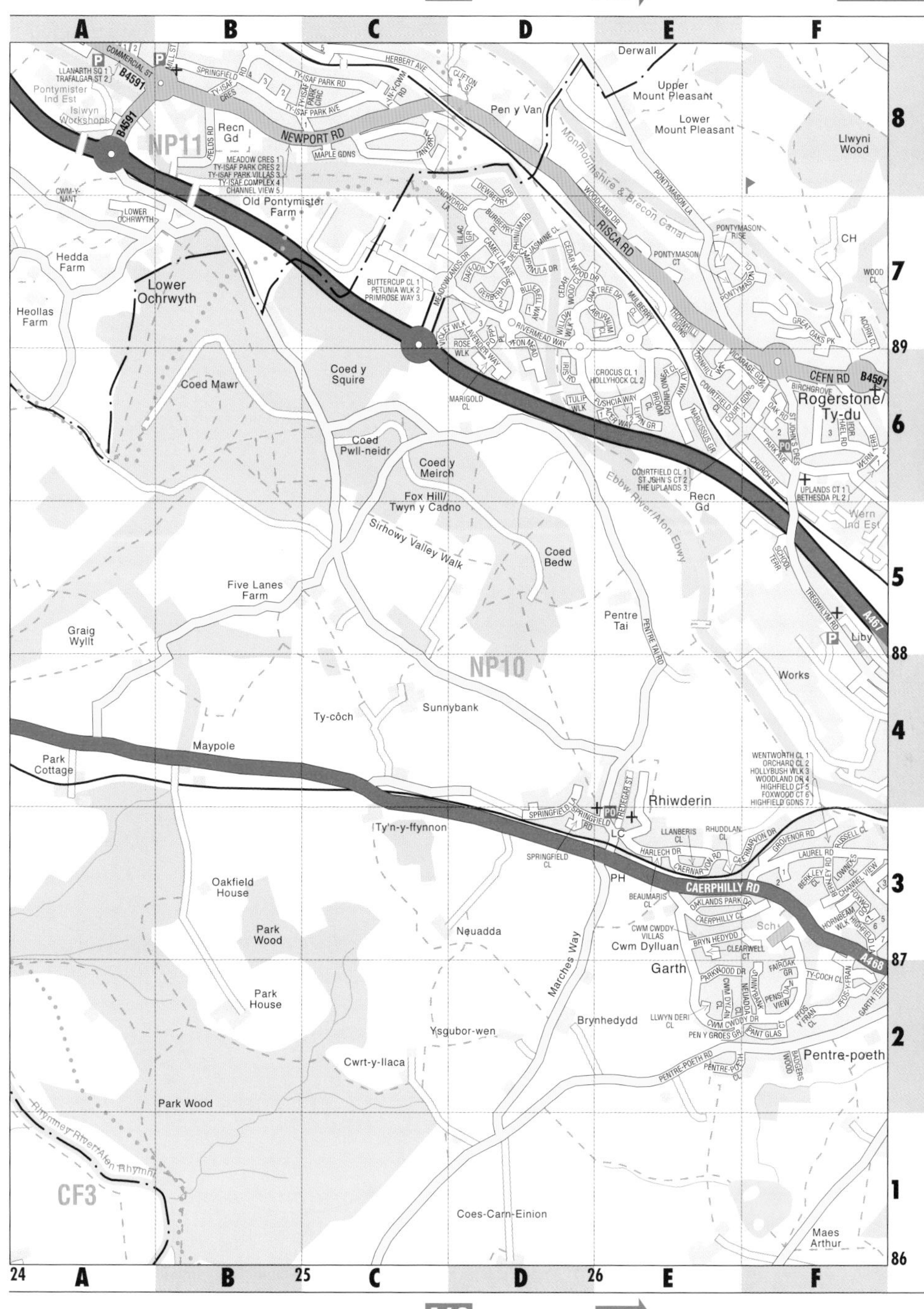
A
B
C
D
E
F
8
7
89
6
5
88
4
3
87
2
1
86
24
25
26
Pontymister Ind Est
Islwyn Workshops
B4591
COMMERCIAL ST
MILL ST
SPRINGFIELD RD
TY-ISAF CRES
TY-ISAF PARK RD
TY-ISAF PARK AVE
HERBERT AVE
CLIFTON ST
NEWPORT RD
Recn Gd
NP11
MAPLE GDNS
TANYBRYN
MEADOW CRES 1
TY-ISAF PARK CRES 2
TY-ISAF PARK VILLAS 3
TY-ISAF COMPLEX 4
CHANNEL VIEW 5
LLANARTH SQ 1
TRAFALGAR ST 2
Old Pontymister Farm
CWM-Y-NANT
LOWER OCHRWYTH
Hedda Farm
Lower Ochrwyth
Heollas Farm
Derwall
Upper Mount Pleasant
Lower Mount Pleasant
Pen y Van
Monmouthshire & Brecon Canal
WOODLAND DR
RISCA RD
PONTYMASON LA
PONTYMASON RISE
PONTYMASON CT
Llwyni Wood
CH
WOOD CL
SNOWDROP LA
DEWBERRY
BURBERRY CL
DELPHINIUM RD
JASMINE CL
CAMELLIA AVE
CAMPANULA DR
LILAC GR
DAFFODIL LA
GERBERA DR
BLUEBELL WAY
CEDAR WOOD DR
OAK TREE DR
LABURNUM
MILBERRY
BUTTERCUP CL 1
PETUNIA WLK 2
PRIMROSE WAY 3
MEADOWLANDS DR
VIOLET WLK
LAVENDER WAY
ROSE WLK
RIVERMEAD WAY
AFON MEAD
THORNHILL GDNS
GREAT OAKS PK
ACORN CL
CEFN RD
Coed y Squire
Coed Mawr
MARIGOLD CL
IRIS RD
CROCUS CL 1
HOLLYHOCK CL 2
TULIP WLK
FUSCHIA WAY
LILY WAY
NARCISSUS GR
VICARAGE GDNS
COURTFIELD CL
COURT GDNS
OAK RD
ST JOHN'S CRES
BIRCHGROVE
Rogerstone/ Ty-du
HAEL RD
TEDR
PARK AVE
CHURCH ST
WERN TERR
Coed Pwll-neidr
Coed y Meirch
Fox Hill/ Twyn y Cadno
Sirhowy Valley Walk
COURTFIELD CL 1
ST JOHN'S CT 2
THE UPLANDS 3
Ebbw River/Afon Ebwy
Recn Gd
UPLANDS CT 1
BETHESDA PL 2
Wern Ind Est
SCHOOL TERR
Coed Bedw
Five Lanes Farm
Pentre Tai
PENTRE TAI RD
TREGWILYM RD
A467
Liby
Graig Wyllt
NP10
Works
Ty-côch
Sunnybank
Maypole
Park Cottage
WENTWORTH CL 1
ORCHARD CL 2
HOLLYBUSH WLK 3
WOODLAND DR 4
HIGHFIELD CT 5
FOXWOOD CT 6
HIGHFIELD GDNS 7
Rhiwderin
TREDEGAR ST
SPRINGFIELD LA
SPRINGFIELD RD
Ty'n-y-ffynnon
LLANBERIS CL
RHUDDLAN CL
HARLECH DR
CAERNARVON RD
CAERNARVON DR
GROSVENOR RD
RUSSELL CL
LAUREL RD
SPRINGFIELD CL
LC
PH
CAERPHILLY RD
BEAUMARIS CL
OAKLANDS PARK DR
CAERPHILLY CL
Oakfield House
Park Wood
Neuadda
Marches Way
CWM CWDDY VILLAS
Cwm Dylluan
BRYN HEDYDD
CLEARWELL CT
Sch
HORNBEAM WLK
Garth
PARKWOOD DR
SUNNYBANK
FAIROAK GR
TY-COCH CL
A468
Park House
CWM DYLAN CL
NEUADDA
PENSIDAN VIEW
FFOS Y FRAN CL
GARTH TERR
Brynhedydd
LLWYN DERI CL
CWM CWDDY DR
PEN Y GROES GR
PANT GLAS
Ysgubor-wen
Pentre-poeth
Cwrt-y-llaca
PENTRE-POETH RD
PENTRE-POETH CL
BADGERS WOOD
Park Wood
Rhymney River/Afon Rhymni
CF3
Coes-Carn-Einion
Maes Arthur

141 116

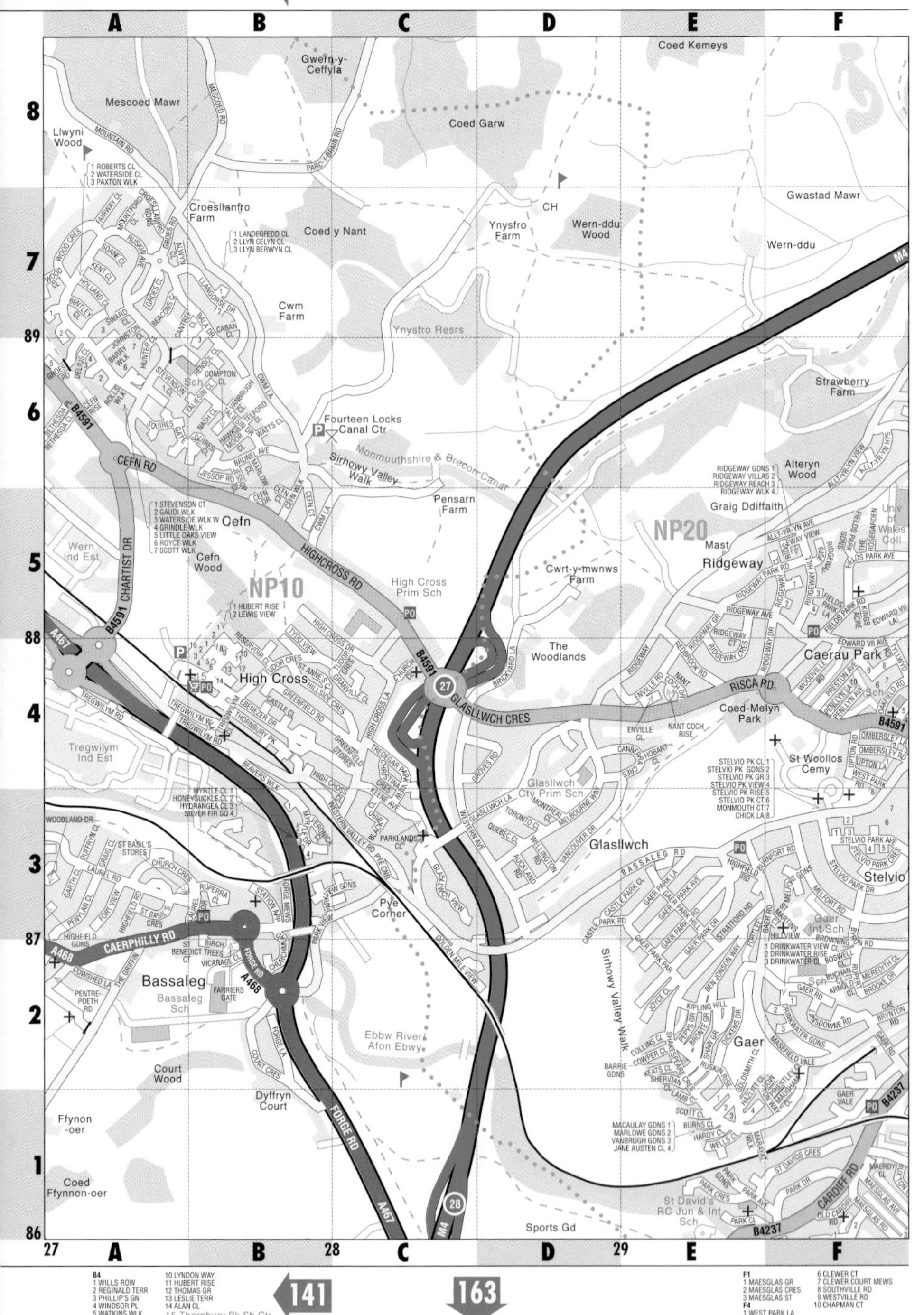

141 163

B4
1 WILLS ROW
2 REGINALD TERR
3 PHILLIP'S GN
4 WINDSOR PL
5 WATKINS WLK
6 HAROLD WLK
7 BENSON AVE
8 STEPHEN WLK
9 DAVID WLK
10 LYNDON WAY
11 HUBERT RISE
12 THOMAS GR
13 LESLIE TERR
14 ALAN CL
15 Thornbury Pk Sh Ctr
16 CECIL LA

F1
1 MAESGLAS GR
2 MAESGLAS CRES
3 MAESGLAS ST
6 CLEWER CT
7 CLEWER COURT MEWS
8 SOUTHVILLE RD
9 WESTVILLE RD
10 CHAPMAN CT

F4
1 WEST PARK LA
2 WATKINS LA
3 PROSSER LA
4 HOMEVALLEY HO
5 BRYNGWYN RD

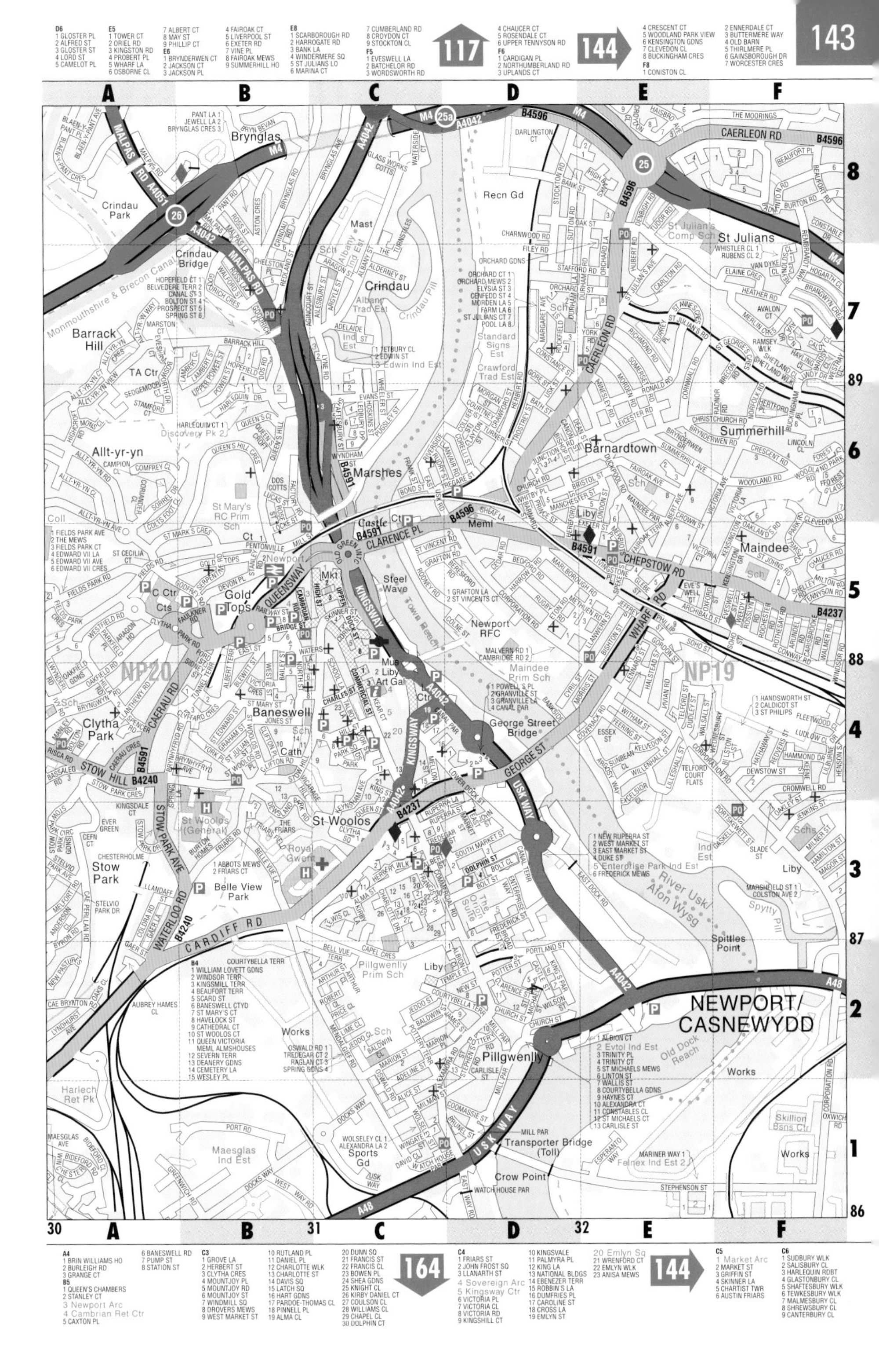

143
D6
1 GLOSTER PL
2 ALFRED ST
3 GLOSTER ST
4 LORD ST
5 CAMELOT PL
E5
1 TOWER CT
2 ORIEL RD
3 KINGSTON RD
4 PROBERT PL
5 WHARF LA
6 OSBORNE CL
7 ALBERT CT
8 MAY ST
9 PHILLIP CT
E6
1 BRYNDERWEN CT
2 JACKSON CT
3 JACKSON PL
4 FAIROAK CT
5 LIVERPOOL ST
6 EXETER RD
7 VINE PL
8 FAIROAK MEWS
9 SUMMERHILL HO
E8
1 SCARBOROUGH RD
2 HARROGATE RD
3 BANK LA
4 WINDERMERE SQ
5 ST JULIANS LO
6 MARINA CT
7 CUMBERLAND RD
8 CROYDON CT
9 STOCKTON CL
F5
1 EVESWELL LA
2 BATCHELOR RD
3 WORDSWORTH RD
117
4 CHAUCER CT
5 ROSENDALE CT
6 UPPER TENNYSON RD
F6
1 CARDIGAN PL
2 NORTHUMBERLAND RD
3 UPLANDS CT
144
4 CRESCENT CT
5 WOODLAND PARK VIEW
6 KENSINGTON GDNS
7 CLEVEDON CL
8 BUCKINGHAM CRES
F8
1 CONISTON CL
2 ENNERDALE CT
3 BUTTERMERE WAY
4 OLD BARN
5 THIRLMERE PL
6 GAINSBOROUGH DR
7 WORCESTER CRES
A
B
C
D
E
F
8
7
89
6
5
88
4
3
87
2
1
86
Bryglas
Crindau Park
Crindau Bridge
Barrack Hill
TA Ctr
Allt-yr-yn
Crindau
Marshes
Mast
Recn Gd
St Julians
Barnardtown
Summerhill
Maindee
Standard Signs Est
Crawford Trad Est
Steel Wave
Newport RFC
Maindee Prim Sch
George Street Bridge
Gold Tops
Baneswell
Clytha Park
St Woolos
St Woolos (General)
Royal Gwent
Stow Park
Belle View Park
NP20
NP19
CARDIFF RD
CAERLEON RD
CHEPSTOW RD
CLARENCE PL
KINGSWAY
QUEENSWAY
GEORGE ST
USK WAY
STOW HILL
MALPAS RD
Pillgwenlly
Pillgwenlly Prim Sch
NEWPORT/ CASNEWYDD
Old Dock Reach
River Usk/ Afon Wysg
Spittles Point
Maesglas Ind Est
Harlech Ret Pk
Sports Gd
Transporter Bridge (Toll)
Crow Point
Felnex Ind Est
Enterprise Park Ind Est
Skillion Bsns Ctr
Works
Monmouthshire & Brecon Canal
30
31
32
A4
1 BRIN WILLIAMS HO
2 BURLEIGH RD
3 GRANGE CT
B5
1 QUEEN'S CHAMBERS
2 STANLEY CT
3 Newport Arc
4 Cambrian Ret Ctr
5 CAXTON PL
6 BANESWELL RD
7 PUMP ST
8 STATION ST
C3
1 GROVE LA
2 HERBERT ST
3 CLYTHA CRES
4 MOUNTJOY PL
5 MOUNTJOY RD
6 MOUNTJOY ST
7 WINDMILL SQ
8 DROVERS MEWS
9 WEST MARKET ST
10 RUTLAND PL
11 DANIEL PL
12 CHARLOTTE WLK
13 CHARLOTTE ST
14 DAVIS SQ
15 LATCH SQ
16 HART GDNS
17 PARDOE-THOMAS CL
18 PINNELL PL
19 ALMA CL
20 DUNN SQ
21 FRANCIS ST
22 FRANCIS CL
23 BOWEN PL
24 SHEA GDNS
25 KNIGHT CL
26 KIRBY DANIEL CT
27 COULSON CL
28 WILLIAMS CL
29 CHAPEL CL
30 DOLPHIN CT
164
C4
1 FRIARS ST
2 JOHN FROST SQ
3 LLANARTH ST
4 Sovereign Arc
5 Kingsway Ctr
6 VICTORIA PL
7 VICTORIA CL
8 VICTORIA RD
9 KINGSHILL CT
10 KINGSVALE
11 PALMYRA PL
12 KING LA
13 NATIONAL BLDGS
14 EBENEZER TERR
15 ROBBIN'S LA
16 DUMFRIES PL
17 CAROLINE ST
18 CROSS LA
19 EMLYN ST
20 Emlyn Sq
21 WRENFORD CT
22 EMLYN WLK
23 ANISA MEWS
144
C5
1 Market Arc
2 MARKET ST
3 GRIFFIN ST
4 SKINNER LA
5 CHARTIST TWR
6 AUSTIN FRIARS
C6
1 SUDBURY WLK
2 SALISBURY CL
3 HARLEQUIN RDBT
4 GLASTONBURY CL
5 SHAFTESBURY WLK
6 TEWKESBURY WLK
7 MALMESBURY CL
8 SHREWSBURY CL
9 CANTERBURY CL

143
118

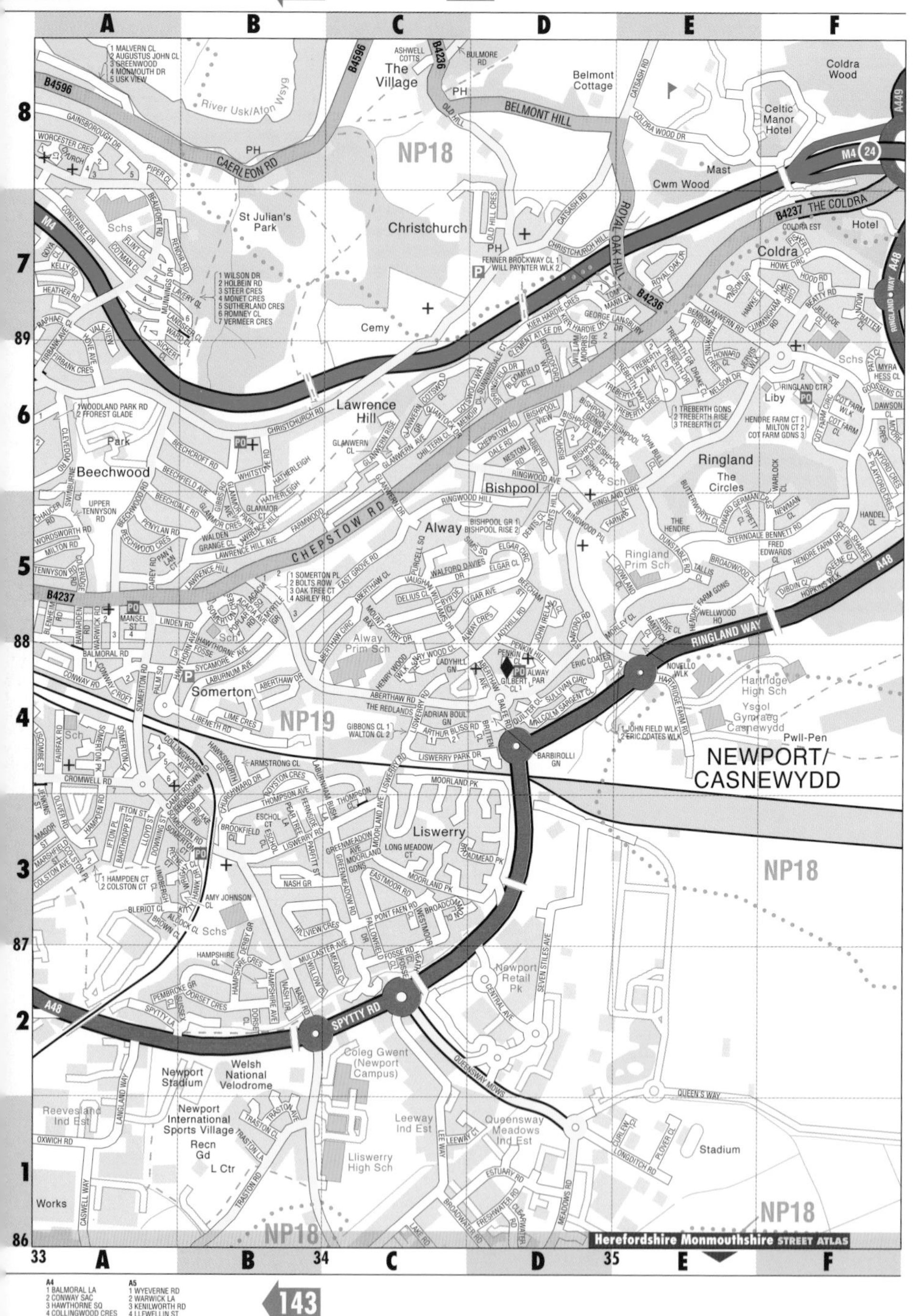

A4
1 BALMORAL LA
2 CONWAY SAC
3 HAWTHORNE SQ
4 COLLINGWOOD CRES
5 COLLINGWOOD RD
6 COLLINGWOOD CL
7 CROMWELL CT

A5
1 WYEVERNE RD
2 WARWICK LA
3 KENILWORTH RD
4 LLEWELLIN ST

143

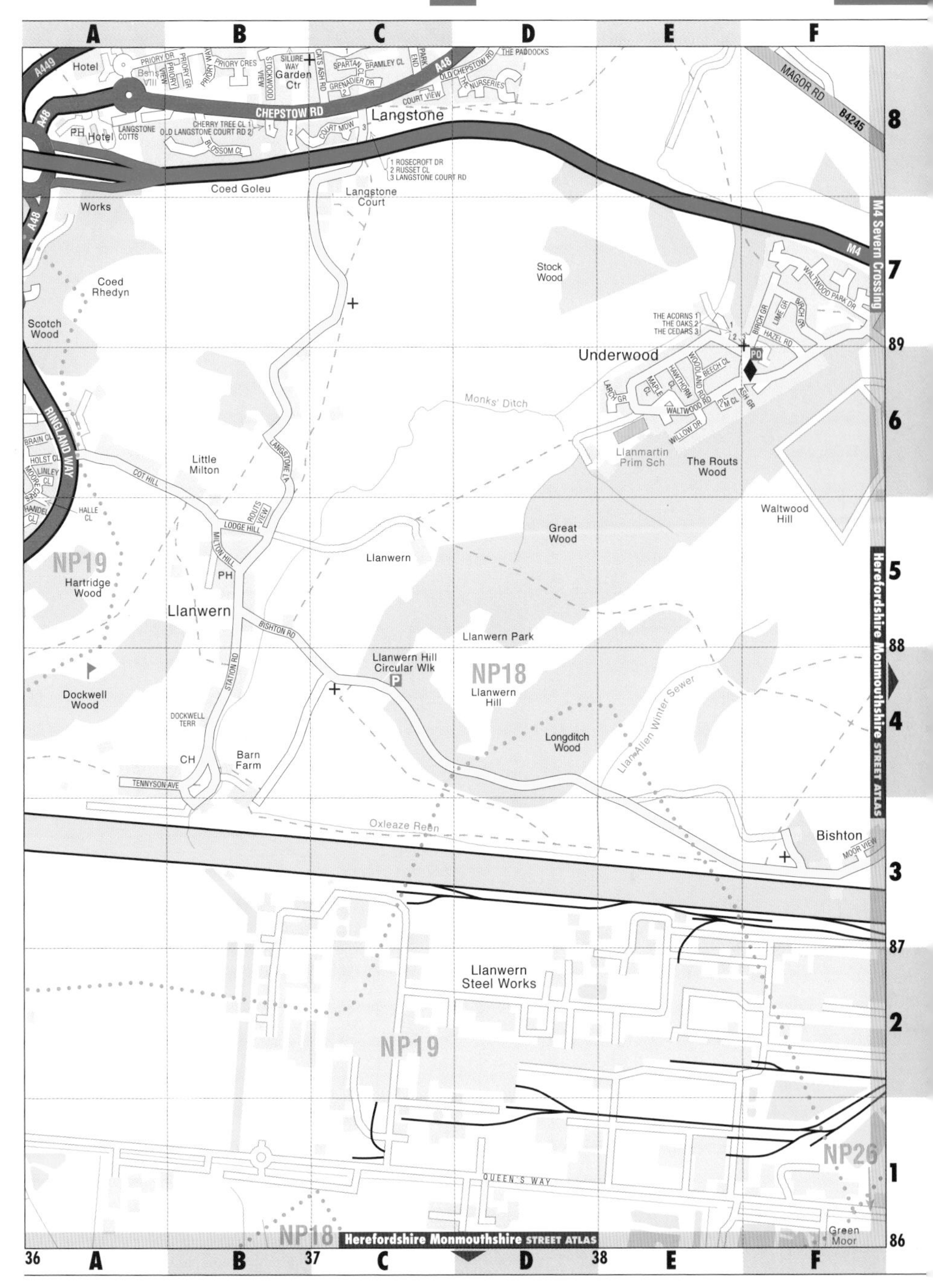
Hotel
PRIORY DR
PRIORY CRES
SILURE WAY
Garden Ctr
SPARTAN CL
BRAMLEY CL
THE PADDOCKS
OLD CHEPSTOW RD
THE NURSERIES
GRENADIER DR
CHEPSTOW RD
COURT VIEW
Langstone
MAGOR RD
B4245
PH
Hotel
LANGSTONE COTTS
CHERRY TREE CL
OLD LANGSTONE COURT RD
BLOSSOM CL
COURT MDW
1 ROSECROFT DR
2 RUSSET CL
3 LANGSTONE COURT RD
Coed Goleu
Langstone Court
Works
M4
M4 Severn Crossing
Stock Wood
Coed Rhedyn
Scotch Wood
THE ACORNS 1
THE OAKS 2
THE CEDARS 3
Underwood
WALTWOOD PARK DR
BIRCH GR
LIME GR
HAZEL RD
PO
BEECH CL
WOODLAND RD
HAWTHORN CL
MAPLE CL
LARCH GR
ASH GR
WALTWOOD RD
WILLOW DR
Monks' Ditch
RINGLAND WAY
BRAIN CL
HOLST CL
LINLEY CL
MOORE CL
HANDEL CL
HALLE CL
Little Milton
LANGSTONE LA
COT HILL
Llanmartin Prim Sch
The Routs Wood
Waltwood Hill
ROUTS VIEW
LODGE HILL
MILTON HILL
Great Wood
Llanwern
NP19
Hartridge Wood
PH
Llanwern
Herefordshire Monmouthshire STREET ATLAS
BISHTON RD
Llanwern Park
Llanwern Hill Circular Wlk
P
NP18
Llanwern Hill
Dockwell Wood
DOCKWELL TERR
STATION RD
Llan-Allen Winter Sewer
Longditch Wood
CH
Barn Farm
TENNYSON AVE
Oxleaze Reen
Bishton
MOOR VIEW
Llanwern Steel Works
NP19
NP26
QUEEN'S WAY
NP18
Green Moor
A449
A48
A
B
C
D
E
F
8
7
89
6
5
88
4
3
87
2
1
86
36
37
38

125

Upper Mother Ditch
GRANGE RD
LC
HEOL CAE'R-BONT
Margam Sands
Margam Moors/
Gweunydd Margam
SA13
Margam
Burrows
Dunes
Afon Cynffig
Swansea Bay
Kenfig Burrows
Kenfig Sands
CF33
Kenfig Burrows
Kenfig Sands
CF33
CF36
Sker Point
146
165

126

148

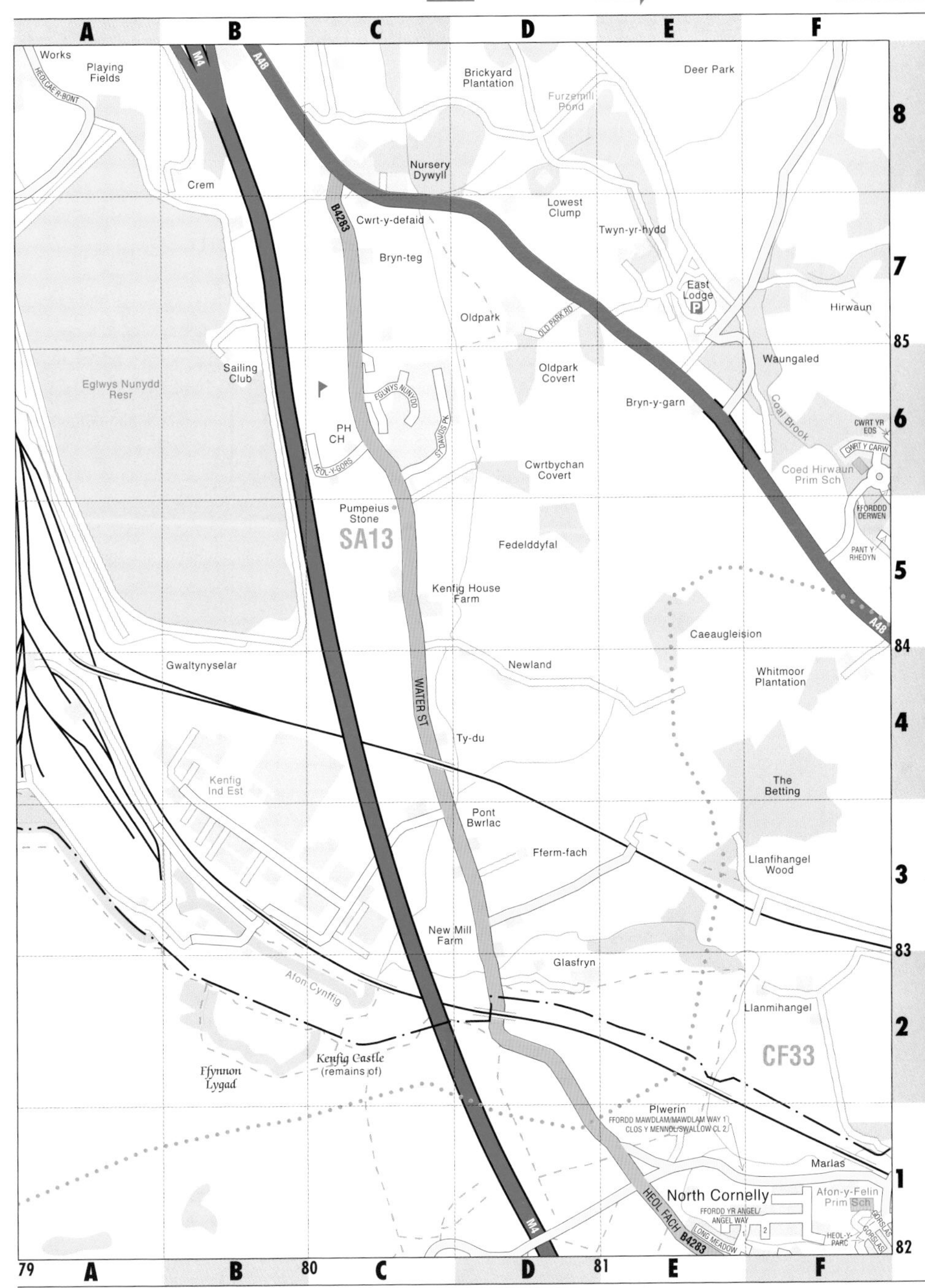
A
B
C
D
E
F
Works
Playing Fields
HEOL CAE R-BONT
M4
A48
Brickyard Plantation
Furzemill Pond
Deer Park
8
Crem
Nursery Dywyll
Lowest Clump
B4283
Cwrt-y-defaid
Twyn-yr-hydd
Bryn-teg
7
East Lodge
Oldpark
OLD PARK RD
Hirwaun
85
Sailing Club
Waungaled
Eglwys Nunydd Resr
Oldpark Covert
EGLWYS NUNYDD
Bryn-y-garn
Coal Brook
6
PH
CH
ST DAVIDS PK
HEOL-Y-GORS
CWRT YR EOS
CWRT Y CARW
Cwrtbychan Covert
Coed Hirwaun Prim Sch
Pumpeius Stone
FFORDD DERWEN
SA13
Fedelddyfal
PANT Y RHEDYN
5
Kenfig House Farm
Caeaugleision
84
Gwaltynyselar
Newland
Whitmoor Plantation
WATER ST
4
Ty-du
Kenfig Ind Est
The Betting
Pont Bwrlac
Fferm-fach
Llanfihangel Wood
3
New Mill Farm
Glasfryn
83
Afon Cynffig
Llanmihangel
2
Kenfig Castle (remains of)
Ffynnon Lygad
CF33
Plwerin
FFORDD MAWDLAM/MAWDLAM WAY 1
CLOS Y MENNOL/SWALLOW CL 2
Marlas
1
North Cornelly
Afon-y-Felin Prim Sch
FFORDD YR ANGEL/ ANGEL WAY
HEOL FACH B4283
LONG MEADOW
HEOL-Y-PARC
GORSLAS
82
79
80
81

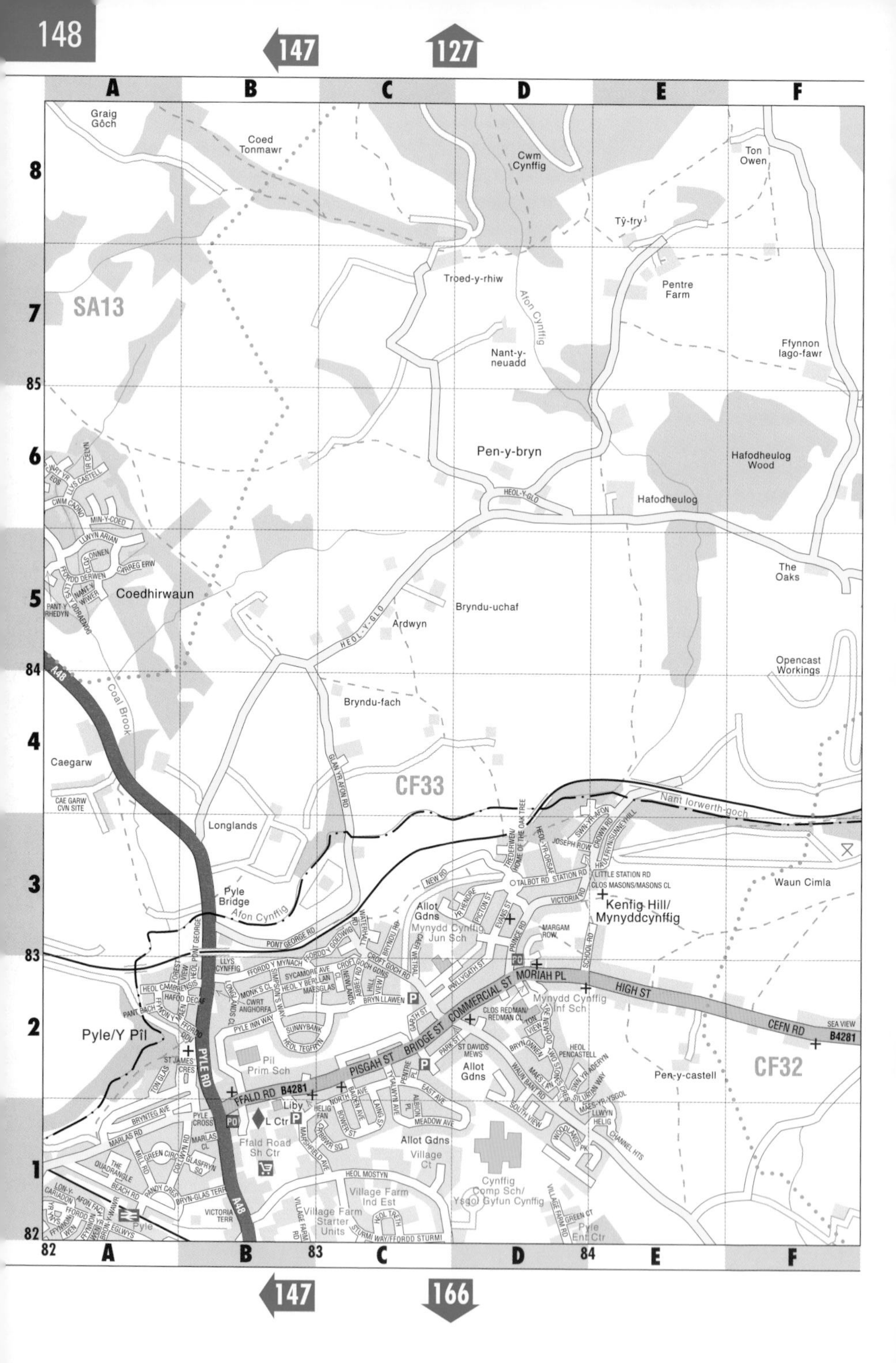
148
147
127
A
B
C
D
E
F
8
7
85
6
5
84
4
3
83
2
1
82
Graig Gôch
Coed Tonmawr
Cwm Cynffig
Ton Owen
Tŷ-fry
Troed-y-rhiw
Pentre Farm
SA13
Afon Cynffig
Nant-y-neuadd
Ffynnon Iago-fawr
Pen-y-bryn
Hafodheulog Wood
HEOL-Y-GLO
Hafodheulog
Coedhirwaun
The Oaks
Bryndu-uchaf
Ardwyn
Opencast Workings
A48
Coal Brook
Bryndu-fach
Caegarw
CF33
CAE GARW CVN SITE
Nant Iorwerth-goch
Longlands
Pyle Bridge
Waun Cimla
Kenfig Hill/ Mynyddcynffig
Allot Gdns
Mynydd Cynffig Jun Sch
MORIAH PL
HIGH ST
Mynydd Cynffig Inf Sch
CEFN RD
B4281
Pyle/Y Pîl
PYLE RD
COMMERCIAL ST
BRIDGE ST
PISGAH ST
FFALD RD
Pil Prim Sch
Allot Gdns
Pen-y-castell
CF32
Liby
L Ctr
Ffald Road Sh Ctr
Allot Gdns
Village Ct
Cynffig Comp Sch/ Ysgol Gyfun Cynffig
Village Farm Ind Est
Village Farm Starter Units
Pyle Ent Ctr
Pyle
82
83
84
166

128
150

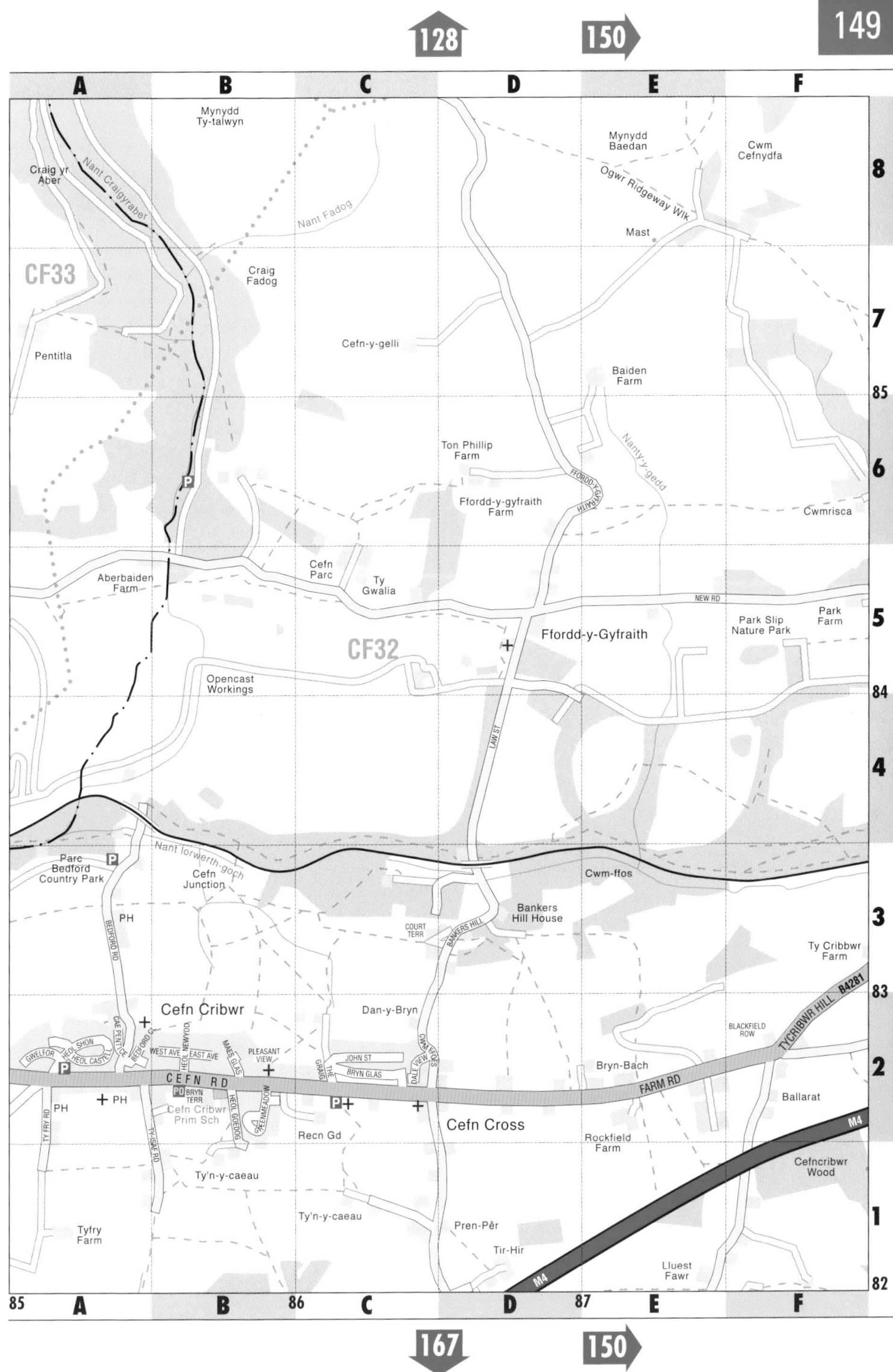

167
150

149
129

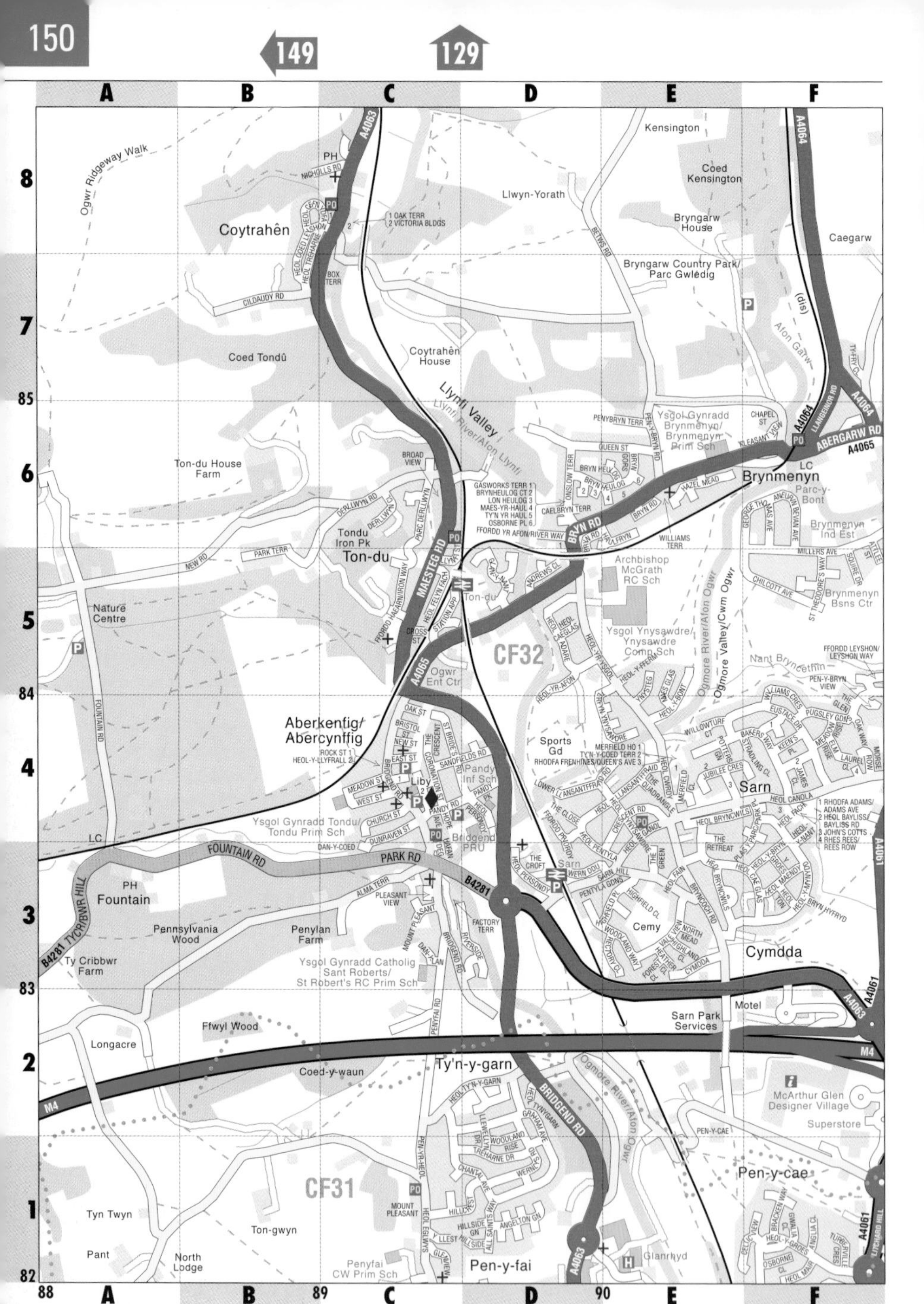

149
168

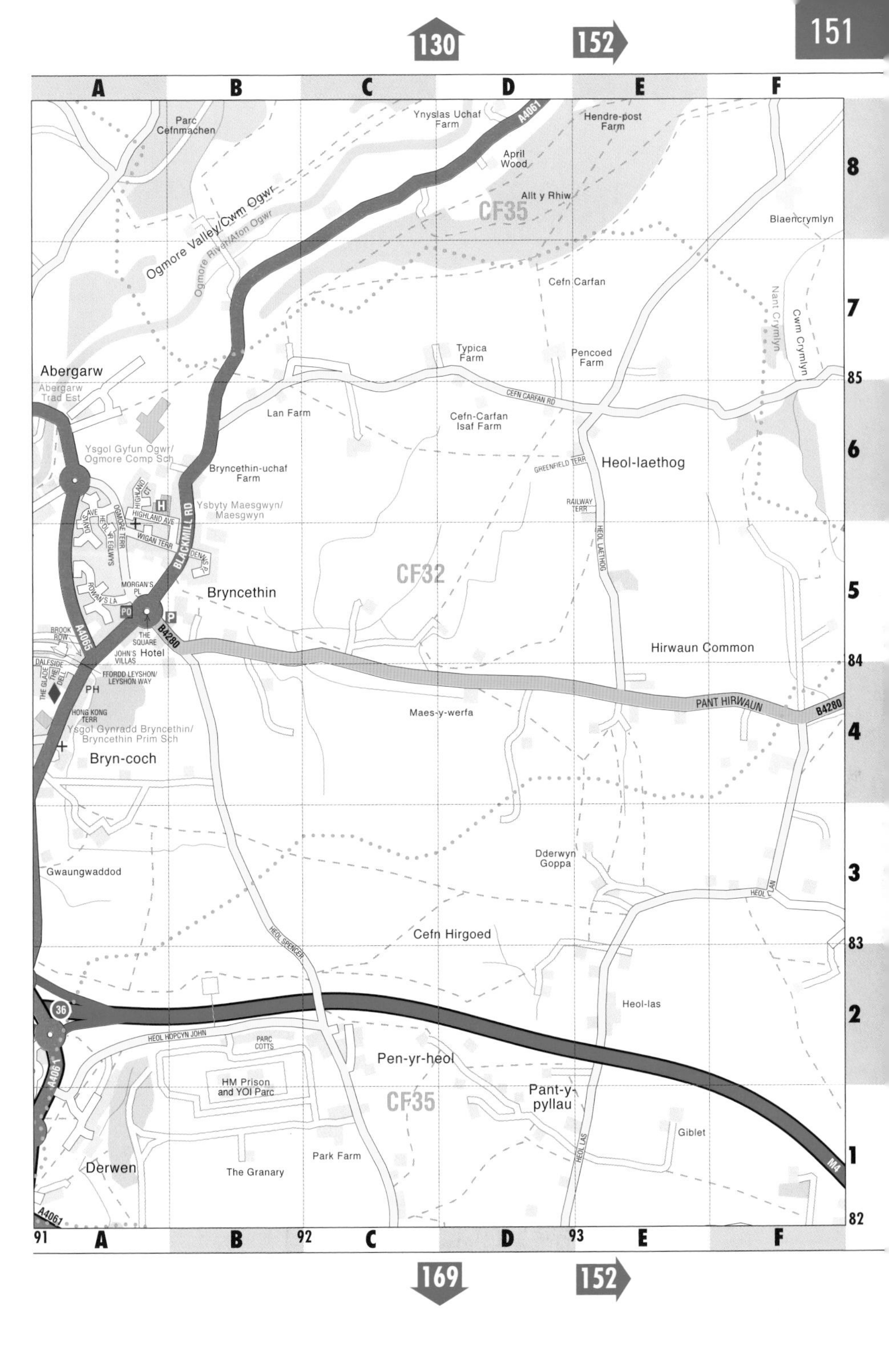
130
152
A
B
C
D
E
F
Parc
Cefnmachen
Ynyslas Uchaf
Farm
A4061
Hendre-post
Farm
April
Wood
Allt y Rhiw
CF35
Ogmore Valley/Cwm Ogwr
Ogmore River/Afon Ogwr
Blaencrymlyn
Cefn Carfan
Nant Crymlyn
Cwm Crymlyn
Abergarw
Abergarw
Trad Est
Typica
Farm
Pencoed
Farm
CEFN CARFAN RD
Lan Farm
Cefn-Carfan
Isaf Farm
Ysgol Gyfun Ogwr/
Ogmore Comp Sch
Heol-laethog
GREENFIELD TERR
Bryncethin-uchaf
Farm
RAILWAY
TERR
HIGHLAND AVE
WIGAN TERR
BLACKMILL RD
Ysbyty Maesgwyn/
Maesgwyn
HEOL LAETHOG
CF32
MORGAN'S
PL
ROWAN'S LA
Bryncethin
A4065
B4280
THE
SQUARE
Hotel
JOHN'S
VILLAS
BROOK
ROW
DALESIDE
FFORDD LEYSHON/
LEYSHON WAY
PH
HONG KONG
TERR
Hirwaun Common
PANT HIRWAUN
B4280
Maes-y-werfa
Ysgol Gynradd Bryncethin/
Bryncethin Prim Sch
Bryn-coch
Dderwyn
Goppa
Gwaungwaddod
HEOL LAN
HEOL SPENCER
Cefn Hirgoed
36
Heol-las
HEOL HOPCYN JOHN
PARC
COTTS
Pen-yr-heol
HM Prison
and YOI Parc
A4061
Pant-y-
pyllau
CF35
Giblet
HEOL LAS
Park Farm
Derwen
The Granary
M4
A4061
8
7
85
6
5
84
4
3
83
2
1
82
91
92
93
169
152

151
131

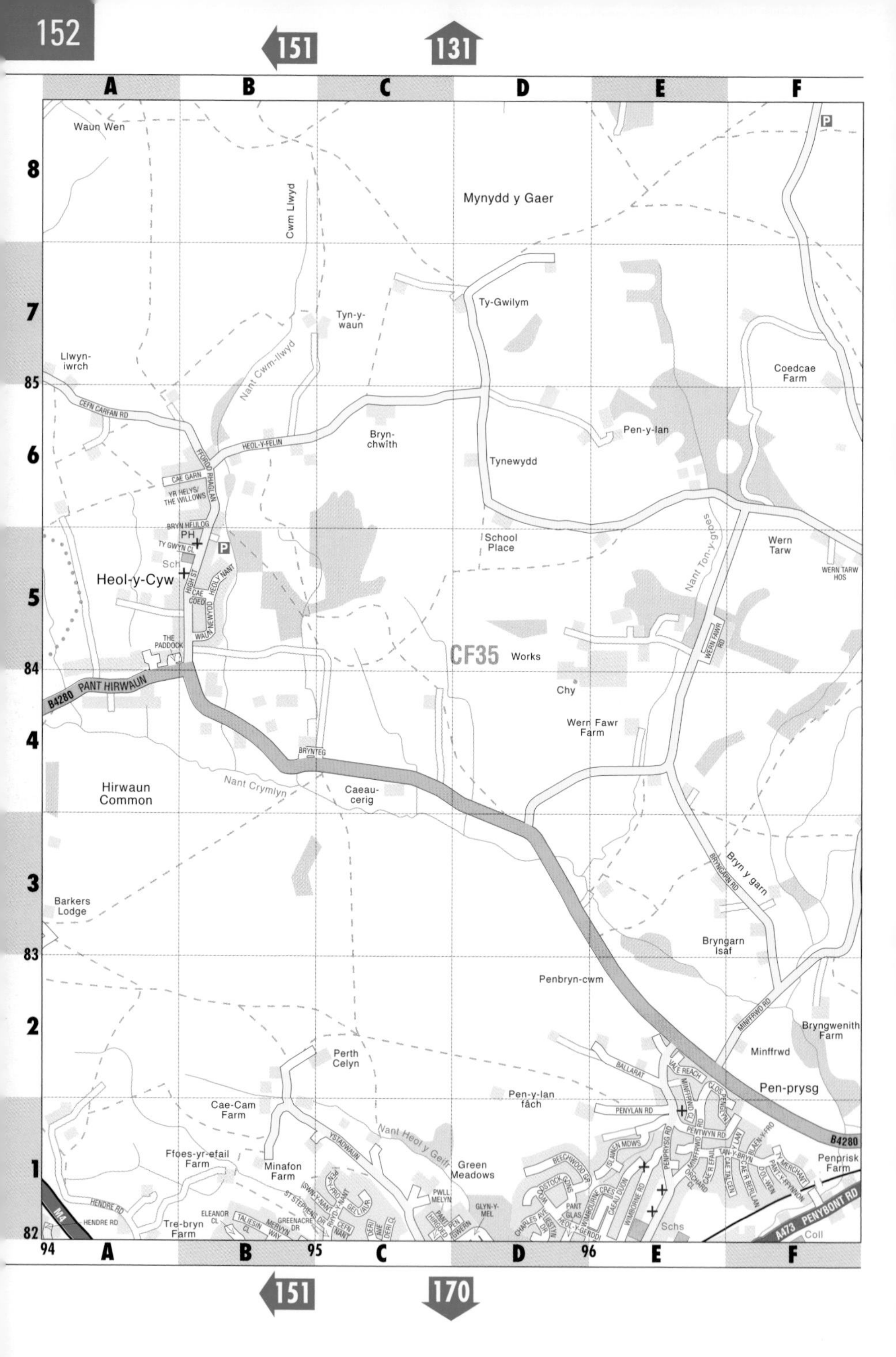

151
170

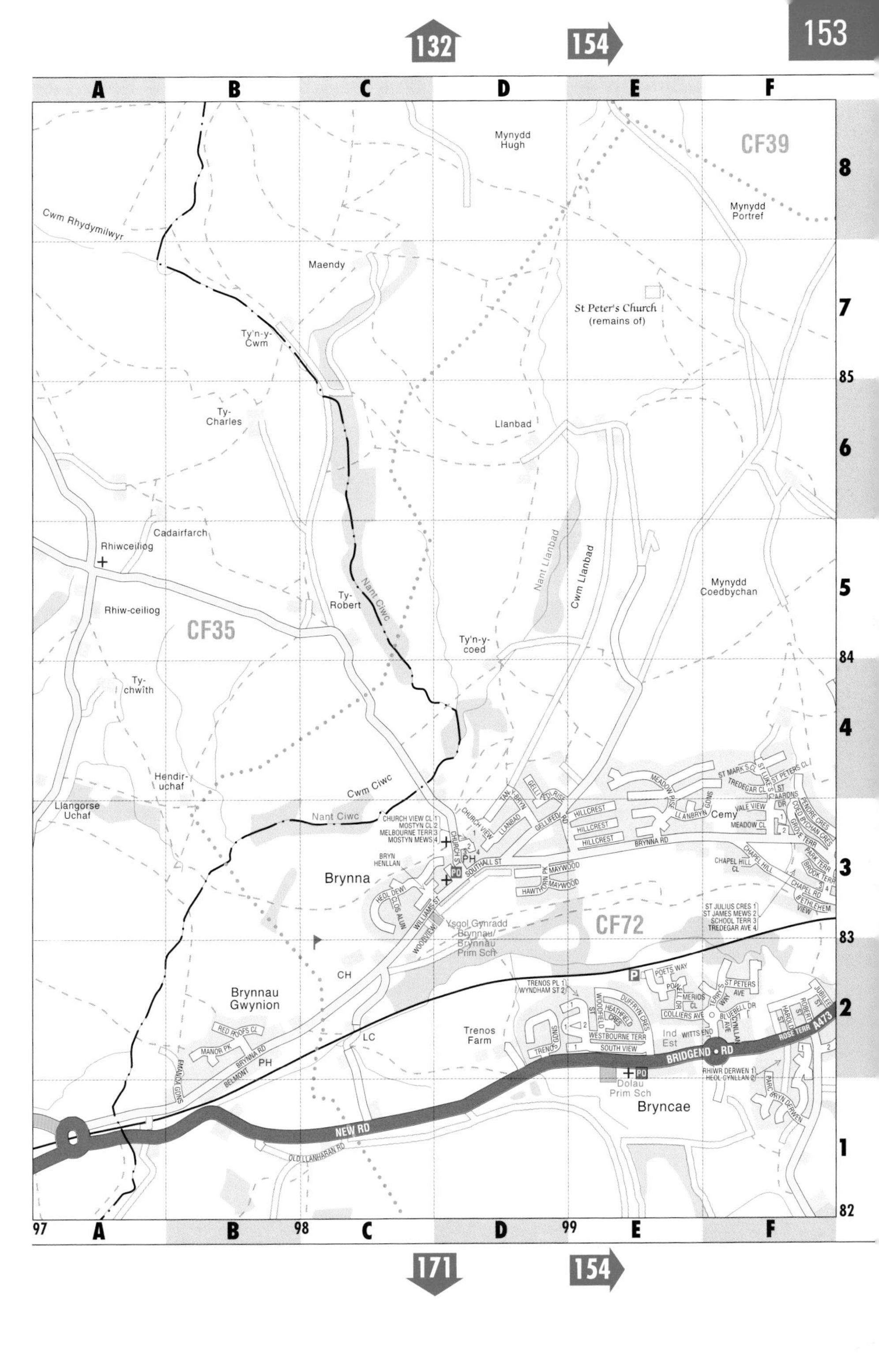
132
154
Mynydd Hugh
CF39
Mynydd Portref
Cwm Rhydymilwyr
Maendy
St Peter's Church (remains of)
Ty'n-y-Cwm
Ty-Charles
Llanbad
Cadairfarch
Rhiwceiliog
Nant Llanbad
Cwm Llanbad
Mynydd Coedbychan
Rhiw-ceiliog
Ty-Robert
Nant Ciwc
CF35
Ty'n-y-coed
Ty-chwith
Hendir-uchaf
Cwm Ciwc
Llangorse Uchaf
Nant Ciwc
Brynna
Cemy
Ysgol Gynradd Brynnau/ Brynnau Prim Sch
CF72
CH
Brynnau Gwynion
Trenos Farm
LC
PH
Ind Est
Dolau Prim Sch
Bryncae
NEW RD
OLD LLANHARAN RD
BRIDGEND RD
A473
ROSE TERR
BRYNNA RD
HILLCREST
MEADOW RISE
MAYWOOD
CHURCH VIEW CL 1
MOSTYN CL 2
MELBOURNE TERR 3
MOSTYN MEWS 4
BRYN HENLLAN
ST JULIUS CRES 1
ST JAMES MEWS 2
SCHOOL TERR 3
TREDEGAR AVE 4
TRENOS PL 1
WYNDHAM ST 2
RHIWR DERWEN 1
HEOL GYNLLAN 2
WESTBOURNE TERR
SOUTH VIEW
POETS WAY
COLLIERS AVE
WITTS END
MANOR PK
RED ROOFS CL
EMANDA GDNS
BELMONT
97
98
99
82
83
84
85
171
154

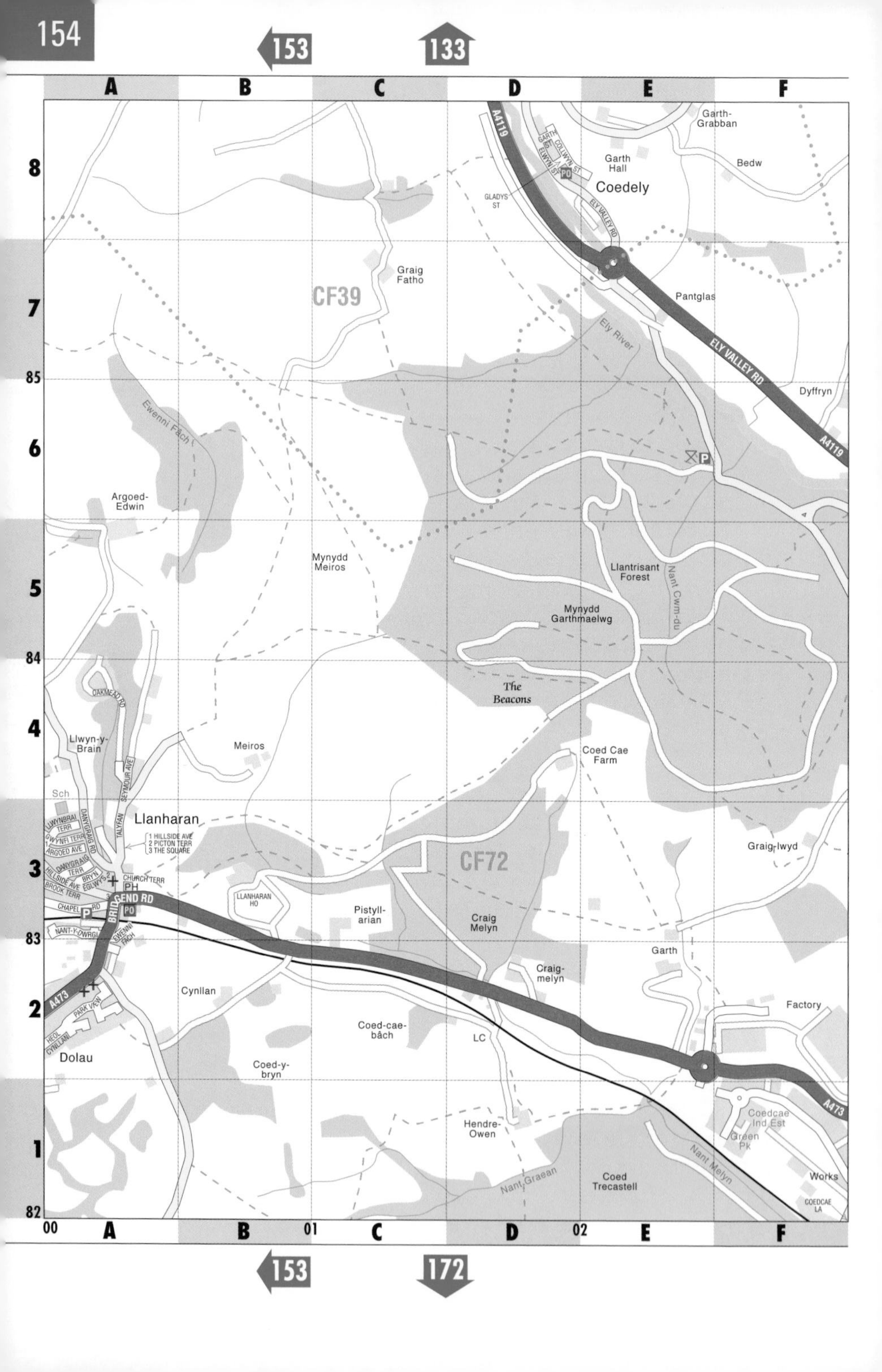
153
133
A
B
C
D
E
F
8
7
85
6
5
84
4
3
83
2
1
82
00
01
02
A4119
Garth-Grabban
Bedw
Garth Hall
Coedely
GLADYS ST
ELY VALLEY RD
Graig Fatho
CF39
Pantglas
Ely River
ELY VALLEY RD
Dyffryn
A4119
Ewenni Fach
Argoed-Edwin
Mynydd Meiros
Llantrisant Forest
Nant Cwm-du
Mynydd Garthmaelwg
The Beacons
OAKMEAD RD
Llwyn-y-Brain
Meiros
Coed Cae Farm
SEYMOUR AVE
Sch
Llanharan
TALYFAN
1 HILLSIDE AVE
2 PICTON TERR
3 THE SQUARE
Graig-lwyd
CF72
CHURCH TERR
PH
BRIDGEND RD
PO
LLANHARAN HO
Pistyll-arian
Craig Melyn
CHAPEL RD
NANT-Y-DWRGI
EWENNI FACH
Garth
Craig-melyn
Cynllan
A473
PARK VIEW
Factory
HEOL CYNLLAN
Coed-cae-bâch
LC
Dolau
Coed-y-bryn
A473
Coedcae Ind Est
Green Pk
Hendre-Owen
Nant Melyn
Nant Graean
Coed Trecastell
Works
COEDCAE LA
153
172

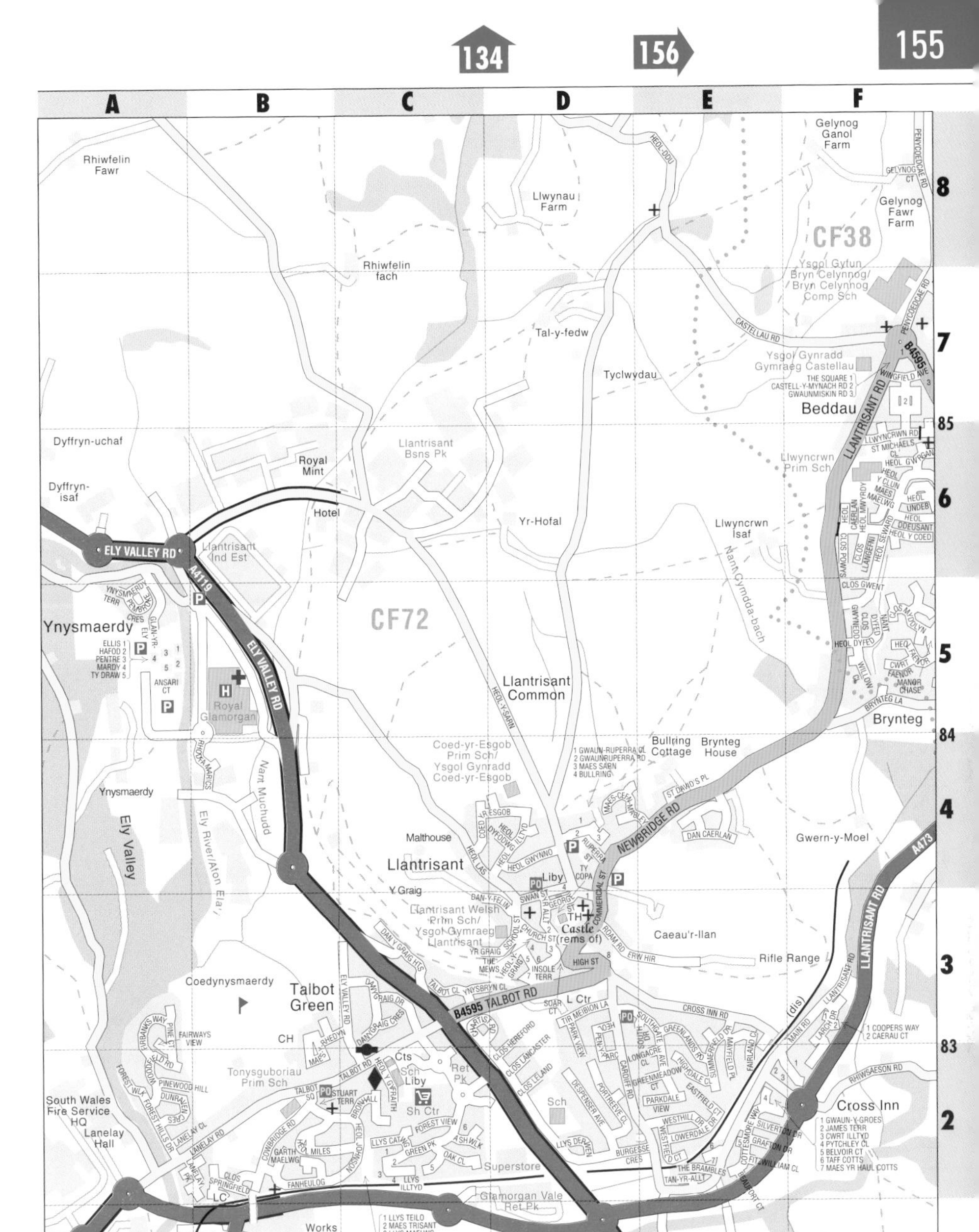

173
156

D3
1 HIGH ST
2 CASTLE ST
3 HEOL PENMAEN
4 SUNNY BANK
5 HEOL-Y-BEILIAU
6 CERIDWEN TERR
7 HEOL STICIL-Y-BEDDAU
8 LLANTRISANT HOS

155
135

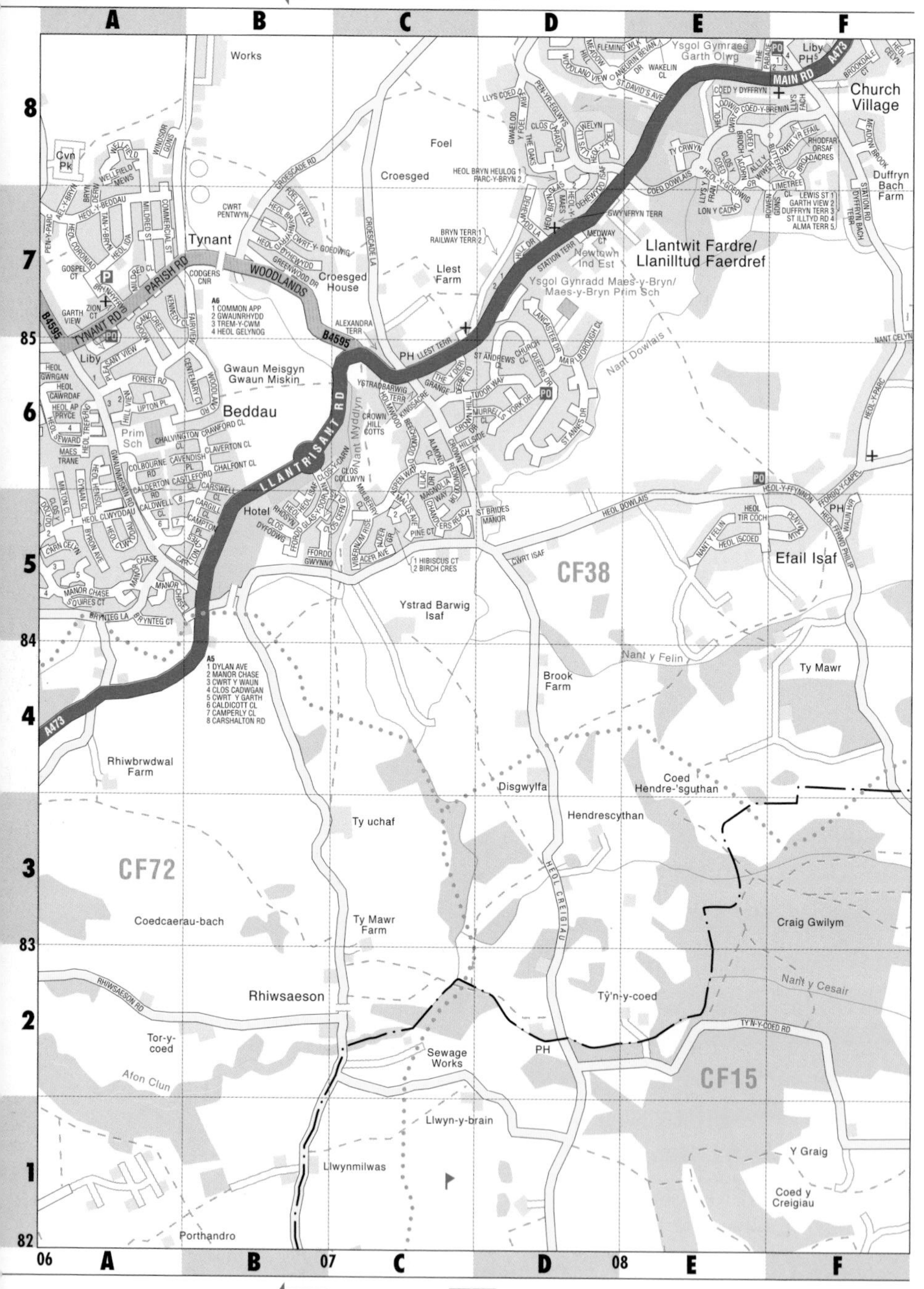

155
174

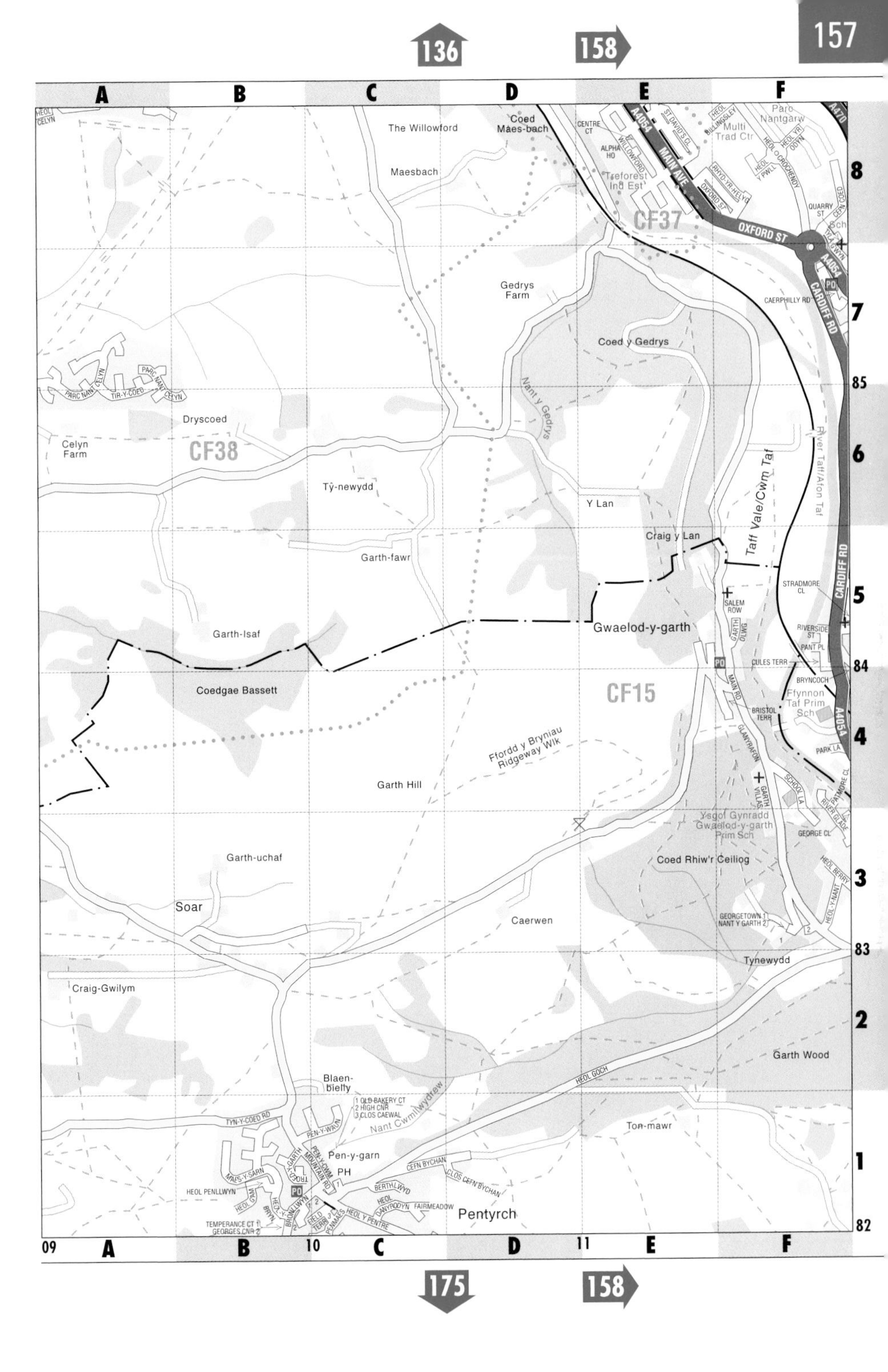
136
158
A
B
C
D
E
F
The Willowford
Coed Maes-bach
Maesbach
Parc Nantgarw
Multi Trad Ctr
Treforest Ind Est
CF37
OXFORD ST
MAIN AVE
A4054
A470
CARDIFF RD
CAERPHILLY RD
Gedrys Farm
Coed y Gedrys
Nant y Gedrys
PARC NANT CELYN
TIR-Y-COED
Dryscoed
Celyn Farm
CF38
Tŷ-newydd
Y Lan
Taff Vale/Cwm Taf
River Taff/Afon Taf
Craig y Lan
Garth-fawr
STRADMORE CL
Garth-Isaf
Gwaelod-y-garth
RIVERSIDE ST
PANT PL
CULES TERR
BRYNCOCH
Coedgae Bassett
CF15
Ffynnon Taf Prim Sch
BRISTOL TERR
MAIN RD
Ffordd y Bryniau Ridgeway Wlk
Garth Hill
PARK LA
SCHOOL LA
GARTH VILLAS
Ysgol Gynradd Gwaelod-y-garth Prim Sch
GEORGE CL
Garth-uchaf
Coed Rhiw'r Ceiliog
Soar
Caerwen
Tynewydd
Craig-Gwilym
Garth Wood
Blaen-bielly
HEOL GOCH
1 OLD BAKERY CT
2 HIGH CNR
3 CLOS CAEWAL
Nant Cwmllwydrew
TYN-Y-COED RD
Ton-mawr
Pen-y-garn
PH
CEFN BYCHAN
CLOS CEFN BYCHAN
HEOL PENLLWYN
PENTRYCH
TEMPERANCE CT 1
GEORGES CNR 2
Pentyrch
8
7
85
6
5
84
4
3
83
2
1
82
09
10
11
175
158

157
137

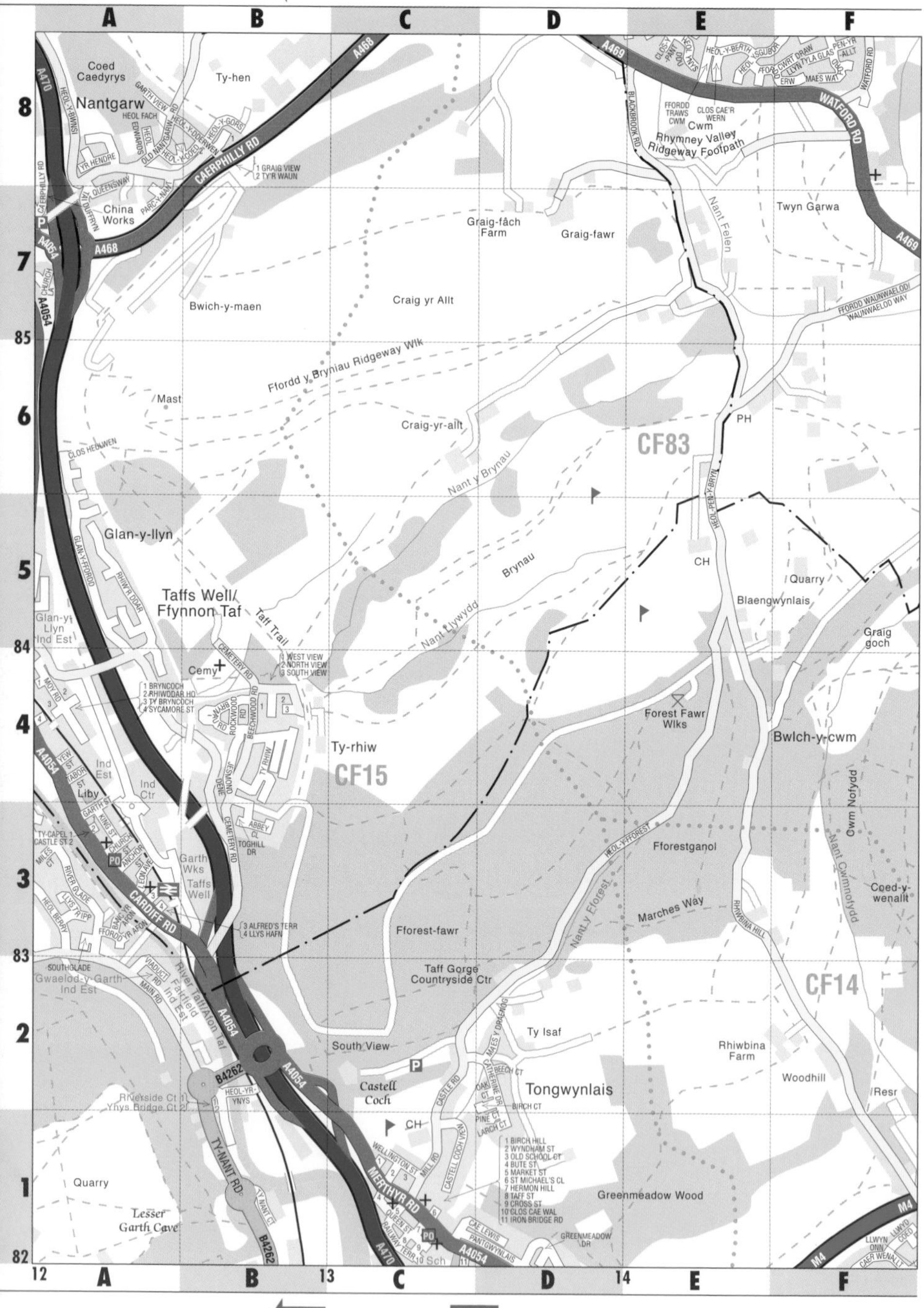

157
176

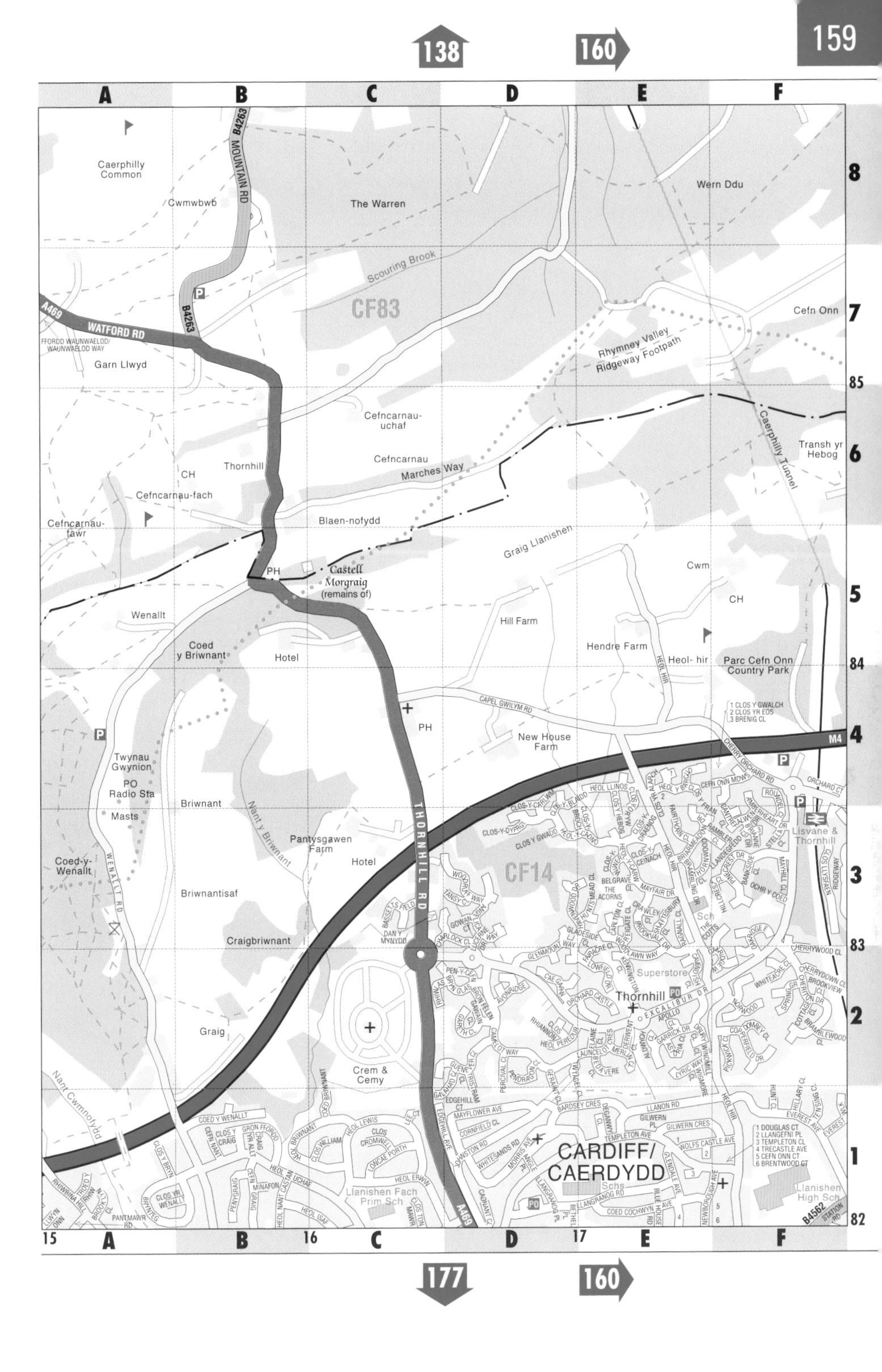
138
160
A
B
C
D
E
F
8
7
85
6
5
84
4
3
83
2
1
82
15
16
17
Caerphilly Common
Cwmwbwb
B4263
MOUNTAIN RD
The Warren
Wern Ddu
Scouring Brook
CF83
A469
WATFORD RD
FFORDD WAUNWAELOD/ WAUNWAELOD WAY
Garn Llwyd
Cefn Onn
Rhymney Valley Ridgeway Footpath
Cefncarnau-uchaf
Caerphilly Tunnel
Transh yr Hebog
Cefncarnau
Marches Way
Thornhill
CH
Cefncarnau-fach
Cefncarnau-fawr
Blaen-nofydd
Graig Llanishen
Cwm
PH
Castell Morgraig (remains of)
Wenallt
Hill Farm
Hendre Farm
Coed y Briwnant
Hotel
Heol- hir
Parc Cefn Onn Country Park
HEOL HIR
CAPEL GWILYM RD
PH
New House Farm
M4
Twynau Gwynion
PO Radio Sta
Masts
Briwnant
Nant y Briwnant
THORNHILL RD
Pantysgawen Farm
Hotel
CHERRY ORCHARD RD
ORCHARD CT
Lisvane & Thornhill
1 CLOS Y GWALCH
2 CLOS YR EOS
3 BRENIG CL
Coed-y-Wenallt
WENALLT RD
Briwnantisaf
CF14
Craigbriwnant
DAN Y MYNYDD
Superstore
Thornhill
EXCALIBUR DR
Graig
Crem & Cemy
Nant Cwmnofydd
CHERRYWOOD CL
BRAMBLEWOOD CL
CARDIFF/ CAERDYDD
Schs
Llanishen Fach Prim Sch
Llanishen High Sch
1 DOUGLAS CT
2 LLANGEFNI PL
3 TEMPLETON CL
4 TRECASTLE AVE
5 CEFN ONN CT
6 BRENTWOOD CT
B4562
STATION RD
A469
177
160

159
139

A B C D E F

8 7 85 6 5 84 4 3 83 2 1 82

Crynant Farm
Coed Cefn-Onn
Rhymney Valley Ridgeway Footpath
Nant y Cwm
Marches Way
Ty'n-y-graig
Coed Coesau-whips
Nant Cwm-crynant
Coed Llwyn-celyn
Llwyncelyn
Coed Coesau-whips Forest Walk
CF83
CF3
Pant Glas
Coed Gwineu
Coed y Graig
Pentwyn
Craig Llysfaen
Tai-mawr
The Mount
Coed y Coedcae
CEFN-PORTH RD
Springmeadow
Coed-bach
Brynhill Farm
Nant Fawr
RUDRY RD
PH
GRAIG RD
Cefn Porth
Fair Oak Farm
Pant Teg Farm
Nant-tydraw-fach
The Hollies
Graig-llwyn
GRAIG-LLWYN RD
Wern Fawr
GRAIG LLWYN RD
CEFN MABLY RD
Coed-y-llan
M4
CHURCHILL CL
BLOSSOM DR
LODGE CL
HOLLY GR
CARDINAL DR
CORNFLOWER
CHERRY ORCHARD RD
THE COURT
Yellow-wells
Nant Ty-draw
CF14
Llan Farm
MOUNT ST DENYS
MILLBROOK PK
CHERRY TREE CL
Ty-yn-y-Berllan
LLWYN Y PIA RD
Church House Farm
CEFN MABLY RD
RIDGEWAY
IVYDALE
HEOL CEFN ON
HEOL ST DENYS
MILLFIELD
HOLMESIDE
MILL PL
ROWAN WAY
Llysfaen Prim Sch
Liby
COTSWOLD AVE
PO
Malthouse Wood
THE BEECHES
THE LAURELS
CHURCH RD
ROSEWOOD CL
LONG HOUSE CL
THE SPINNEY
HEOL-Y-DELYN
PLAS Y DELYN
PH
Maes y Felin
THE OAKS
LISVANE HO
HILLCOT CL
CHURCH CL
CLOS COED-Y-DAFARN
MAERDY LA
Mill Farm
Malthouse
THE WOODLANDS
Lisvane/ Llys Faen
ST MELLONS RD
PARKWALL RD
COEDYDAFARN
MILL RD
Nant Glandulas
CROES CADARN
BARBROOK CL
BALMORAL CL
BUCKINGHAM CL
CWRT CEFN
PORTLAND PL
Maerdy
B4562
CLOS NANT COSLECH 1
OAKLEAFE DR 2
AMBERGATE DR 3
AMBER CL 4
AMBLECOTE CL 5
PIPKIN CL 6
HUNTINGDON DR 7
FELSTED CL 8
CLOS ALYN 9
SINDERCOMBE CL 10
DUNGARVAN DR 11
CLOS NANT Y COR 12
AMBERWOOD CL 13
ALLT Y WENNOL 14
EVENWOOD CL 15
HEOL TY FFYNNON 16
FALFIELD CL
MILL CL
TANGLEWOOD CL
HARTWELL DR
LISVANE RD
Llangattock
HEOL PONTPRENNAU
Prim Sch
WOODSIDE CT
MILLGATE
WOOD CL
CROFTA
Corpus Christi RC High Sch
CF23
Bryngolau
P
Llanishen
MARION CT
GWERN RHUDDI RD
ALDERBROOK
TY-DRAW RD
THE GLADE
NORTH RISE
SOUTH RISE
CARDIFF/ CAERDYDD
STATION RD
Sch
NEWLANDS CT
WEST RISE
BEVERLEY CL
BLACK OAK RD
FOREST OAK CL
HAMPTON CRES W
HAMPTON CRES E
THE FAIRWAY
PENTWYN RD
SUTTON GR
PEPPERMINT DR
DARTINGTON DR
FELBRIGG CRES
OAKFORD CL
BUTTERFIELD DR
MAES BRITH
FFYNNON
BUPA H

18 A B 19 C D 20 E F

159
178

162

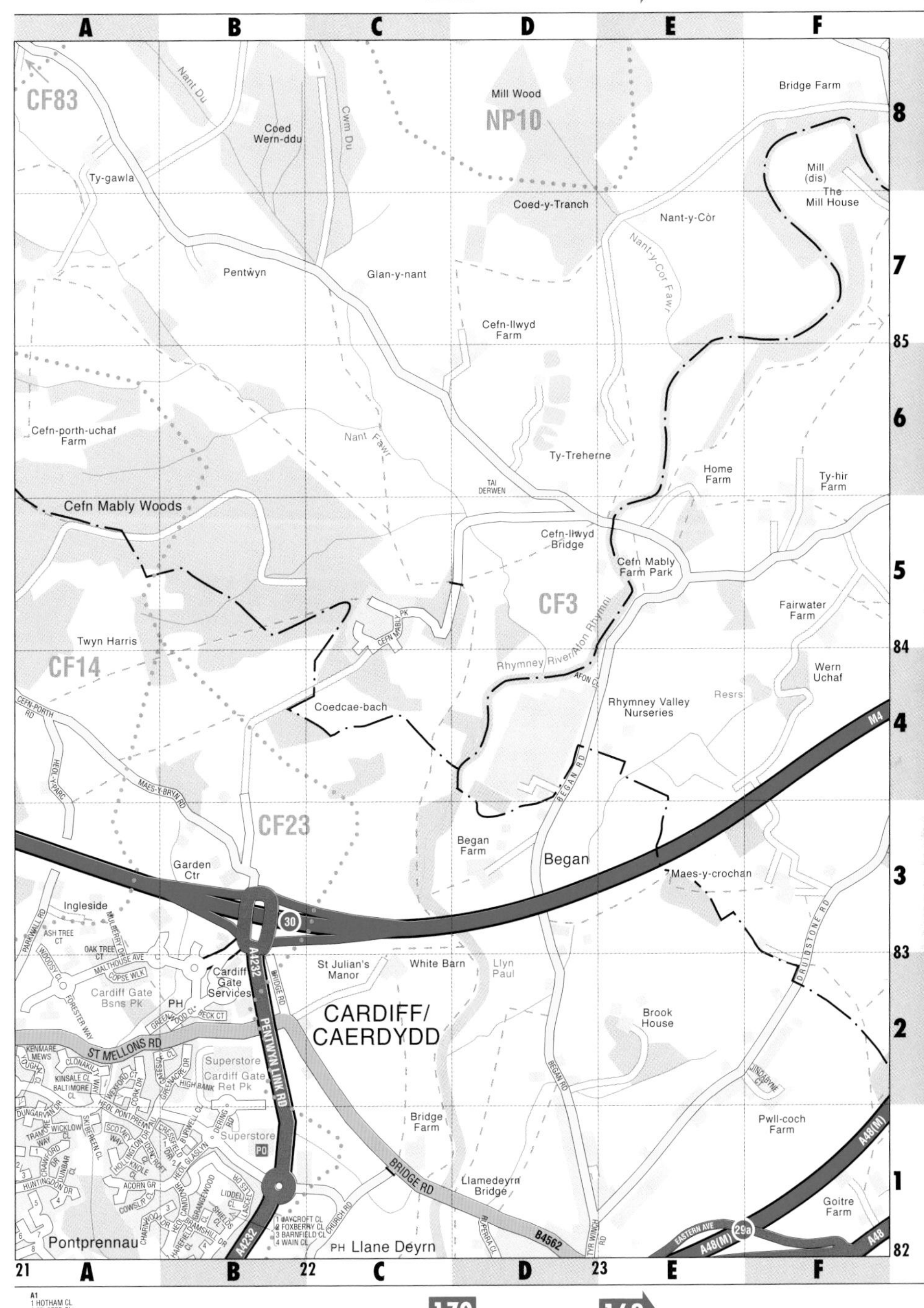

179

162

A1
1 HOTHAM CL
2 FELSTED CL
3 IRETON CL
4 LILBURNE CL
5 ENBOURNE DR
6 PIPKIN CL
7 BLACKBERRY WAY
8 CROESCADARN CL

161
141

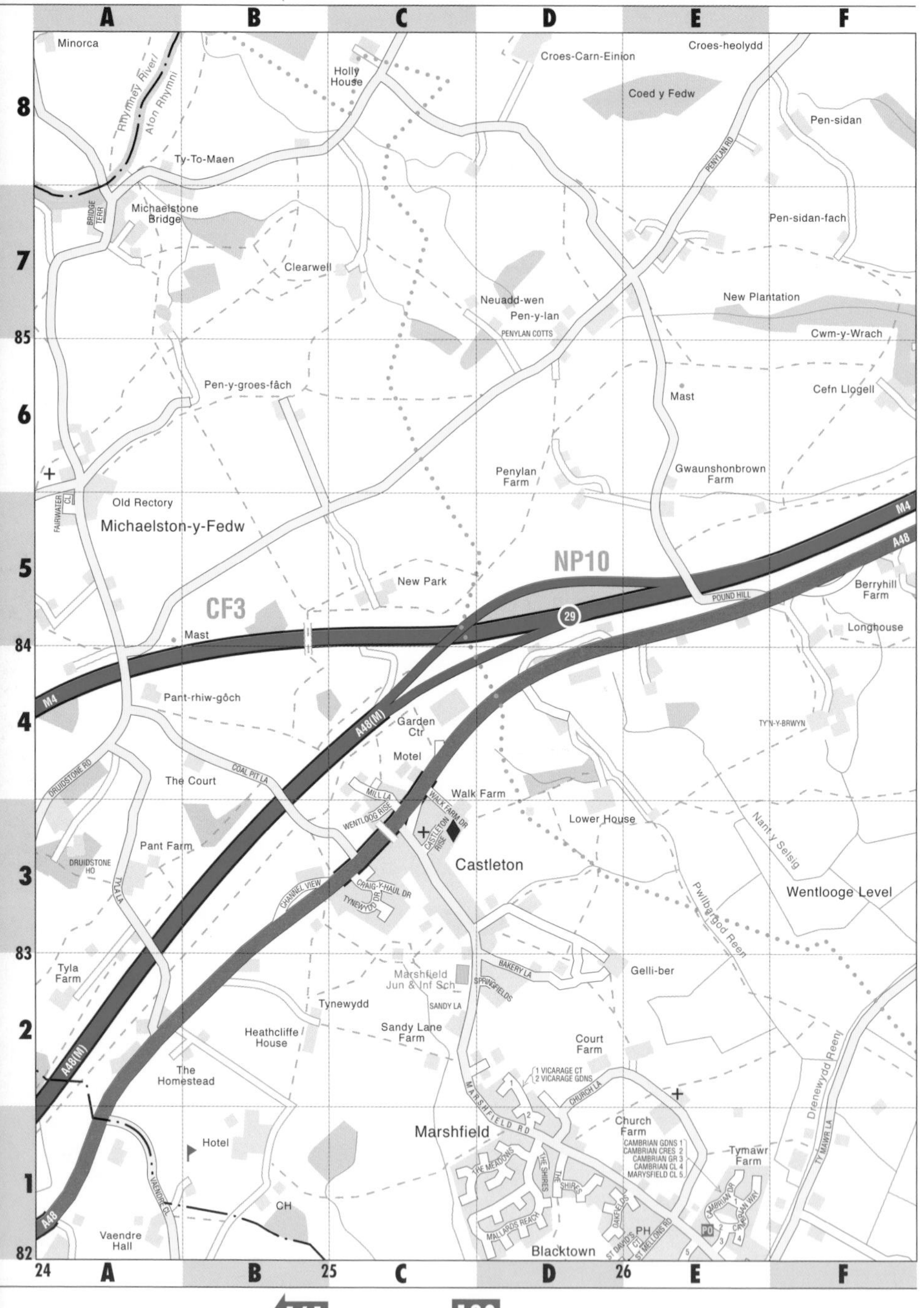

161
180

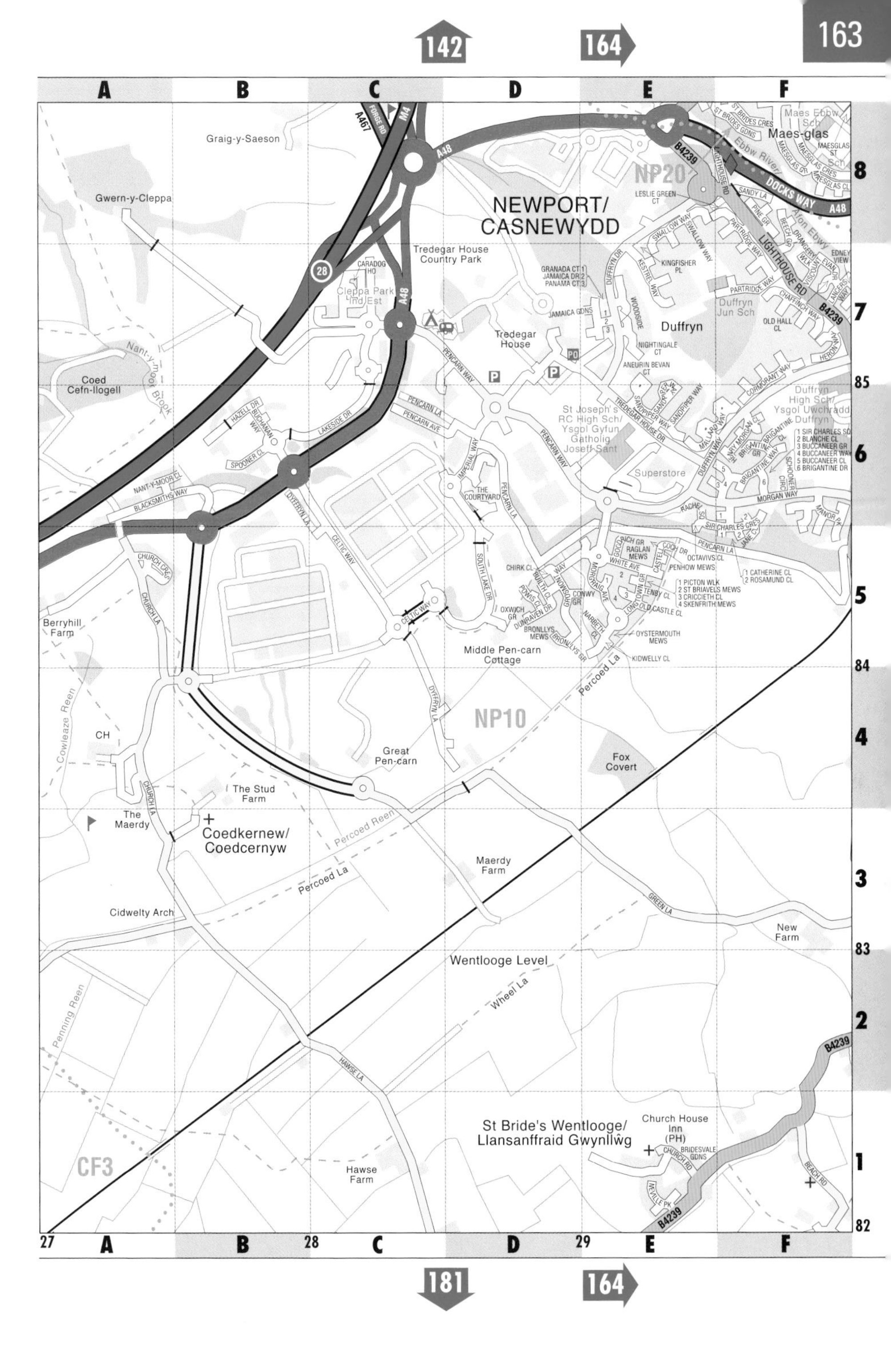
142
164
A
B
C
D
E
F
NEWPORT/
CASNEWYDD
Maes-glas
Duffryn
Tredegar House Country Park
Tredegar House
Graig-y-Saeson
Gwern-y-Cleppa
Coed Cefn-llogell
Cleppa Park Ind Est
St Joseph's RC High Sch/ Ysgol Gyfun Gatholig Joseff Sant
Duffryn Jun Sch
Duffryn High Sch/ Ysgol Uwchradd Duffryn
Superstore
Middle Pen-carn Cottage
Great Pen-carn
Berryhill Farm
The Stud Farm
The Maerdy
Coedkernew/
Coedcernyw
Maerdy Farm
Fox Covert
Cidwelty Arch
New Farm
Wentlooge Level
St Bride's Wentlooge/
Llansanffraid Gwynllŵg
Church House Inn (PH)
Hawse Farm
NP20
NP10
CF3
M4
A48
A467
B4239
DOCKS WAY
LIGHTHOUSE RD
PENCARN WAY
TREDEGAR HOUSE DR
MORGAN WAY
CELTIC WAY
Percoed La
Percoed Reen
Wheel La
GREEN LA
HAWSE LA
CHURCH LA
Cowleaze Reen
Penning Reen
Nant-y-moor Brook
Ebbw River
Afon Ebwy
1 SIR CHARLES SQ
2 BLANCHE CL
3 BUCCANEER GR
4 BUCCANEER WAY
5 BUCCANEER CL
6 BRIGANTINE DR
1 PICTON WLK
2 ST BRIAVELS MEWS
3 CRICCIETH CL
4 SKENFRITH MEWS
1 CATHERINE CL
2 ROSAMUND CL
8
7
85
6
5
84
4
3
83
2
1
82
27
28
29
181
164

163
143

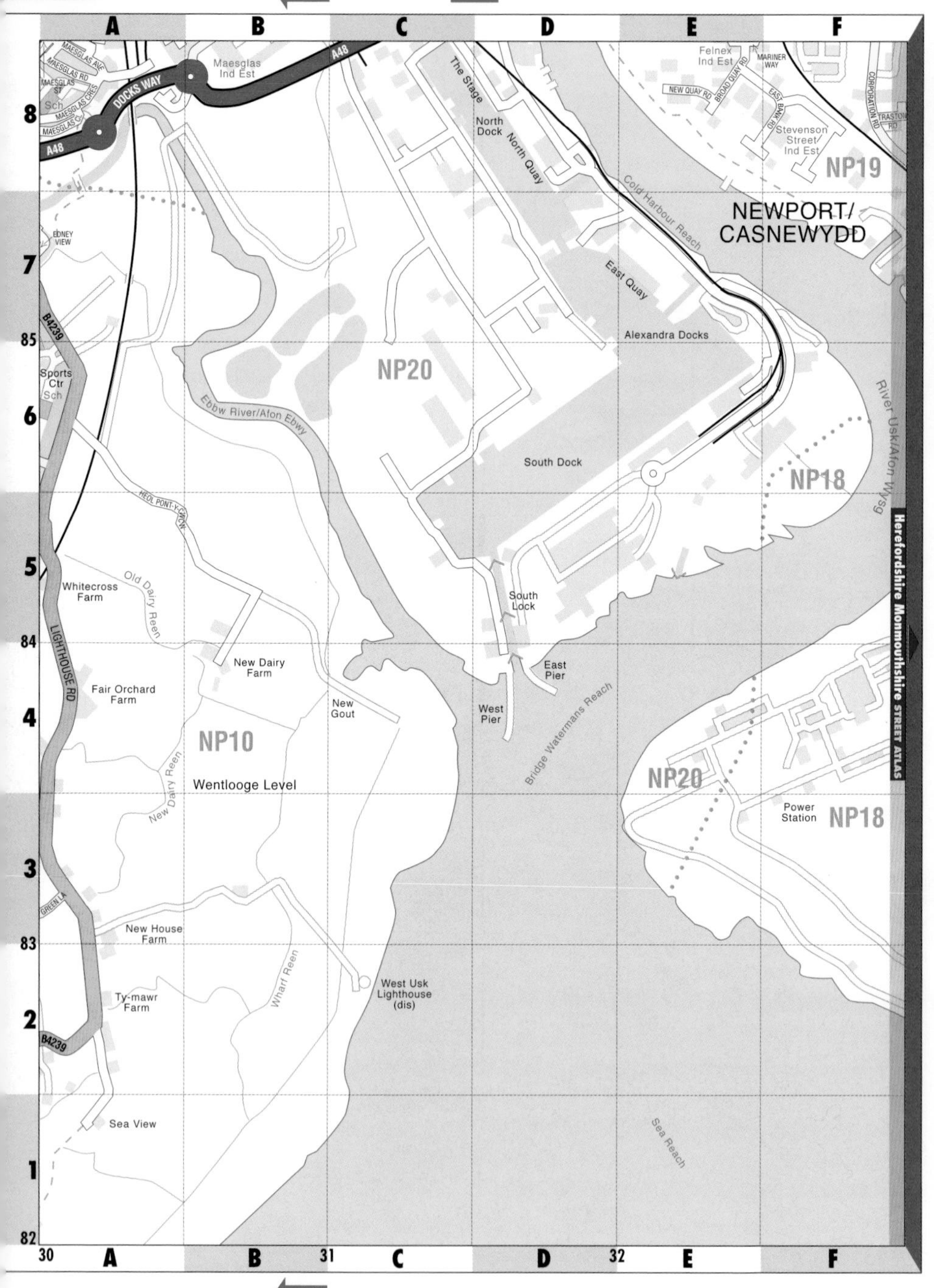
A
B
C
D
E
F
Maesglas Ind Est
DOCKS WAY
A48
MAESGLAS AVE
MAESGLAS RD
MAESGLAS ST
MAESGLAS CRES
MAESGLAS CL
Sch
The Stage
North Dock
North Quay
Felnex Ind Est
MARINER WAY
NEW QUAY RD
BROAD QUAY RD
EAST BANK RD
CORPORATION RD
TRASTON RD
Stevenson Street Ind Est
NP19
NEWPORT/ CASNEWYDD
Cold Harbour Reach
East Quay
Alexandra Docks
EDNEY VIEW
B4239
Sports Ctr
Sch
NP20
Ebbw River/Afon Ebwy
River Usk/Afon Wysg
South Dock
NP18
HEOL PONT-Y-CWCW
Whitecross Farm
Old Dairy Reen
South Lock
LIGHTHOUSE RD
New Dairy Farm
East Pier
Fair Orchard Farm
New Gout
West Pier
Bridge Watermans Reach
NP10
Wentlooge Level
New Dairy Reen
NP20
Power Station
NP18
GREEN LA
New House Farm
Wharf Reen
West Usk Lighthouse (dis)
Ty-mawr Farm
Sea View
Sea Reach
8
7
85
6
5
84
4
3
83
2
1
82
30
31
32
Herefordshire Monmouthshire STREET ATLAS

163

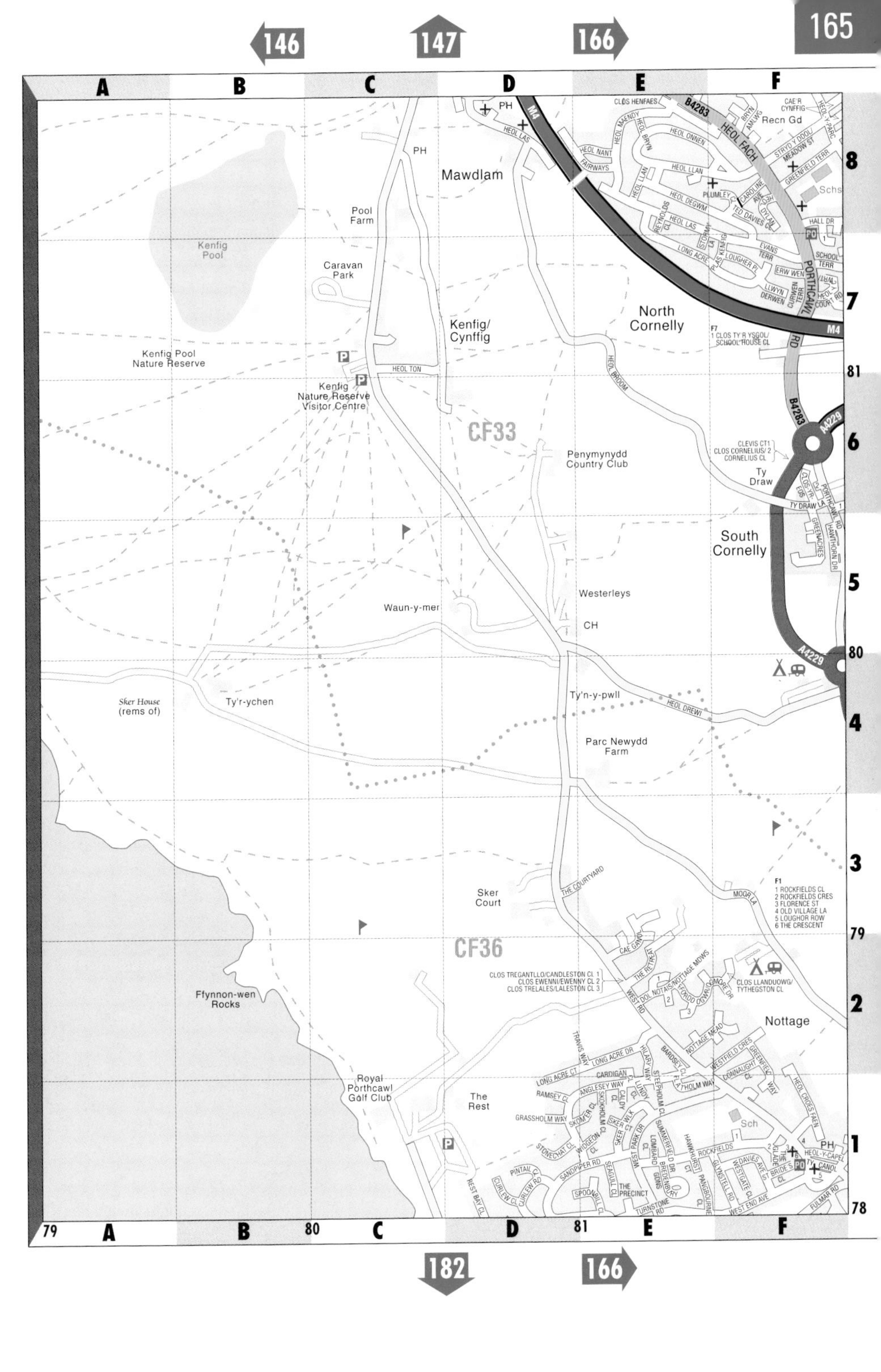
146
147
166
A
B
C
D
E
F
8
7
81
6
5
80
4
3
79
2
1
78
Mawdlam
PH
Pool Farm
Kenfig Pool
Caravan Park
Kenfig/ Cynffig
Kenfig Pool Nature Reserve
Kenfig Nature Reserve Visitor Centre
HEOL TON
CF33
North Cornelly
Penymynydd Country Club
Ty Draw
South Cornelly
Westerleys
CH
Waun-y-mer
Sker House (rems of)
Ty'r-ychen
Ty'n-y-pwll
HEOL DREWI
Parc Newydd Farm
Sker Court
THE COURTYARD
MOOR LA
CF36
Ffynnon-wen Rocks
Nottage
Royal Porthcawl Golf Club
The Rest
M4
B4283
A4229
HEOL FACH
PORTHCAWL RD
HEOL BROOM
Recn Gd
Schs
Sch
F7
1 CLOS TY'R YSGOL/ SCHOOL HOUSE CL
CLEVIS CT1
CLOS CORNELIUS/ 2 CORNELIUS CL
F1
1 ROCKFIELDS CL
2 ROCKFIELDS CRES
3 FLORENCE ST
4 OLD VILLAGE LA
5 LOUGHOR ROW
6 THE CRESCENT
CLOS TREGANTLLO/CANDLESTON CL 1
CLOS EWENNI/EWENNY CL 2
CLOS TRELALES/LALESTON CL 3
CLOS LLANDUOWG/ TYTHEGSTON CL
HEOL-Y-CAPEL
PH
79
80
81
182
166

165
148

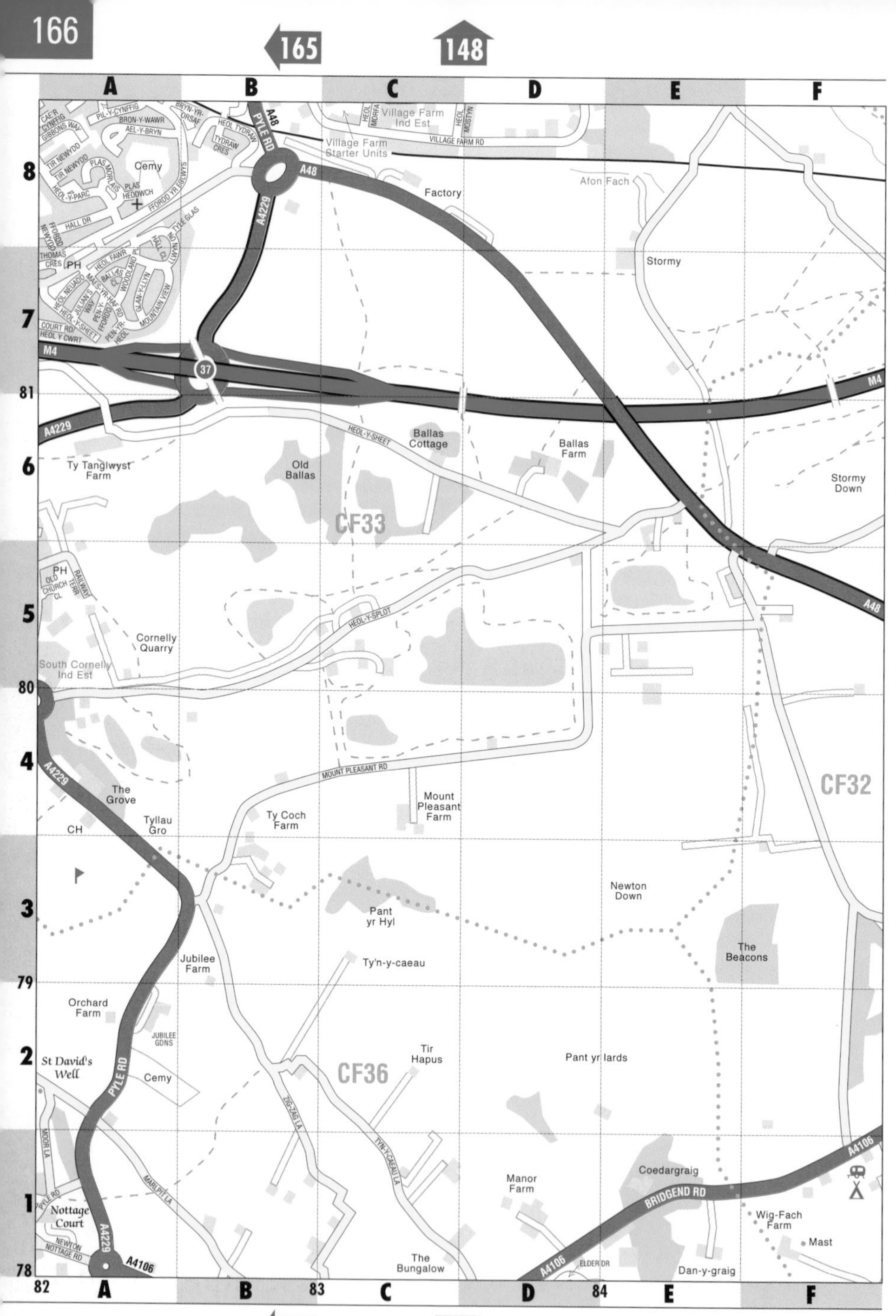

165
183

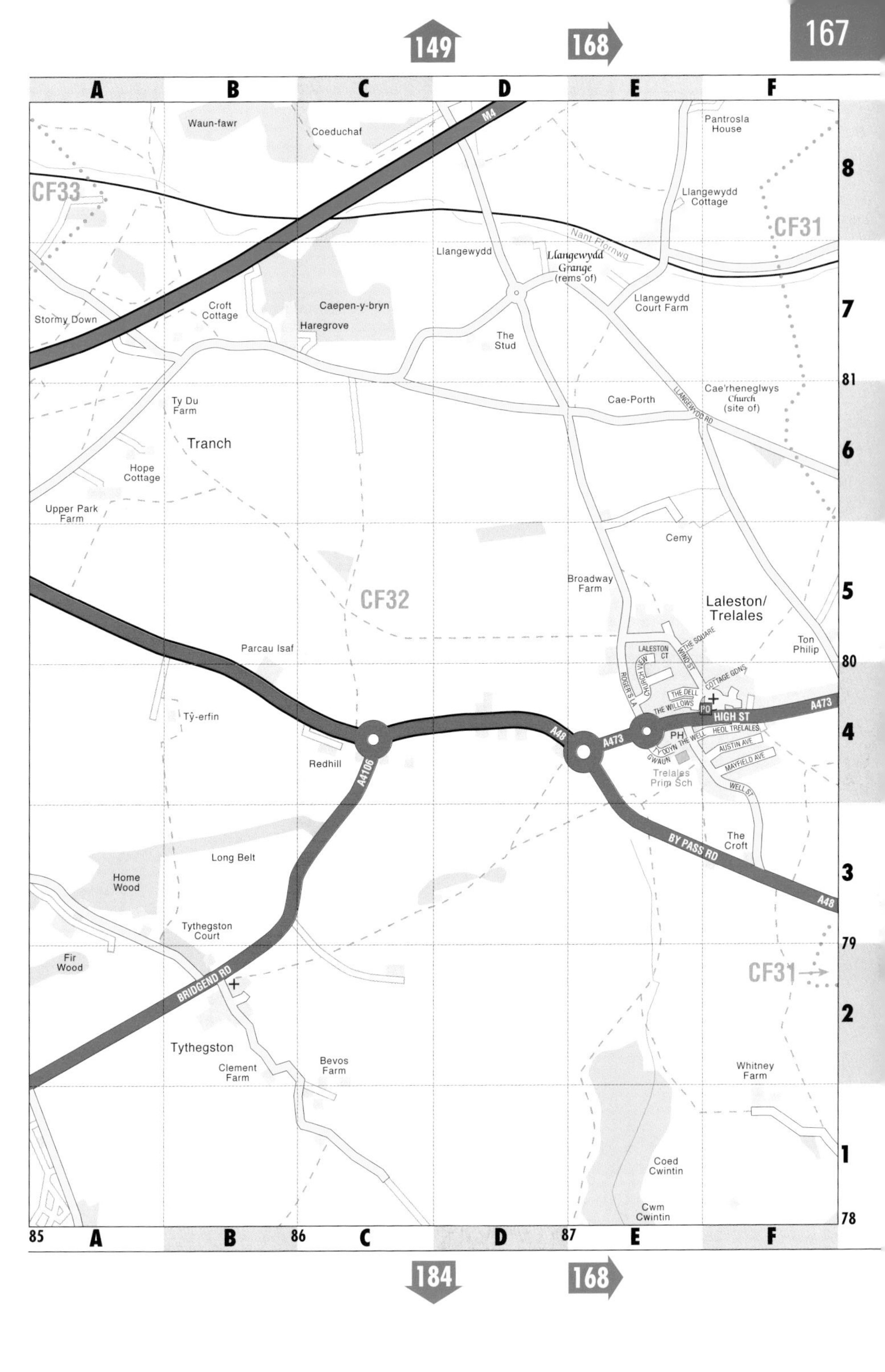
149
168
A
B
C
D
E
F
Waun-fawr
Coeduchaf
M4
Pantrosla House
8
CF33
Llangewydd Cottage
CF31
Nant Ffornwg
Llangewydd
Llangewydd Grange (rems of)
Llangewydd Court Farm
Croft Cottage
Caepen-y-bryn
7
Stormy Down
Haregrove
The Stud
81
Cae-Porth
Cae'rheneglwys Church (site of)
Ty Du Farm
LLANGEWYDD RD
Tranch
6
Hope Cottage
Upper Park Farm
Cemy
Broadway Farm
5
CF32
Laleston/ Trelales
Ton Philip
THE SQUARE
Parcau Isaf
LALESTON CT
CHURCH VIEW
WIND ST
80
ROGERS LA
COTTAGE GDNS
THE DELL
THE WILLOWS
PO
A473
HIGH ST
Tŷ-erfin
A48
A473
PH
HEOL TRELALES
4
Redhill
A4106
GWAUN
DDYN THE WELL
AUSTIN AVE
MAYFIELD AVE
Trelales Prim Sch
WELL ST
The Croft
BY PASS RD
Long Belt
Home Wood
3
A48
Tythegston Court
79
Fir Wood
BRIDGEND RD
CF31
2
Tythegston
Clement Farm
Bevos Farm
Whitney Farm
1
Coed Cwintin
Cwm Cwintin
78
85
86
87
184
168

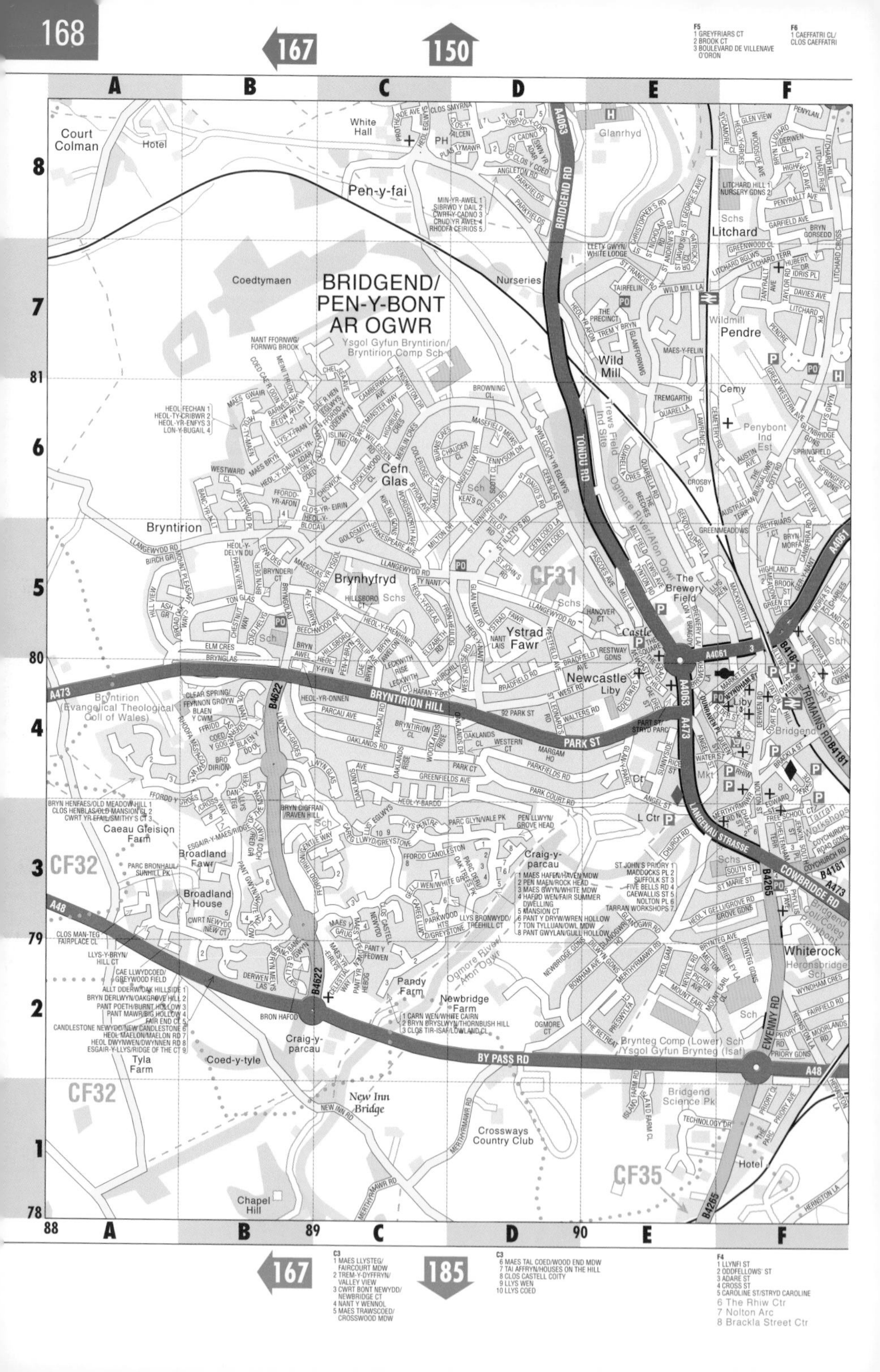
167
150
F5
1 GREYFRIARS CT
2 BROOK CT
3 BOULEVARD DE VILLENAVE D'ORON
F6
1 CAEFFATRI CL/
CLOS CAEFFATRI
A
B
C
D
E
F
8
7
81
6
5
80
4
3
79
2
1
78
88
89
90
Court Colman
Hotel
White Hall
PH
Glanrhyd
Pen-y-fai
MIN-YR-AWEL 1
SIBRWD Y DAIL 2
CWRT-Y-CADNO 3
CRUD YR AWEL 4
RHODFA CEIRIOS 5
BRIDGEND RD
A4063
LITCHARD HILL 1
NURSERY GDNS 2
Schs
Litchard
Coedtymaen
BRIDGEND/
PEN-Y-BONT
AR OGWR
Nurseries
Ysgol Gyfun Bryntirion/
Bryntirion Comp Sch
NANT FFORNWG/
FORNWG BROOK
Wildmill
Pendre
Wild Mill
Cemy
Penybont Ind Est
HEOL FECHAN 1
HEOL-TY-CRIBWR 2
HEOL-YR-ENFYS 3
LON-Y-BUGAIL 4
Trews Field Ind Site
TONDU RD
Cefn Glas
Sch
Ogmore River/Afon Ogwr
Bryntirion
CF31
Brynhyfryd
Schs
The Brewery Field
Ystrad Fawr
Castle
A4061
Newcastle
Liby
A473
BRYNTIRION HILL
PARK ST
Bryntirion
(Evangelical Theological
Coll of Wales)
Bridgend
TREMAINS RD
B4181
Mkt
L Ctr
BRYN HENFAES/OLD MEADOW HILL 1
CLOS HENBLAS/OLD MANSION CL 2
CWRT YR EFAIL/SMITHY'S CT 3
Caeau Gleision Farm
Broadland Fawr
CF32
Broadland House
Craig-y-parcau
1 MAES HAFEN/HAVEN MDW
2 PEN MAEN/ROCK HEAD
3 MAES GWYN/WHITE MDW
4 HAFOD WEN/FAIR SUMMER DWELLING
5 MANSION CT
6 PANT Y DRYW/WREN HOLLOW
7 TON TYLLUAN/OWL MDW
8 PANT GWYLAN/GULL HOLLOW
ST JOHN'S PRIORY 1
MADDOCKS PL 2
SUFFOLK ST 3
FIVE BELLS RD 4
CAEWALLIS ST 5
NOLTON PL 6
TARRAN WORKSHOPS 7
LANGENAU STRASSE
COWBRIDGE RD
Bridgend Coll/Coleg Penybont
Tarran Workshops
Whiterock
Heronsbridge Sch
A48
CLOS MAN-TEG
FAIRPLACE CL
LLYS-Y-BRYN/
HILL CT
CAE LLWYDCOED/
GREYWOOD FIELD
ALLT DDERW/OAK HILLSIDE 1
BRYN DERLWYN/OAKGROVE HILL 2
PANT POETH/BURNT HOLLOW 3
PANT MAWR/BIG HOLLOW 4
FAIR END CT 5
CANDLESTONE NEWYDD/NEW CANDLESTONE 6
HEOL MAELON/MAELON RD 7
HEOL DWYNWEN/DWYNNEN RD 8
EGSAIR-Y-LLYS/RIDGE OF THE CT 9
Pandy Farm
Newbridge Farm
1 CARN WEN/WHITE CAIRN
2 BRYN BRYSLWYN/THORNBUSH HILL
3 CLOS TIR-ISAF/LOWLAND CL
B4622
B4265
EWENNY RD
BRON HAFOD
Craig-y-parcau
Tyla Farm
Coed-y-tyle
BY PASS RD
Brynteg Comp (Lower) Sch
/Ysgol Gyfun Brynteg (Isaf)
Sch
CF32
New Inn Bridge
Bridgend Science Pk
Crossways Country Club
CF35
Hotel
Chapel Hill
167
185
C3
1 MAES LLYSTEG/
FAIRCOURT MDW
2 TREM-Y-DYFFRYN/
VALLEY VIEW
3 CWRT BONT NEWYDD/
NEWBRIDGE CT
4 NANT Y WENNOL
5 MAES TRAWSCOED/
CROSSWOOD MDW
C3
6 MAES TAL COED/WOOD END MDW
7 TAI AFFRYN/HOUSES ON THE HILL
8 CLOS CASTELL COITY
9 LLYS WEN
10 LLYS COED
F4
1 LLYNFI ST
2 ODDFELLOWS' ST
3 ADARE ST
4 CROSS ST
5 CAROLINE ST/STRYD CAROLINE
6 The Rhiw Ctr
7 Nolton Arc
8 Brackla Street Ctr

151
170

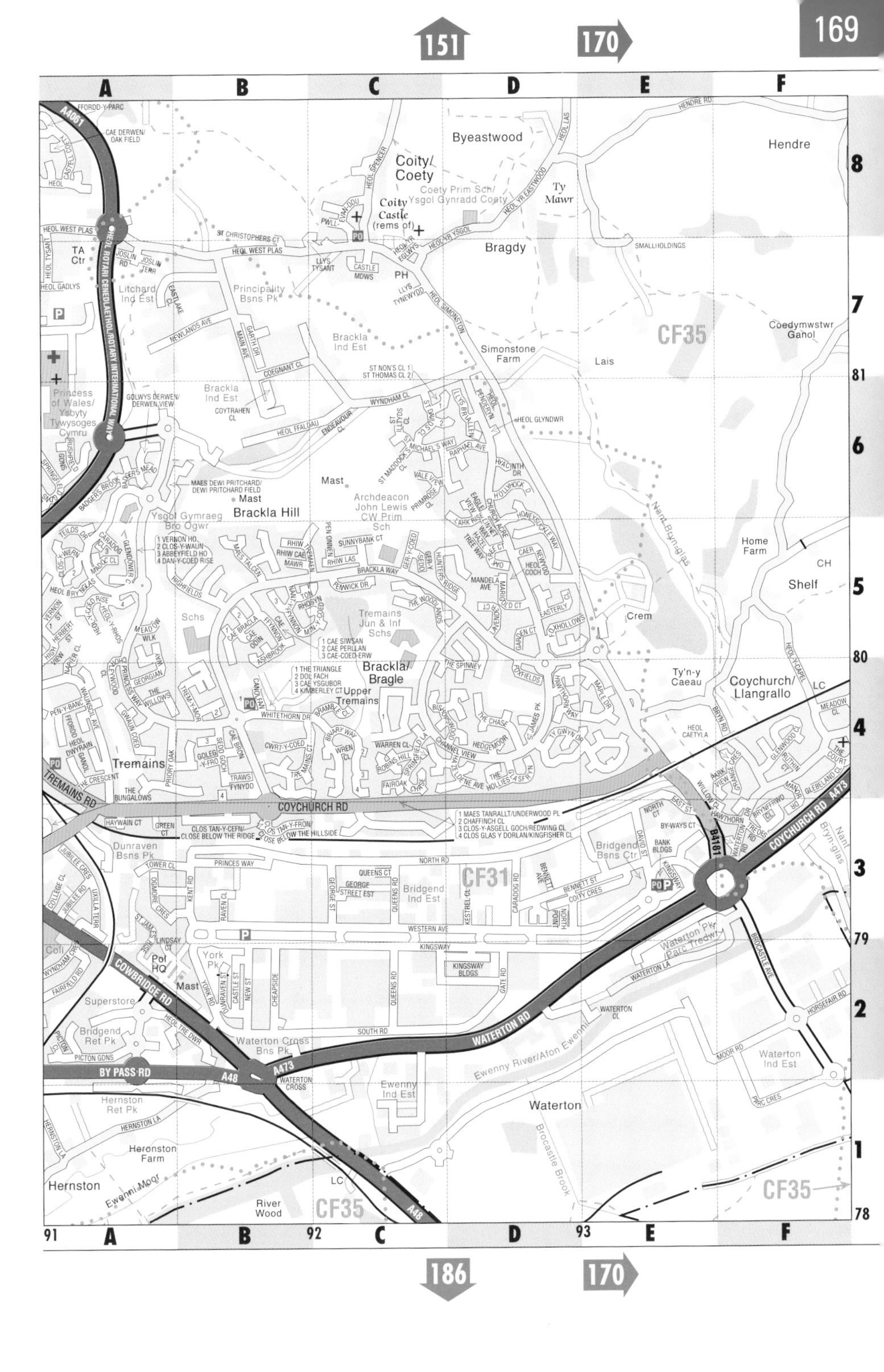

186
170

169
152

169
187

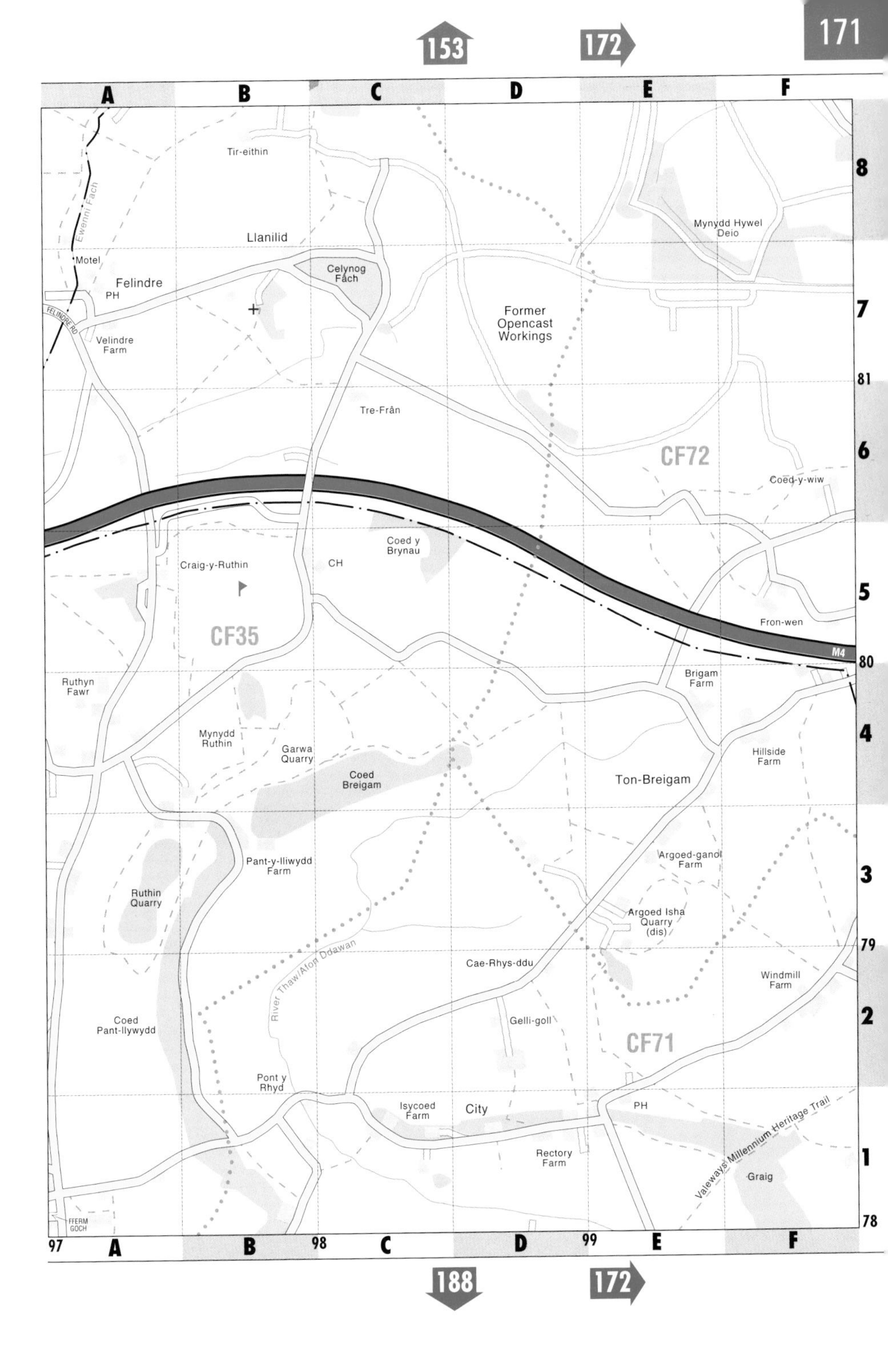
153
172
A
B
C
D
E
F
8
7
81
6
5
80
4
3
79
2
1
78
97
98
99
188
Tir-eithin
Ewenni Fach
Llanilid
Motel
Felindre
PH
Celynog Fach
FELINDRE RD
Velindre Farm
Mynydd Hywel Deio
Former Opencast Workings
Tre-Frân
CF72
Coed-y-wiw
Coed y Brynau
Craig-y-Ruthin
CH
Fron-wen
CF35
M4
Ruthyn Fawr
Brigam Farm
Mynydd Ruthin
Garwa Quarry
Coed Breigam
Hillside Farm
Ton-Breigam
Pant-y-lliwydd Farm
Argoed-ganol Farm
Ruthin Quarry
Argoed Isha Quarry (dis)
River Thaw/Afon Ddawan
Cae-Rhys-ddu
Windmill Farm
Coed Pant-llywydd
Gelli-goll
CF71
Pont y Rhyd
Isycoed Farm
City
PH
Valeways Millennium Heritage Trail
Rectory Farm
Graig
FFERM GOCH

171
154

171
189

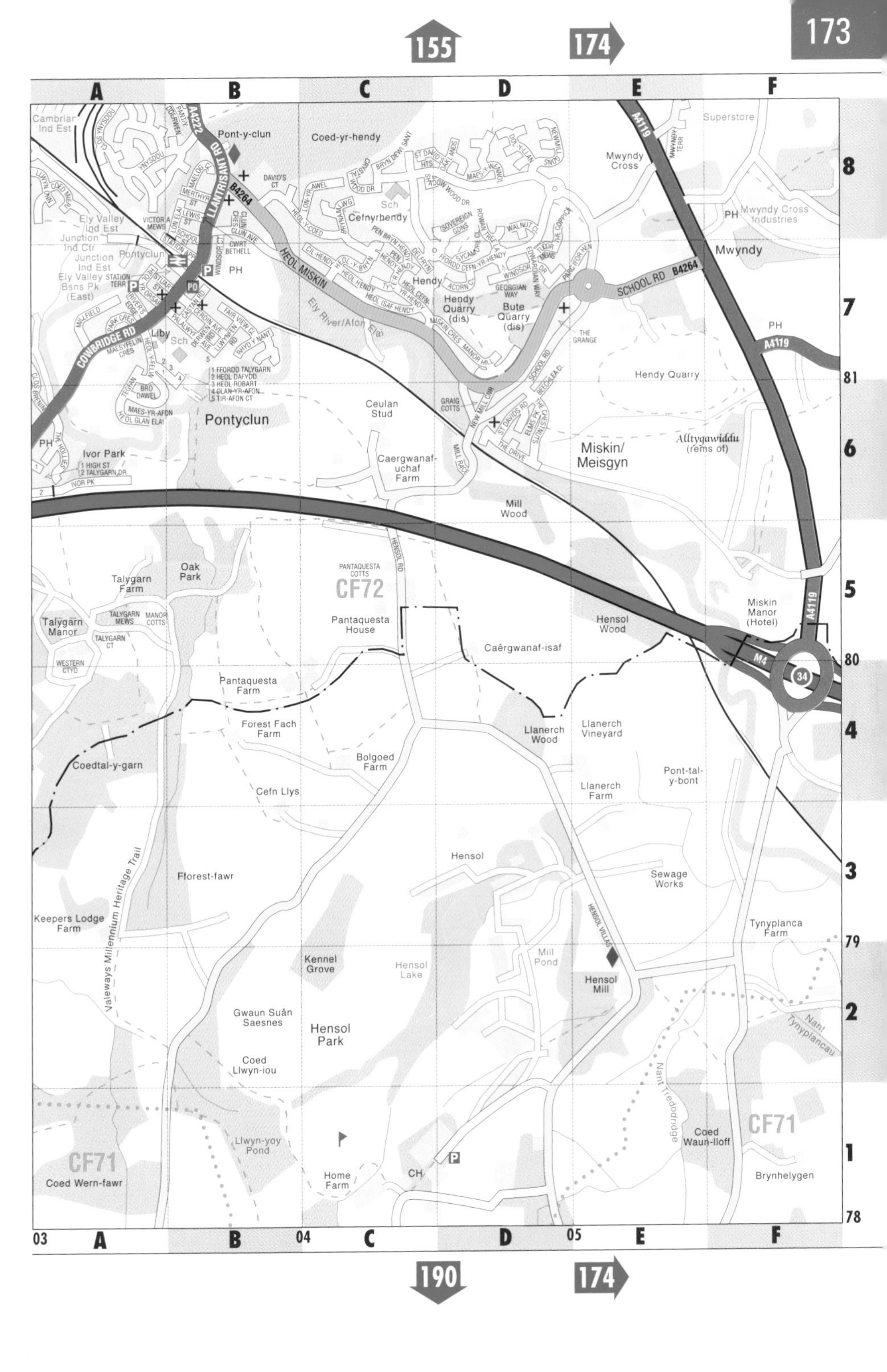
155
174
Pont-y-clun
Coed-yr-hendy
Cambrian Ind Est
Mwyndy Cross
Superstore
Mwyndy Cross Industries
Mwyndy
Cefnyrhendy
Hendy
Hendy Quarry (dis)
Bute Quarry (dis)
Ely Valley Ind Est
Junction Ind Ctr
Junction Ind Est
Ely Valley Bsns Pk (East)
Pontyclun
Ely River/Afon Elai
HEOL MISKIN
SCHOOL RD B4264
A4119
A4222
B4264
LLANTRISANT RD
COWBRIDGE RD
Liby
Sch
1 FFORDD TALYGARN
2 HEOL DAFYDD
3 HEOL ROBART
4 CLAN-YR-AFON
5 TIR-AFON CT
Pontyclun
Ivor Park
1 HIGH ST
2 TALYGARN DR
IVOR PK
Ceulan Stud
Caergwanaf-uchaf Farm
Hendy Quarry
Alltygawiddu (rems of)
Miskin/ Meisgyn
Mill Wood
THE GRANGE
Oak Park
Talygarn Farm
Talygarn Manor
TALYGARN MEWS
MANOR COTTS
TALYGARN CT
WESTERN CTYD
PANTAQUESTA COTTS
CF72
Pantaquesta House
Pantaquesta Farm
Caêrgwanaf-isaf
Hensol Wood
Miskin Manor (Hotel)
M4
34
Forest Fach Farm
Llanerch Wood
Llanerch Vineyard
Coedtal-y-garn
Bolgoed Farm
Cefn Llys
Llanerch Farm
Pont-tal-y-bont
Hensol
Sewage Works
Fforest-fawr
Valeways Millennium Heritage Trail
Keepers Lodge Farm
Tynyplanca Farm
Kennel Grove
Hensol Lake
Mill Pond
Hensol Mill
HENSOL VILLAS
Nant Tynyplancau
Gwaun Suân Saesnes
Hensol Park
Coed Llwyn-iou
Nant Tredodridge
Llwyn-yoy Pond
CF71
Coed Wern-fawr
Home Farm
CH
Coed Waun-lloff
Brynhelygen
A B C D E F
1 2 3 4 5 6 7 8
78 79 80 81
03 04 05
190
174

173
156

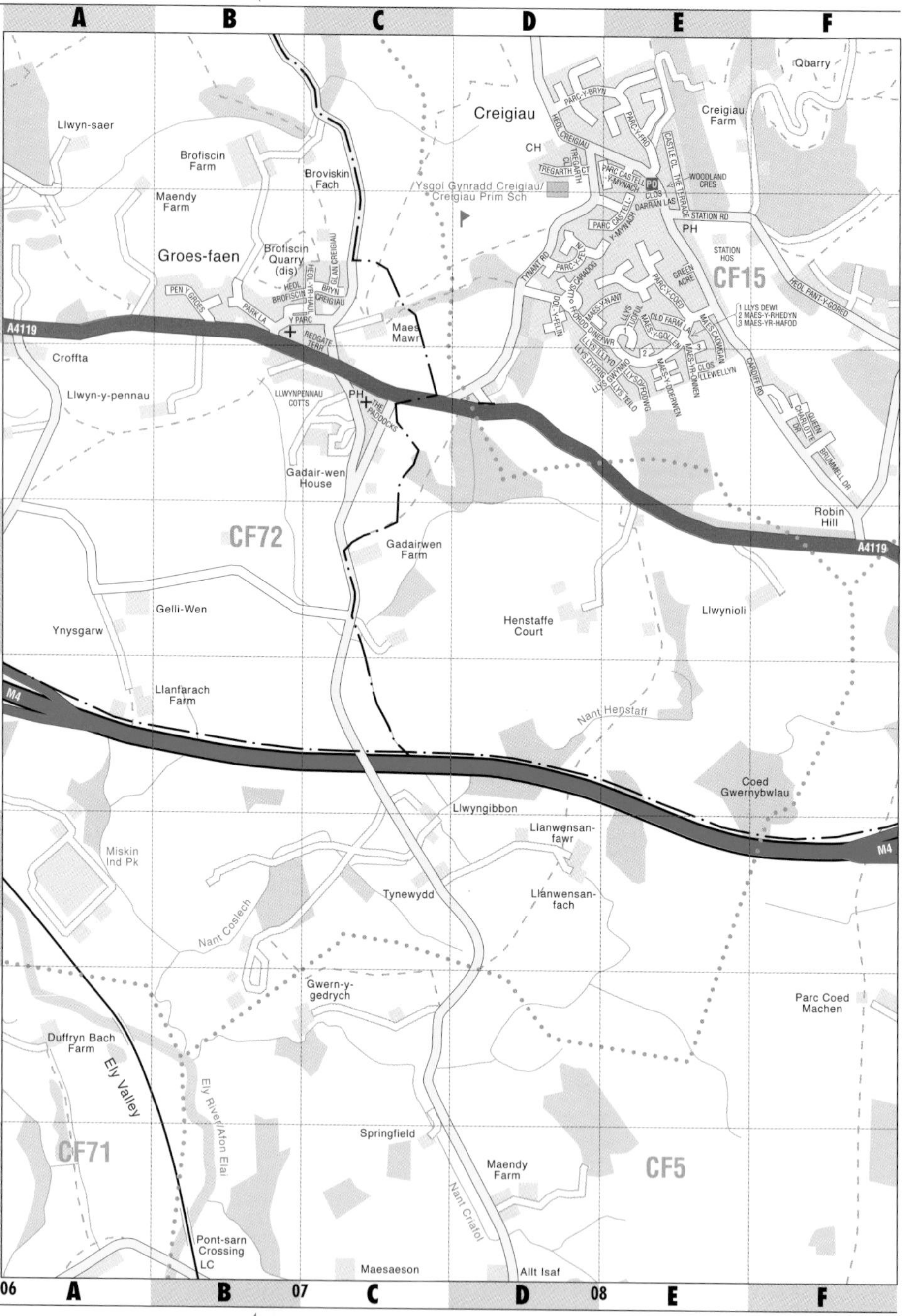

A B C D E F

Llwyn-saer
Brofiscin Farm
Maendy Farm
Broviskin Fach
Creigiau
CH
Ysgol Gynradd Creigiau/ Creigiau Prim Sch
Creigiau Farm
Quarry
PH
STATION HOS
CF15
Groes-faen
Brofiscin Quarry (dis)
A4119
Croffta
Llwyn-y-pennau
Maes Mawr
LLWYNPENNAU COTTS
PH
Gadair-wen House
1 LLYS DEWI
2 MAES-Y-RHEDYN
3 MAES-YR-HAFOD
Robin Hill
CF72
Gadairwen Farm
Gelli-Wen
Ynysgarw
Henstaffe Court
Llwynioli
Llanfarach Farm
M4
Nant Henstaff
Coed Gwernybwlau
Llwyngibbon
Llanwensan-fawr
Miskin Ind Pk
Tynewydd
Llanwensan-fach
Nant Coslech
Gwern-y-gedrych
Parc Coed Machen
Duffryn Bach Farm
Ely Valley
Ely River/Afon Elai
Springfield
CF71
Maendy Farm
CF5
Nant Criafol
Pont-sarn Crossing
LC
Maesaeson
Allt Isaf

06 A B 07 C D 08 E F

173
191

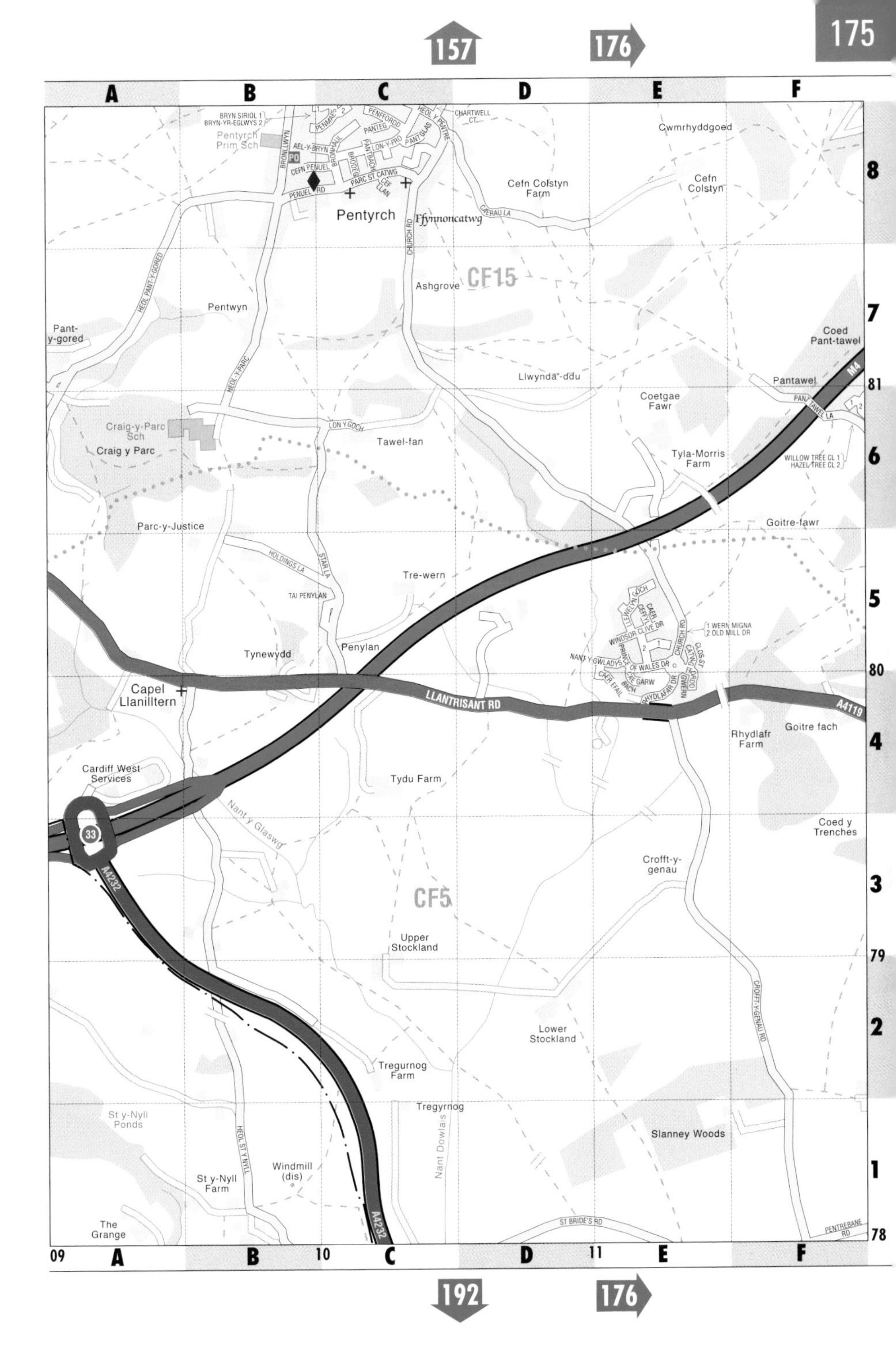
157
176
A
B
C
D
E
F
8
7
6
5
4
3
2
1
81
80
79
78
09
10
11
Pentyrch
Pentyrch Prim Sch
Ffynnoncatwg
Cwmrhyddgoed
Cefn Colstyn Farm
Cefn Colstyn
Ashgrove
CF15
Pentwyn
Pant-y-gored
Coed Pant-tawel
Llwynda-ddu
Pantawel
Coetgae Fawr
Craig-y-Parc Sch
Craig y Parc
Tawel-fan
Tyla-Morris Farm
Parc-y-Justice
Goitre-fawr
Tre-wern
Tynewydd
Penylan
Capel Llanilltern
LLANTRISANT RD
A4119
Rhydlafr Farm
Goitre fach
Cardiff West Services
Tydu Farm
Nant y Glaswg
Coed y Trenches
Crofft-y-genau
CF5
Upper Stockland
Lower Stockland
Tregurnog Farm
Tregyrnog
Slanney Woods
St y-Nyll Ponds
Windmill (dis)
St y-Nyll Farm
Nant Dowlais
The Grange
M4
A4232
33
HEOL ST Y NYLL
CROFFT-Y-GENAU RD
ST BRIDE'S RD
PENTREBANE RD
CHURCH RD
HEOL-Y-PARC
HEOL PANT-Y-GORED
LON Y GOCH
HOLDINGS LA
STAR LA
TAI PENYLAN
PENUEL RD
PARC ST CATWG
CERAU LA
BRONLLWYN
PANT TAWEL LA
WILLOW TREE CL 1
HAZEL TREE CL 2
1 WERN MIGNA
2 OLD MILL DR
BRYN SIRIOL 1
BRYN-YR-EGLWYS 2
CHARTWELL CT
WINDSOR CLIVE DR
PRINCE OF WALES DR
NANT Y GWLADYS
RHYDLAFAR DR
CAE GARW
CAER EFAIL
192
176

175
158

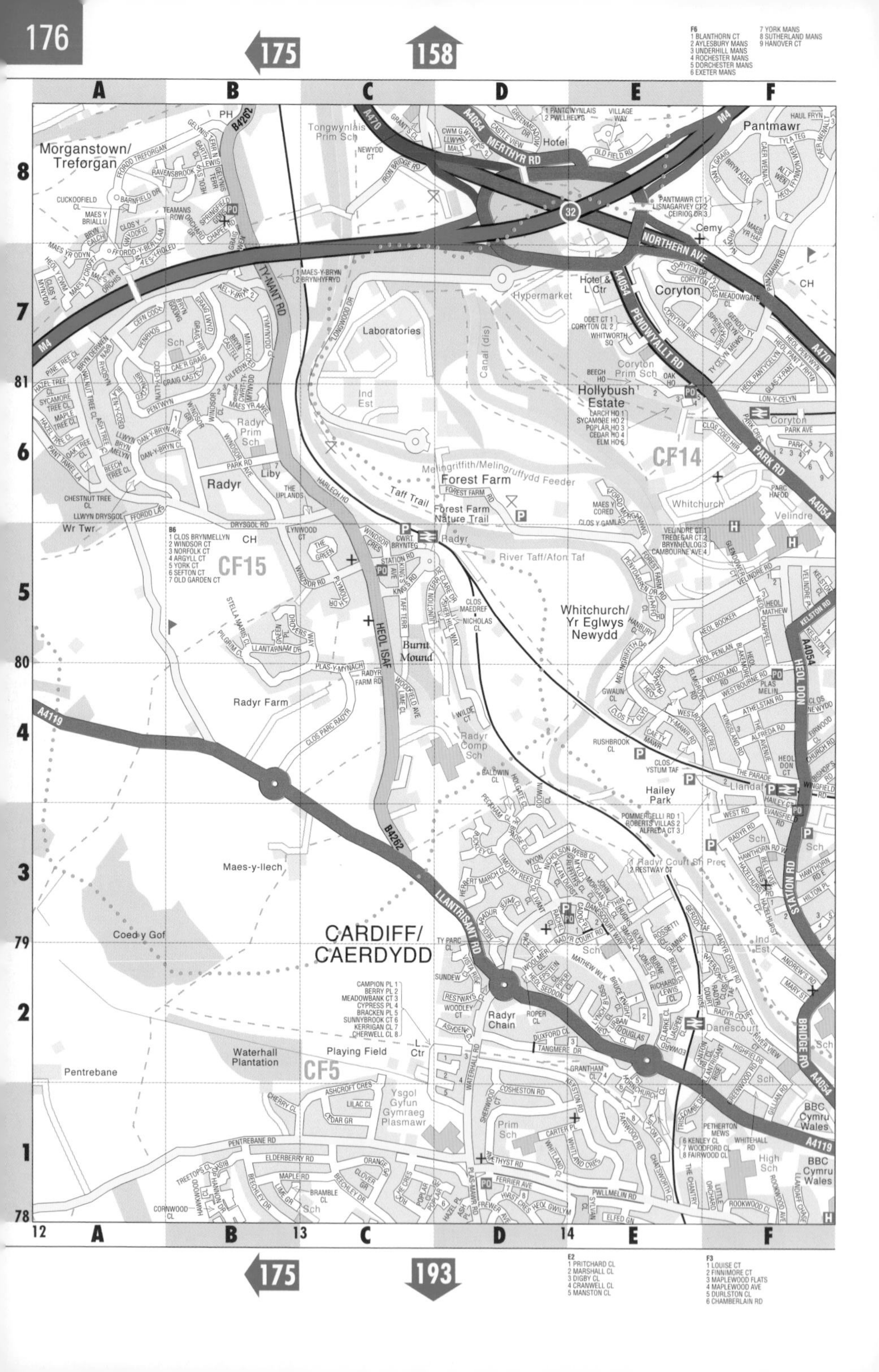

175
193

E2
1 PRITCHARD CL
2 MARSHALL CL
3 DIGBY CL
4 CRANWELL CL
5 MANSTON CL

F3
1 LOUISE CT
2 FINNIMORE CT
3 MAPLEWOOD FLATS
4 MAPLEWOOD AVE
5 DURLSTON CL
6 CHAMBERLAIN RD

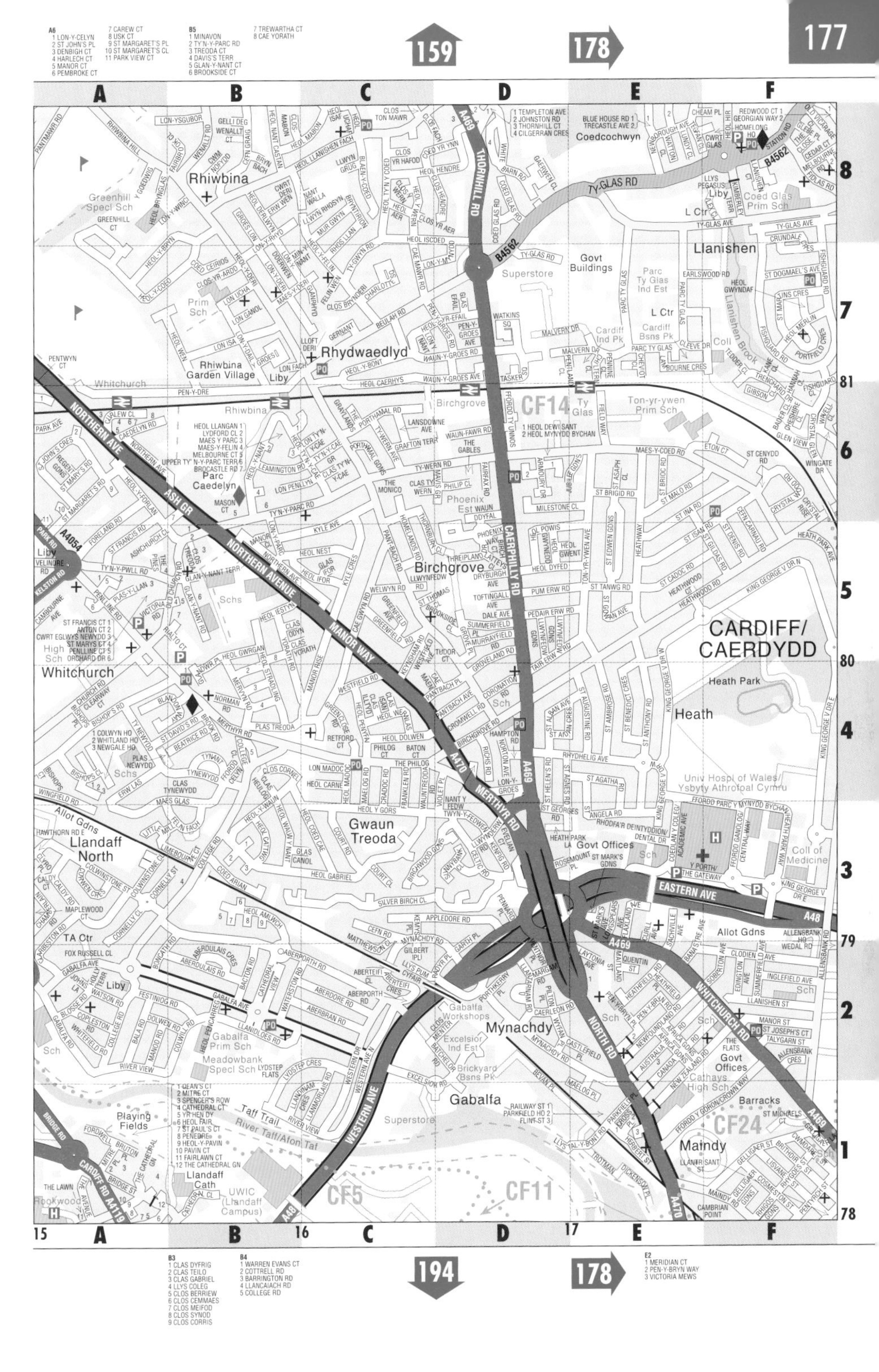

177
159
178
194
178
A6
1 LON-Y-CELYN
2 ST JOHN'S PL
3 DENBIGH CT
4 HARLECH CT
5 MANOR CT
6 PEMBROKE CT
7 CAREW CT
8 USK CT
9 ST MARGARET'S PL
10 ST MARGARET'S CL
11 PARK VIEW CT
B5
1 MINAVON
2 TY'N-Y-PARC RD
3 TREODA CT
4 DAVIS'S TERR
5 GLAN-Y-NANT CT
6 BROOKSIDE CT
7 TREWARTHA CT
8 CAE YORATH
A
B
C
D
E
F
8
7
6
5
4
3
2
1
81
80
79
78
15
16
17
Rhiwbina
Coedcochwyn
Llanishen
Rhydwaedlyd
Rhiwbina Garden Village
Whitchurch
Birchgrove
Parc Caedelyn
CF14
CARDIFF/ CAERDYDD
Heath Park
Heath
Llandaff North
Gwaun Treoda
Mynachdy
Gabalfa
Maindy
CF24
CF5
CF11
Llandaff Cath
Univ Hospl of Wales/ Ysbyty Athrofaol Cymru
Coll of Medicine
Govt Offices
Govt Buildings
Superstore
Cardiff Bsns Pk
Parc Ty Glas Ind Est
Playing Fields
Taff Trail
River Taff/Afon Taf
Excelsior Ind Est
Gabalfa Workshops
Brickyard Bsns Pk
Cathays High Sch
Barracks
Allot Gdns
NORTHERN AVENUE
MANOR WAY
THORNHILL RD
CAERPHILLY RD
EASTERN AVE
WESTERN AVE
NORTH RD
WHITCHURCH RD
MERTHYR RD
TY-GLAS RD
A469
A470
A48
A4054
A4119
B4562
B3
1 CLAS DYFRIG
2 CLAS TEILO
3 CLAS GABRIEL
4 LLYS COLEG
5 CLOS BERRIEW
6 CLOS CEMMAES
7 CLOS MEIFOD
8 CLOS SYNOD
9 CLOS CORRIS
B4
1 WARREN EVANS CT
2 COTTRELL RD
3 BARRINGTON RD
4 LLANCAIACH RD
5 COLLEGE RD
E2
1 MERIDIAN CT
2 PEN-Y-BRYN WAY
3 VICTORIA MEWS

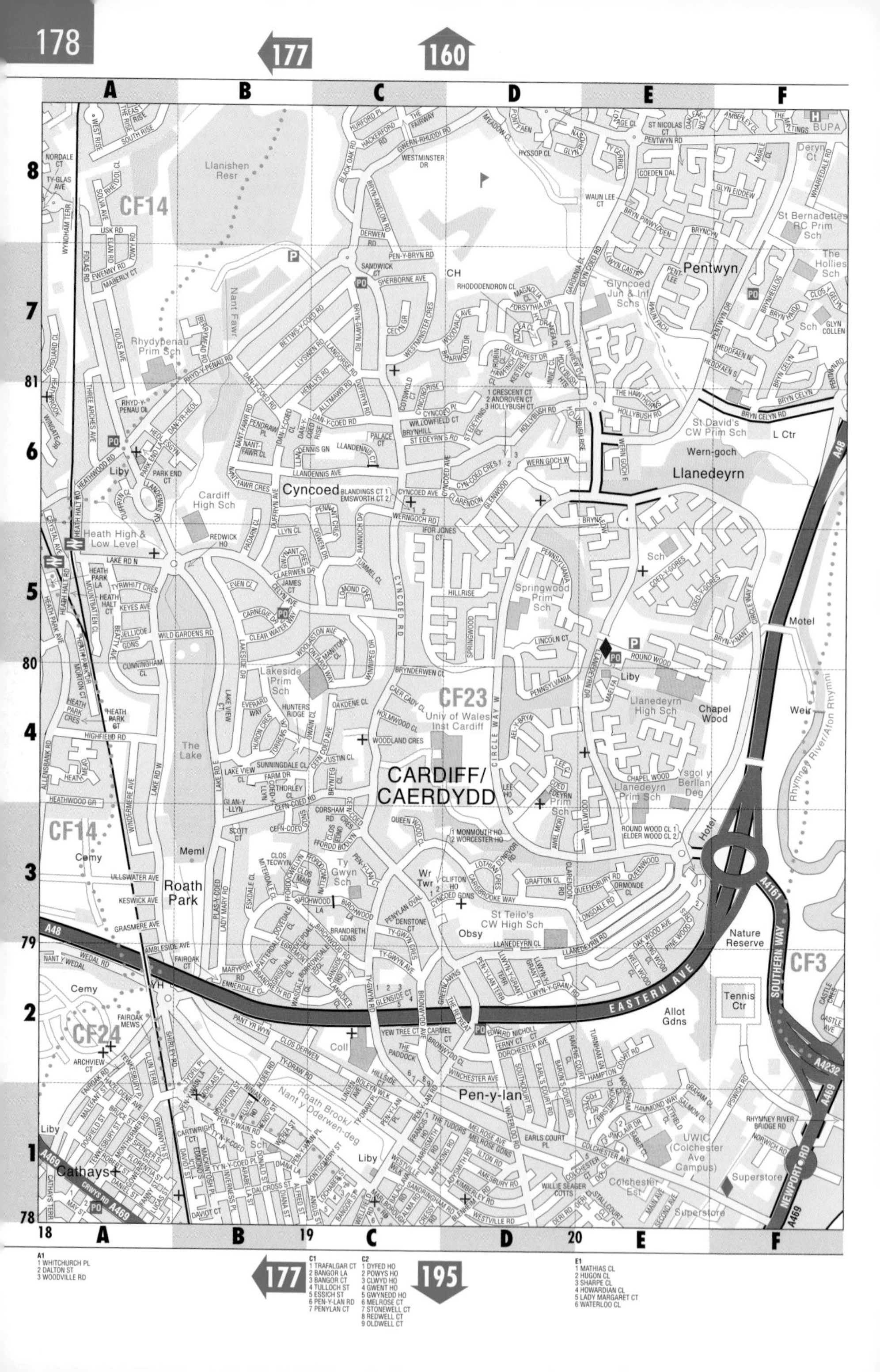

178
177
160
A
B
C
D
E
F
8
7
81
6
5
80
4
3
79
2
1
78
18
19
20
CF14
CF23
CF24
CF3
Llanishen Resr
Nant Fawr
Rhydypenau Prim Sch
Cardiff High Sch
Heath High & Low Level
Cyncoed
Lakeside Prim Sch
The Lake
Roath Park
Meml
Cemy
CARDIFF/ CAERDYDD
Univ of Wales Inst Cardiff
Springwood Prim Sch
Glyncoed Jun & Inf Schs
Pentwyn
St Bernadettes RC Prim Sch
The Hollies Sch
BUPA
St David's CW Prim Sch
L Ctr
Wern-goch
Llanedeyrn
Llanedeyrn High Sch
Chapel Wood
Ysgol y Berllan Deg
Llanedeyrn Prim Sch
Motel
Weir
Rhymney River/Aton Rhymni
Hotel
Nature Reserve
Tennis Ctr
Allot Gdns
Ty Gwyn Sch
Wr Twr
St Teilo's CW High Sch
Obsy
Coll
Pen-y-lan
Roath Brook/ Nant y Dderwen-deg
Cathays
UWIC (Colchester Ave Campus)
Colchester Est
Superstore
EASTERN AVE
SOUTHERN WAY
NEWPORT RD
A48
A469
A4161
A4232
CYNCOED RD
177
195
A1
1 WHITCHURCH PL
2 DALTON ST
3 WOODVILLE RD
C1
1 TRAFALGAR CT
2 BANGOR LA
3 BANGOR CT
4 TULLOCH ST
5 ESSICH ST
6 PEN-Y-LAN RD
7 PENYLAN CT
C2
1 DYFED HO
2 POWYS HO
3 CLWYD HO
4 GWENT HO
5 GWYNEDD HO
6 MELROSE CT
7 STONEWELL CT
8 REDWELL CT
9 OLDWELL CT
E1
1 MATHIAS CL
2 HUGON CL
3 SHARPE CL
4 HOWARDIAN CL
5 LADY MARGARET CT
6 WATERLOO CL

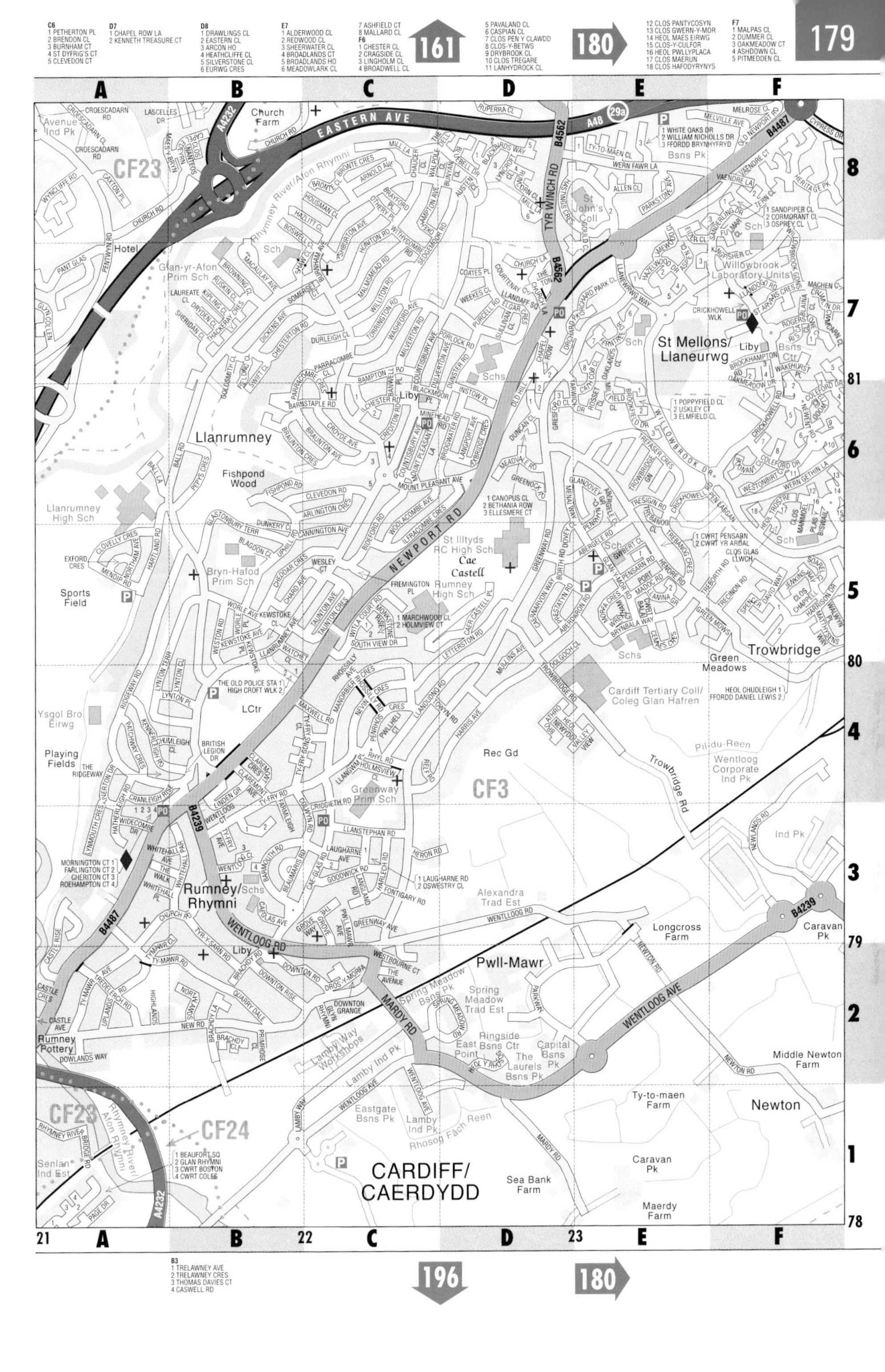

C6
1 PETHERTON PL
2 BRENDON CL
3 BURNHAM CT
4 ST DYFRIG'S CT
5 CLEVEDON CT
D7
1 CHAPEL ROW LA
2 KENNETH TREASURE CT
D8
1 DRAWLINGS CL
2 EASTERN CL
3 ARCON HO
4 HEATHCLIFFE CL
5 SILVERSTONE CL
6 EURWG CRES
E7
1 ALDERWOOD CL
2 REDWOOD CL
3 SHEERWATER CL
4 BROADLANDS CT
5 BROADLANDS HO
6 MEADOWLARK CL
7 ASHFIELD CT
8 MALLARD CL
F6
1 CHESTER CL
2 CRAGSIDE CL
3 LINGHOLM CL
4 BROADWELL CL
161
5 PAVALAND CL
6 CASPIAN CL
7 CLOS PEN Y CLAWDD
8 CLOS-Y-BETWS
9 DRYBROOK CL
10 CLOS TREGARE
11 LANHYDROCK CL
180
12 CLOS PANTYCOSYN
13 CLOS GWERN-Y-MOR
14 HEOL MAES EIRWG
15 CLOS-Y-CULFOR
16 HEOL PWLLYPLACA
17 CLOS MAERUN
18 CLOS HAFODYRYNYS
F7
1 MALPAS CL
2 DUMMER CL
3 OAKMEADOW CT
4 ASHDOWN CL
5 PITMEDDEN CL
179
A
B
C
D
E
F
8
7
81
6
5
80
4
3
79
2
1
78
21
22
23
EASTERN AVE
A48
29a
A4232
B4562
TYR WINCH RD
B4487
CF23
CF3
CF24
Church Farm
Hotel
Glan-yr-Afon Prim Sch
Rhymney River/Afon Rhymni
St John's Coll
Willowbrook Laboratory Units
St Mellons/ Llaneurwg
1 WHITE OAKS DR
2 WILLIAM NICHOLLS DR
3 FFORDD BRYNHYFRYD
Bsns Pk
1 SANDPIPER CL
2 CORMORANT CL
3 OSPREY CL
1 POPPYFIELD CL
2 USKLEY CT
3 ELMFIELD CL
Llanrumney
Fishpond Wood
Llanrumney High Sch
Sports Field
Bryn-Hafod Prim Sch
1 CANOPUS CL
2 BETHANIA ROW
3 ELLESMERE CT
St Illtyds RC High Sch
Cae Castell
Rumney High Sch
1 MARCHWOOD CL
2 HOLMVIEW CT
NEWPORT RD
1 CWRT PENSARN
2 CWRT YR ARBAL
CLOS GLAS LLWCH
Trowbridge
Green Meadows
Cardiff Tertiary Coll/ Coleg Glan Hafren
HEOL CHUDLEIGH 1
FFORDD DANIEL LEWIS 2
THE OLD POLICE STA 1
HIGH CROFT WLK 2
LCtr
Ysgol Bro Eirwg
Playing Fields
BRITISH LEGION DR
Rec Gd
Pil-du-Reen
Wentloog Corporate Ind Pk
Trowbridge Rd
Greenway Prim Sch
B4239
MORNINGTON CT 1
FARLINGTON CT 2
CHERITON CT 3
ROEHAMPTON CT 4
Rumney/ Rhymni
1 LAUGHARNE RD
2 OSWESTRY CL
Alexandra Trad Est
Ind Pk
Caravan Pk
Longcross Farm
WENTLOOG RD
Pwll-Mawr
Spring Meadow Bsns Pk
Spring Meadow Trad Est
MARDY RD
WENTLOOG AVE
Rumney Pottery
DOWLANDS WAY
Lamby Way Workshops
Lamby Ind Pk
East Point
Ringside Bsns Ctr
The Laurels Bsns Pk
Capital Bsns Pk
Middle Newton Farm
Ty-to-maen Farm
Newton
Eastgate Bsns Pk
Rhosog Fach Reen
1 BEAUFORT SQ
2 GLAN RHYMNI
3 CWRT BOSTON
4 CWRT COLES
Senlan Ind Est
CARDIFF/ CAERDYDD
Sea Bank Farm
Caravan Pk
Maerdy Farm
B3
1 TRELAWNEY AVE
2 TRELAWNEY CRES
3 THOMAS DAVIES CT
4 CASWELL RD
196
180

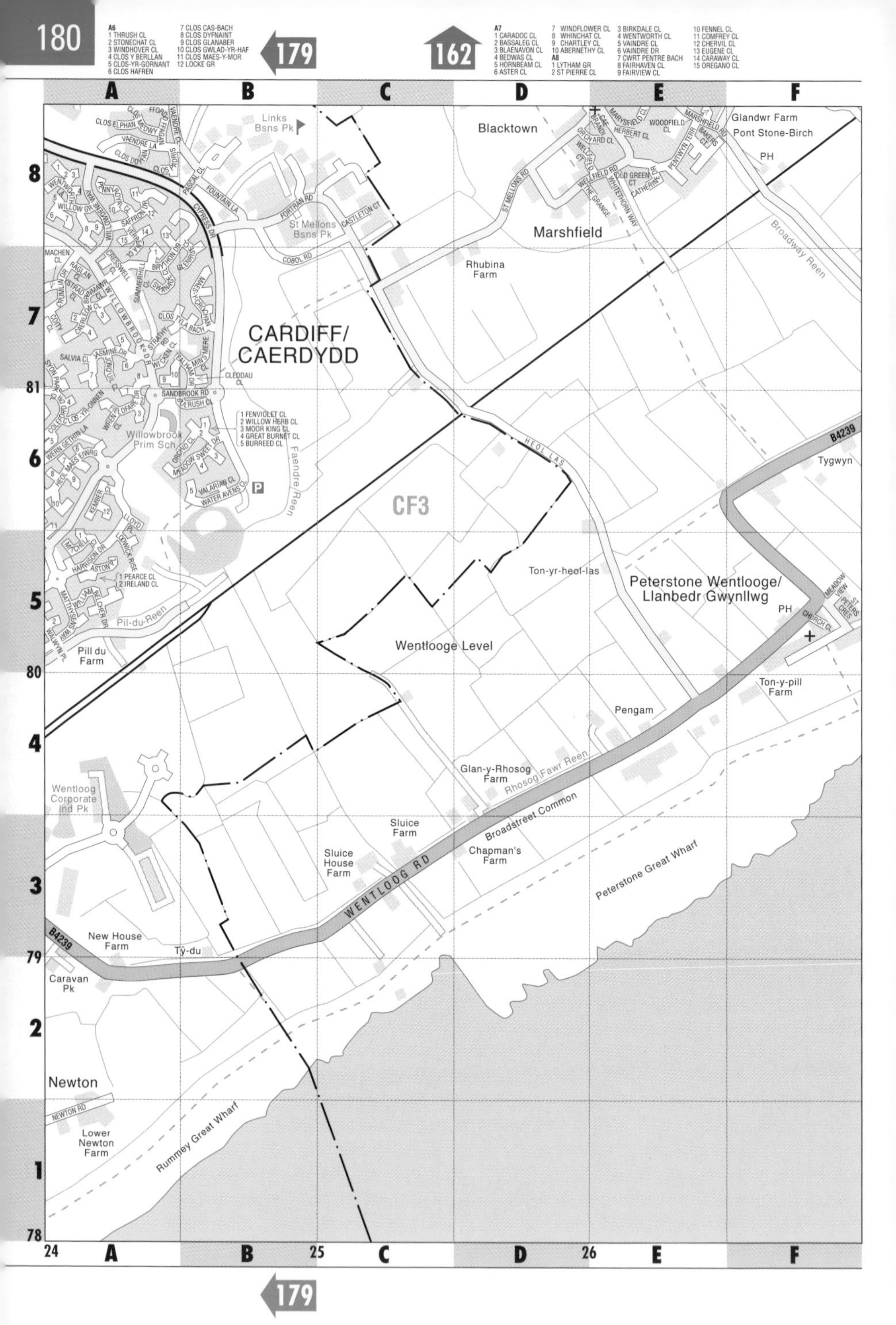
A6
1 THRUSH CL
2 STONECHAT CL
3 WINDHOVER CL
4 CLOS Y BERLLAN
5 CLOS-YR-GORNANT
6 CLOS HAFREN
7 CLOS CAS-BACH
8 CLOS DYFNAINT
9 CLOS GLANABER
10 CLOS GWLAD-YR-HAF
11 CLOS MAES-Y-MOR
12 LOCKE GR
179
162
A7
1 CARADOC CL
2 BASSALEG CL
3 BLAENAVON CL
4 BEDWAS CL
5 HORNBEAM CL
6 ASTER CL
7 WINDFLOWER CL
8 WHINCHAT CL
9 CHARTLEY CL
10 ABERNETHY CL
A8
1 LYTHAM GR
2 ST PIERRE CL
3 BIRKDALE CL
4 WENTWORTH CL
5 VAINDRE CL
6 VAINDRE DR
7 CWRT PENTRE BACH
8 FAIRHAVEN CL
9 FAIRVIEW CL
10 FENNEL CL
11 COMFREY CL
12 CHERVIL CL
13 EUGENE CL
14 CARAWAY CL
15 OREGANO CL
A
B
C
D
E
F
8
7
81
6
5
80
4
3
79
2
1
78
24
25
26
Links Bsns Pk
Blacktown
Glandwr Farm
Pont Stone-Birch
PH
St Mellons Bsns Pk
Marshfield
Broadway Reen
Rhubina Farm
CARDIFF/
CAERDYDD
CLEDDAU CL
1 FENVIOLET CL
2 WILLOW HERB CL
3 MOOR KING CL
4 GREAT BURNET CL
5 BURREED CL
Willowbrook Prim Sch
Faendre Reen
HEOL LAS
B4239
Tygwyn
CF3
Ton-yr-heol-las
Peterstone Wentlooge/
Llanbedr Gwynllwg
PH
1 PEARCE CL
2 IRELAND CL
Pil-du-Reen
Pill du Farm
Wentlooge Level
Ton-y-pill Farm
Pengam
Glan-y-Rhosog Farm
Rhosog Fawr Reen
Wentloog Corporate Ind Pk
Broadstreet Common
Sluice Farm
Sluice House Farm
Chapman's Farm
Peterstone Great Wharf
WENTLOOG RD
New House Farm
Ty-du
Caravan Pk
Newton
NEWTON RD
Lower Newton Farm
Rummey Great Wharf
SANDBROOK RD
FOUNTAIN LA
FORTRAN RD
CASTLETON CT
COBOL RD
CYPRESS DR
PASCAL CL
ST MELLONS RD
WELLFIELD RD
WHITETHORN WAY
THE GRANGE
MARSHFIELD RD
CHURCH CL
MEADOW VIEW
ST PETERS CRES

179

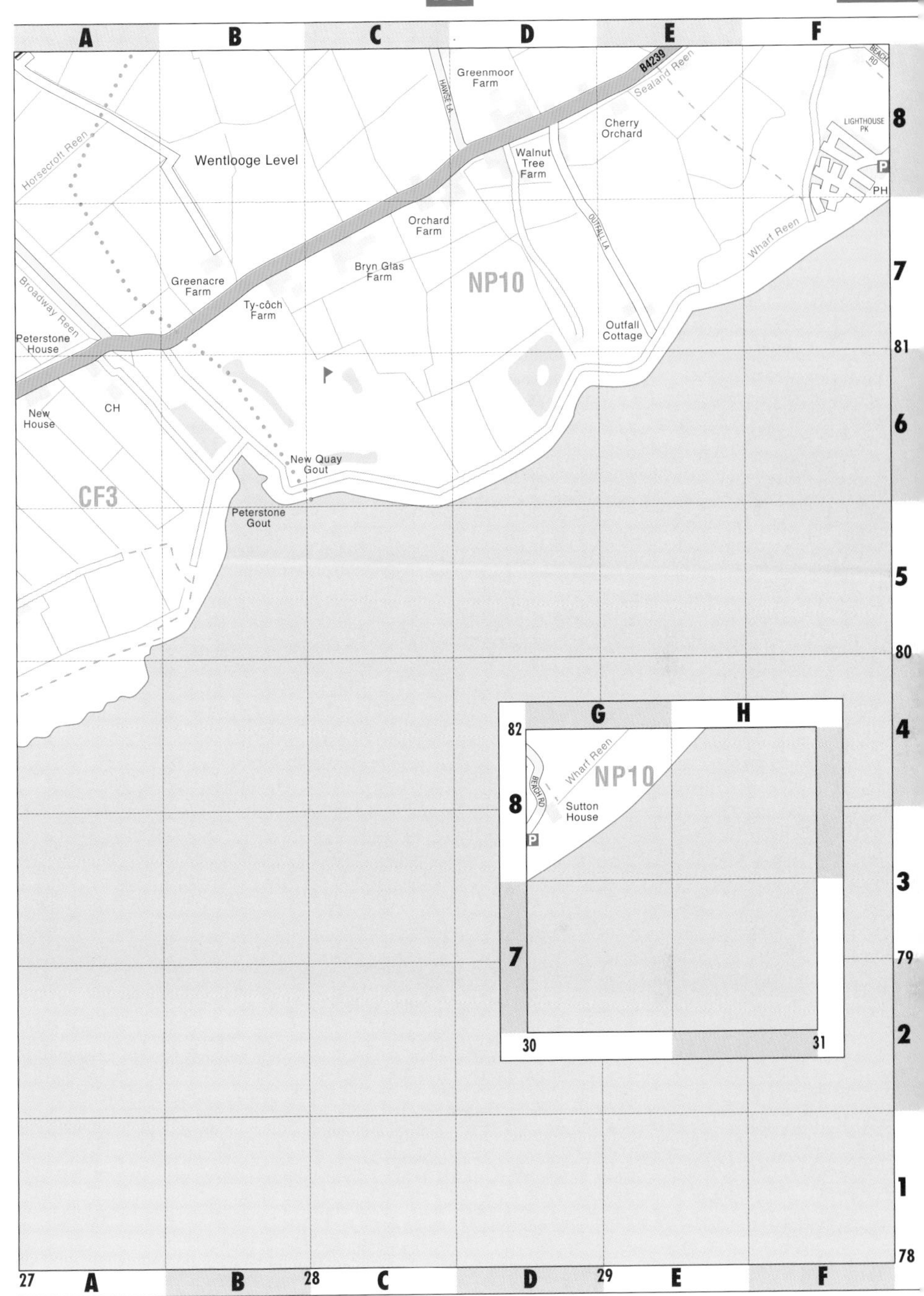
163
A
B
C
D
E
F
B4239
Greenmoor Farm
HAWSE LA
Sealand Reen
LIGHTHOUSE PK
P
PH
Cherry Orchard
Walnut Tree Farm
Wentlooge Level
Horsecroft Reen
Orchard Farm
OUTFALL LA
Wharf Reen
Bryn Glas Farm
NP10
Greenacre Farm
Ty-côch Farm
Broadway Reen
Peterstone House
Outfall Cottage
New House
CH
New Quay Gout
CF3
Peterstone Gout
8
7
81
6
5
80
4
3
79
2
1
78
27
28
29
G
H
82
Wharf Reen
BEACH RD
NP10
Sutton House
30
31

165

F7
1 LLYSY ONNEN
2 LLYS Y GRUG/HEATHER CT
3 CLOS-YR-ORSAF/STATION CL
4 OLD STATION RD
5 NEW RD

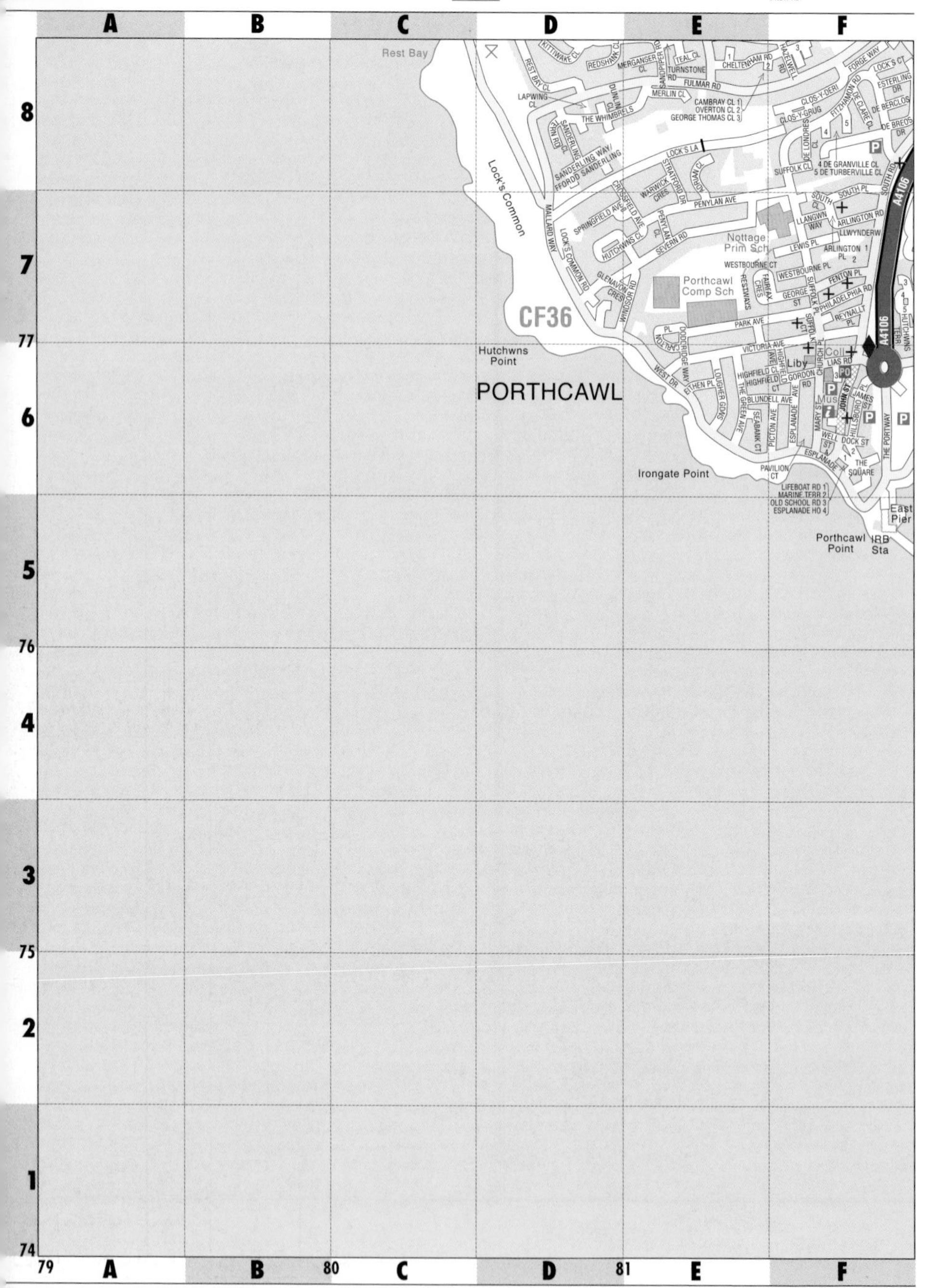

166

184

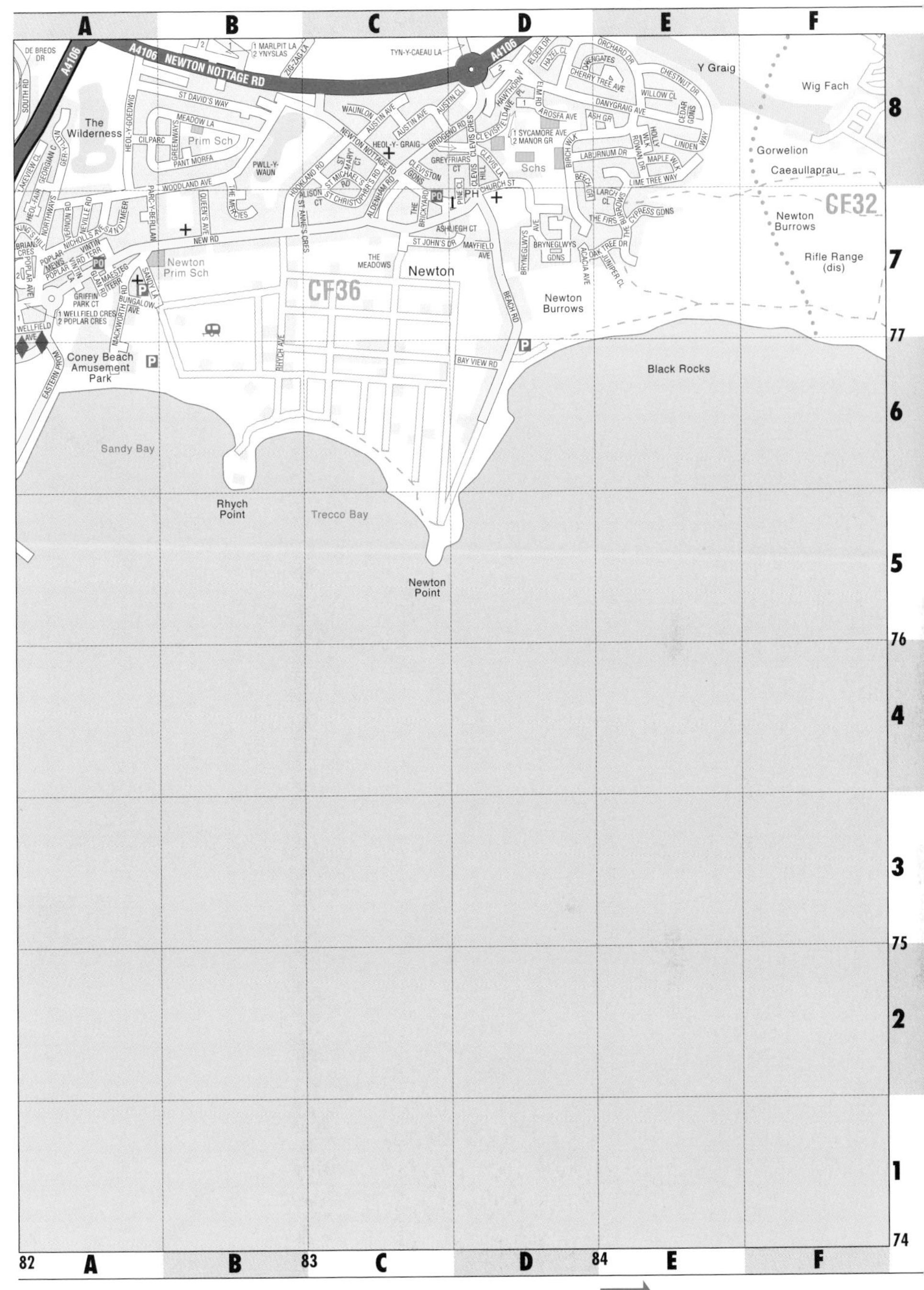
A
B
C
D
E
F
A4106
NEWTON NOTTAGE RD
1 MARLPIT LA
2 YNYSLAS
ZIG-ZAG LA
TYN-Y-CAEAU LA
DE BREOS DR
SOUTH RD
The Wilderness
ST DAVID'S WAY
MEADOW LA
Prim Sch
CILPARC
GREENWAYS
PANT MORFA
HEOL-Y-GOEDWIG
PWLL-Y-WAUN
WOODLAND AVE
WAUNLON
AUSTIN AVE
AUSTIN CL
HEOL-Y-GRAIG
NEWTON NOTTAGE RD
BRIDGEND RD
GREYFRIARS CT
CLEVISTON GDNS
ST MICHAEL'S RD
ST CHRISTOPHER'S RD
ALDENHAM RD
HOOKLAND RD
ALISON CT
ST ANNE'S CRES
QUEEN'S AVE
PARC-Y-BERLLAN
THE MERCIES
LAKEVIEW CL
GEORGIAN CL
HEOL FAIR
NORTHWAYS
VERNON RD
NEVILLE RD
NICHOLLS AVE
SANDYMEER
POPLAR MEWS
VINTIN TERR
POPLAR AVE
GRIFFIN PARK CT
MAESTEG TERR
1 WELLFIELD CRES
2 POPLAR CRES
WELLFIELD AVE
MACKWORTH RD
BUNGALOW AVE
SANDY LA
NEW RD
Newton Prim Sch
PO
Coney Beach Amusement Park
EASTERN PROM
CF36
RHYCH AVE
THE MEADOWS
Newton
THE BRICKYARD
PH
CHURCH ST
ASHLIEGH CT
ST JOHN'S DR
MAYFIELD AVE
BAY VIEW RD
BEACH RD
CLEVIS CRES
CLEVIS HILL
CLEVIS LA
PINE CL
HAWTHORN AVE
ELM RD
ELDER DR
HAZEL CL
1 SYCAMORE AVE
2 MANOR GR
Schs
AROSFA AVE
ASH GR
BIRCH WLK
BRYNEGLWYS AVE
BRYNEGLWYS GDNS
ACACIA AVE
OAK TREE DR
JUNIPER CL
THE FIRS
LARCH CL
BEECH GR
LABURNUM DR
THE BURROWS
CYPRESS GDNS
LIME TREE WAY
MAPLE WLK
ROWAN DR
HOLLY WLK
LINDEN WAY
CEDAR GDNS
WILLOW CL
CHESTNUT DR
DANYGRAIG AVE
CHERRY TREE AVE
OAKENGATES
ORCHARD DR
Y Graig
Wig Fach
Gorwelion
Caeaullaprau
CF32
Newton Burrows
Rifle Range (dis)
Newton Burrows
Black Rocks
Sandy Bay
Rhych Point
Trecco Bay
Newton Point
8
7
77
6
5
76
4
3
75
2
1
74
82
83
84

184

183
167

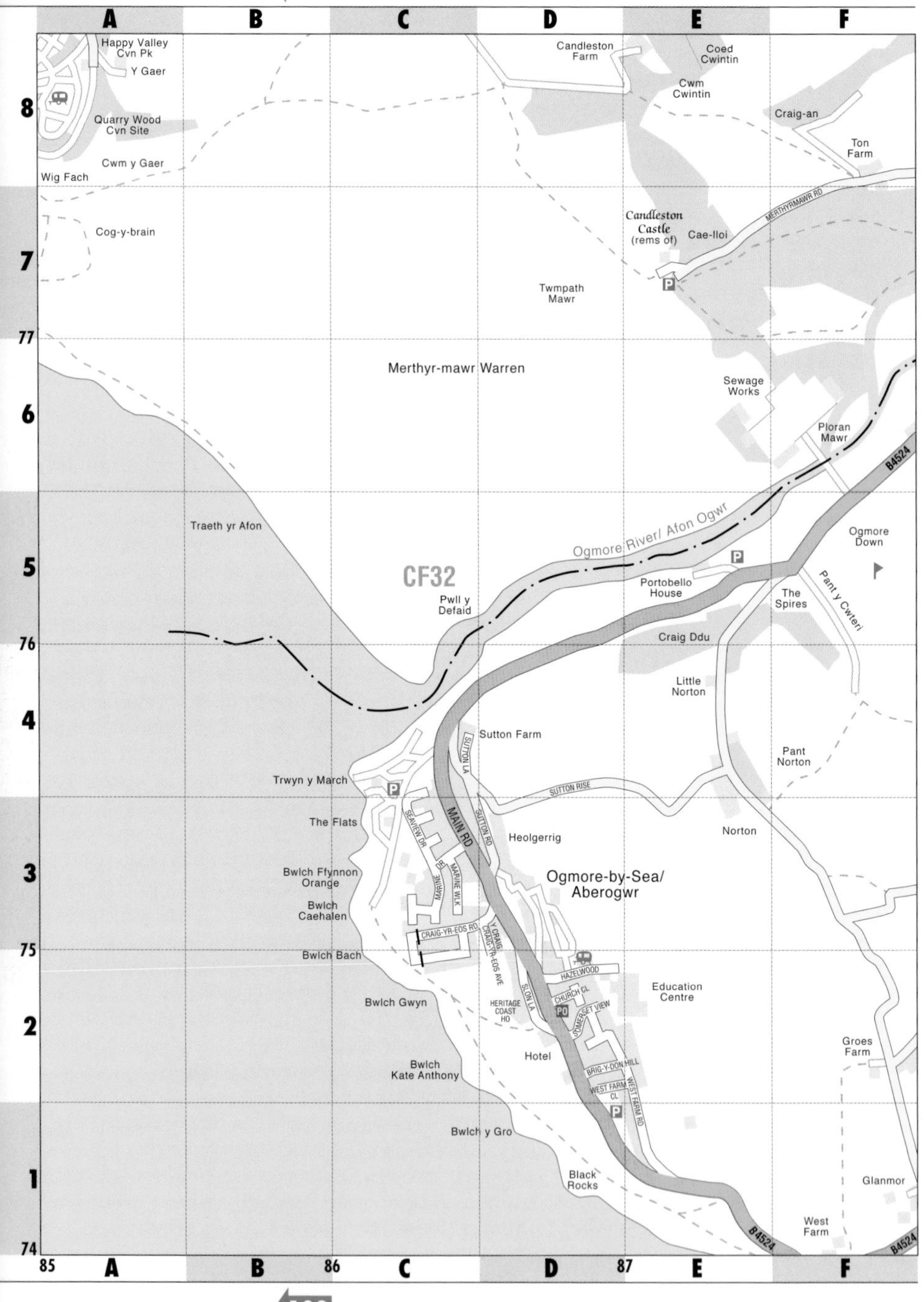
A
B
C
D
E
F
8
7
77
6
5
76
4
3
75
2
1
74
85
86
87
Happy Valley
Cvn Pk
Y Gaer
Quarry Wood
Cvn Site
Cwm y Gaer
Wig Fach
Cog-y-brain
Candleston
Farm
Coed
Cwintin
Cwm
Cwintin
Craig-an
Ton
Farm
MERTHYRMAWR RD
Candleston
Castle
(rems of)
Cae-lloi
Twmpath
Mawr
Merthyr-mawr Warren
Sewage
Works
Ploran
Mawr
B4524
Traeth yr Afon
Ogmore River/ Afon Ogwr
Ogmore
Down
CF32
Pwll y
Defaid
Portobello
House
The
Spires
Pant y Cwteri
Craig Ddu
Little
Norton
Sutton Farm
SUTTON LA
Pant
Norton
Trwyn y March
SUTTON RISE
The Flats
SEAVIEW DR
MAIN RD
SUTTON RD
Heolgerrig
Norton
Bwlch Ffynnon
Orange
MARINE DR
MARINE WLK
Ogmore-by-Sea/
Aberogwr
Bwlch
Caehalen
CRAIG-YR-EOS RD
Y CRAIG
CRAIG-YR-EOS AVE
Bwlch Bach
HAZELWOOD
Education
Centre
SLON LA
CHURCH CL
HERITAGE
COAST
HO
PO
SOMERSET VIEW
Bwlch Gwyn
Groes
Farm
Hotel
BRIG-Y-DON HILL
Bwlch
Kate Anthony
WEST FARM
CL
WEST FARM RD
Bwlch y Gro
Black
Rocks
Glanmor
West
Farm
B4524
B4524

183

168

186

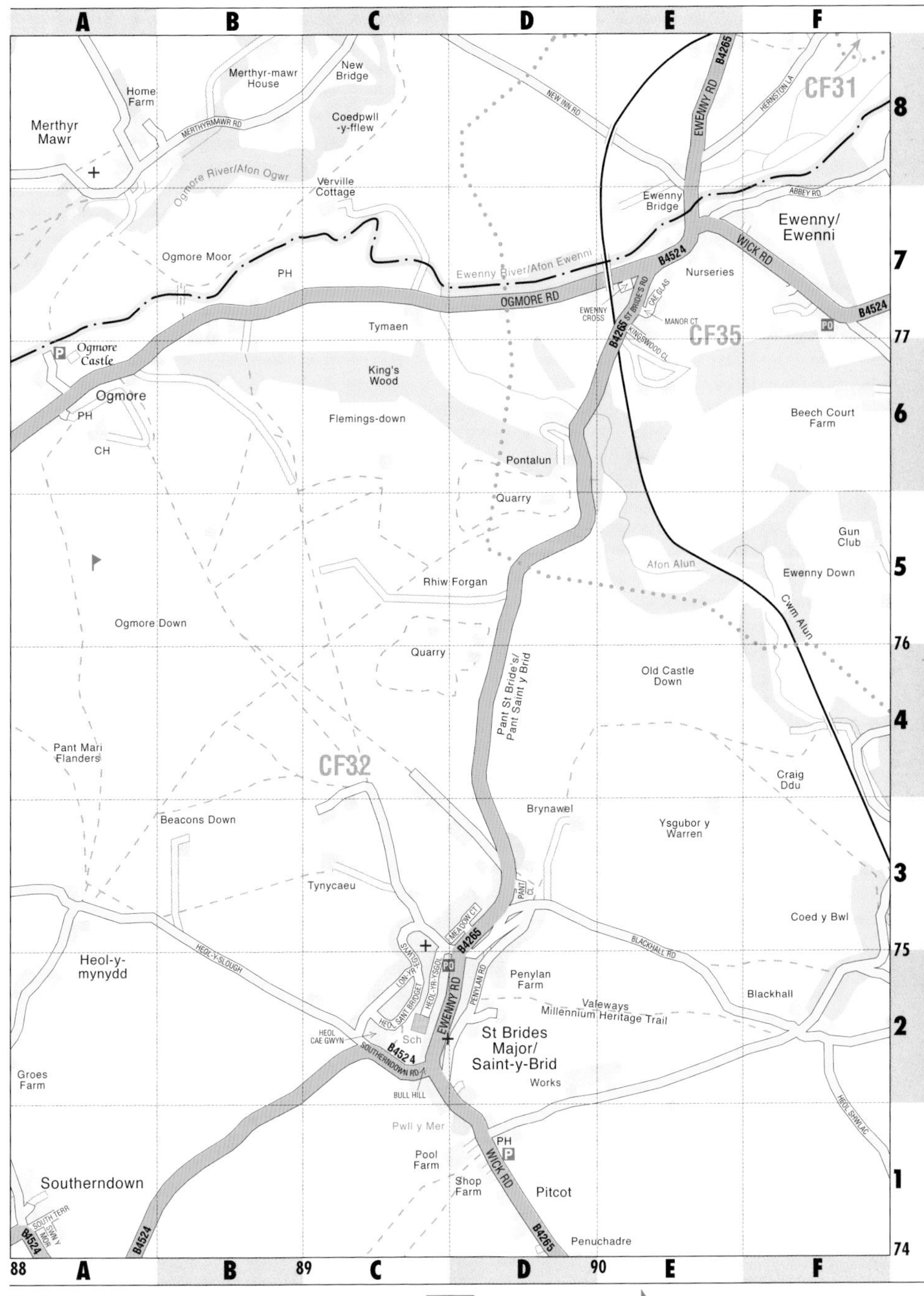

A
B
C
D
E
F
8
7
77
6
5
76
4
3
75
2
1
74
88
89
90
Merthyr Mawr
Home Farm
Merthyr-mawr House
New Bridge
Coedpwll -y-fflew
MERTHYRMAWR RD
NEW INN RD
EWENNY RD
B4265
HERNSTON LA
CF31
Ogmore River/Afon Ogwr
Vervile Cottage
Ewenny Bridge
ABBEY RD
Ewenny/ Ewenni
WICK RD
B4524
Ogmore Moor
PH
Ewenny River/Afon Ewenni
Nurseries
OGMORE RD
ST BRIDE'S RD
CAE GLAS
EWENNY CROSS
MANOR CT
KINGSWOOD CL
CF35
PO
Tymaen
Ogmore Castle
King's Wood
Ogmore
Flemings-down
CH
Beech Court Farm
Pontalun
Quarry
Gun Club
Afon Alun
Ewenny Down
Rhiw Forgan
Cwm Alun
Ogmore Down
Old Castle Down
Pant St Bride's/ Pant Saint y Brid
Pant Mari Flanders
CF32
Craig Ddu
Brynawel
Beacons Down
Ysgubor y Warren
Tynycaeu
PANT CL
Coed y Bwl
MEADOW CT
BLACKHALL RD
HEOL-Y-SLOUGH
Heol-y-mynydd
LON-YR-EGLWYS
HEOL-YR-YSGOL
PENYLAN RD
Penylan Farm
SANT BRIDGET
Vale Ways Millennium Heritage Trail
Blackhall
HEOL CAE GWYN
Sch
St Brides Major/ Saint-y-Brid
SOUTHERNDOWN RD
Groes Farm
BULL HILL
Works
HEOL SHWLAC
Pwll y Mer
Pool Farm
Shop Farm
Pitcot
Southerndown
SOUTH TERR
SWN Y MOR
Penuchadre

197
186

185
169

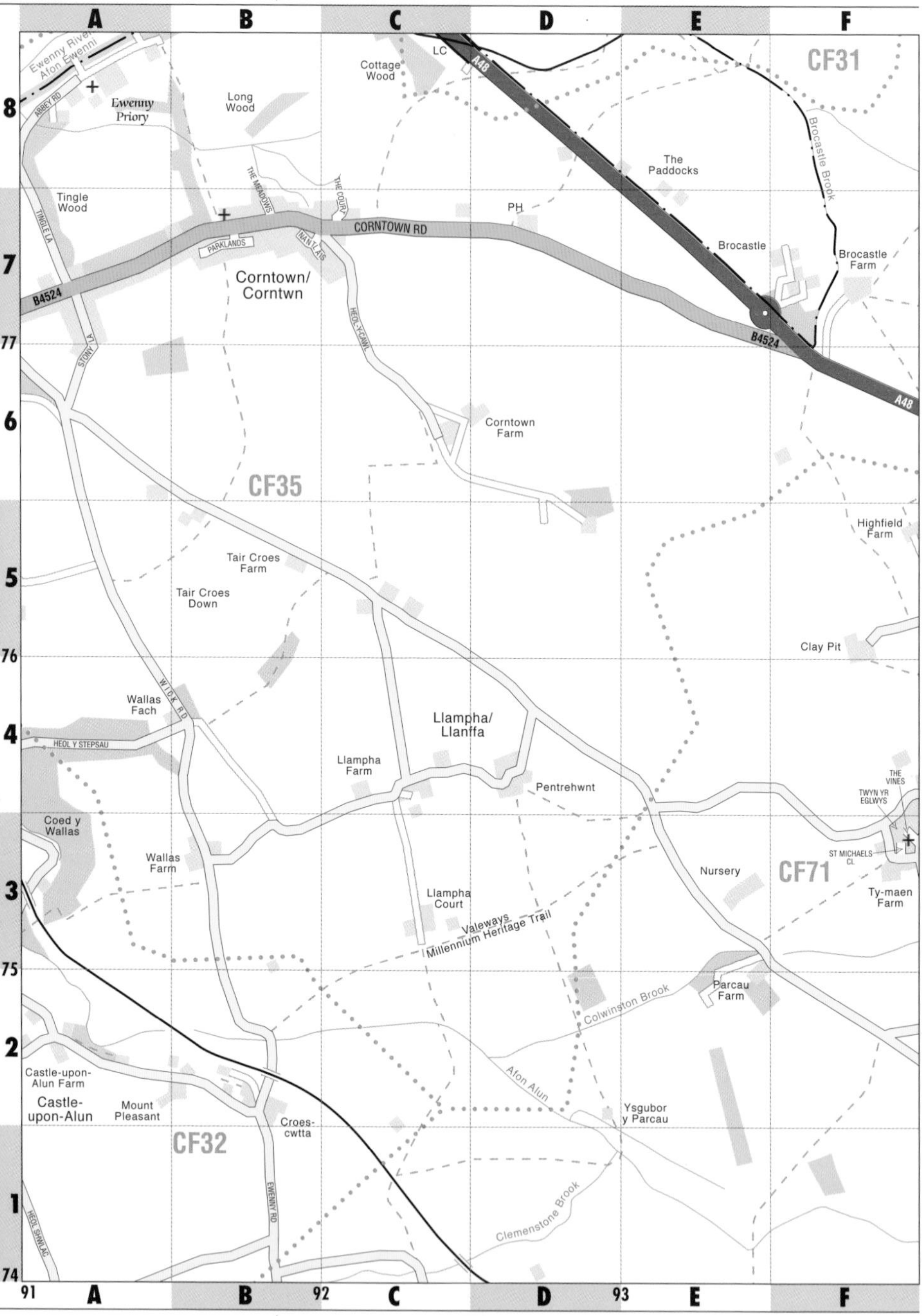

A B C D E F

8 7 77 6 5 76 4 3 75 2 1 74

Ewenny River
Afon Ewenni
ABBEY RD
Ewenny Priory
Long Wood
Cottage Wood
LC
A48
CF31
Brocastle Brook
The Paddocks
Tingle Wood
TINGLE LA
THE MEADOWS
THE COURT
PH
CORNTOWN RD
PARKLANDS
NANT-A1S
Brocastle
Brocastle Farm
B4524
Corntown/
Corntwn
HEOL-Y-CAWL
STONY LA
Corntown Farm
CF35
Highfield Farm
Tair Croes Farm
Tair Croes Down
Clay Pit
WICK RD
Wallas Fach
Llampha/
Llanffa
HEOL Y STEPSAU
Llampha Farm
Pentrehwnt
THE VINES
TWYN YR EGLWYS
Coed y Wallas
Wallas Farm
ST MICHAELS CL
Nursery
CF71
Ty-maen Farm
Llampha Court
Valeways Millennium Heritage Trail
Parcau Farm
Colwinston Brook
Castle-upon-Alun Farm
Afon Alun
Castle-upon-Alun
Mount Pleasant
Croes-cwtta
Ysgubor y Parcau
CF32
EWENNY RD
HEOL SAWLAC
Clemenstone Brook

91 A B 92 C D 93 E F

185
198

170

188

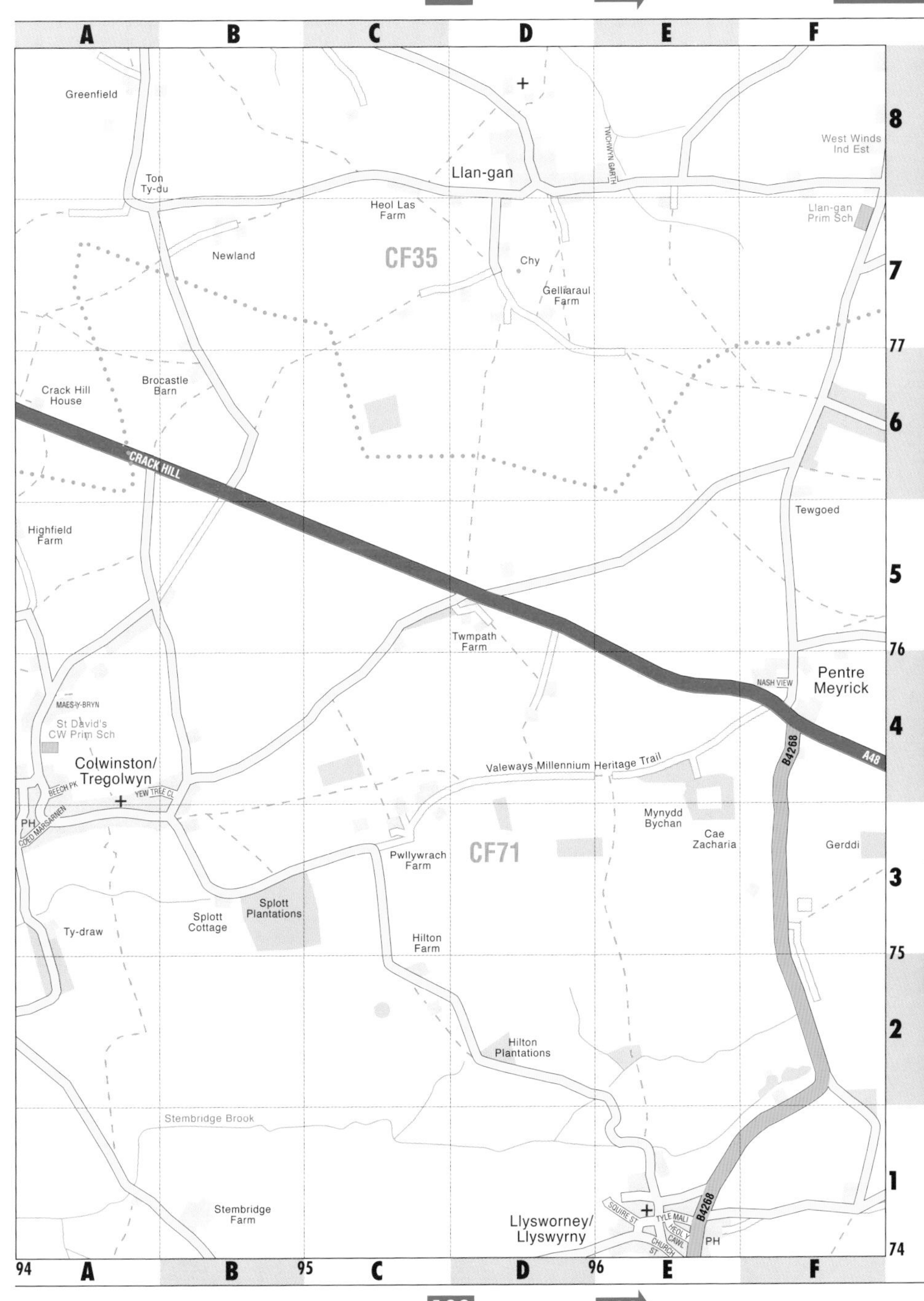
A
B
C
D
E
F
8
7
77
6
5
76
4
3
75
2
1
74
94
95
96
Greenfield
Ton
Ty-du
Llan-gan
TWCHWYN GARTH
West Winds
Ind Est
Heol Las
Farm
Llan-gan
Prim Sch
Newland
CF35
Chy
Gelliaraul
Farm
Crack Hill
House
Brocastle
Barn
CRACK HILL
Tewgoed
Highfield
Farm
Twmpath
Farm
Pentre
Meyrick
NASH VIEW
MAES-Y-BRYN
St David's
CW Prim Sch
Colwinston/
Tregolwyn
B4268
A48
Valeways Millennium Heritage Trail
BEECH PK
YEW TREE CL
PH
COED MARSARNEN
Mynydd
Bychan
Cae
Zacharia
Gerddi
CF71
Pwllywrach
Farm
Splott
Plantations
Splott
Cottage
Ty-draw
Hilton
Farm
Hilton
Plantations
Stembridge Brook
Stembridge
Farm
Llysworney/
Llyswyrny
SQUIRE ST
TYLE MALI
HEOL Y CAWL
CHURCH ST
PH

199

188

187
171

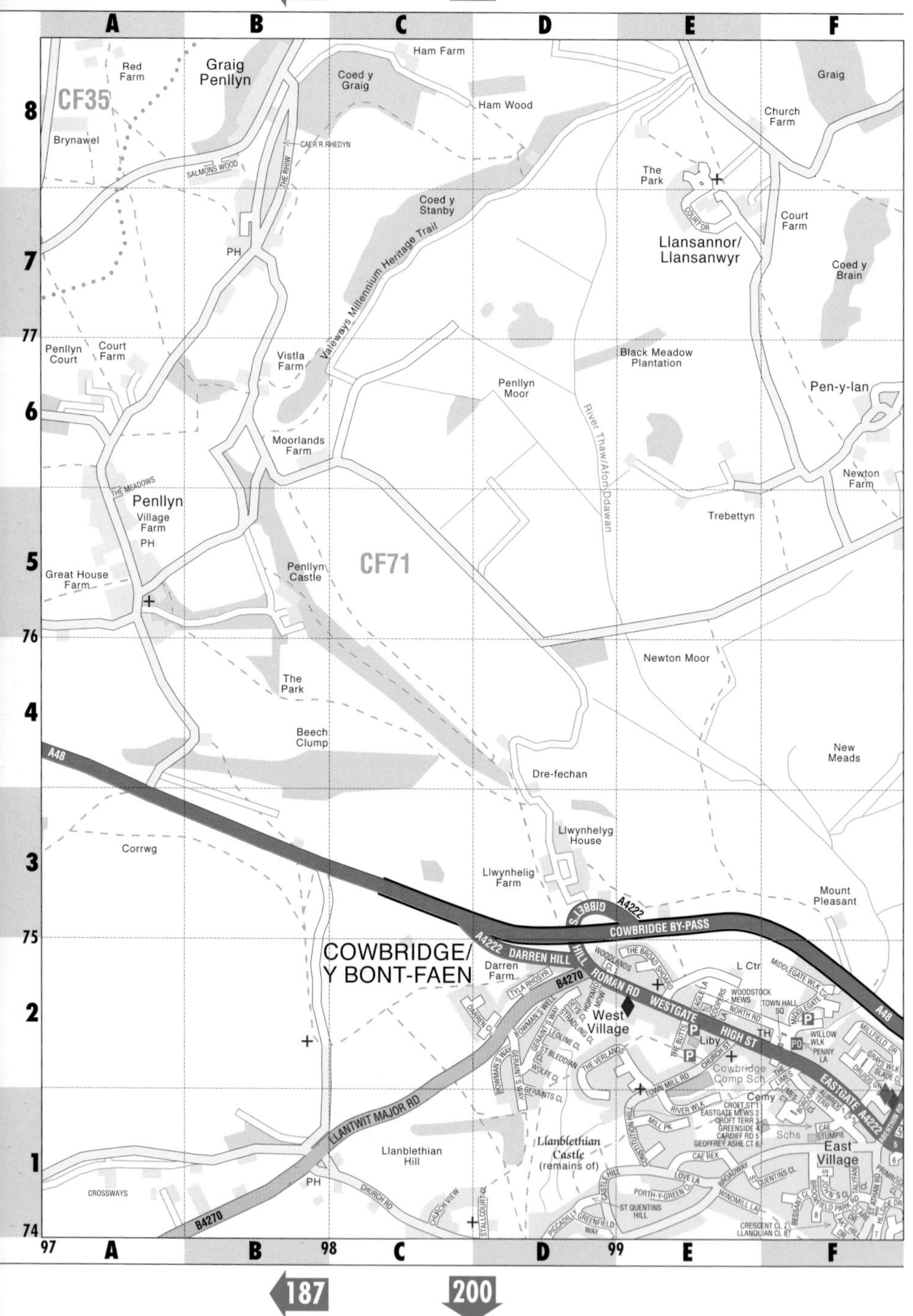
A
B
C
D
E
F
8
7
77
6
5
76
4
3
75
2
1
74
97
98
99
CF35
CF71
Red Farm
Graig Penllyn
Coed y Graig
Ham Farm
Ham Wood
Graig
Church Farm
Brynawel
CAER'R RHEDYN
SALMONS WOOD
THE RHIW
The Park
COURT DR
Coed y Stanby
PH
Valeways Millennium Heritage Trail
Llansannor/
Llansanwyr
Court Farm
Coed y Brain
Penllyn Court
Court Farm
Vistla Farm
Black Meadow Plantation
Penllyn Moor
Pen-y-lan
River Thaw/Afon Ddawan
Moorlands Farm
Newton Farm
THE MEADOWS
Penllyn
Village Farm
Trebettyn
Great House Farm
Penllyn Castle
Newton Moor
The Park
Beech Clump
A48
New Meads
Dre-fechan
Llwynhelyg House
Corrwg
Llwynhelig Farm
Mount Pleasant
A4222
GIBBET'S HILL
COWBRIDGE BY-PASS
COWBRIDGE/
Y BONT-FAEN
A4222 DARREN HILL
Darren Farm
WOODLANDS CL
THE BROAD SHOARD
L Ctr
MIDDLEGATE WLK
TYLA RHOSYR
B4270
ROMAN RD
WESTGATE
HIGH ST
West Village
Liby
TH
WOODSTOCK MEWS
TOWN HALL SQ
NORTH RD
EAGLE LA
COOPERS LA
MIDDLEGATE CT
WILLOW WLK
PENNY LA
MILLFIELD DR
GRAYS WLK
SLADE CL
DRUIDS GN
DARREN CL
BOWMAN'S WELL
GERAINT'S WAY
STRADLING CL
SEYS CL
HOPYARD MDW
LEOLINE CL
ST BLEDDIAN CL
WOLFE CL
GERAINTS CL
BOWMAN'S WAY
THE VERLANDS
THE BUTTS
CHURCH ST
Cowbridge Comp Sch
THE LIMES
TOWN MILL RD
Cemy
EASTGATE A4222
RIVER WLK
CROFT ST 1
EASTGATE MEWS 2
CROFT TERR 3
GREENSIDE 4
CARDIFF RD 5
GEOFFREY ASHE CT 6
MILL PK
LLANTWIT MAJOR RD
Llanblethian Hill
Llanblethian Castle
(remains of)
CAE REX
Schs
CAE STUMPIE
East Village
LOVE LA
BROADWAY
QUENTINS CL
CASTLE HILL
PORTH-Y-GREEN CL
WINDMILL LA
ST QUENTINS HILL
CROSSWAYS
PH
CHURCH RD
CHURCH VIEW
STALLCOURT CL
B4270
PICCADILLY
GREENFIELD WAY
BROOKFIELD PARK RD
ST JOHN'S CL
TALYFAN CL
ST ATHAN RD
HILLSIDE DR
PRIMROSE CL
CRESCENT CL 7
LLANQUIAN CL 8
187
200

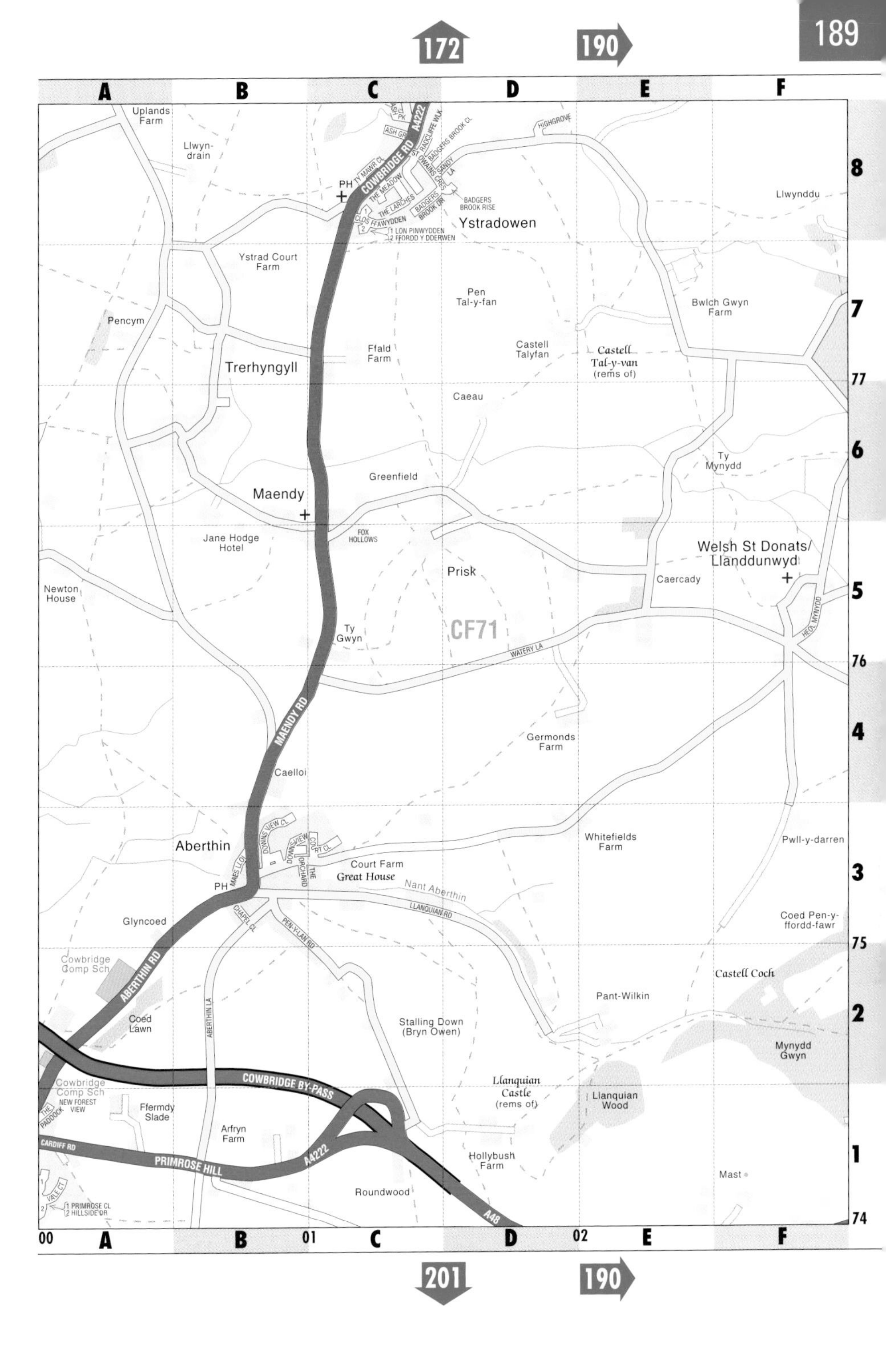
172
190
A B C D E F
8 7 77 6 5 76 4 3 75 2 1 74
00 01 02
Uplands Farm
Llwyn-drain
COWBRIDGE RD
A4222
ASH GR
TY MAWR CL
THE MEADOW
THE LARCHES
CLOS FFAWYDDEN
1 LON PINWYDDEN
2 FFORDD Y DDERWEN
RADCLIFFE WLK
BADGERS BROOK CL
OWAINS CRES
SANDY LA
BADGERS BROOK DR
BADGERS BROOK RISE
HIGHGROVE
PH
Ystradowen
Llwynddu
Ystrad Court Farm
Pen Tal-y-fan
Bwlch Gwyn Farm
Pencym
Ffald Farm
Castell Talyfan
Castell Tal-y-van (rems of)
Trerhyngyll
Caeau
Ty Mynydd
Greenfield
Maendy
FOX HOLLOWS
Jane Hodge Hotel
Welsh St Donats/ Llanddunwyd
Prisk
Caercady
Newton House
CF71
HEOL MYNYDD
Ty Gwyn
WATERY LA
MAENDY RD
Germonds Farm
Caelloi
Whitefields Farm
Pwll-y-darren
Aberthin
DOWNS VIEW CL
COURT CL
ORCHARD THE
MAES LLOI
Court Farm
Great House
Nant Aberthin
LLANQUIAN RD
PH
CHAPEL CL
PEN-Y-LAN RD
Glyncoed
Coed Pen-y-ffordd-fawr
Cowbridge Comp Sch
ABERTHIN RD
Castell Coch
Pant-Wilkin
Coed Lawn
ABERTHIN LA
Stalling Down (Bryn Owen)
Mynydd Gwyn
COWBRIDGE BY-PASS
Llanquian Castle (rems of)
Llanquian Wood
Cowbridge Comp Sch
THE PADDOCK
NEW FOREST VIEW
Ffermdy Slade
Arfryn Farm
CARDIFF RD
PRIMROSE HILL
A4222
Hollybush Farm
Mast
VALE CT
1 PRIMROSE CL
2 HILLSIDE DR
Roundwood
A48

189
173

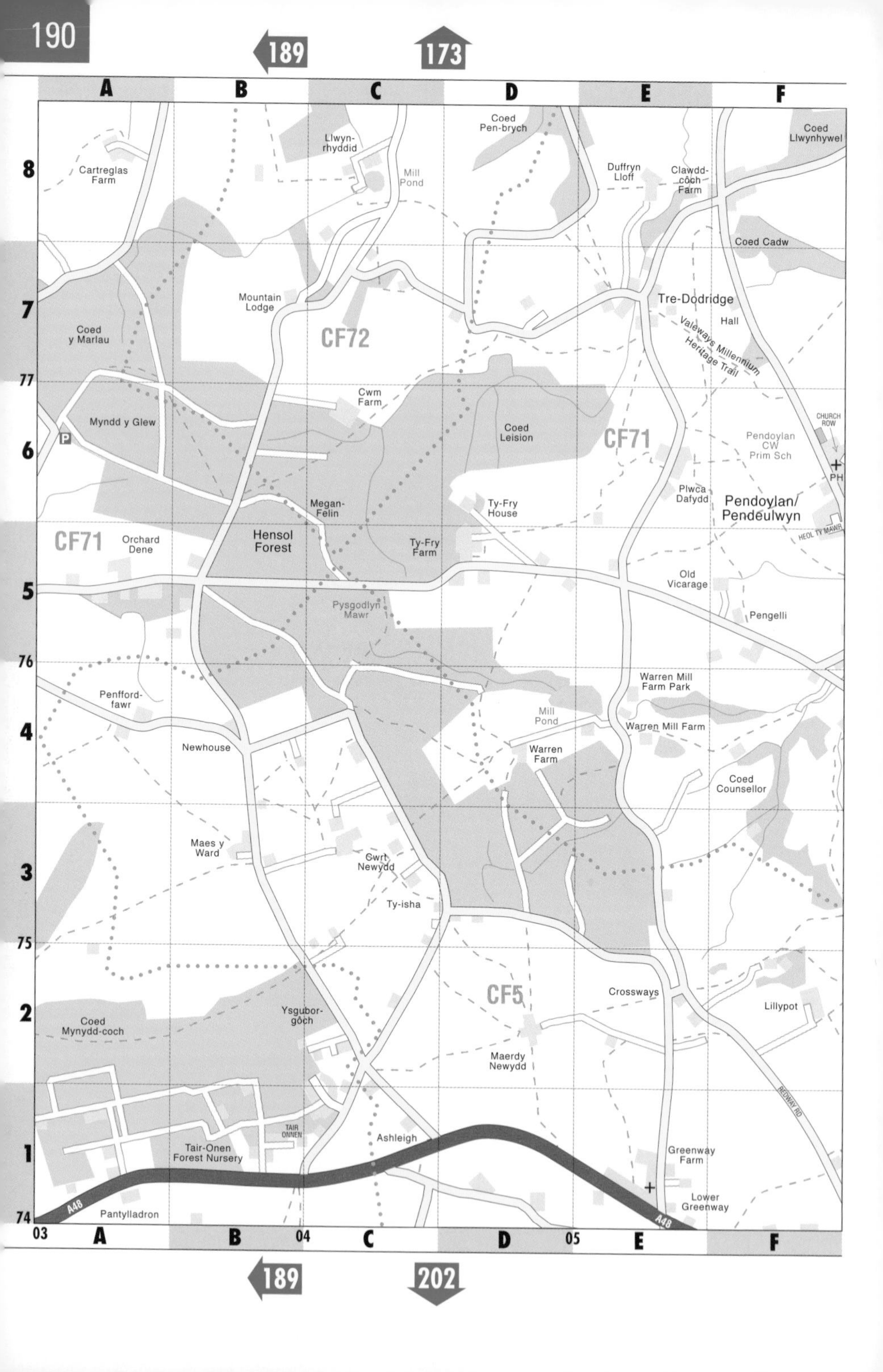

189
202

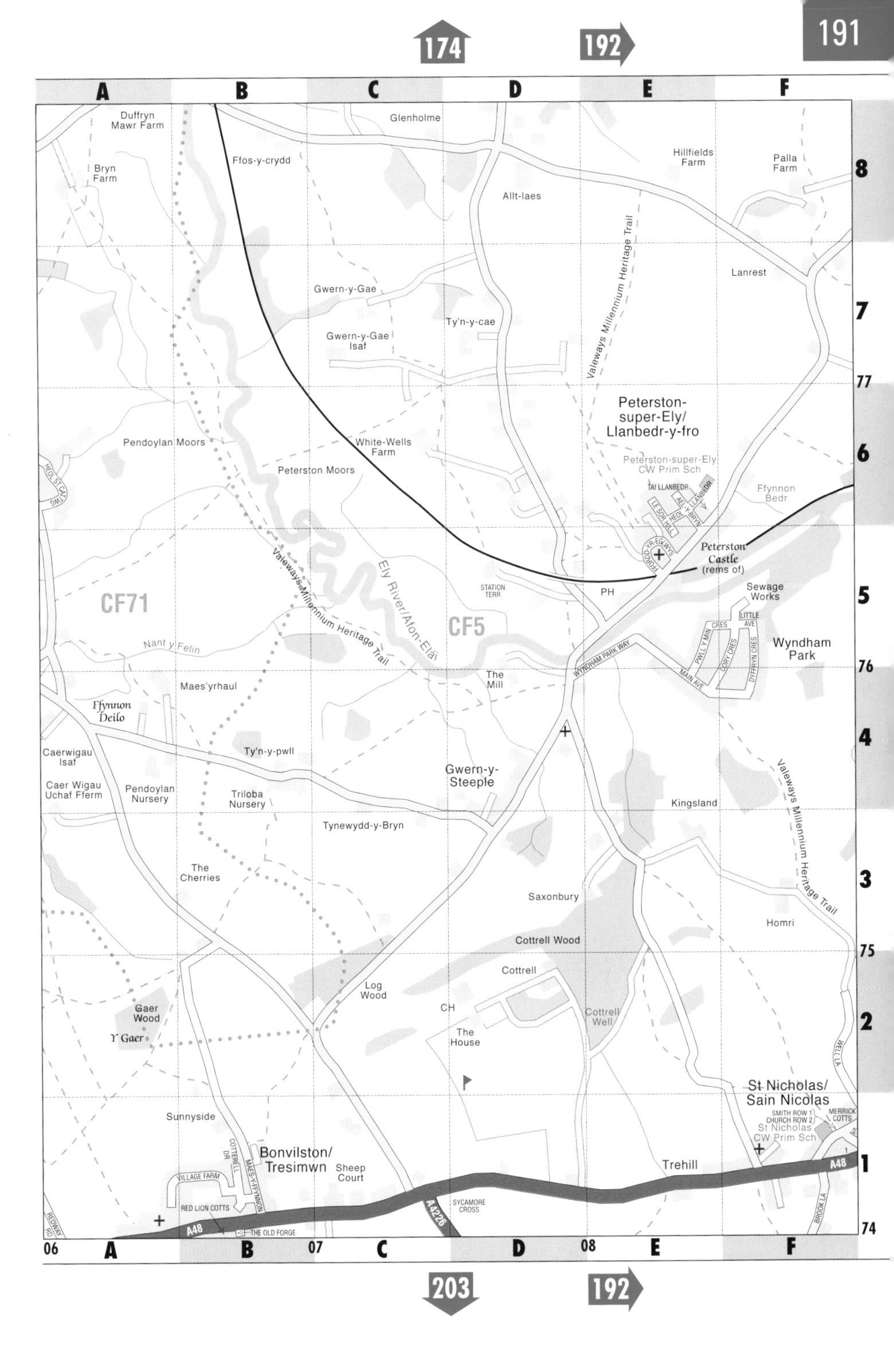

174
192
A
B
C
D
E
F
8
7
77
6
5
76
4
3
75
2
1
74
06
07
08
Duffryn
Mawr Farm
Glenholme
Bryn
Farm
Ffos-y-crydd
Hillfields
Farm
Palla
Farm
Allt-laes
Lanrest
Gwern-y-Gae
Ty'n-y-cae
Gwern-y-Gae
Isaf
Valeways Millennium Heritage Trail
Peterston-
super-Ely/
Llanbedr-y-fro
Pendoylan Moors
White-Wells
Farm
Peterston Moors
Peterston-super-Ely
CW Prim Sch
Ffynnon
Bedr
TAI LLANBEDR
HEOL ST CATWG
Peterston
Castle
(rems of)
STATION
TERR
PH
Sewage
Works
CF71
CF5
Ely River/Afon Elái
Valeways Millennium Heritage Trail
Nant y Felin
WYNDHAM PARK WAY
Wyndham
Park
The
Mill
Maes'yrhaul
Ffynnon
Deilo
MAIN AVE
Caerwigau
Isaf
Ty'n-y-pwll
Gwern-y-
Steeple
Valeways Millennium Heritage Trail
Caer Wigau
Uchaf Fferm
Pendoylan
Nursery
Triloba
Nursery
Kingsland
Tynewydd-y-Bryn
The
Cherries
Saxonbury
Homri
Cottrell Wood
Cottrell
Log
Wood
Gaer
Wood
CH
Cottrell
Well
Y Gaer
The
House
WELL LA
St Nicholas/
Sain Nicolas
SMITH ROW 1
CHURCH ROW 2
MERRICK
COTTS
St Nicholas
CW Prim Sch
Sunnyside
Bonvilston/
Tresimwn
Sheep
Court
Trehill
A48
VILLAGE FARM
COTTERELL DR
MAES-Y-FFYNNON
RED LION COTTS
THE OLD FORGE
A48
A4226
SYCAMORE
CROSS
BROOK LA
REDWAY RD
203
192

191
175

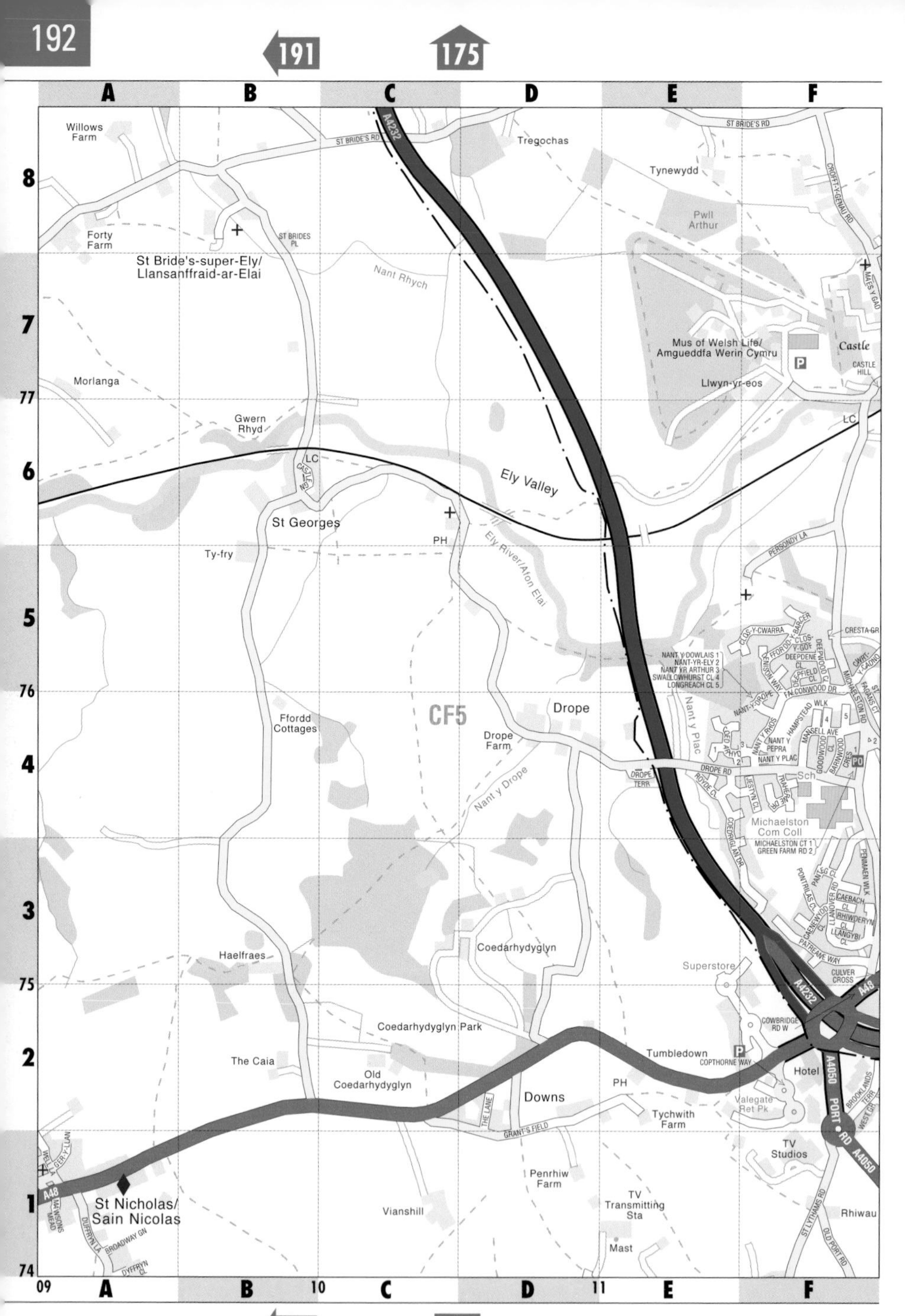

191
204

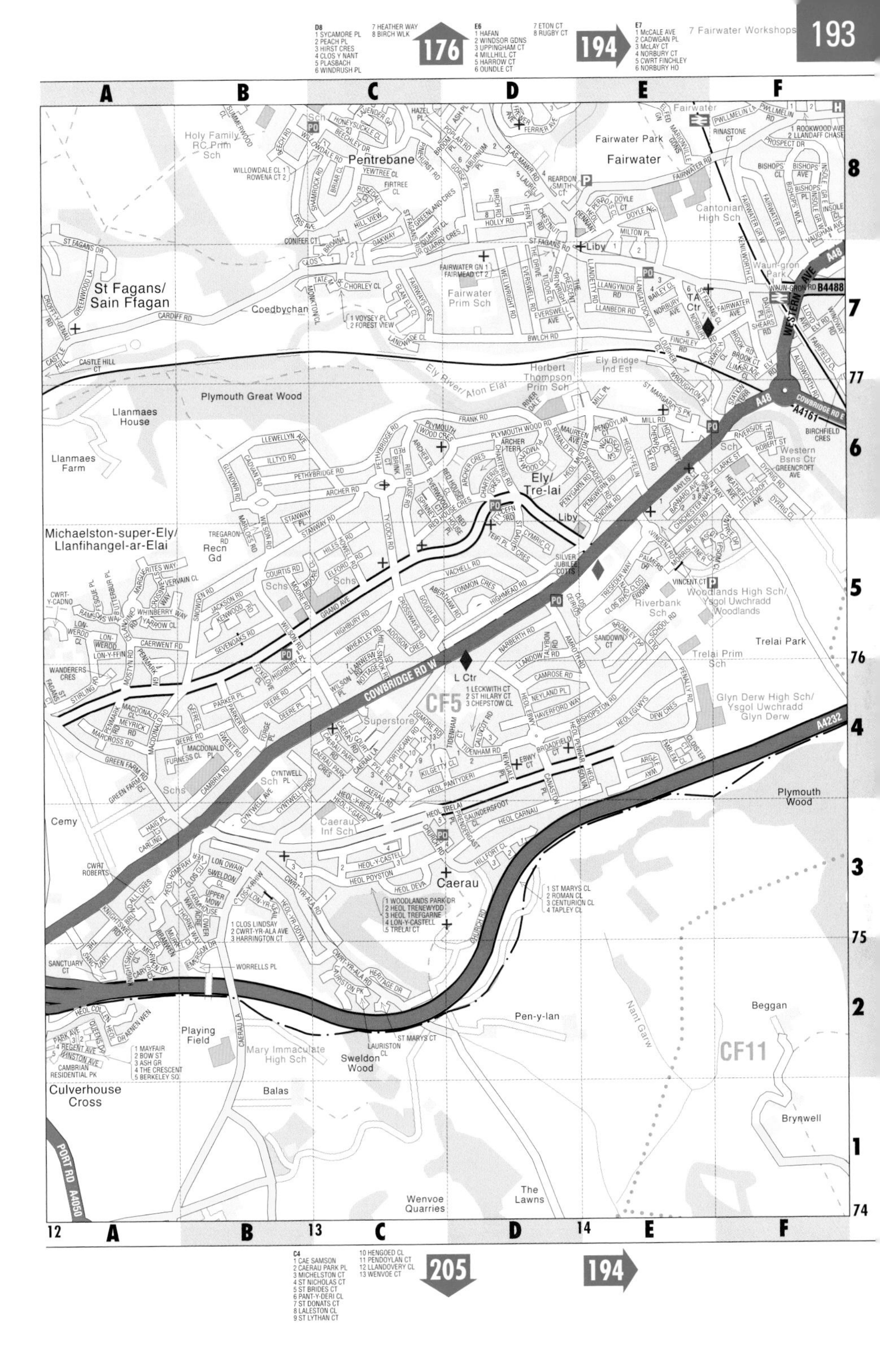

D8
1 SYCAMORE PL
2 PEACH PL
3 HIRST CRES
4 CLOS Y NANT
5 PLASBACH
6 WINDRUSH PL
7 HEATHER WAY
8 BIRCH WLK
176
E6
1 HAFAN
2 WINDSOR GDNS
3 UPPINGHAM CT
4 MILLHILL CT
5 HARROW CT
6 OUNDLE CT
7 ETON CT
8 RUGBY CT
194
E7
1 McCALE AVE
2 CADWGAN PL
3 McLAY CT
4 NORBURY CT
5 CWRT FINCHLEY
6 NORBURY HO
7 Fairwater Workshops
A
B
C
D
E
F
8
7
77
6
5
76
4
3
75
2
1
74
12
13
14
Holy Family RC Prim Sch
Pentrebane
Fairwater Park
Fairwater
Cantonian High Sch
Waun-gron Park
St Fagans/ Sain Ffagan
Coedbychan
Fairwater Prim Sch
Herbert Thompson Prim Sch
Ely Bridge Ind Est
Plymouth Great Wood
Llanmaes House
Llanmaes Farm
Ely River/Afon Elai
Ely/ Tre-lai
Western Bsns Ctr
Michaelston-super-Ely/ Llanfihangel-ar-Elai
Recn Gd
Schs
Woodlands High Sch/ Ysgol Uwchradd Woodlands
Riverbank Sch
Trelai Park
Trelai Prim Sch
L Ctr
CF5
COWBRIDGE RD W
Superstore
Glyn Derw High Sch/ Ysgol Uwchradd Glyn Derw
A4232
A48
A4161
B4488
WESTERN AVE
COWBRIDGE RD E
Plymouth Wood
Cemy
Caerau Inf Sch
Caerau
1 WOODLANDS PARK DR
2 HEOL TRENEWYDD
3 HEOL TREFGARNE
4 LON-Y-CASTELL
5 TRELAI CT
1 ST MARYS CL
2 ROMAN CL
3 CENTURION CL
4 TAPLEY CL
1 CLOS LINDSAY
2 CWRT-YR-ALA AVE
3 HARRINGTON CT
1 LECKWITH CT
2 ST HILARY CT
3 CHEPSTOW CT
1 MAYFAIR
2 BOW ST
3 ASH GR
4 THE CRESCENT
5 BERKELEY SQ
Playing Field
Mary Immaculate High Sch
Sweldon Wood
Pen-y-lan
Nant Garw
Beggan
CF11
Culverhouse Cross
Balas
Brynwell
PORT RD A4050
Wenvoe Quarries
The Lawns
C4
1 CAE SAMSON
2 CAERAU PARK PL
3 MICHELSTON CT
4 ST NICHOLAS CT
5 ST BRIDES CT
6 PANT-Y-DERI CL
7 ST DONATS CT
8 LALESTON CL
9 ST LYTHAN CT
10 HENGOED CL
11 PENDOYLAN CT
12 LLANDOVERY CL
13 WENVOE CT
205
194

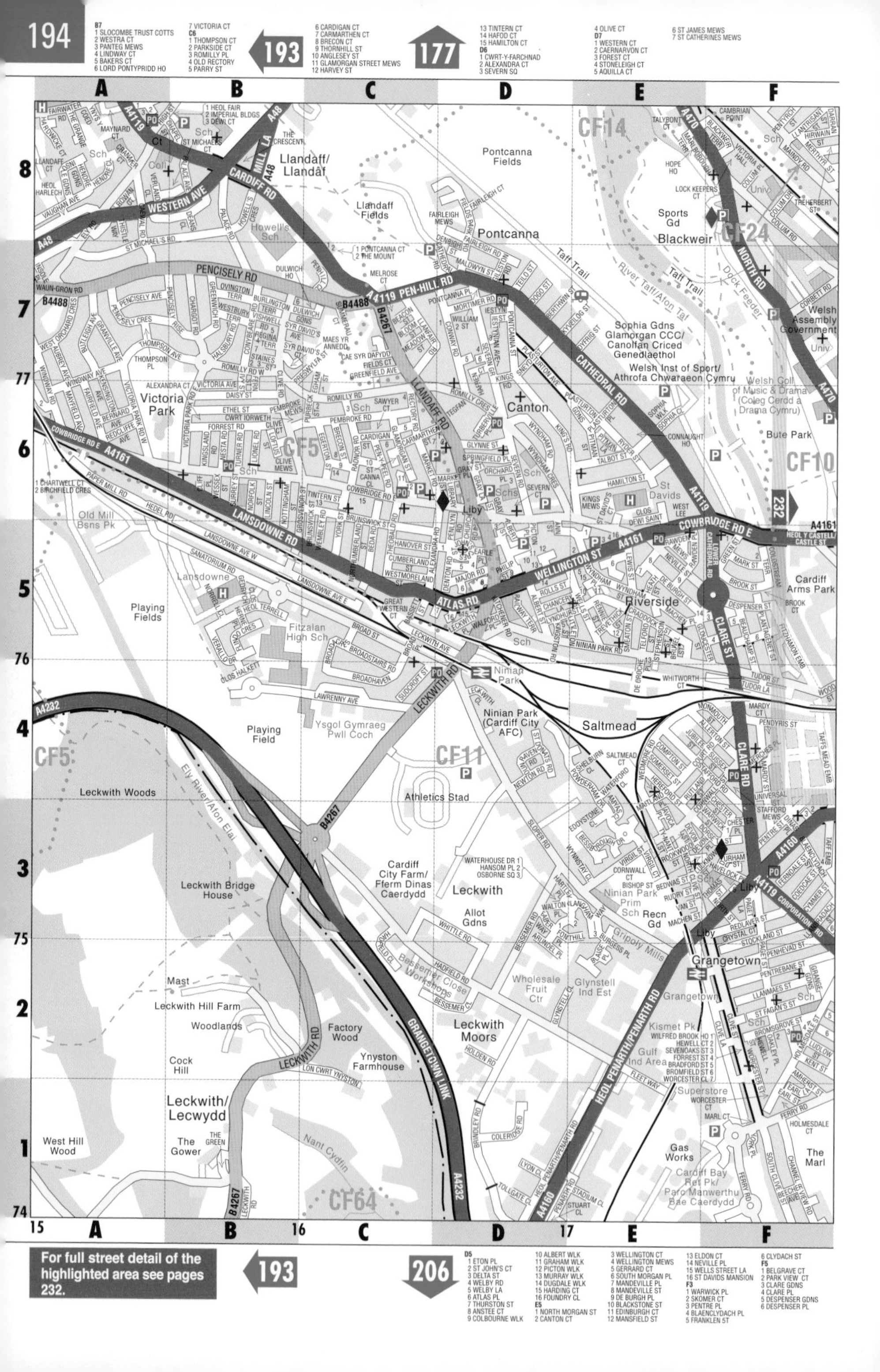
194
B7
1 SLOCOMBE TRUST COTTS
2 WESTRA CT
3 PANTEG MEWS
4 LINDWAY CT
5 BAKERS CT
6 LORD PONTYPRIDD HO
7 VICTORIA CT
C6
1 THOMPSON CT
2 PARKSIDE CT
3 ROMILLY PL
4 OLD RECTORY
5 PARRY ST
193
6 CARDIGAN CT
7 CARMARTHEN CT
8 BRECON CT
9 THORNHILL ST
10 ANGLESEY ST
11 GLAMORGAN STREET MEWS
12 HARVEY ST
177
13 TINTERN CT
14 HAFOD CT
15 HAMILTON CT
D6
1 CWRT-Y-FARCHNAD
2 ALEXANDRA CT
3 SEVERN SQ
4 OLIVE CT
D7
1 WESTERN CT
2 CAERNARVON CT
3 FOREST CT
4 STONELEIGH CT
5 AQUILLA CT
6 ST JAMES MEWS
7 ST CATHERINES MEWS
A
B
C
D
E
F
8
7
77
6
5
76
4
3
75
2
1
74
15
16
17
Llandaff/
Llandâf
Pontcanna
Fields
Llandaff
Fields
Pontcanna
Blackweir
Sports
Gd
CF14
CF24
CF5
CF10
CF11
CF64
Taff Trail
River Taff/Afon Taf
Sophia Gdns
Glamorgan CCC/
Canolfan Criced
Genedlaethol
Welsh Inst of Sport/
Athrofa Chwaraeon Cymru
Welsh Coll
of Music & Drama
(Coleg Cerdd a
Drama Cymru)
Bute Park
Welsh
Assembly
Government
Victoria
Park
Canton
Riverside
Cardiff
Arms Park
Old Mill
Bsns Pk
Lansdowne
Playing
Fields
Fitzalan
High Sch
Ninian
Park
Ninian Park
(Cardiff City
AFC)
Saltmead
Playing
Field
Ysgol Gymraeg
Pwll Coch
Athletics Stad
Leckwith Woods
Ely River/Afon Elai
Leckwith Bridge
House
Cardiff
City Farm/
Fferm Dinas
Caerdydd
Leckwith
Allot
Gdns
Ninian Park
Prim
Sch
Recn
Gd
Grangetown
Wholesale
Fruit
Ctr
Glynstell
Ind Est
Mast
Leckwith Hill Farm
Woodlands
Factory
Wood
Ynyston
Farmhouse
Leckwith
Moors
Kismet Pk
Gulf
Ind Area
Superstore
Cock
Hill
Leckwith/
Lecwydd
West Hill
Wood
The
Gower
Nant Cydfin
Gas
Works
Cardiff Bay
Ret Pk/
Parc Manwerthu
Bae Caerdydd
The
Marl
WESTERN AVE
CARDIFF RD
PENCISELY RD
A4119 PEN-HILL RD
CATHEDRAL RD
NORTH RD
LLANDAFF RD
COWBRIDGE RD E
LANSDOWNE RD
WELLINGTON ST
ATLAS RD
CLARE ST
CLARE RD
LECKWITH RD
GRANGETOWN LINK
HEOL PENARTH/PENARTH RD
A4161
A4119
A4232
A4160
A48
B4267
B4488
232
For full street detail of the highlighted area see pages 232.
193
206
D5
1 ETON PL
2 ST JOHN'S CT
3 DELTA ST
4 WELBY RD
5 WELBY LA
6 ATLAS PL
7 THURSTON ST
8 ANSTEE CT
9 COLBOURNE WLK
10 ALBERT WLK
11 GRAHAM WLK
12 PICTON WLK
13 MURRAY WLK
14 DUGDALE WLK
15 HARDING CT
16 FOUNDRY CL
E5
1 NORTH MORGAN ST
2 CANTON CT
3 WELLINGTON CT
4 WELLINGTON MEWS
5 GERRARD CT
6 SOUTH MORGAN PL
7 MANDEVILLE PL
8 MANDEVILLE ST
9 DE BURGH PL
10 BLACKSTONE ST
11 EDINBURGH CT
12 MANSFIELD ST
13 ELDON CT
14 NEVILLE PL
15 WELLS STREET LA
16 ST DAVIDS MANSION
F3
1 WARWICK PL
2 SKOMER CT
3 PENTRE PL
4 BLAENCLYDACH PL
5 FRANKLEN ST
6 CLYDACH ST
F5
1 BELGRAVE CT
2 PARK VIEW CT
3 CLARE GDNS
4 CLARE PL
5 DESPENSER GDNS
6 DESPENSER PL

195
A8
1 CRWYS MEWS
2 DALTON CT
3 CADOGAN CT
4 TREORKY ST
5 GLADYS ST
6 WOODVILLE CT
7 THESIGER CT
B8
1 NORMAN ST
2 RHYMNEY CT
3 ST MARTINS ROW
4 CRWYS LOFTS
C7
1 WOODLAND PL
2 RODEN CT
3 SOUTHEY ST
4 LYNWOOD CT
5 ELMWOOD CT
6 ASHWOOD CT
7 WILLOW CT
8 OAK CT
C8
1 BANGOR ST
2 WELLFIELD PL
3 PLASNEWYDD PL
D6
1 CLIFTON CT
2 CLIFTON MEWS
3 PHOENIX HO
4 ST GERMANS MEWS
5 GALSTON ST
6 KNIGHTON CT
7 STANIER CT
8 RAILWAY CRES
178
9 SIDNEY AMES CT
10 ST GERMANS CT
D7
1 NORWOOD CT
2 FOUR ELMS RD
3 UPPER CLIFTON ST
4 MILLENNIUM CT
5 PARTRIDGE CT
6 BRIARTREE MANOR
7 OAKFIELD MEWS
8 DRISCOLL CT
9 CECIL CT
10 CENTRAL CT
D8
1 AGINCOURT RD
2 ST TELIO'S CT
3 ST MARGARET'S CRES
4 THE COURT
5 CWRT HEOL CASNEWYDD
6 STACEY CT
7 GEORGE CT
196
A
B
C
D
E
F
Cathays
Roath/
Y Rhath
CF23
Colchester Factory Est
Nant y Ddarwen-deg
Roath Brook Ind Est
Dominion Bsns Ctr
Dominion Ind Est
Taymuir Green Ind Pk
Superstore
Clydesmuir Ind Est
Guardian Ind Est
ALBANY RD
CRWYS RD
CITY RD
NEWPORT RD
BROADWAY
232
Cathays
Cardiff Univ
Cathays Park
Nat Mus of Wales
Pol HQ
City Hall
Cts
Coll
The Academy
Cardiff Royal
Univ
Liby
Splott
Tremorfa
Recn Gd
BOULEVARD DE NANTES
NORTH RD
Cardiff Castle
Mus
Queen Street
St David's Ctr
HM Prison
Inst
Cath
Liby
Mkt
Arena
Adamsdown
CF24
Jubilee Ind Est
The Maltings
Splott Ind Est
Sea View Ind Est
Moorland Prim Sch
Allied Ind Pk
Works
Millennium Stad
Cardiff Centre Trad Est
BUTE TERR
CENTRAL LINK
Park Lands
Welsh Nat Tennis Ctr
Cardiff Bay Bsns Ctr
The Swift Bsns Ctr
Portmanmoor Road Ind Est
Tremorfa Ind Est
Pacific Bsns Pk
East Moors
Cardiff Central
CF10
Tresillian Ind Est
Templar Parc
The Timber Yd
Globe Works
East Moors Bsns Pk
Techno Ctr/ Canolfan Technoleg
Denvale Trad Pk
CARDIFF/ CAERDYDD
Atlantic Wharf/ Glanfa Iwerydd
Priority Bsns Pk
Canal Park Ind Est
Anchor Ind Est
County Hall/ Neuadd-y-Sir
Butetown
Cardiff Bay
The Red Dragon Ctr
Hosking Ind Est
Gall
Caspian Point
P&R
Roath Dock
South Point
Oil Storage Terminal
CORPORATION RD
CLARENCE RD
JAMES ST
Taff Trail
Wales Millennium Ctr
The Nat Assembly for Wales
Roath Basin
Mus
Mermaid Quay
Techniquest
Visitor Ctr
L Ctr
The Piazza
The Sand Wharf
Royal Hamadryad
CF11
Queen Alexandra Dock
Cardiff Flats
1 AMITY CT
2 APRILLIA HO
3 RIMINI HO
4 LIVORNO HO
5 FFORDD GARTHORNE
6 AMALFI HO
7 MINORI HO
8 FORIO HO
1 PEARL CT
2 ST AGNES CT
3 DOREEN FORD CT
4 GERRY GALVIN CT
5 BETHLEHEM CT
6 BAPTIST CT
7 CALLAGHAN CT
8 WHEELER CT
1 BOWLEY CT
2 PORTMANMOOR ROAD LA
3 SELWYN MORRIS CT
4 NEATH ST
5 AINON CT
6 MARY PRICE CT
1 STUART PL
2 TACOMA SQ
3 STRYD GEORGE NEWYDD/NEW GEORGE ST
4 ST CLAIR CT
5 SHIP LA
6 CLIFF CT
1 CLARENCE CT
2 CLARENCE PL
3 HARROWBY PL
4 DUDLEY ST
5 DUDLEY CT
6 BUTE ESPL
7 WINDSOR TERR
8 STRYD ADELAIDE/ADELAIDE ST
D5
1 PRINCE LEOPOLD ST
2 CLYDE ST
3 ADAMSDOWN PL
4 CUMNOCK TERR
5 HICKORY CT
6 KINGARTH ST
7 CUMRAE ST
8 INCHMARNOCK ST
9 KILCATTAN ST
10 KERRYCROY ST
11 LADY MARGARET'S TERR
12 GWENDOLINE ST
13 GWENDOLINE PL
14 ARROL ST
15 THE COURTYARD
8
7
77
6
5
76
4
3
75
2
1
74
18
19
20
B2
1 ST CUTHBERT'S CT
2 HUNTER ST
3 HARROWBY LA
4 BURT PL
5 HURMAN ST
6 JUDKIN CT
7 HEOL TREDWEN
8 FFORDD RADCLIFFE
9 TALIESIN CT
10 CLOS Y GORLLEWIN/WEST CL
11 ST JAMES MANS
12 ST STEPHENS MANS
13 VICEROY MANS
14 VICEROY CT
15 ADELAIDE PL
16 AVONDALE CT
17 OCEAN HO
18 CANNES HO
19 VIENNA HO
20 GENEVA HO
21 PORTO HO
22 CALAIS HO
B3
1 RED SEA HO
2 BARLETTA HO
3 HEOL LETTON/LETTON RD
4 THE GRANARY
5 SOUTH MEWS
6 MAES MAGRETIAN/MAGRETION PL
7 SOUTH LOUDON PL
C5
1 CWRT DEWI SANT
2 WEST LUTON PL
3 WINDSOR MEWS
4 TY'R YSGOL
5 TY'R HOLL SAINT
C6
1 FOUR ELMS CT
2 STEPHENSON CT
3 LUTON HO
4 ORION CT
207
196
For full street detail of the highlighted area see pages 232.

195
179

Maerdy Farm
Rumney Great Wharf
Allot Gdns
A4232
Lamby
CF3
Little Wharf
Tremorfa Park
St Albans RC Prim Sch/ Ysgol Gynradd Sain Alban
Superstore
CF24
Pengam Green
CARDIFF/ CAERDYDD
Willows High Sch
Works
Works
Sewage Works
Tremorfa Ind Est
Cardiff Flats
Heliport
Orchard Ledges
ROVER WAY
SEAWALL RD
TIDE FIELDS RD
ROVER WAY CVN SITE

195

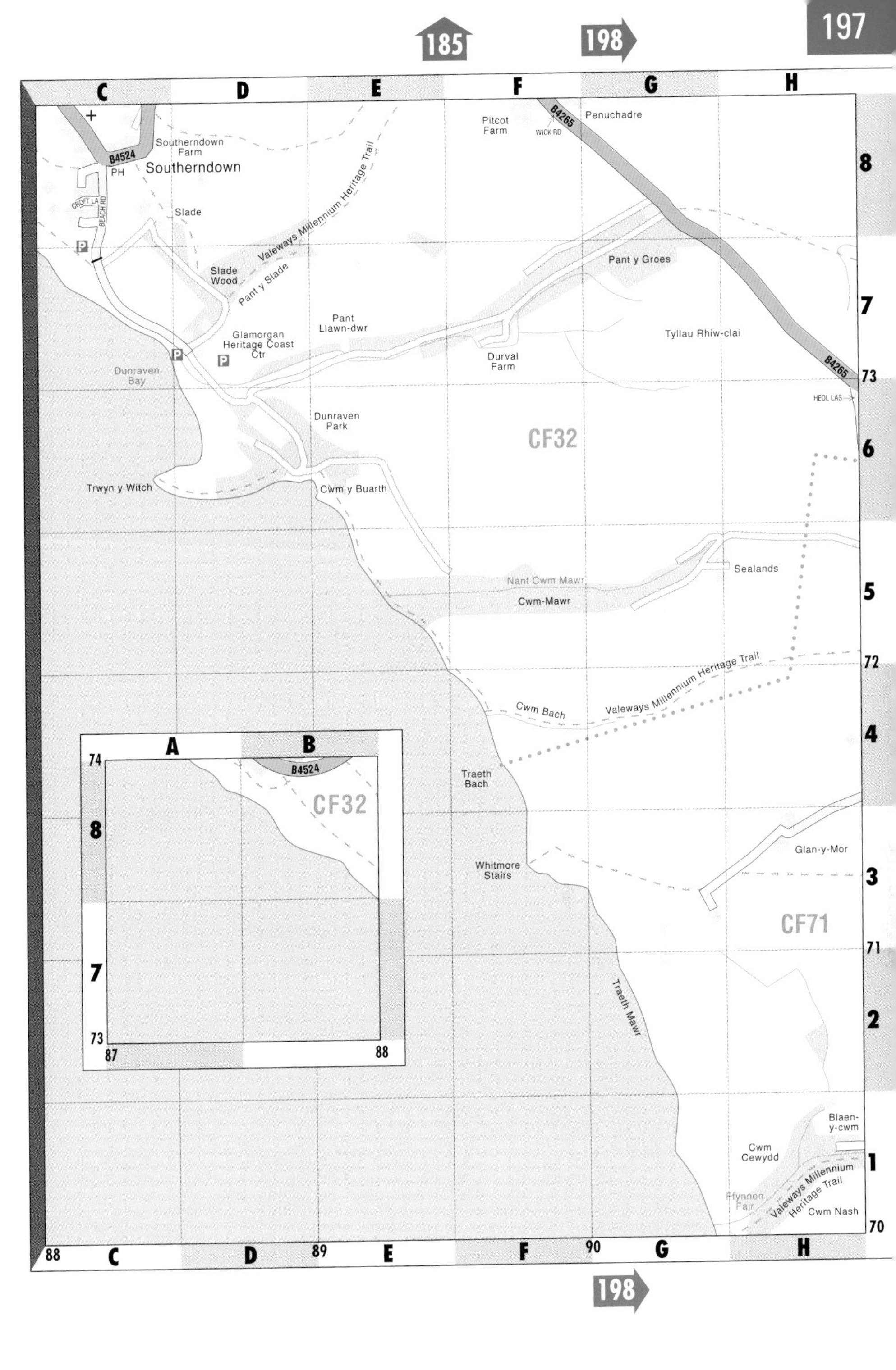

185
198
C
D
E
F
G
H
Southerndown Farm
Southerndown
PH
B4524
CROFT LA
BEACH RD
Slade
Pitcot Farm
B4265
WICK RD
Penuchadre
Valeways Millennium Heritage Trail
Slade Wood
Pant y Slade
Pant y Groes
Pant Llawn-dwr
Glamorgan Heritage Coast Ctr
Durval Farm
Tyllau Rhiw-clai
Dunraven Bay
HEOL LAS
Dunraven Park
CF32
Trwyn y Witch
Cwm y Buarth
Sealands
Nant Cwm Mawr
Cwm-Mawr
Cwm Bach
Traeth Bach
Whitmore Stairs
Glan-y-Mor
CF71
Traeth Mawr
A
B
CF32
Blaen-y-cwm
Cwm Cewydd
Ffynnon Fair
Cwm Nash
8
7
73
6
5
72
4
3
71
2
1
70
74
87
88
89
90
198

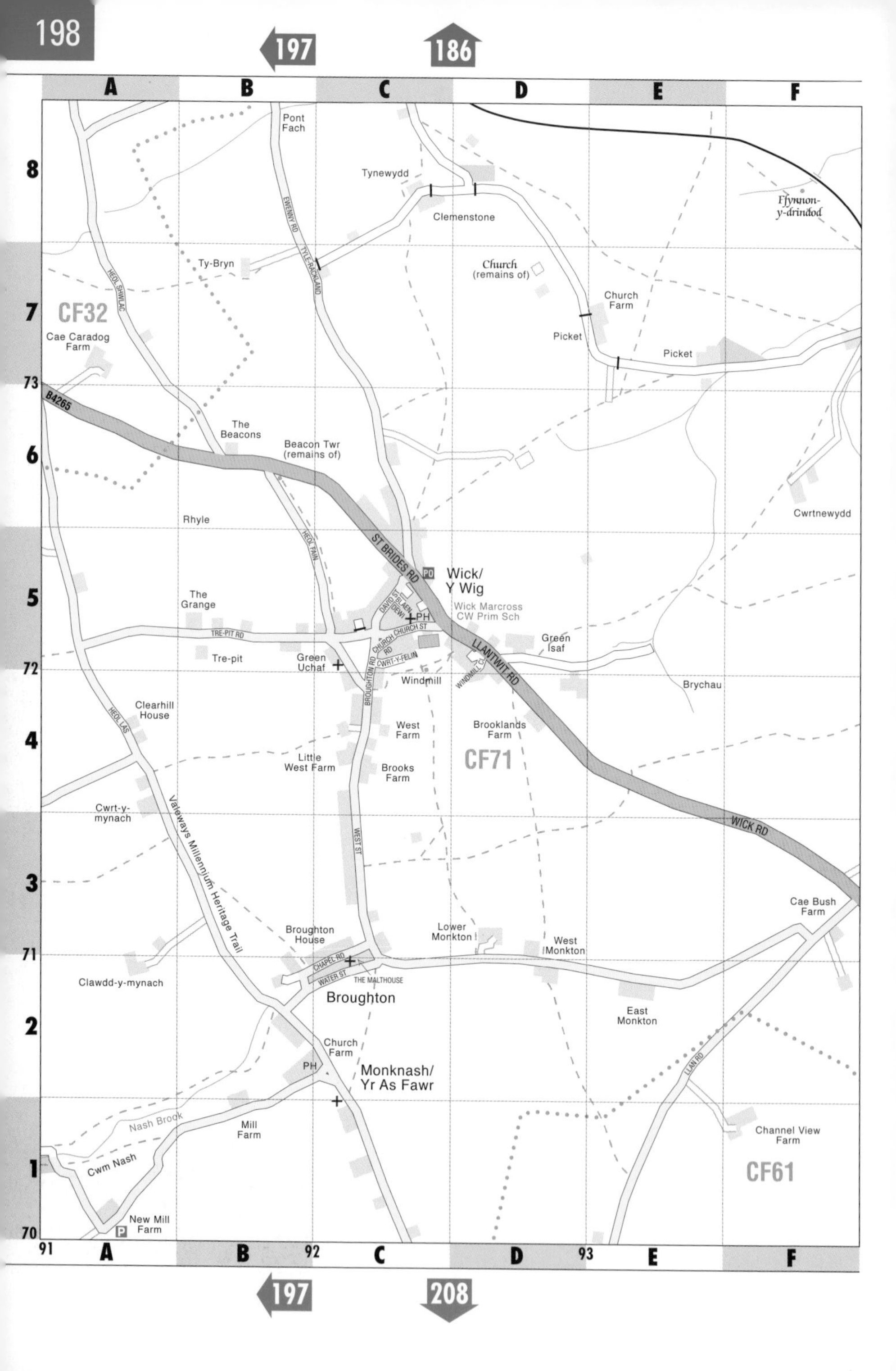
197
186
A
B
C
D
E
F
8
7
6
5
4
3
2
1
73
72
71
70
91
92
93
Pont
Fach
Tynewydd
Clemenstone
Ffynnon-
y-drindod
Ty-Bryn
EWENNY RD
TYLE-RACKLAND
HEOL SHWLAC
Church
(remains of)
Church
Farm
CF32
Cae Caradog
Farm
Picket
Picket
B4265
The
Beacons
Beacon Twr
(remains of)
Rhyle
Cwrtnewydd
ST BRIDES RD
HEOL FAIN
PO
Wick/
Y Wig
The
Grange
Wick Marcross
CW Prim Sch
DAVID ST
BILAEN DEWI
PH
TRE-PIT RD
CHURCH ST
CHURCH RD
Green
Isaf
Tre-pit
Green
Uchaf
CWRT-Y-FELIN
LLANTWIT RD
BROUGHTON RD
Windmill
WINDMILL CL
Brychau
Clearhill
House
HEOL LAS
West
Farm
Brooklands
Farm
CF71
Little
West Farm
Brooks
Farm
Cwrt-y-
mynach
Valeways Millennium Heritage Trail
WEST ST
WICK RD
Cae Bush
Farm
Broughton
House
Lower
Monkton
West
Monkton
CHAPEL RD
WATER ST
THE MALTHOUSE
Clawdd-y-mynach
Broughton
East
Monkton
Church
Farm
PH
Monknash/
Yr As Fawr
LLAN RD
Nash Brook
Mill
Farm
Cwm Nash
Channel View
Farm
CF61
New Mill
Farm
P
197
208

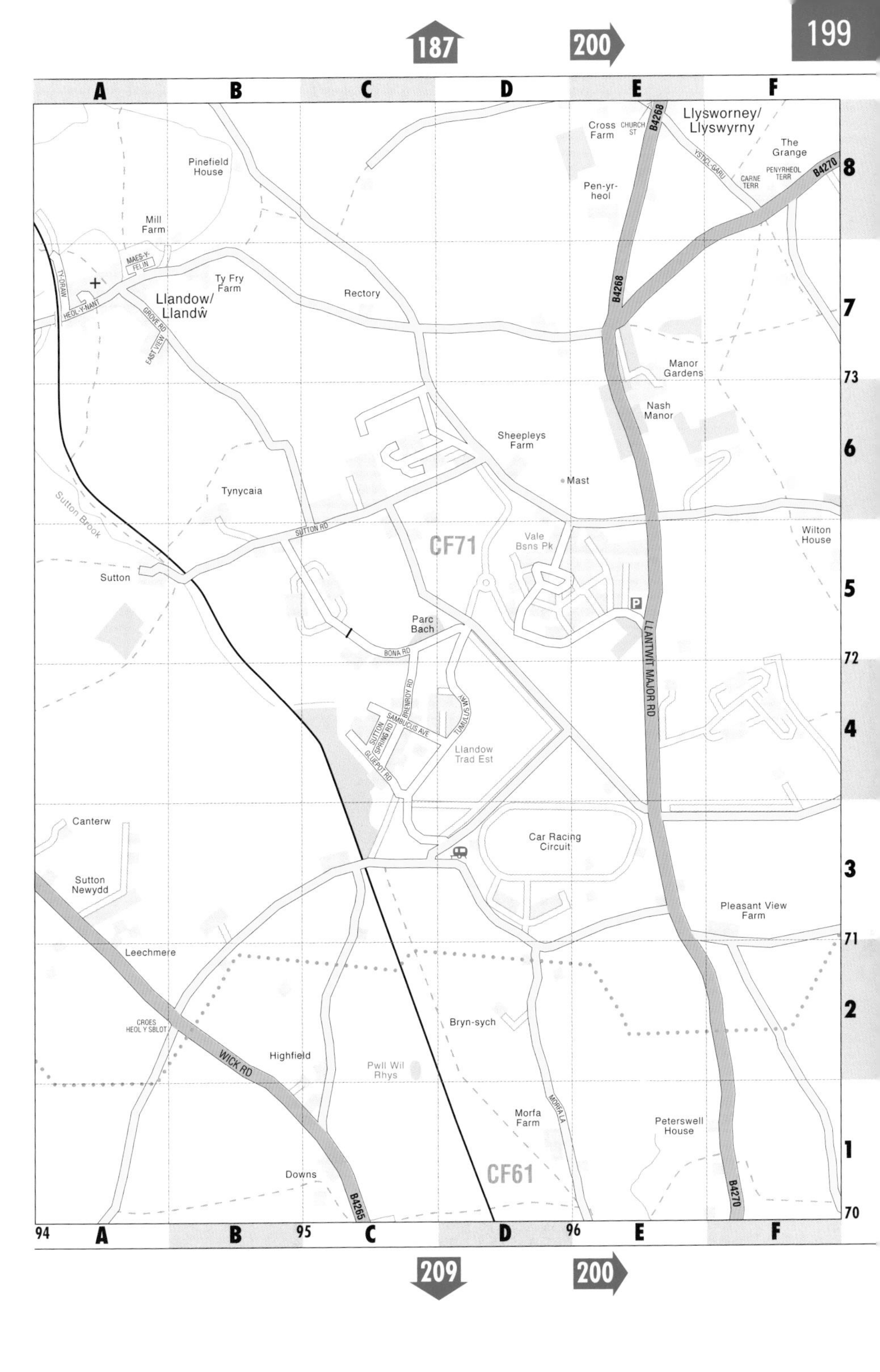

187
200
A
B
C
D
E
F
Llysworney/
Llyswyrny
Cross
Farm
CHURCH
ST
B4268
The
Grange
Pinefield
House
YSTOL-GARU
CARNE
TERR
PENYRHEOL
TERR
B4270
8
Pen-yr-
heol
Mill
Farm
MAES-Y-
FELIN
TY-DRAW
Ty Fry
Farm
Llandow/
Llandŵ
Rectory
B4268
HEOL-Y-NANT
GROVE RD
EAST VIEW
7
Manor
Gardens
73
Nash
Manor
Sheepleys
Farm
6
Mast
Tynycaia
Sutton Brook
SUTTON RD
CF71
Vale
Bsns Pk
Wilton
House
Sutton
5
P
Parc
Bach
BONA RD
LLANTWIT MAJOR RD
72
BRENROY RD
TUMULUS WAY
SAMBUCUS AVE
SUTTON
SPRING RD
GLUEPOT RD
4
Llandow
Trad Est
Canterw
Car Racing
Circuit
3
Sutton
Newydd
Pleasant View
Farm
Leechmere
71
2
CROES
HEOL Y SBLOT
Bryn-sych
WICK RD
Highfield
Pwll Wil
Rhys
MORFA LA
Morfa
Farm
Peterswell
House
1
CF61
Downs
B4265
B4270
70
94
95
96
209
200

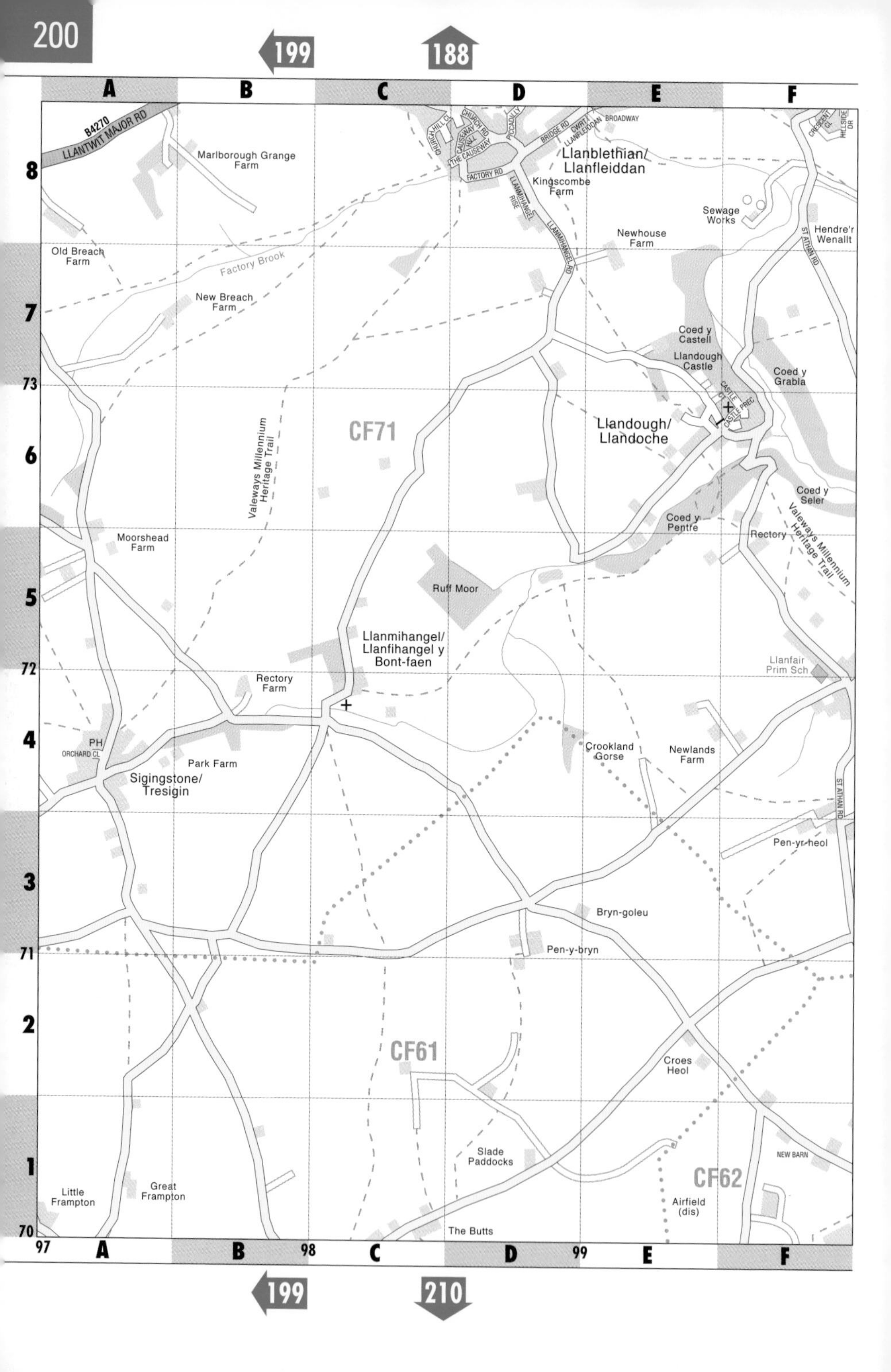
199
188
A
B
C
D
E
F
8
7
73
6
5
72
4
3
71
2
1
70
97
98
99
B4270
LLANTWIT MAJOR RD
Marlborough Grange
Farm
CHURCH HILL CL
CHURCH RD
THE CAUSEWAY
PICCADILLY
BRIDGE RD
CWRT LLANFLEIDDAN
BROADWAY
Llanblethian/
Llanfleiddan
FACTORY RD
LLANMIHANGEL RISE
Kingscombe
Farm
LLANMIHANGEL RD
Sewage
Works
CRESCENT CL
HILLSIDE DR
Hendre'r
Wenallt
Newhouse
Farm
ST ATHAN RD
Old Breach
Farm
Factory Brook
New Breach
Farm
Coed y
Castell
Llandough
Castle
Coed y
Grabla
CASTLE CT
CASTLE PREC
Llandough/
Llandoche
CF71
Valeways Millennium
Heritage Trail
Coed y
Seler
Coed y
Pentre
Rectory
Moorshead
Farm
Ruff Moor
Llanmihangel/
Llanfihangel y
Bont-faen
Llanfair
Prim Sch
Rectory
Farm
PH
ORCHARD CL
Park Farm
Sigingstone/
Tresigin
Crookland
Gorse
Newlands
Farm
Pen-yr-heol
Bryn-goleu
Pen-y-bryn
CF61
Croes
Heol
Slade
Paddocks
NEW BARN
CF62
Little
Frampton
Great
Frampton
Airfield
(dis)
The Butts
210

189
202

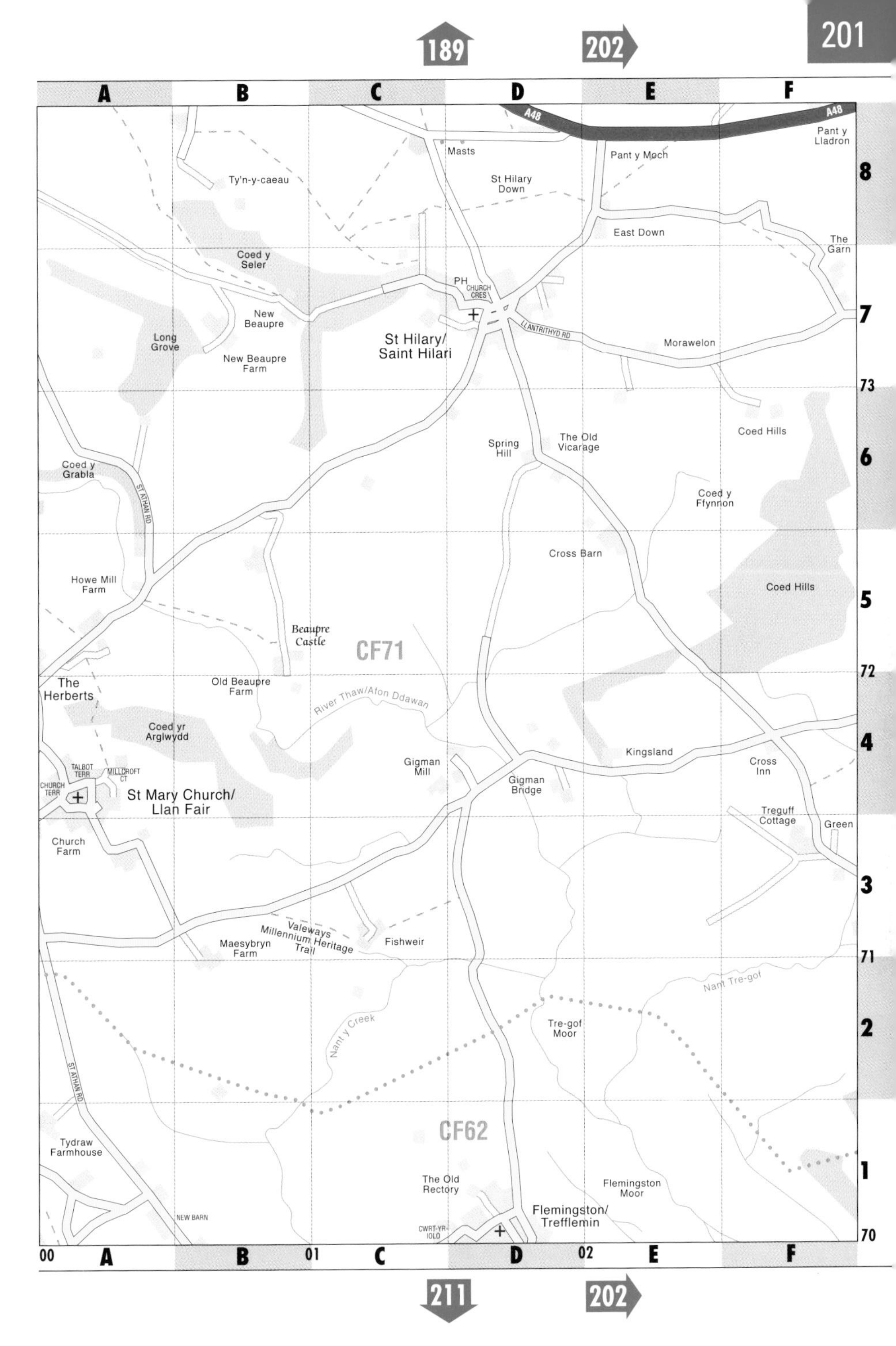

211
202

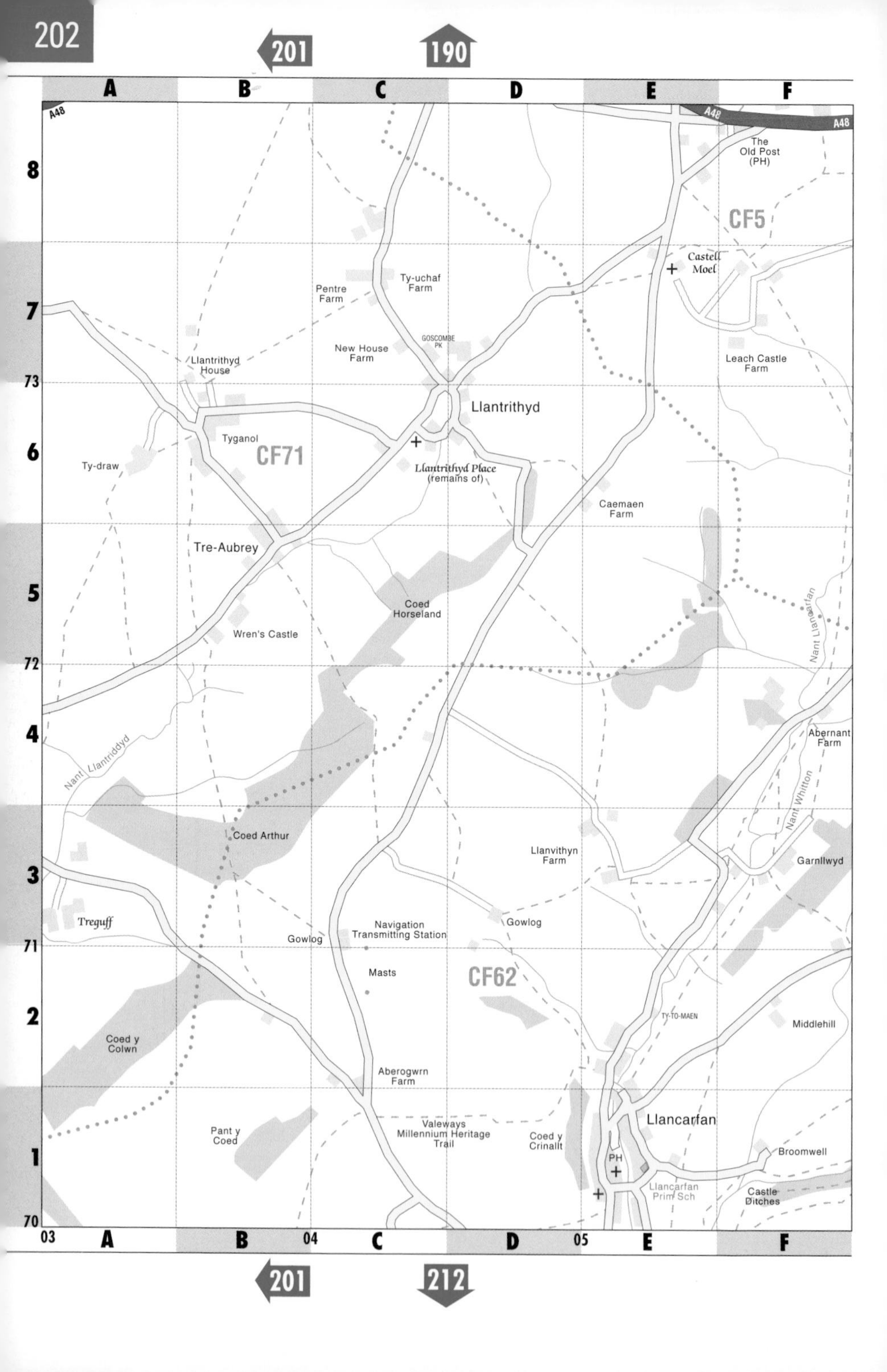
201
190
A
B
C
D
E
F
A48
A48
A48
The
Old Post
(PH)
CF5
8
Castell
Moel
Ty-uchaf
Farm
Pentre
Farm
7
GOSCOMBE
PK
New House
Farm
Llantrithyd
House
Leach Castle
Farm
73
Llantrithyd
Tyganol
CF71
6
Ty-draw
Llantrithyd Place
(remains of)
Caemaen
Farm
Tre-Aubrey
5
Coed
Horseland
Wren's Castle
Nant Llancarfan
72
4
Nant Llantriddyd
Abernant
Farm
Nant Whitton
Coed Arthur
Llanvithyn
Farm
Garnllwyd
3
Treguff
Navigation
Transmitting Station
Gowlog
Gowlog
71
Masts
CF62
2
TY-TO-MAEN
Middlehill
Coed y
Colwn
Aberogwrn
Farm
Llancarfan
Valeways
Millennium Heritage
Trail
Pant y
Coed
Coed y
Crinallt
1
PH
Broomwell
Llancarfan
Prim Sch
Castle
Ditches
70
03
04
05
201
212

191
204

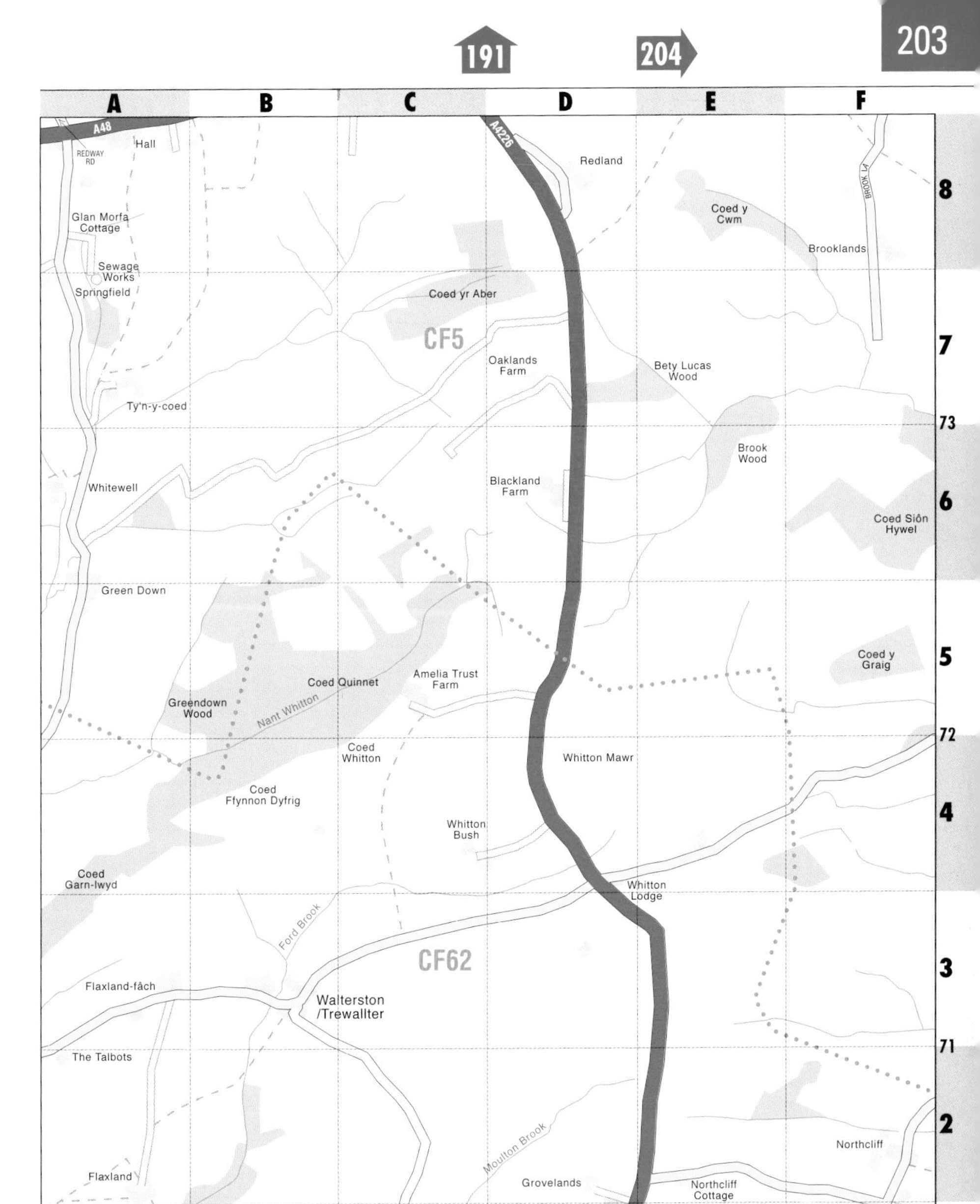

213
204

203 192

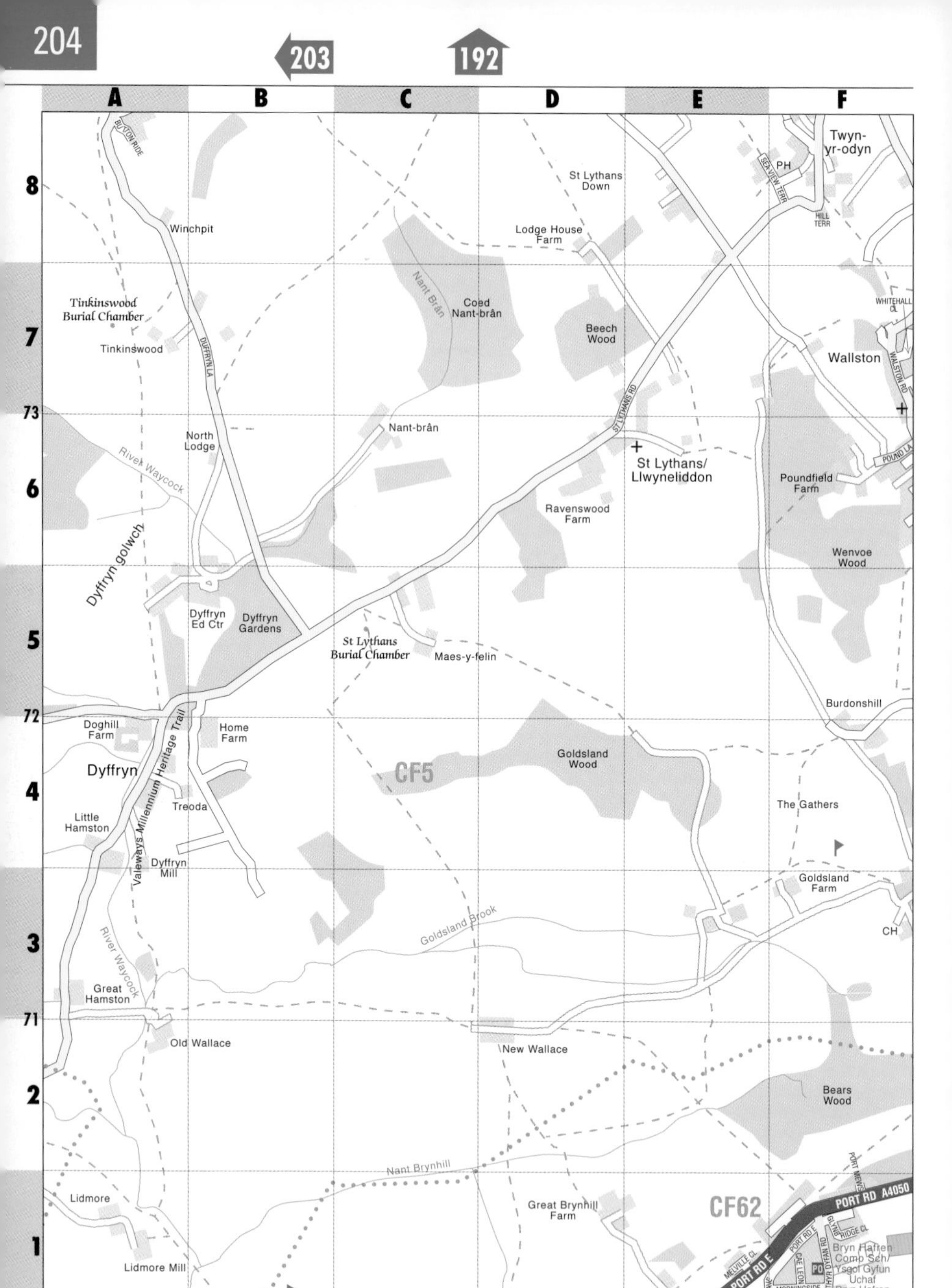

203 214

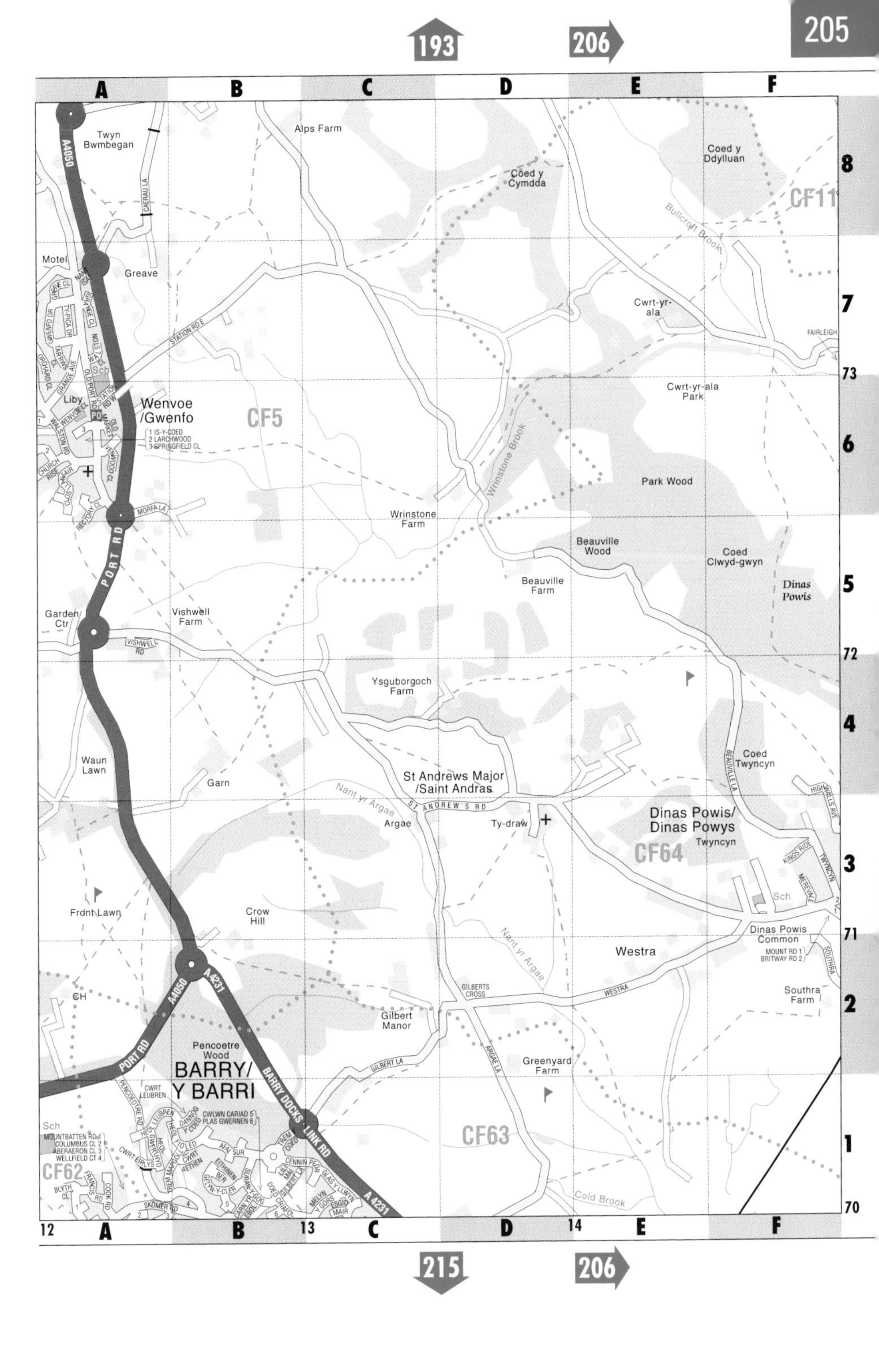

205
193
206
215
206
A B C D E F
8 7 6 5 4 3 2 1
73 72 71 70
12 13 14
Twyn Bwmbegan
A4050
CAERAU LA
Alps Farm
Coed y Cymdda
Coed y Ddylluan
CF11
Bullcroft Brook
Motel
Greave
Cwrt-yr-ala
FAIRLEIGH
STATION RD E
Sch
Liby
PO
Wenvoe /Gwenfo
1 IS-Y-COED
2 LARCHWOOD
3 SPRINGFIELD CL
CF5
Cwrt-yr-ala Park
Wrinstone Brook
Park Wood
MORFA LA
RECTORY CL
Wrinstone Farm
PORT RD
Beauville Wood
Coed Clwyd-gwyn
Beauville Farm
Dinas Powis
Garden Ctr
Vishwell Farm
VISHWELL RD
Ysguborgoch Farm
Waun Lawn
Garn
St Andrews Major /Saint Andras
Coed Twyncyn
BEAUVILLE LA
HIGH WALLS AVE
Nant yr Argae
ST ANDREW'S RD
Argae
Ty-draw
Dinas Powis/ Dinas Powys
Twyncyn
CF64
KINGS RIDE
MEREVALE
Front Lawn
Crow Hill
Dinas Powis Common
MOUNT RD 1
BRITWAY RD 2
SOUTHRA
Westra
A4231
WESTRA
GILBERTS CROSS
CH
Gilbert Manor
Southra Farm
ARGAE LA
Pencoetre Wood
PORT RD
BARRY/ Y BARRI
GILBERT LA
Greenyard Farm
BARRY DOCKS LINK RD
CWRT LEUBREN
CWLWN CARIAD 5
PLAS GWRENEN 6
Sch
MOUNTBATTEN RD 1
COLUMBUS CL 2
ABERAERON CL 3
WELLFIELD CT 4
CF63
CF62
BLYTH CL
FRANCIS RD
COOK RD
SKOMER RD
Cold Brook
A 4231

205 194

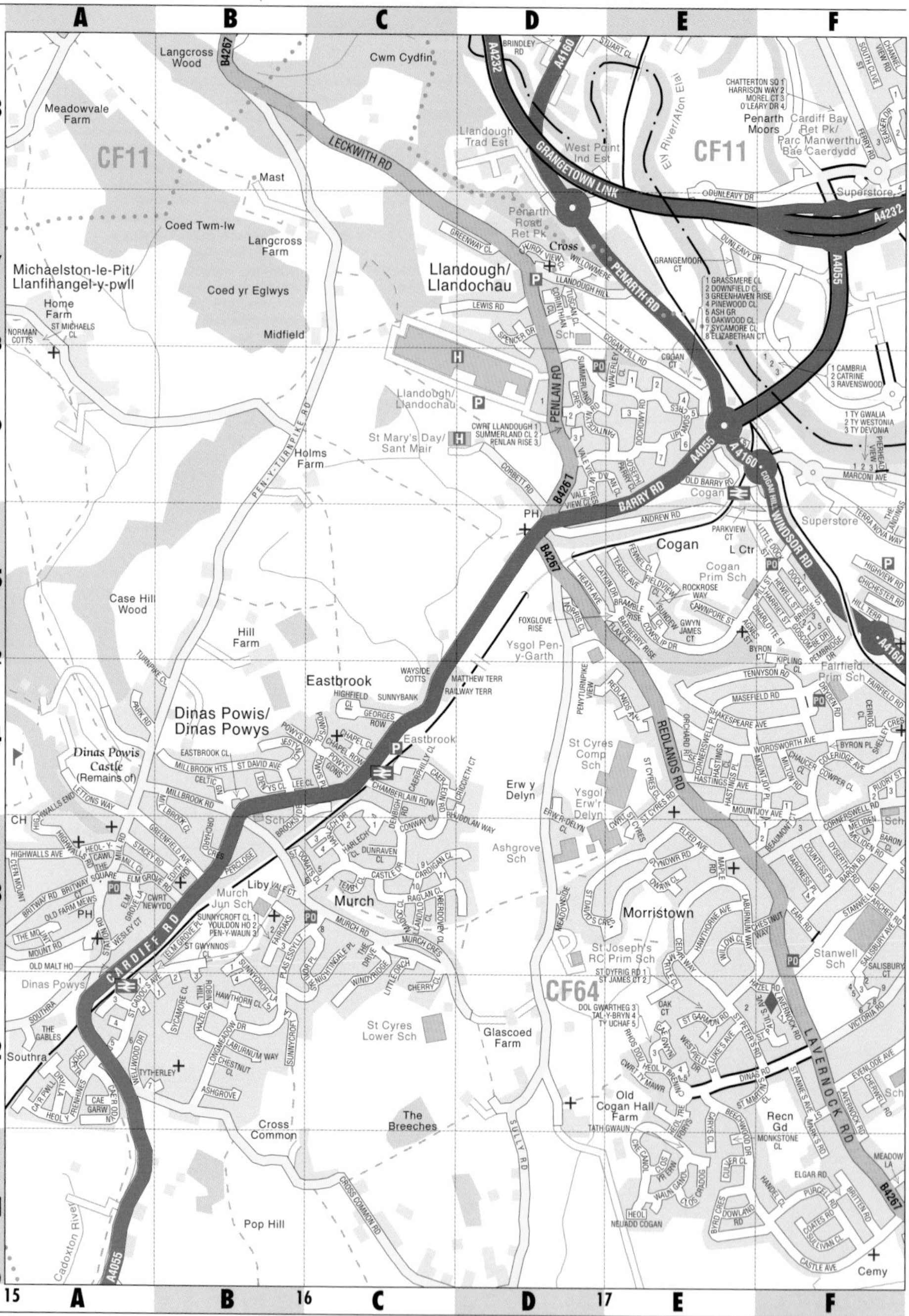

A B C D E F

8 Langcross Wood · Cwm Cydfin · Meadowvale Farm · CF11 · Llandough Trad Est · West Point Ind Est · Ely River/Afon Elai · CF11 · Penarth Moors · Cardiff Bay Ret Pk/ Parc Manwerthu Bae Caerdydd · Mast · Grangetown Link · Superstore

CHATTERTON SQ 1
HARRISON WAY 2
MOREL CT 3
O'LEARY DR 4

7 Coed Twm-lw · Langcross Farm · Penarth Road Ret Pk · Cross · Michaelston-le-Pit/ Llanfihangel-y-pwll · Coed yr Eglwys · Llandough/ Llandochau · Home Farm · Midfield · Norman Cotts

1 GRASSMERE CL
2 DOWNFIELD CL
3 GREENHAVEN RISE
4 PINEWOOD CL
5 ASH GR
6 OAKWOOD CL
7 SYCAMORE CL
8 ELIZABETHAN CT

73

1 CAMBRIA
2 CATRINE
3 RAVENSWOOD

6 Llandough/ Llandochau · St Mary's Day/ Sant Mair · Holms Farm · Penlan Rd · Barry Rd · Cogan

CWRT LLANDOUGH 1
SUMMERLAND CL 2
PENLAN RISE 3

1 TY GWALIA
2 TY WESTONIA
3 TY DEVONIA

5 Case Hill Wood · Hill Farm · Cogan · Cogan Prim Sch · L Ctr · Ysgol Pen-y-Garth · Superstore · Windsor Rd

72 Eastbrook · Fairfield Prim Sch

4 Dinas Powis/ Dinas Powys · Dinas Powis Castle (Remains of) · Eastbrook · St Cyres Comp Sch · Erw y Delyn · Ysgol Erw'r Delyn · Redlands Rd

3 Murch Jun Sch · Liby · Murch · Ashgrove Sch · Morristown · St Joseph's RC Prim Sch · Stanwell Sch · Cardiff Rd

71 Dinas Powys · CF64 · St Cyres Lower Sch · Glascoed Farm

2 Southra · The Gables · Old Cogan Hall Farm · Recn Gd · Lavernock Rd

1 Cross Common · The Breeches · Pop Hill · Cadoxton River · Sully Rd · Cemy

70

15 A B 16 C D 17 E F

A2
1 ST NICHOLAS CL
2 ST LYTHAN CL
3 ST AMBROSE CL
4 ST BARUCH CL
5 ST WINIFREDS CL
6 ST PAULS CL
7 KINGS CT

B2
1 ST DYFRIG CL
2 ST ILLTYD CL
3 ST TEILO CL
4 SUNNYCROFT RISE
5 GREENMEADOW CL

205

C3
1 MANORBIER CL
2 CAERNARVON CL
3 CASTLE CL
4 PEMBROKE CL
5 DUFFRYN HO
6 CASTLE CT
7 THE PARADE
8 CAMM'S CNR
9 LLANDYFRIG CL

216

C3
10 CARDIGAN RD
11 CARMARTHEN RD

F2
1 POWYS RD
2 CARDIGAN HO
3 SALISBURY CL
4 CARMARTHEN HO
5 MERIONETH HO
6 RADNOR HO
7 BRECON HO
8 MONMOUTH HO
9 DENBIGH CT

F3
1 MOUNTJOY CRES
2 MOUNTJOY LA
3 CORNERSWELL LA
4 THE GRANGE
5 ROSEBERY PL

F4
1 MOUNTJOY CL
2 BEDWAS PL
3 MACHEN ST

F5
1 CLIVE LA
2 GAINSBOROUGH CT
3 ROWAN HO
4 BRANGWYN CL
5 ROMNEY WLK
6 GAINSBOROUGH RD

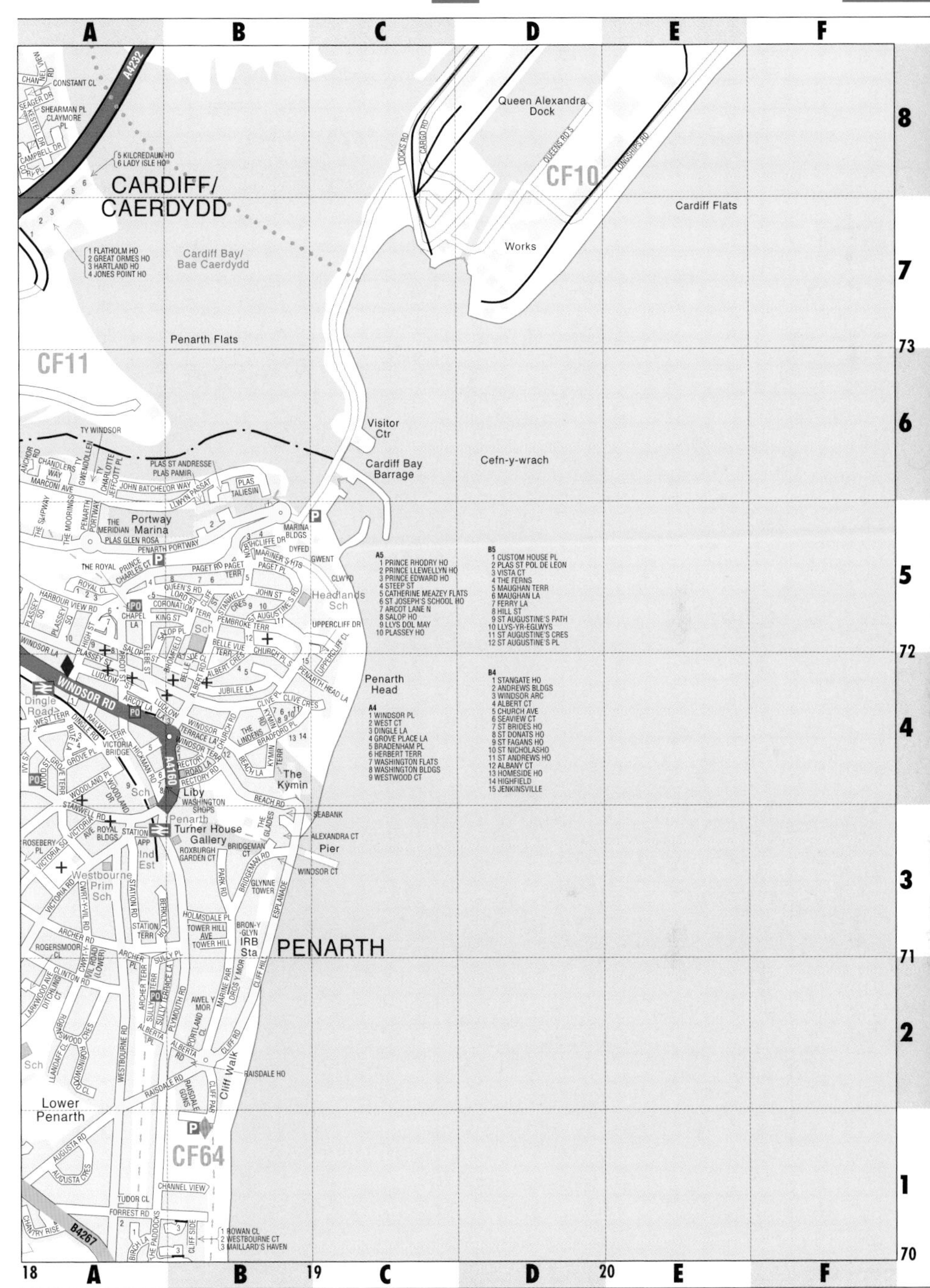
195
CARDIFF/
CAERDYDD
Cardiff Bay/
Bae Caerdydd
Queen Alexandra
Dock
CF10
Cardiff Flats
Works
Penarth Flats
CF11
Visitor
Ctr
Cardiff Bay
Barrage
Cefn-y-wrach
Portway
Marina
Headlands
Sch
Penarth
Head
The
Kymin
Turner House
Gallery
Pier
Westbourne
Prim
Sch
IRB
Sta
PENARTH
Lower
Penarth
CF64
Cliff Walk
A4232
A4160
B4267
1 FLATHOLM HO
2 GREAT ORMES HO
3 HARTLAND HO
4 JONES POINT HO
5 KILCREDAUN HO
6 LADY ISLE HO
A5
1 PRINCE RHODRY HO
2 PRINCE LLEWELLYN HO
3 PRINCE EDWARD HO
4 STEEP ST
5 CATHERINE MEAZEY FLATS
6 ST JOSEPH'S SCHOOL HO
7 ARCOT LANE N
8 SALOP HO
9 LLYS DOL MAY
10 PLASSEY HO
B5
1 CUSTOM HOUSE PL
2 PLAS ST POL DE LEON
3 VISTA CT
4 THE FERNS
5 MAUGHAN TERR
6 MAUGHAN LA
7 FERRY LA
8 HILL ST
9 ST AUGUSTINE'S PATH
10 LLYS-YR-EGLWYS
11 ST AUGUSTINE'S CRES
12 ST AUGUSTINE'S PL
A4
1 WINDSOR PL
2 WEST CT
3 DINGLE LA
4 GROVE PLACE LA
5 BRADENHAM PL
6 HERBERT TERR
7 WASHINGTON FLATS
8 WASHINGTON BLDGS
9 WESTWOOD CT
B4
1 STANGATE HO
2 ANDREWS BLDGS
3 WINDSOR ARC
4 ALBERT CT
5 CHURCH AVE
6 SEAVIEW CT
7 ST BRIDES HO
8 ST DONATS HO
9 ST FAGANS HO
10 ST NICHOLASHO
11 ST ANDREWS HO
12 ALBANY CT
13 HOMESIDE HO
14 HIGHFIELD
15 JENKINSVILLE
1 ROWAN CL
2 WESTBOURNE CT
3 MAILLARD'S HAVEN
A B C D E F
8 7 6 5 4 3 2 1
73 72 71 70
18 19 20
217

198

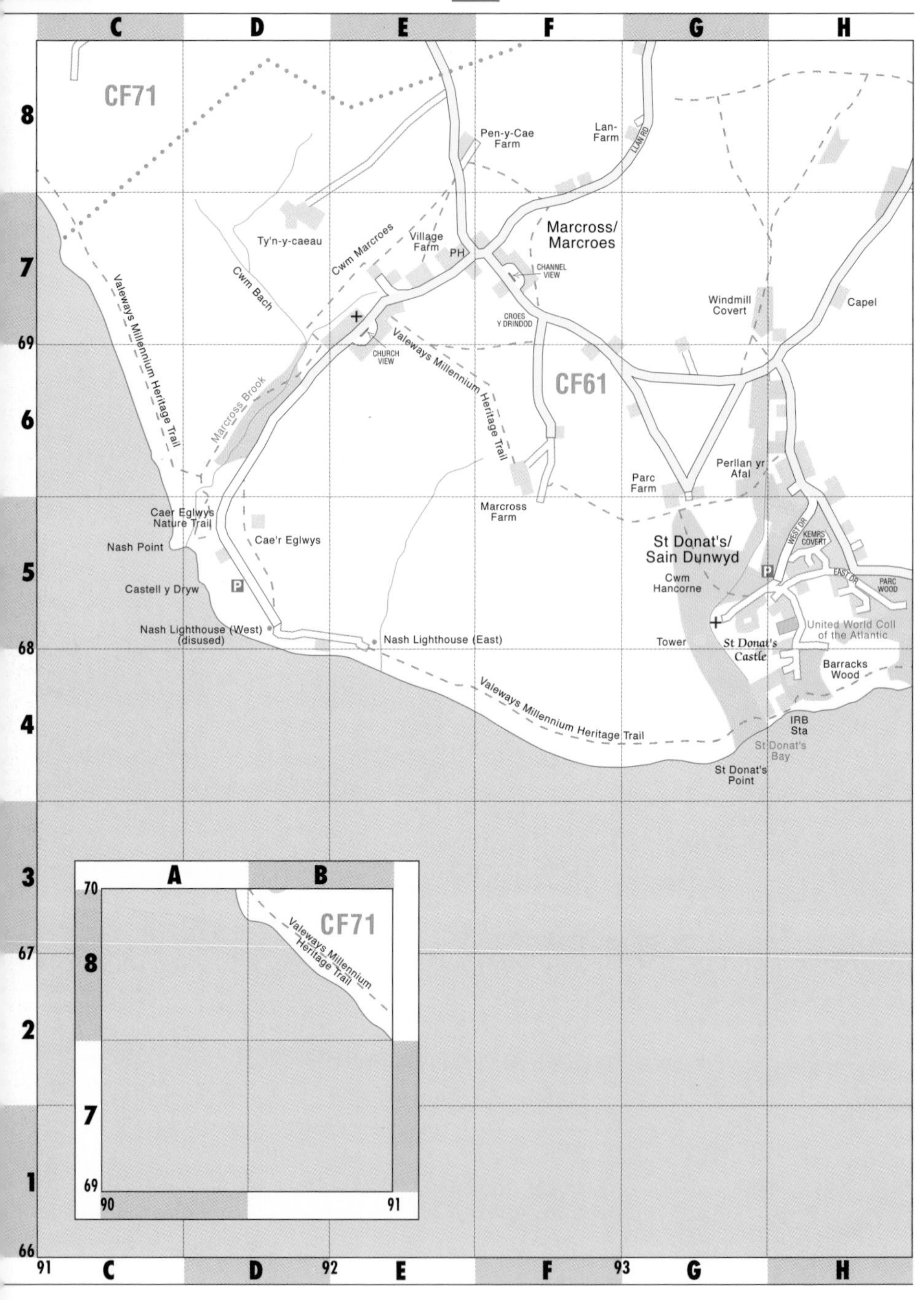
CF71
Pen-y-Cae Farm
Lan-Farm
LLAN RD
Marcross/ Marcroes
Ty'n-y-caeau
Cwm Marcroes
Village Farm
PH
CHANNEL VIEW
Cwm Bach
Valeways Millennium Heritage Trail
CROES Y DRINDOD
Windmill Covert
Capel
CHURCH VIEW
CF61
Marcross Brook
Perllan yr Afal
Parc Farm
Marcross Farm
Caer Eglwys Nature Trail
Cae'r Eglwys
Nash Point
St Donat's/ Sain Dunwyd
WEST DR
KEMPS COVERT
EAST DR
PARC WOOD
Castell y Dryw
Cwm Hancorne
United World Coll of the Atlantic
Nash Lighthouse (West) (disused)
Nash Lighthouse (East)
Tower
St Donat's Castle
Barracks Wood
IRB Sta
St Donat's Bay
St Donat's Point
C D E F G H
8 7 6 5 4 3 2 1
69 68 67 66
91 92 93
A B
70 69 90 91

199
210

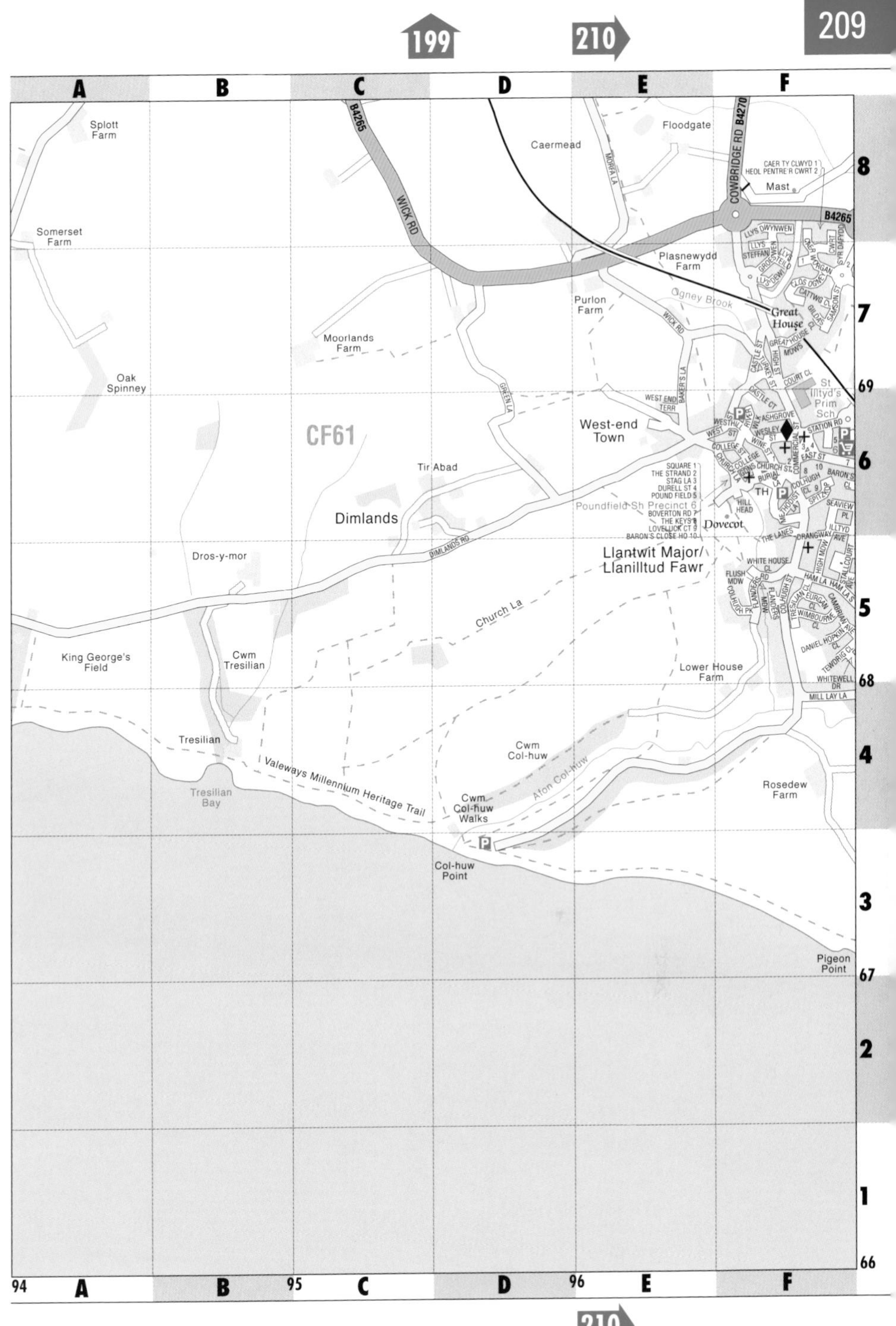
Splott Farm
Caermead
Floodgate
Somerset Farm
Plasnewydd Farm
Purlon Farm
Moorlands Farm
Oak Spinney
Great House
West-end Town
CF61
Tir Abad
Dimlands
Dovecot
Dros-y-mor
Llantwit Major/ Llanilltud Fawr
King George's Field
Cwm Tresilian
Lower House Farm
Tresilian
Cwm Col-huw
Valeways Millennium Heritage Trail
Tresilian Bay
Cwm Col-huw Walks
Rosedew Farm
Col-huw Point
Pigeon Point
WICK RD
B4265
B4270
COWBRIDGE RD
DIMLANDS RD
Church La
Afon Col-huw
Ogney Brook
Poundfield Sh Precinct
SQUARE 1
THE STRAND 2
STAG LA 3
DURELL ST 4
POUND FIELD 5
BOVERTON RD 7
THE KEYS 8
LOVELUCK CT 9
BARON'S CLOSE HO 10
CAER TY CLWYD 1
HEOL PENTRE'R CWRT 2
Mast
St Illtyd's Prim Sch
MILL LAY LA
A
B
C
D
E
F
8
7
6
5
4
3
2
1
69
68
67
66
94
95
96

210

209
200

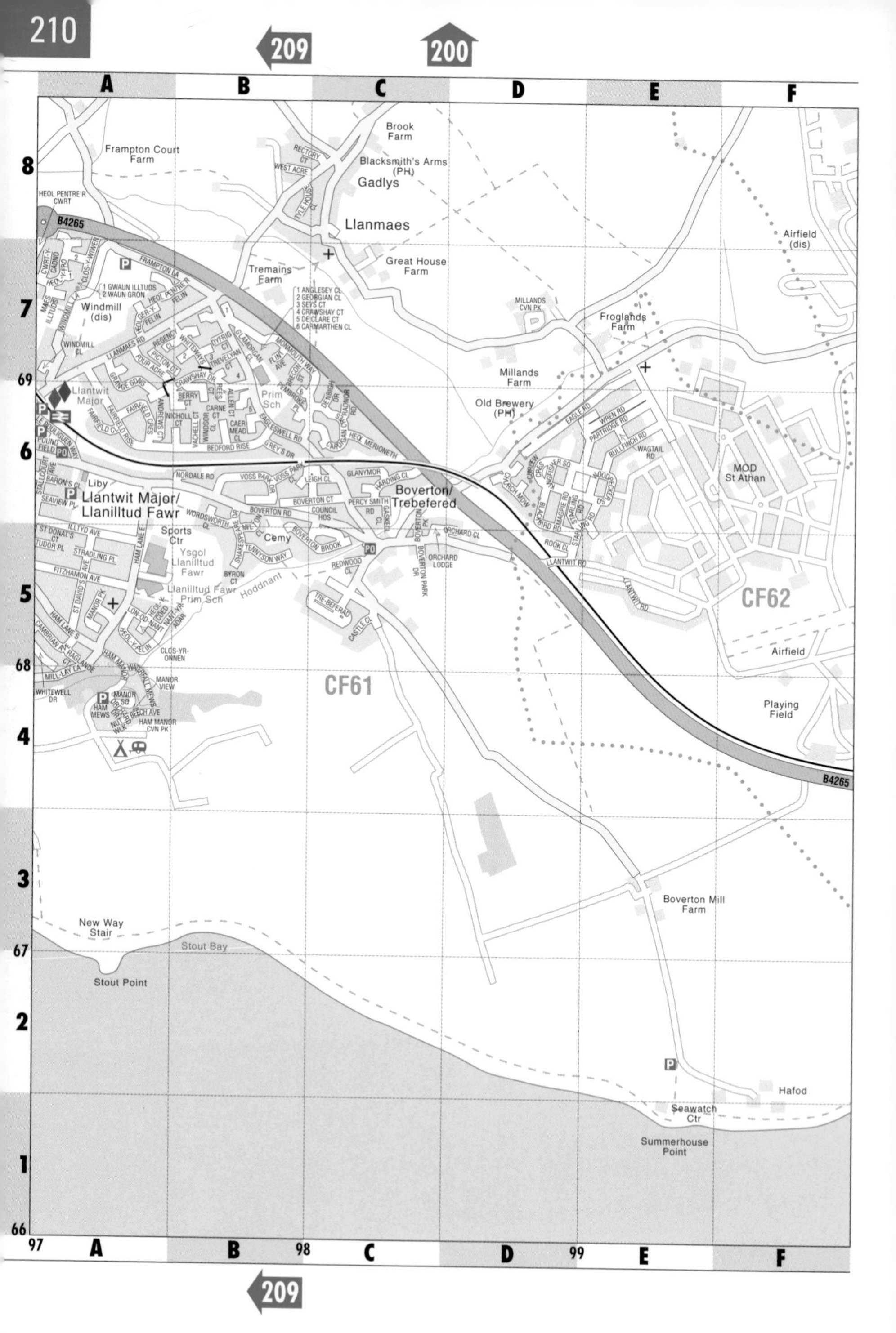

Frampton Court Farm
Brook Farm
Blacksmith's Arms (PH)
Gadlys
Llanmaes
Great House Farm
Tremains Farm
Windmill (dis)
Airfield (dis)
Froglands Farm
Millands Farm
Old Brewery (PH)
Llantwit Major
Prim Sch
MOD St Athan
Liby
Llantwit Major/ Llanilltud Fawr
Boverton/ Trebefered
Sports Ctr
Ysgol Llanilltud Fawr
Cemy
Llanilltud Fawr Prim Sch
Hoddnant
CF62
Airfield
CF61
Playing Field
B4265
Boverton Mill Farm
New Way Stair
Stout Bay
Stout Point
Hafod
Seawatch Ctr
Summerhouse Point

209

201
212

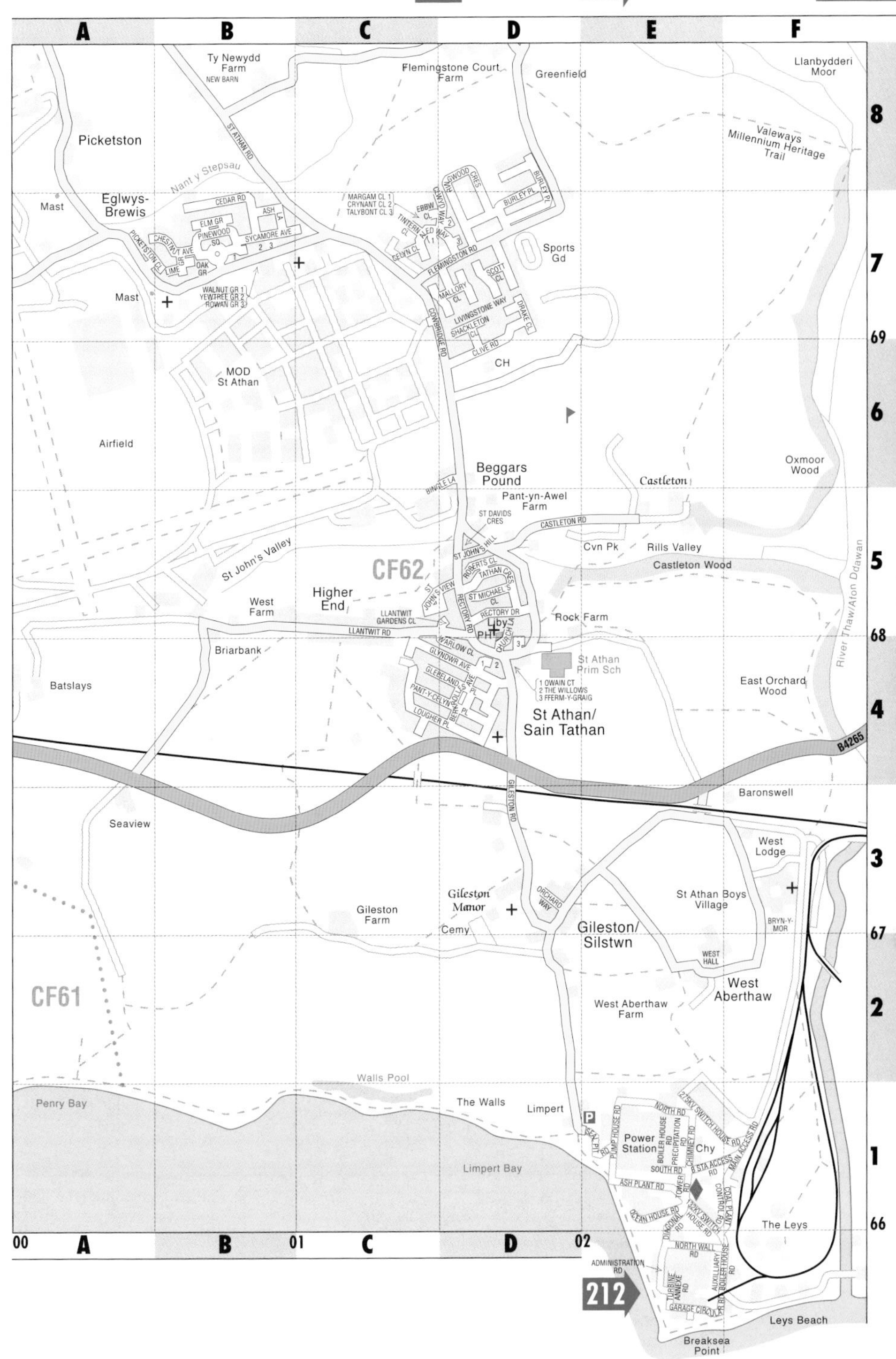
A
B
C
D
E
F
Ty Newydd Farm
Flemingstone Court Farm
Greenfield
Llanbydderi Moor
Picketston
Valeways Millennium Heritage Trail
Eglwys-Brewis
Mast
Sports Gd
Mast
MOD St Athan
CH
Airfield
Beggars Pound
Pant-yn-Awel Farm
Castleton
Oxmoor Wood
St John's Valley
CF62
Cvn Pk
Rills Valley
Castleton Wood
West Farm
Higher End
Rock Farm
Briarbank
St Athan Prim Sch
Batslays
St Athan/ Sain Tathan
East Orchard Wood
River Thaw/Afon Ddawan
B4265
Baronswell
Seaview
West Lodge
St Athan Boys Village
Gileston Farm
Gileston Manor
Cemy
Gileston/ Silstwn
CF61
West Aberthaw Farm
West Aberthaw
Walls Pool
Penry Bay
The Walls
Limpert
Power Station
Limpert Bay
The Leys
Leys Beach
Breaksea Point
00
01
02
66
67
68
69
1
2
3
4
5
6
7
8

212

211
202

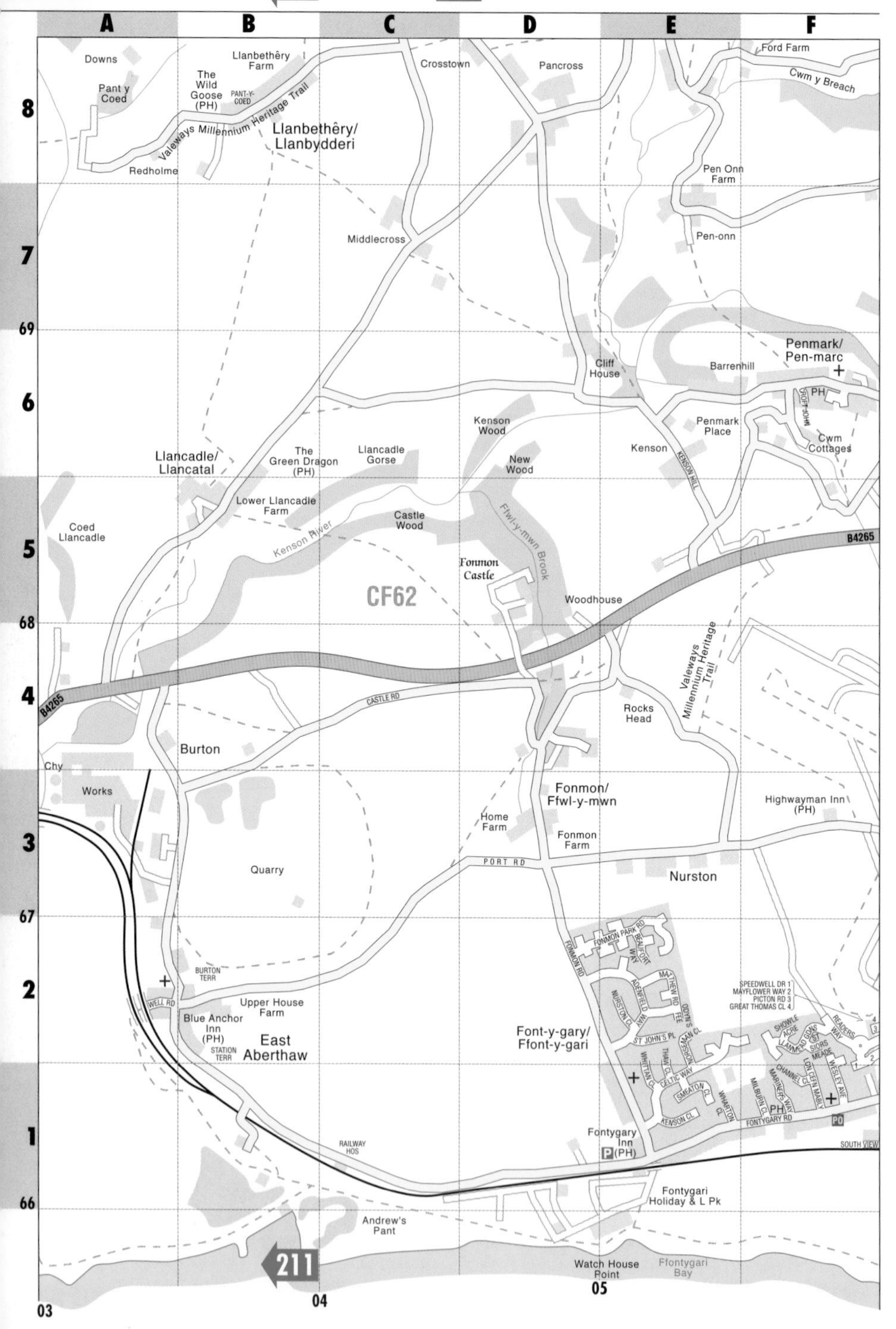
A
B
C
D
E
F
8
7
69
6
5
68
4
3
67
2
1
66
03
04
05
Downs
Pant y Coed
Llanbethêry Farm
The Wild Goose (PH)
PANT-Y-COED
Valeways Millennium Heritage Trail
Llanbethêry/ Llanbydderi
Redholme
Crosstown
Pancross
Ford Farm
Cwm y Breach
Pen Onn Farm
Pen-onn
Middlecross
Penmark/ Pen-marc
Barrenhill
Cliff House
PH
CROFT-JOHN
Kenson Wood
Penmark Place
Kenson
KENSON HILL
Cwm Cottages
Llancadle/ Llancatal
The Green Dragon (PH)
Llancadle Gorse
New Wood
Lower Llancadle Farm
Castle Wood
Coed Llancadle
Kenson River
Ffwl-y-mwn Brook
B4265
Fonmon Castle
CF62
Woodhouse
Valeways Millennium Heritage Trail
B4265
CASTLE RD
Rocks Head
Burton
Chy
Works
Fonmon/ Ffwl-y-mwn
Highwayman Inn (PH)
Home Farm
Fonmon Farm
PORT RD
Quarry
Nurston
FONMON RD
FONMON PARK RD
BEAUFORT WAY
MATHEW RD
ADENFIELD WAY
NURSTON CL
FEE
ODYN'S
BURTON TERR
SPEEDWELL DR 1
MAYFLOWER WAY 2
PICTON RD 3
GREAT THOMAS CL 4
WELL RD
Upper House Farm
Blue Anchor Inn (PH)
STATION TERR
East Aberthaw
Font-y-gary/ Ffont-y-gari
ST JOHN'S PL
SHOWLE ACRE
READERS WAY
LLANMEAD GDNS
ST SIORS
MEADE
WHITTAN CL
THAW CL
CELTIC WAY
SMEATON CL
WHARTON CL
CHANNEL CL
LON CEFN MABLY
WESLEY AVE
MILBURN CL
MARINERS WAY
PH
KENSON CL
FONTYGARY RD
PO
RAILWAY HOS
Fontygary Inn (PH)
P
SOUTH VIEW
Fontygari Holiday & L Pk
Andrew's Pant
Watch House Point
Ffontygari Bay
211

203
214

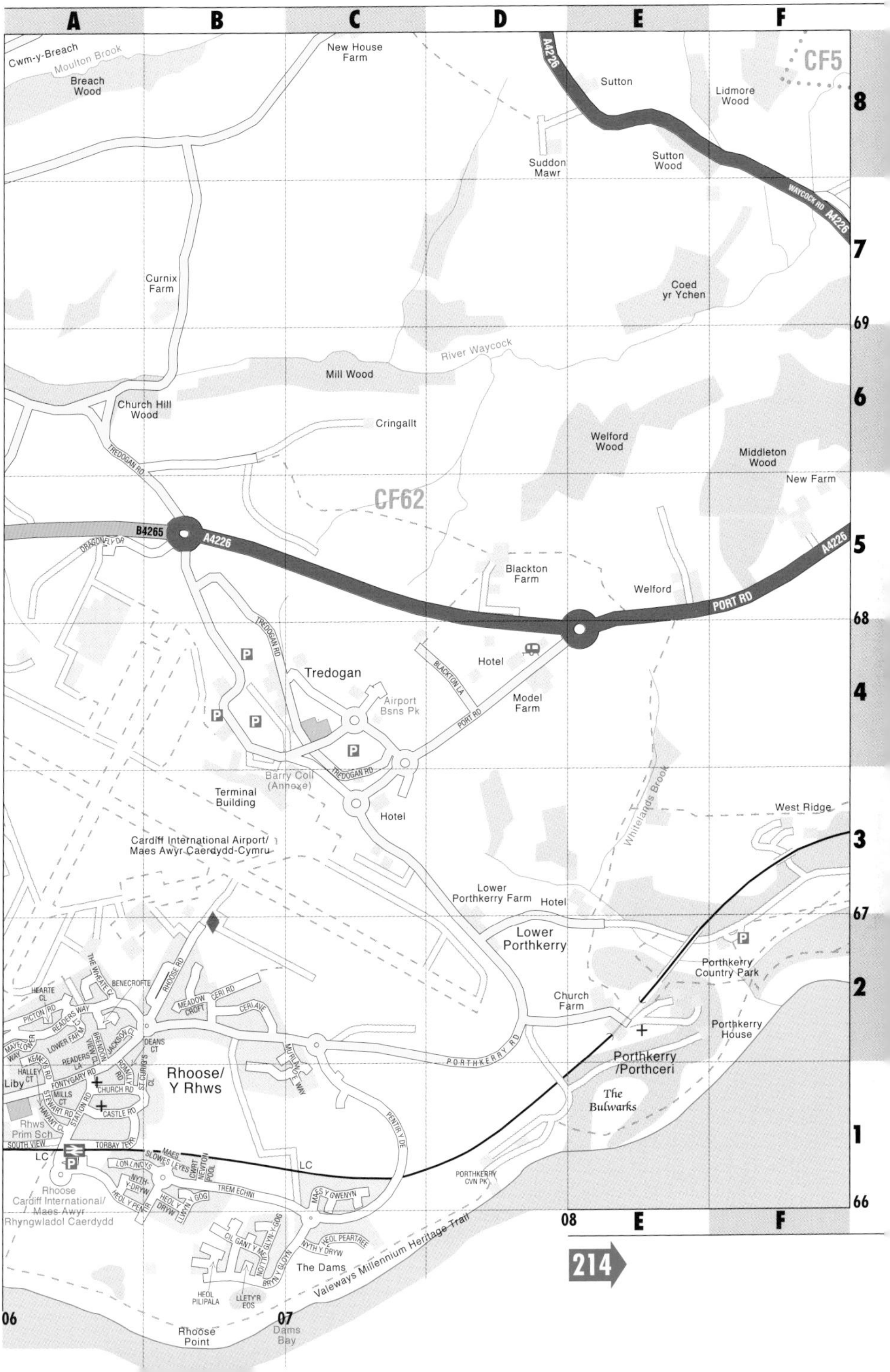

A B C D E F

Cwm-y-Breach
Moulton Brook
Breach Wood
New House Farm
A4226
Sutton
Lidmore Wood
CF5
8
Suddon Mawr
Sutton Wood
WAYCOCK RD
A4226
7
Curnix Farm
Coed yr Ychen
69
River Waycock
Mill Wood
6
Church Hill Wood
Cringallt
TREDOGAN RD
Welford Wood
Middleton Wood
New Farm
CF62
B4265
A4226
DRAGONFLY DR
5
A4226
Blackton Farm
Welford
PORT RD
68
TREDOGAN RD
Tredogan
Hotel
BLACKTON LA
Airport Bsns Pk
Model Farm
PORT RD
4
TREDOGAN RD
Barry Coll (Annexe)
Terminal Building
Hotel
Whitelands Brook
West Ridge
Cardiff International Airport/
Maes Awyr Caerdydd-Cymru
3
Lower Porthkerry Farm
Hotel
67
Lower Porthkerry
Porthkerry Country Park
THE WHEATE CL
BENECROFTE
RHOOSE RD
HEARTE CL
PICTON RD
READERS WAY
MEADOW CROFT
CERI RD
CERI AVE
Church Farm
2
LOWER FARM
BRENDON VIEW CL
JACKSON CL
DEANS CT
MAYFLOWER WAY
KEMEYS RD
READERS LA
HALLEY CT
ROMILLY RD
ST CURIG'S CL
MURLAND WAY
PORTHKERRY RD
Porthkerry House
Porthkerry /Porthceri
Liby
FONTYGARY RD
CHURCH RD
STEWART RD
MILLS CT
STATION RD
Rhoose/ Y Rhws
The Bulwarks
HAVANT CL
CASTLE RD
PENTIR Y DE
Rhws Prim Sch
1
SOUTH VIEW
TORBAY TERR
MAES
SLOWES LEYES
CWRT
NEWTON POOL
LC
LC
LON LINDYS
NYTH-Y-DRYW
PORTHKERRY CVN PK
TREM ECHNI
HEOL Y PENT
HEOL Y DRYW
LLWYN Y GOG
MAES Y GWENYN
66
Rhoose Cardiff International/ Maes Awyr Rhyngwladol Caerdydd
08
E
F
CIL GANT Y MOR
NYTH Y GLYN-Y-GOG
HEOL PEARTREE
NYTH Y DRYW
Valeways Millennium Heritage Trail
BRYN Y GLOYN
The Dams
HEOL PILIPALA
LLETY'R EOS
06
07
Rhoose Point
Dams Bay

214

213
204

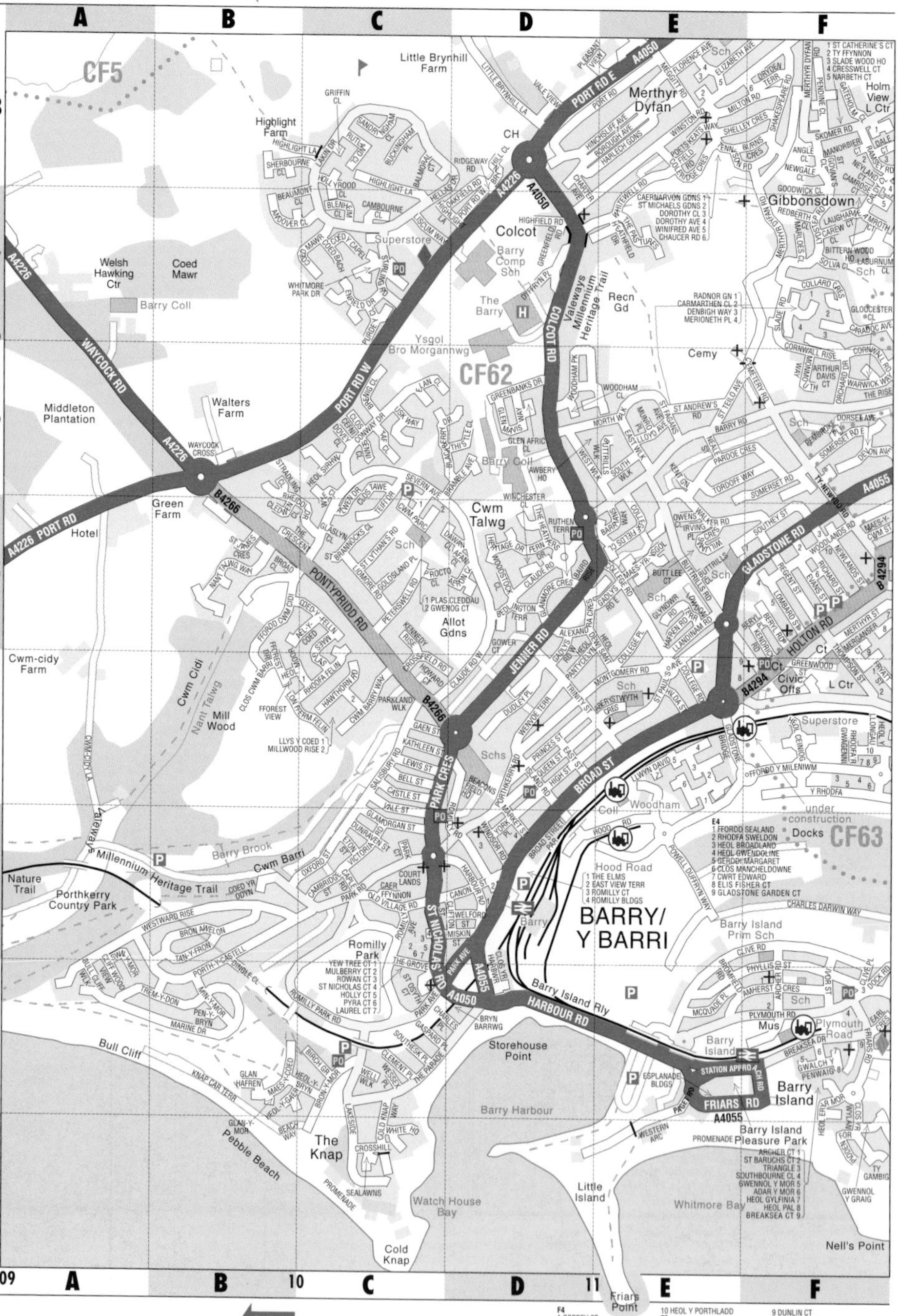

A B C D E F

8
7
69
6
5
68
4
3
67
2
1
66

CF5
CF62
CF63

Little Brynhill Farm
Highlight Farm
Merthyr Dyfan
Holm View L Ctr
Gibbonsdown
Welsh Hawking Ctr
Coed Mawr
Barry Coll
Colcot
Barry Comp Sch
The Barry
Ysgol Bro Morgannwg
Valeways Millennium Heritage Trail
Recn Gd
Cemy
Middleton Plantation
Walters Farm
Green Farm
Hotel
Cwm Talwg
Allot Gdns
Cwm-cidy Farm
Cwm Cidi
Nant Talwg
Mill Wood
Schs
Barry Brook
Cwm Barri
Millennium Heritage Trail
Nature Trail
Porthkerry Country Park
Romilly Park
Civic Offs
L Ctr
Superstore
Woodham
Hood Road
Docks
under construction
BARRY/
Y BARRI
Barry Island Prim Sch
Barry Island Rly
Storehouse Point
Barry Harbour
Barry Island
Plymouth Road
Mus
Barry Island Pleasure Park
Bull Cliff
Pebble Beach
The Knap
Watch House Bay
Cold Knap
Little Island
Whitmore Bay
Nell's Point
Friars Point

A4226 PORT RD
WAYCOCK RD
PORT RD W
PORT RD E
A4050
COLCOT RD
JENNER RD
PONTYPRIDD RD
B4266
PARK CRES
ST NICHOLAS' RD
BROAD ST
GLADSTONE RD
HOLTON RD
B4294
A4055
HARBOUR RD
FRIARS RD
STATION APPRO
CHARLES DARWIN WAY

F8
1 ST CATHERINE'S CT
2 TY FFYNNON
3 SLADE WOOD HO
4 CRESSWELL CT
5 NARBETH CT

CAERNARVON GDNS 1
ST MICHAELS GDNS 2
DOROTHY CL 3
DOROTHY AVE 4
WINIFRED AVE 5
CHAUCER RD 6

RADNOR GN 1
CARMARTHEN CL 2
DENBIGH WAY 3
MERIONETH PL 4

1 PLAS CLEDDAU
2 GWENOG CT

LLYS Y COED 1
MILLWOOD RISE 2

E4
1 FFORDD SEALAND
2 RHODFA SWELDON
3 HEOL BROADLAND
4 HEOL GWENDOLINE
5 GERDDI MARGARET
6 CLOS MANCHELDOWNE
7 CWRT EDWARD
8 ELIS FISHER CT
9 GLADSTONE GARDEN CT

1 THE ELMS
2 EAST VIEW TERR
3 ROMILLY CT
4 ROMILLY BLDGS

YEW TREE CT 1
MULBERRY CT 2
ROWAN CT 3
ST NICHOLAS CT 4
HOLLY CT 5
PYRA CT 6
LAUREL CT 7

ARCHER CT 1
ST BARUCHS CT 2
TRIANGLE 3
SOUTHBOURNE CL 4
GWENNOL Y MOR 5
ADAR Y MOR 6
HEOL GYLFINIA 7
HEOL PAL 8
BREAKSEA CT 9

09 A B 10 C D 11 E F

213

F4
1 OSPREY CT
2 CWRT TREM YR YNYS
3 TY CAMLAS
4 TY'R SIANEL
5 GLAN-Y-DWR
6 GLAN-Y-MOR
7 TY LEVANT
8 TY CWMPAS
9 TY CAPSTAN
10 HEOL Y PORTHLADD

F5
1 COPPERFIELD CT
2 HANOVER ST
3 BYRON ST
4 WOODLANDS CT
5 GLADSTONE CT
6 SPENCER ST
7 THE MEWS
8 BELVEDERE CRES
9 DUNLIN CT
10 YMCA BLDGS

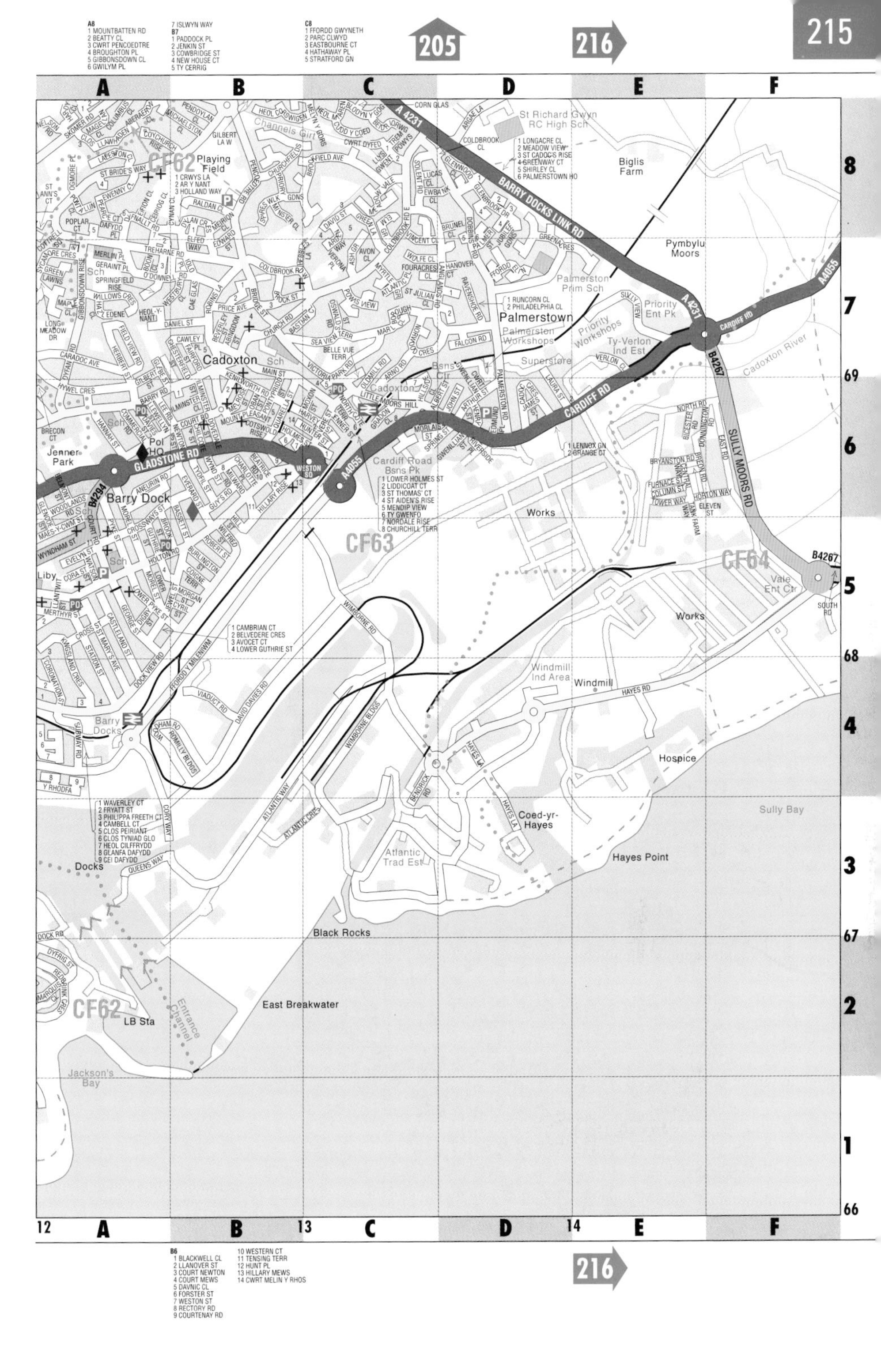

215
205
216
A8
1 MOUNTBATTEN RD
2 BEATTY CL
3 CWRT PENCOEDTRE
4 BROUGHTON PL
5 GIBBONSDOWN CL
6 GWILYM PL
7 ISLWYN WAY
B7
1 PADDOCK PL
2 JENKIN ST
3 COWBRIDGE ST
4 NEW HOUSE CT
5 TY CERRIG
C8
1 FFORDD GWYNETH
2 PARC CLWYD
3 EASTBOURNE CT
4 HATHAWAY PL
5 STRATFORD GN
A B C D E F
8
7
69
6
5
68
4
3
67
2
1
66
12 A B 13 C D 14 E F
St Richard Gwyn RC High Sch
1 LONGACRE CL
2 MEADOW VIEW
3 ST CADOC'S RISE
4 GREENWAY CT
5 SHIRLEY CL
6 PALMERSTOWN HO
Biglis Farm
Pymbylu Moors
BARRY DOCKS LINK RD
A 4231
A4055
CF62
Playing Field
1 CRWYS LA
2 AR Y NANT
3 HOLLAND WAY
Palmerston Prim Sch
Priority Ent Pk
1 RUNCORN CL
2 PHILADELPHIA CL
Palmerstown
Palmerston Workshops
Priority Workshops
Ty-Verlon Ind Est
Superstore
Cadoxton River
Cadoxton
Sch
Cadoxton
CARDIFF RD
B4267
SULLY MOORS RD
1 LENNOX GN
2 GRANGE CT
Jenner Park
Pol HQ
GLADSTONE RD
WESTON SQ
Cardiff Road Bsns Pk
1 LOWER HOLMES ST
2 LIDDICOAT CT
3 ST THOMAS' CT
4 ST AIDEN'S RISE
5 MENDIP VIEW
6 TY GWENFO
7 NORDALE RISE
8 CHURCHILL TERR
Barry Dock
B4294
Works
CF63
CF64
Vale Ent Ctr
SOUTH RD
Liby
Sch
Works
1 CAMBRIAN CT
2 BELVEDERE CRES
3 AVOCET CT
4 LOWER GUTHRIE ST
WIMBORNE RD
Windmill Ind Area
Windmill
HAYES RD
Barry Docks
DAVID DAVIES RD
FFORDD Y MILENIWM
Hospice
Sully Bay
1 WAVERLEY CT
2 FRYATT ST
3 PHILIPPA FREETH CT
4 CAMBELL CT
5 CLOS PEIRIANT
6 CLOS TYNIAD GLO
7 HEOL CILFFRYDD
8 GLANFA DAFYDD
9 CEI DAFYDD
ATLANTIC WAY
Coed-yr-Hayes
Atlantic Trad Est
Hayes Point
Docks
QUEENS WAY
Black Rocks
East Breakwater
CF62
LB Sta
Entrance Channel
Jackson's Bay
B6
1 BLACKWELL CL
2 LLANOVER ST
3 COURT NEWTON
4 COURT MEWS
5 DAVNIC CL
6 FORSTER ST
7 WESTON ST
8 RECTORY RD
9 COURTENAY RD
10 WESTERN CT
11 TENSING TERR
12 HUNT PL
13 HILLARY MEWS
14 CWRT MELIN Y RHOS
216

215
206

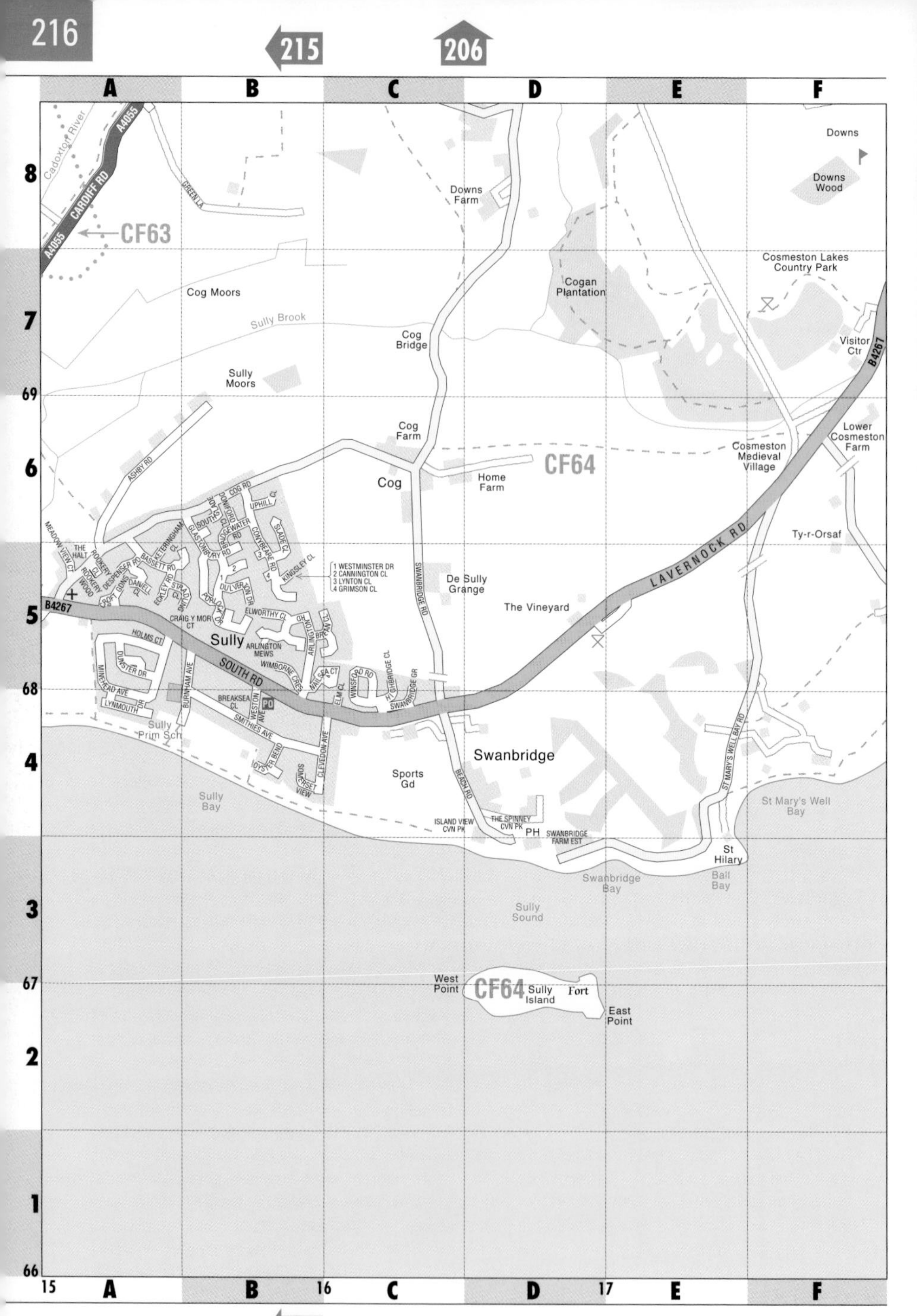
A
B
C
D
E
F
8
7
69
6
5
68
4
3
67
2
1
66
15
16
17
Cadoxton River
A4055
CARDIFF RD
CF63
GREEN LA
Downs Farm
Downs
Downs Wood
Cosmeston Lakes Country Park
Cogan Plantation
Cog Moors
Sully Brook
Cog Bridge
Visitor Ctr
B4267
Sully Moors
Cog Farm
Lower Cosmeston Farm
Cosmeston Medieval Village
CF64
Home Farm
Cog
ASHBY RD
COG RD
UPHILL CL
Ty-r-Orsaf
LAVERNOCK RD
MEADOW VIEW CT
THE HALT
ROOKERY CL
ROOKERY WOOD
DESPENSER RD
BASSETT RD
KETERINGHAM CL
GLASTONBURY RD
BRIDGEWATER RD
CONYBEARE RD
SLADE CL
KINGSLEY CL
1 WESTMINSTER DR
2 CANNINGTON CL
3 LYNTON CL
4 GRIMSON CL
De Sully Grange
The Vineyard
SWANBRIDGE RD
CROFT GDNS
DANIELL CL
ECKLEY RD
DULVERTON DR
PORLOCK DR
ELWORTHY CL
CRAIG Y MOR CT
HOLMS CT
Sully
ARLINGTON MEWS
ARLINGTON
WIMBORNE CRES
SOUTH RD
DUNSTER DR
MINEHEAD AVE
LYNMOUTH DR
BURNHAM AVE
BREAKSEA CL
WESTON AVE
PO
ELM CL
WINSFORD RD
HIGHBRIDGE CL
SWANBRIDGE GR
Sully Prim Sch
SMITHIES AVE
CLEVEDON AVE
SOMERSET VIEW
Swanbridge
Sports Gd
BEACH RD
ST MARY'S WELL BAY RD
St Mary's Well Bay
Sully Bay
ISLAND VIEW CVN PK
THE SPINNEY CVN PK
PH
SWANBRIDGE FARM EST
St Hilary
Swanbridge Bay
Ball Bay
Sully Sound
West Point
CF64
Sully Island
Fort
East Point

215

A
B
C
D
E
F
THE PADDOCKS
BIRCH LA
CHERRY CL
THORN GR
CRAVEN WLK
The Stairs
B4267
CHARTERS CL
LAVERNOCK RD
CAYNHAM AVE
KNOWBURY AVE
BROCKHILL RISE
BROCKHILL WAY
CH
HALTON CL
STANTON WAY
WHITCLIFFE DR
Cosmeston
PLOVER WAY
ERIN WAY
KESTREL WAY
ALTHORP DR
LAPWING CL
MALLARD WAY
PETREL CL
COSMESTON DR
FULMAR CL
SHEARWATER CL
FALCON GR
OSPREY CL
RAVEN WAY
UPPER COSMESTON FARM
CF64
Roundbush Rocks
Ranny Bay
FORT RD
Lavernock
Lavernock House
The Cove
Holiday Camp
Lavernock Point
8
7
69
6
5
68
4
3
67
2
1
66
18
19
20
H
J
Flat Holm Nature Reserve
Jetties
North West Point
65
Foghorn Station
Jackdaw Point
Lighthouse Point
Bottleswell Point
22

Scale: 1⅓ inches to 1 mile

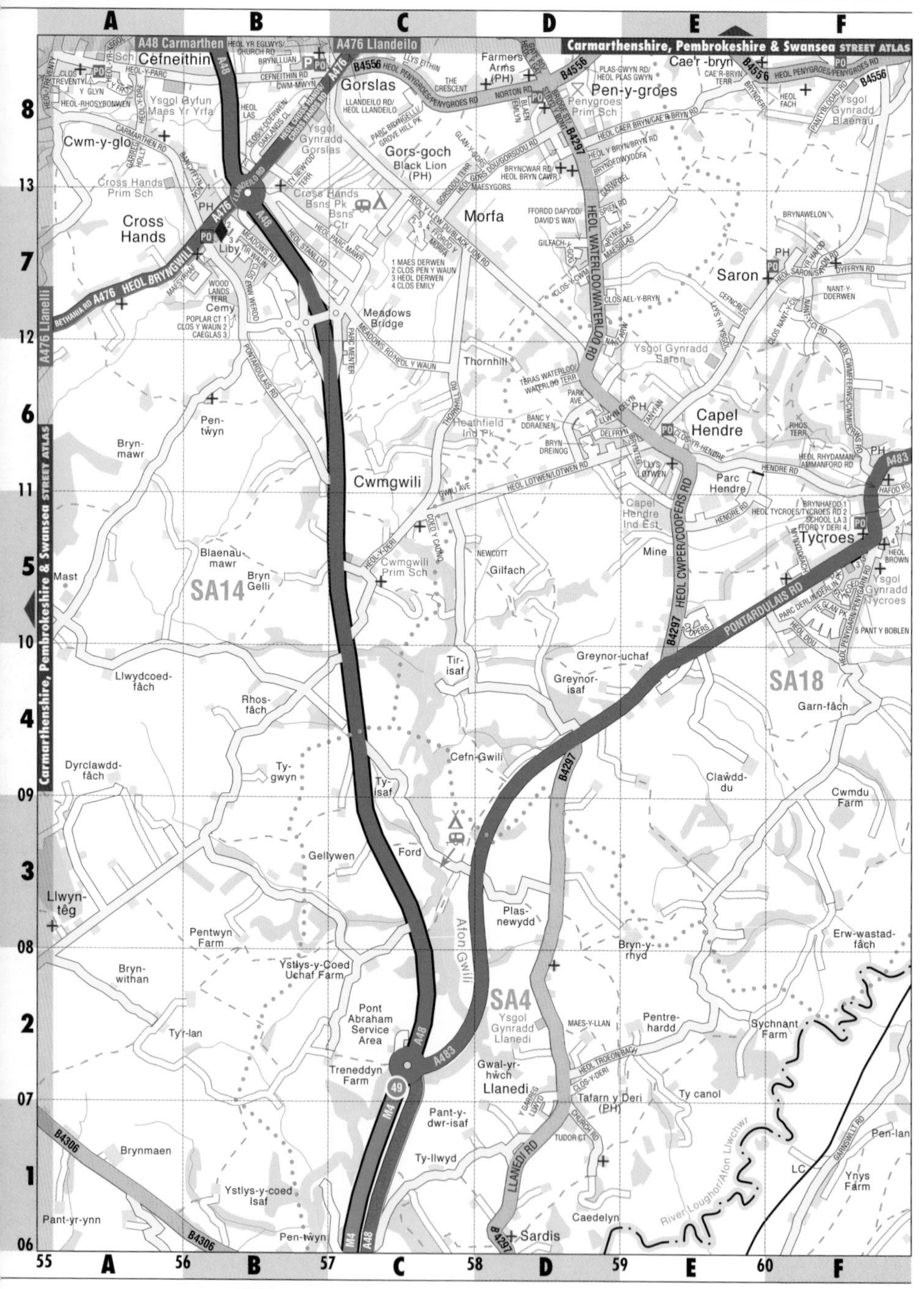

0 ¼ ½ mile
0 250m 500m 750m 1 km

18
19

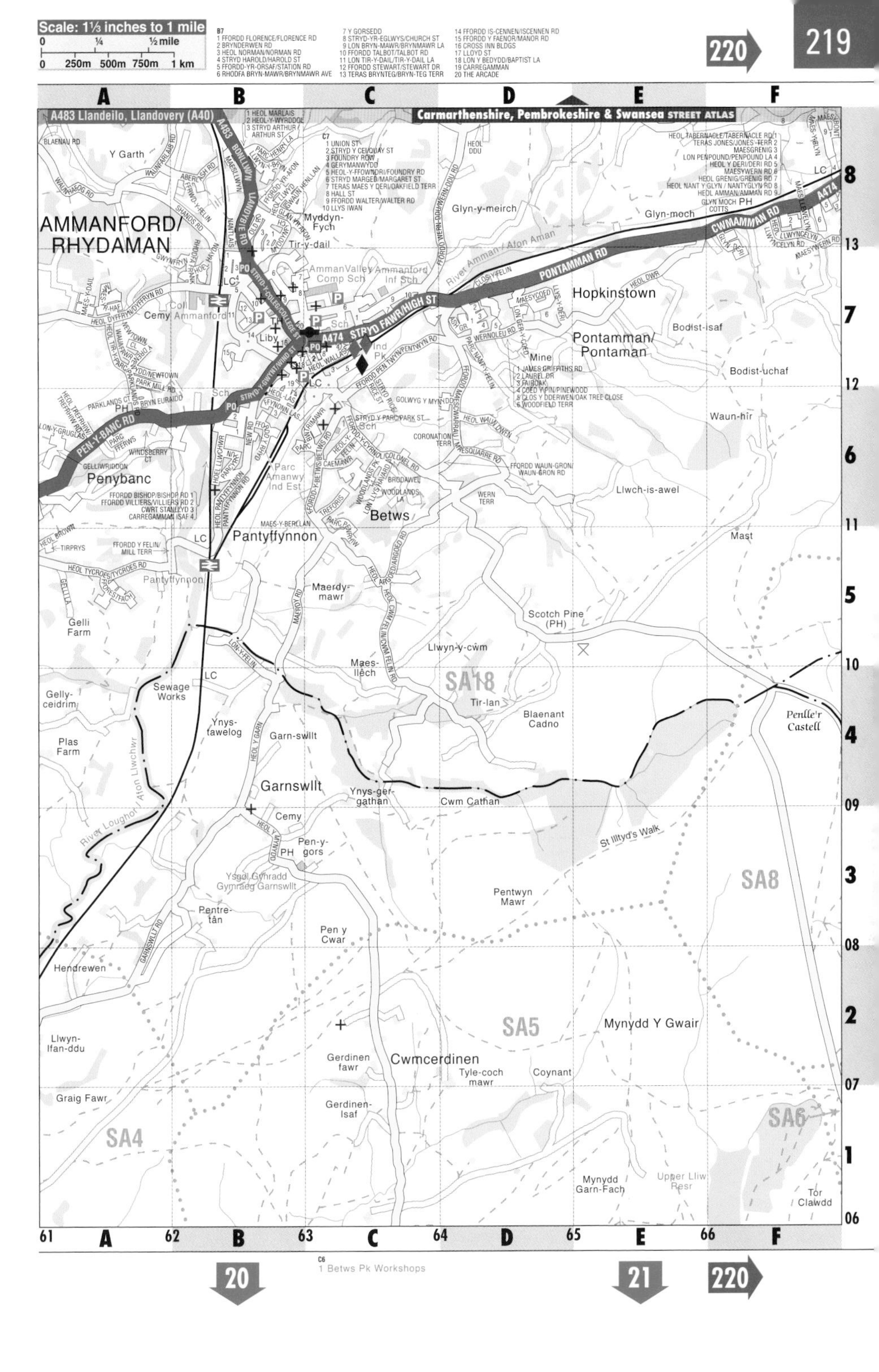
Scale: 1⅓ inches to 1 mile
0 ¼ ½ mile
0 250m 500m 750m 1 km
B7
1 FFORDD FLORENCE/FLORENCE RD
2 BRYNDERWEN RD
3 HEOL NORMAN/NORMAN RD
4 STRYD HAROLD/HAROLD ST
5 FFORDD-YR-ORSAF/STATION RD
6 RHODFA BRYN-MAWR/BRYNMAWR AVE
7 Y GORSEDD
8 STRYD-YR-EGLWYS/CHURCH ST
9 LON BRYN-MAWR/BRYNMAWR LA
10 FFORDD TALBOT/TALBOT RD
11 LON TIR-Y-DAIL/TIR-Y-DAIL LA
12 FFORDD STEWART/STEWART DR
13 TERAS BRYNTEG/BRYN-TEG TERR
14 FFORDD IS-CENNEN/ISCENNEN RD
15 FFORDD Y FAENOR/MANOR RD
16 CROSS INN BLDGS
17 LLOYD ST
18 LON Y BEDYDD/BAPTIST LA
19 CARREGAMMAN
20 THE ARCADE
220
A483 Llandeilo, Llandovery (A40)
Carmarthenshire, Pembrokeshire & Swansea STREET ATLAS
C7
1 UNION ST
2 STRYD Y CEI/QUAY ST
3 FOUNDRY ROW
4 GERYMANWYDD
5 HEOL-Y-FFOWNDRI/FOUNDRY RD
6 STRYD MARGED/MARGARET ST
7 TERAS MAES Y DERI/OAKFIELD TERR
8 HALL ST
9 FFORDD WALTER/WALTER RD
10 LLYS IWAN
HEOL TABERNACLE/TABERNACLE RD 1
TERAS JONES/JONES TERR 2
MAESGRENIG 3
LON PENPOUND/PENPOUND LA 4
HEOL Y DERI/DERI RD 5
MAESYWERN RD 6
HEOL GRENIG/GRENIG RD 7
HEOL NANT Y GLYN / NANTYGLYN RD 8
HEOL AMMAN/AMMAN RD 9
AMMANFORD/ RHYDAMAN
Y Garth
Myddyn-Fych
Tir-y-dail
Glyn-y-meirch
Glyn-moch
Ammanford
Hopkinstown
Pontamman/ Pontaman
Bodist-isaf
Bodist-uchaf
Mine
1 JAMES GRIFFITHS RD
2 LAUREL DR
3 FAIROAK
4 COED Y PIN/PINEWOOD
5 CLOS Y DDERWEN/OAK TREE CLOSE
6 WOODFIELD TERR
Waun-hir
Penybanc
FFORDD BISHOP/BISHOP RD 1
FFORDD VILLIERS/VILLIERS RD 2
CWRT STANLLYD 3
CARREGAMMAN ISAF 4
Parc Amanwy Ind Est
Betws
Llwch-is-awel
Pantyffynnon
Mast
Maerdy-mawr
Gelli Farm
Scotch Pine (PH)
Llwyn-y-cwm
Maes-llech
SA18
Tir-lan
Gelly-ceidrim
Sewage Works
Blaenant Cadno
Penlle'r Castell
Plas Farm
Ynys-tawelog
Garn-swllt
Garnswllt
Ynys-ger-gathan
Cwm Cathan
River Loughor / Afon Llwchwr
Cemy
Pen-y-gors
St Illtyd's Walk
Ysgol Gynradd Gymraeg Garnswllt
SA8
Pentwyn Mawr
Pentre-tân
Pen y Cwar
Hendrewen
SA5
Mynydd Y Gwair
Llwyn-Ifan-ddu
Gerdinen fawr
Cwmcerdinen
Tyle-coch mawr
Coynant
Graig Fawr
Gerdinen-Isaf
SA6
SA4
Mynydd Garn-Fach
Upper Lliw Resr
Tor Clawdd
61 62 63 64 65 66
A B C D E F
C6
1 Betws Pk Workshops

219

A8
1 Glanamman Workshops
2 HEOL TABERNACLE/TABERNACLE RD
3 HEOL TIR Y COED/TIRYCOED RD
4 STRYD FAWR/HIGH ST
5 HEOL BRYN-LLOI/BRYN-LLOI RD

B8
1 LON LLWYD
2 PARC GLAN YR AFON
3 CLOS FELEN
4 HEOL HENDRE/HENDRE RD
5 HEOL MAESDDERWEN/OAKFIELD RD
6 HEOL MAESGLAS/GREENFIELD RD
7 HEOL FICEROI/VICARAGE RD
8 CHURCH ROW
9 HEOL UCHAF YR ORSAF/UPPER STATION RD
10 LOWER STATION RD
11 TERAS YR ARCED/ARCADE TERR
12 PARC GLANFFRWD
13 MAES Y FRON
14 NEW CEIDRIM RD
15 HEOL YSGOL NEWYDD/NEW SCHOOL RD
16 HEOL Y CORONI/CORONATION RD
17 BISHOP RD

Scale: 1⅓ inches to 1 mile

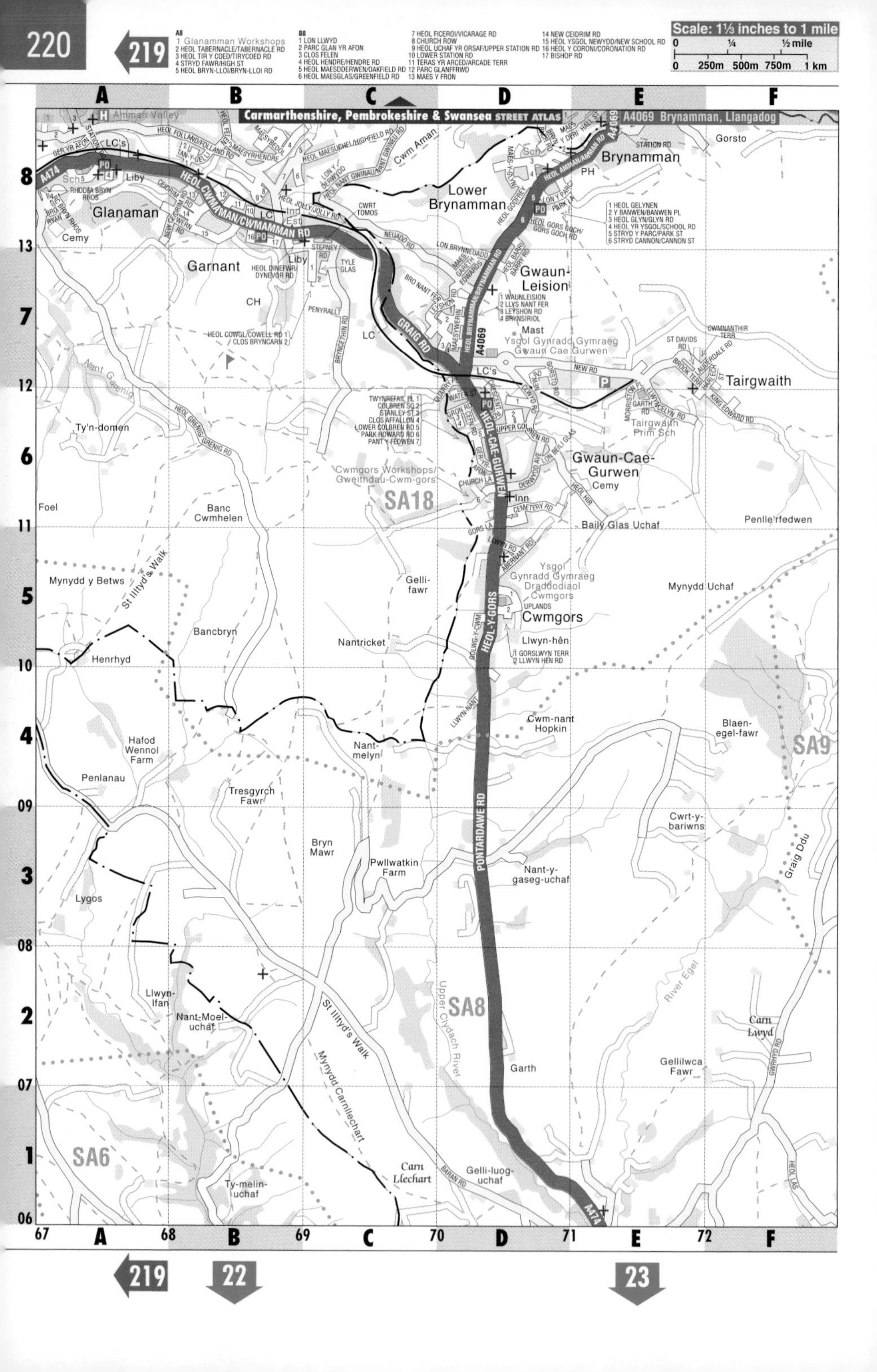

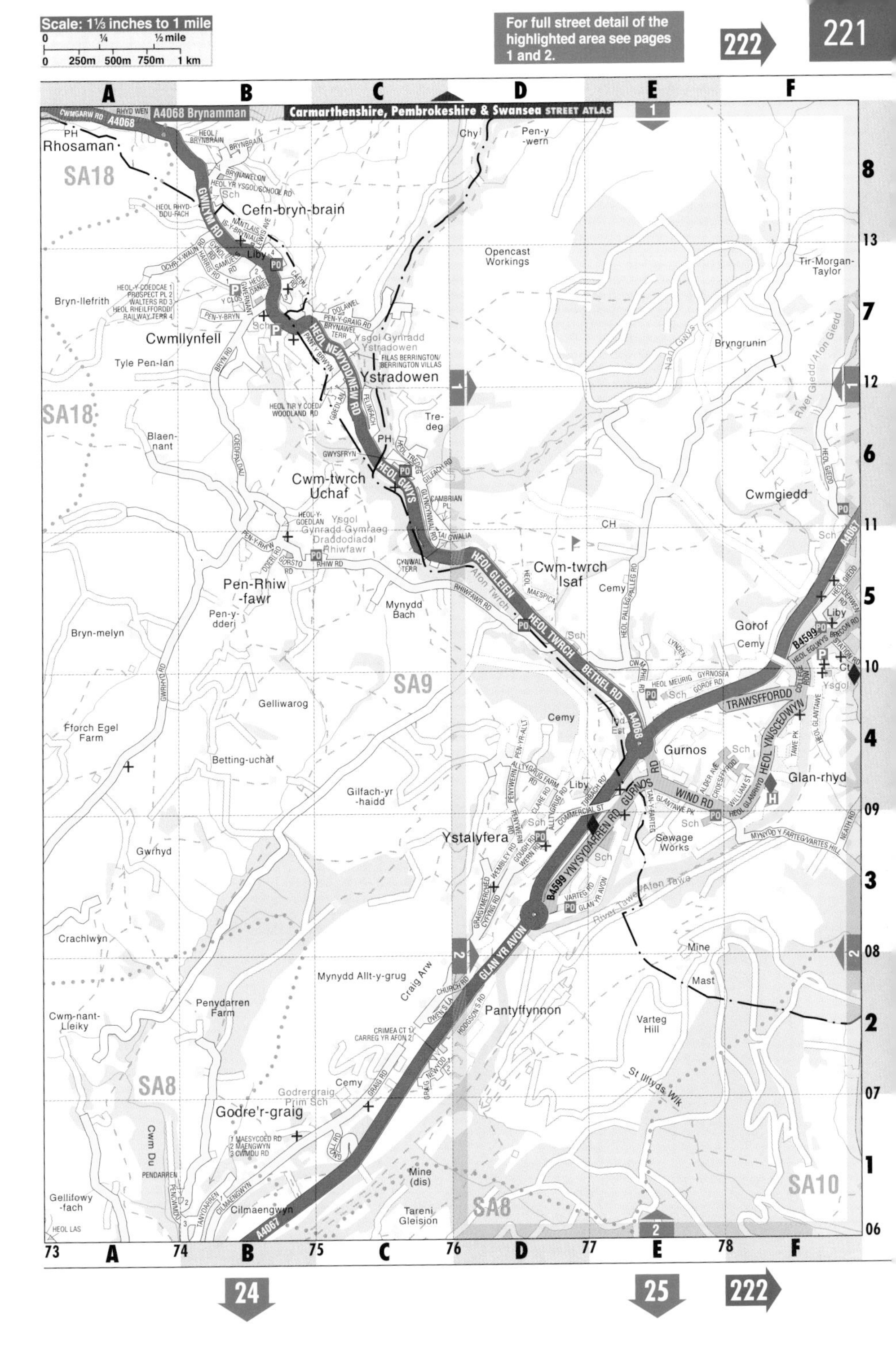

Scale: 1⅓ inches to 1 mile
0 ¼ ½ mile
0 250m 500m 750m 1 km
For full street detail of the highlighted area see pages 1 and 2.
222
Carmarthenshire, Pembrokeshire & Swansea STREET ATLAS
A4068 Brynamman
Rhosaman
SA18
Cefn-bryn-brain
GWILYM RD
Bryn-llefrith
Cwmllynfell
Tyle Pen-lan
Ystradowen
HEOL NEWYDD/NEW RD
Ysgol Gynradd Ystradowen
Tre-deg
Blaen-nant
Cwm-twrch Uchaf
HEOL GWYS
Ysgol Gynradd Gymraeg Draddodiadol Rhiwfawr
Pen-Rhiw-fawr
Pen-y-dderi
Mynydd Bach
HEOL GLEIEN
HEOL TWRCH
BETHEL RD
Cwm-twrch Isaf
Opencast Workings
Pen-y-wern
Chy
Bryngrunin
Tir-Morgan-Taylor
Cwmgiedd
River Giedd/Afon Giedd
Gorof
Bryn-melyn
SA9
Gelliwarog
Fforch Egel Farm
Betting-uchaf
Gilfach-yr-haidd
Gurnos
TRAWSFFORDD
HEOL YNYSCEDWYN
Glan-rhyd
WIND RD
Ystalyfera
Sewage Works
B4599 YNYSYDARREN RD
River Tawe/Afon Tawe
Gwrhyd
Crachlwyn
Mynydd Allt-y-grug
Craig Arw
GLAN YR AVON
Pantyffynnon
Mine
Mast
Varteg Hill
Cwm-nant-Lleiky
Penydarren Farm
SA8
Godrergraig Prim Sch
Godre'r-graig
St Illtyds Wlk
Cwm Du
Gellifowy-fach
Cilmaengwyn
Mine (dis)
Tareni Gleision
SA10
A4067
A B C D E F
73 74 75 76 77 78
8 7 6 5 4 3 2 1
13 12 11 10 09 08 07 06

221

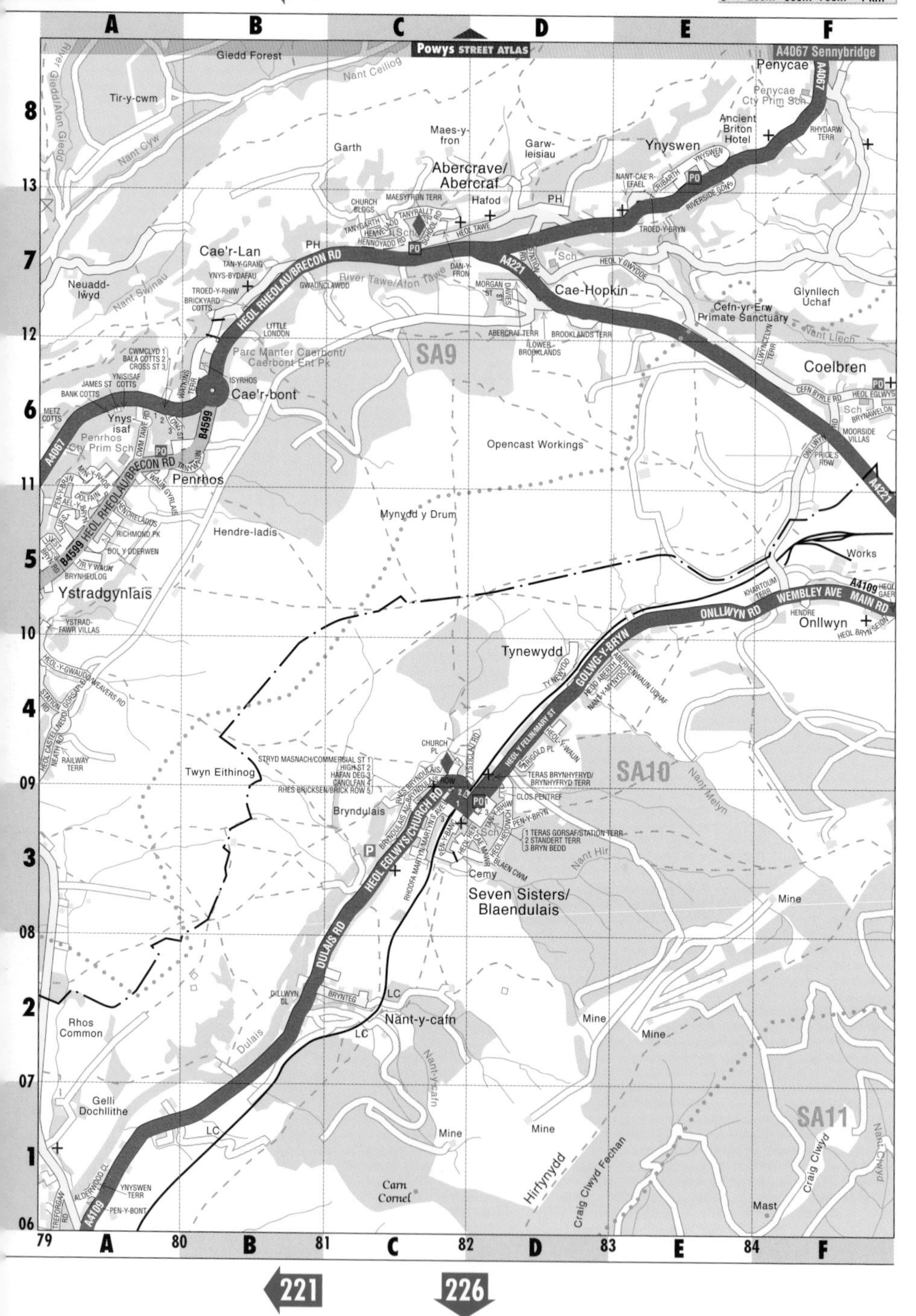
Scale: 1⅓ inches to 1 mile
0 ¼ ½ mile
0 250m 500m 750m 1 km
A B C D E F
Powys STREET ATLAS
A4067 Sennybridge
Giedd Forest
Nant Ceiliog
Tir-y-cwm
River Giedd/Afon Giedd
Nant Cyw
Penycae
Penycae Cty Prim Sch
Ancient Briton Hotel
RHYDARW TERR
Maes-y-fron
Garth
Garw-leisiau
Ynyswen
Abercrave/Abercraf
Hafod
PH
MAESYFRON TERR
CHURCH BLDGS
TANYGARTH
TANYRALLT
HENNOYADD RD
SCHOOL RD
HEOL TAWE
NANT-CAE'R-EFAEL
CRIBARTH
YNYSWEN
RIVERSIDE GDNS
TROED-Y-BRYN
Cae'r-Lan
PH
TAN-Y-GRAIG
YNYS-BYDAFAU
TROED-Y-RHIW
BRICKYARD COTTS
HEOL RHEOLAU/BRECON RD
Neuadd-lwyd
Nant Swinau
River Tawe/Afon Tawe
GWAUNCLAWDD
DAN-Y-FRON
A4221
Sch
HEOL Y GWYDDE
STATION RD
MORGAN ST
DAVIES ST
Cae-Hopkin
Glynllech Uchaf
Cefn-yr-Erw Primate Sanctuary
Nant Llech
LITTLE LONDON
ABERCRAF TERR
BROOKLANDS TERR
LOWER BROOKLANDS
LLWYNCELYN TERR
Coelbren
Parc Manter Caerbont/Caerbont Ent Pk
SA9
CWMCLYD 1
BALA COTTS 2
CROSS ST 3
YNISISAF COTTS
JAMES ST
BANK COTTS
WATKINS TERR
ISYRHOS
Cae'r-bont
CEFN BYRLE RD
HEOL EGLWYS
Sch
BRYNAWELON
MOORSIDE VILLAS
METZ COTTS
Ynys-isaf
Penrhos Cty Prim Sch
CWM TAWE RD
B4599
A4067
PO
TANYWAUN
Opencast Workings
PRICE'S ROW
Penrhos
WAUN GYRLAIS
HENDRELADUS
RICHMOND PK
BOL Y DDERWEN
TIR Y WAUN
BRYNHEULOG
Hendre-ladis
Mynydd y Drum
A4221
Works
Ystradgynlais
KHARTOUM TERR
A4109
WEMBLEY AVE
MAIN RD
ONLLWYN RD
HENDRE
Onllwyn
HEOL BRYN SEION
YSTRAD-FAWR VILLAS
HEOL-Y-GWAUDD
WEAVERS RD
STATION RD
Tynewydd
TY NEWYDD
GOLWG-Y-BRYN
HEOL ABERTH
ABERHENWAUN UCHAF
NANT-Y-MYNYDD
HEOL CASTELL NEDD/NEATH RD
RAILWAY TERR
CHURCH PL
HEOL-Y-WAUN
HEOL Y FELIN/MARY ST
STRYD MASNACH/COMMERCIAL ST 1
HIGH ST 2
HAFAN DEG 3
CANOLFAN 4
RHES BRICKSEN/BRICK ROW 5
Twyn Eithinog
TERAS BRYNHYFRYD/BRYNHYFRYD TERR
SA10
Nant Melyn
CLOS PENTREF
Bryndulais
PEN-Y-BRYN
1 TERAS GORSAF/STATION TERR
2 STANDERT TERR
3 BRYN BEDD
HEOL EGLWYS/CHURCH RD
BLAEN CWM
Nant Hir
Cemy
Seven Sisters/Blaendulais
Mine
RHODFA MARTYN/MARTYN'S AVE
DULAIS RD
DILLWYN CL
BRYNTEG
LC
Nant-y-cafn
Rhos Common
Dulais
Mine
Mine
Nant-y-cafn
Gelli Dochllithe
LC
Mine
Mine
SA11
Hirfynydd
Craig Clwyd Fechan
Craig Clwyd
Nant Clwyd
Carn Cornel
Mast
ALDERWOOD CL
YNYSWEN TERR
PEN-Y-BONT
TREFORGAN RD
A4109
8 13 7 12 6 11 5 10 4 09 3 08 2 07 1 06
79 80 81 82 83 84

221
226

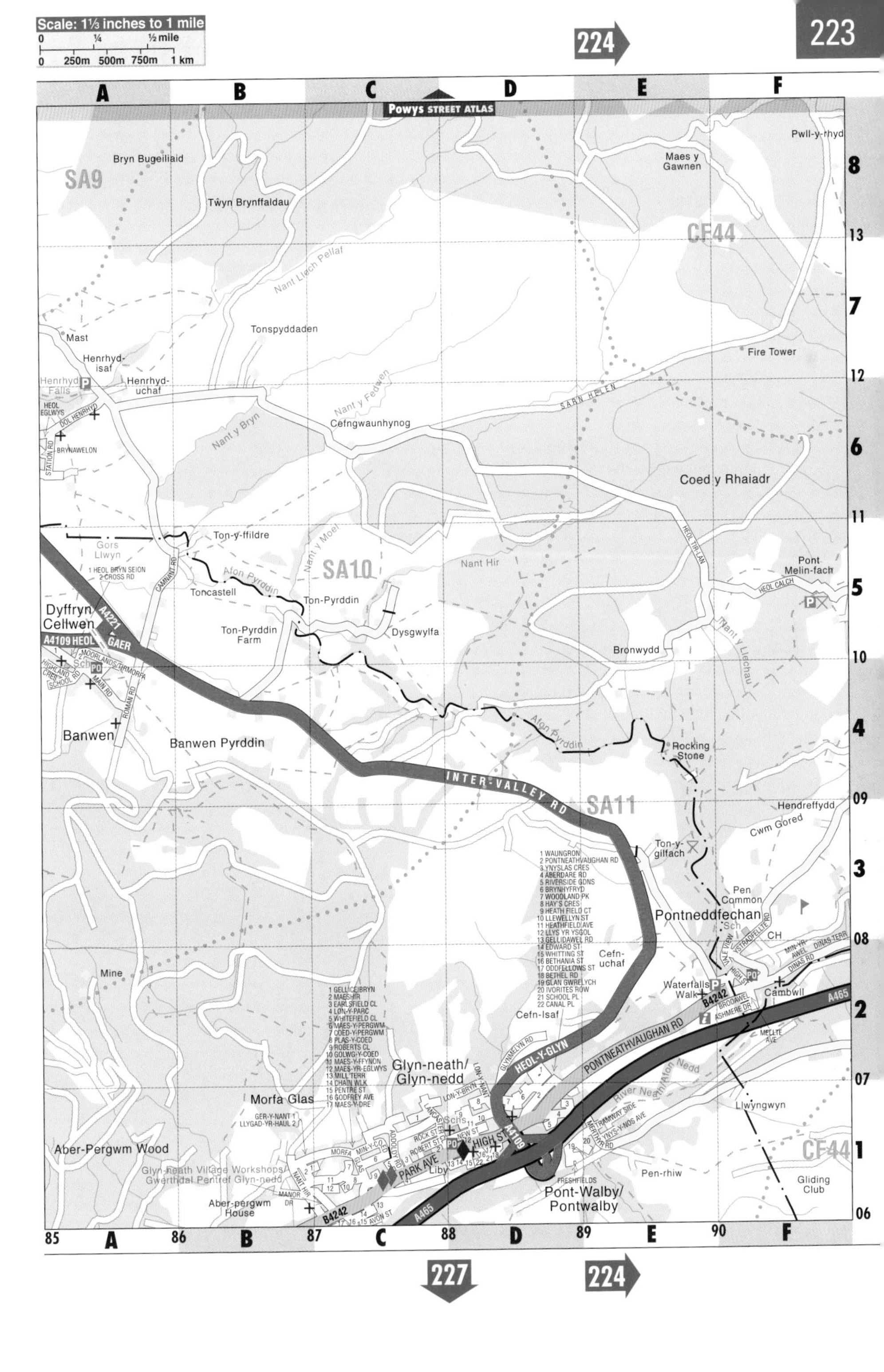

Scale: 1⅓ inches to 1 mile
0 ¼ ½ mile
0 250m 500m 750m 1 km
224
223
Powys STREET ATLAS
A B C D E F
8 13 7 12 6 11 5 10 4 09 3 08 2 07 1 06
85 86 87 88 89 90
Bryn Bugeiliaid
SA9
Tŵyn Brynffaldau
Maes y Gawnen
Pwll-y-rhyd
CF44
Nant Llech Pellaf
Mast
Tonspyddaden
Henrhyd-isaf
Henrhyd Falls
Henrhyd-uchaf
Fire Tower
HEOL EGLWYS
DOL HENRHYD
Nant y Fedwen
SARN HELEN
STATION RD
BRYNAWELON
Nant y Bryn
Cefngwaunhynog
Coed y Rhaiadr
Ton-y-ffildre
Gors Llwyn
Nant y Moel
SA10
Nant Hir
HEOL TIR-LAN
Pont Melin-fach
HEOL CALCH
1 HEOL BRYN SEION
2 CROSS RD
CAMNANT RD
Afon Pyrddin
Toncastell
Ton-Pyrddin
Dyffryn Cellwen
A4221
A4109 HEOL GAER
Ton-Pyrddin Farm
Dysgwylfa
Nant y Llechau
Bronwydd
MOORLANDS
TIRMORFA
HIGHLAND CRES
SCHOOL RD
MAIN RD
Sch
ROMAN RD
Banwen
Banwen Pyrddin
Afon Pyrddin
Rocking Stone
INTER-VALLEY RD
SA11
Hendreffydd
Cwm Gored
Ton-y-gilfach
1 WAUNGRON
2 PONTNEATHVAUGHAN RD
3 YNYSLAS CRES
4 ABERDARE RD
5 RIVERSIDE GDNS
6 BRYNHYFRYD
7 WOODLAND PK
8 HAY'S CRES
9 HEATH FIELD CT
10 LLEWELLYN ST
11 HEATHFIELD AVE
12 LLYS YR YSGOL
13 GELLIDAWEL RD
14 EDWARD ST
15 WHITTING ST
16 BETHANIA ST
17 ODDFELLOWS ST
18 BETHEL RD
19 GLAN GWRELYCH
20 IVORITES ROW
21 SCHOOL PL
22 CANAL PL
Pen Common
Pontneddfechan
Sch
CH
VALE VIEW
YSTRADFELLTE RD
MIN-YR-AWEL
DINAS TERR
DINAS RD
Cefn-uchaf
Mine
Waterfalls Walk
HIGH ST
B4242
BRODAWEL
ASHMERE DR
Cambwll
A465
Cefn-Isaf
MELLTE AVE
1 GELLICEIBRYN
2 MAESHIR
3 EARLSFIELD CL
4 LON-Y-PARC
5 WHITEFIELD CL
6 MAES-Y-PERGWM
7 COED-Y-PERGWM
8 PLAS-Y-COED
9 ROBERTS CL
10 GOLWG-Y-COED
11 MAES-Y-FFYNON
12 MAES-YR-EGLWYS
13 MILL TERR
14 CHAIN WLK
15 PENTRE ST
16 GODFREY AVE
17 MAES-Y-DRE
GLYNMECLYN RD
HEOL-Y-GLYN
PONTNEATHVAUGHAN RD
River Neath/Afon Nedd
Glyn-neath/ Glyn-nedd
LON-Y-NANT
LON-Y-BRYN
Morfa Glas
GER-Y-NANT 1
LLYGAD-YR-HAUL 2
Schs
ADDOLDY RD
LANCASTER CL
ROCK ST
ROBERT ST
NEW ST
HIGH ST
A4109
TRAMWAY SIDE
YNYS-Y-NOS AVE
MERTHYR RD
Llwyngwyn
Aber-Pergwm Wood
MORFA
MIN-Y-COED
GLAS
PARK AVE
Liby
Glyn-neath Village Workshops/ Gwerthdal Pentref Glyn-nedd
NANT HIR
MANOR DR
Aber-pergwm House
B4242
AVON ST
A465
FRESHFIELDS
Pont-Walby/ Pontwalby
Pen-rhiw
Gliding Club
CF44
227
224

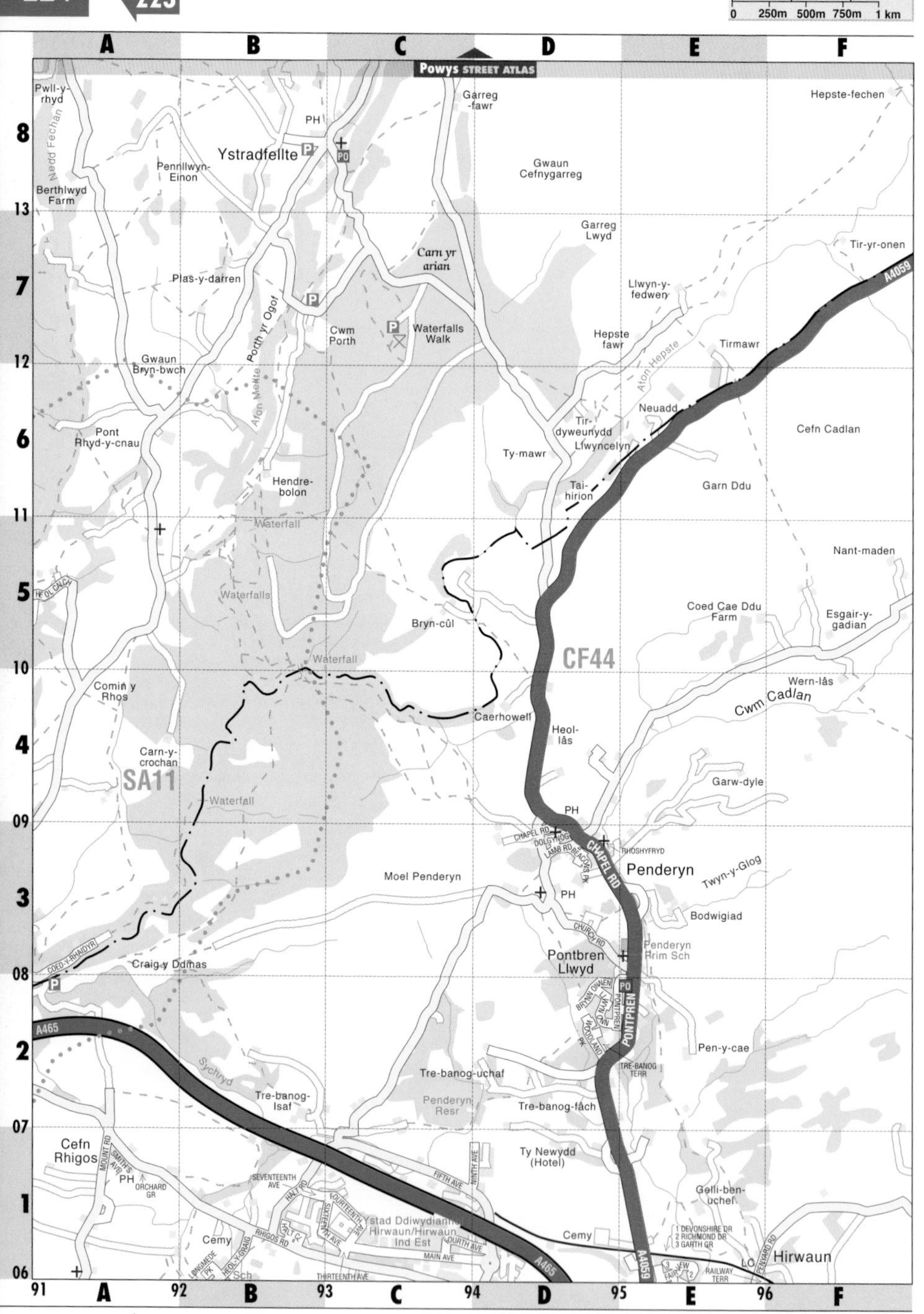
Powys STREET ATLAS
A
B
C
D
E
F
Pwll-y-rhyd
Nedd Fechan
Berthlwyd Farm
Ystradfellte
PH
Pennllwyn-Einon
Garreg-fawr
Gwaun Cefnygarreg
Hepste-fechen
Garreg Lwyd
Carn yr arian
Tir-yr-onen
A4059
Plas-y-darren
Llwyn-y-fedwen
Porth yr Ogof
Cwm Porth
Waterfalls Walk
Hepste fawr
Tirmawr
Afon Hepste
Gwaun Bryn-bwch
Afon Mellte
Neuadd
Pont Rhyd-y-cnau
Tir-dyweunydd
Llwyncelyn
Cefn Cadlan
Ty-mawr
Hendre-bolon
Tai-hirion
Garn Ddu
Waterfall
Nant-maden
HEOL CALCH
Waterfalls
Bryn-cûl
Coed Cae Ddu Farm
Esgair-y-gadian
CF44
Comin y Rhos
Caerhowell
Wern-lâs
Cwm Cadlan
Heol-lâs
Carn-y-crochan
SA11
Garw-dyle
PH
CHAPEL RD
DOLGYNOG
LAMB RD
BEACONS PK
RHOSHYFRYD
Penderyn
Twyn-y-Glog
Moel Penderyn
Bodwigiad
CHURCH RD
Penderyn Prim Sch
Pontbren Llwyd
COED-Y-RHAIDYR
Craig y Ddinas
BRYNN OWEN
PONTPREN
WOODLAND PK
A465
Pen-y-cae
TRE-BANOG TERR
Sychryd
Tre-banog-uchaf
Tre-banog-Isaf
Penderyn Resr
Tre-banog-fâch
Cefn Rhigos
MOUNT RD
SMITH'S AVE
PH
ORCHARD GR
SEVENTEENTH AVE
FIFTH AVE
NINTH AVE
Ty Newydd (Hotel)
Gelli-ben-uchel
HALT RD
FOURTEENTH AVE
SIXTEENTH AVE
Ystad Ddiwydiannol Hirwaun/Hirwaun Ind Est
FOURTH AVE
MAIN AVE
Cemy
RHIGOS RD
1 DEVONSHIRE DR
2 RICHMOND DR
3 GARTH GR
PENYARD RD
Hirwaun
LONGMEDE PK
HEOL-Y-GRAIG
Sch
THIRTEENTH AVE
RAILWAY TERR
FAIRVIEW
A4059
LC
8
13
7
12
6
11
5
10
4
09
3
08
2
07
1
06
91
92
93
94
95
96

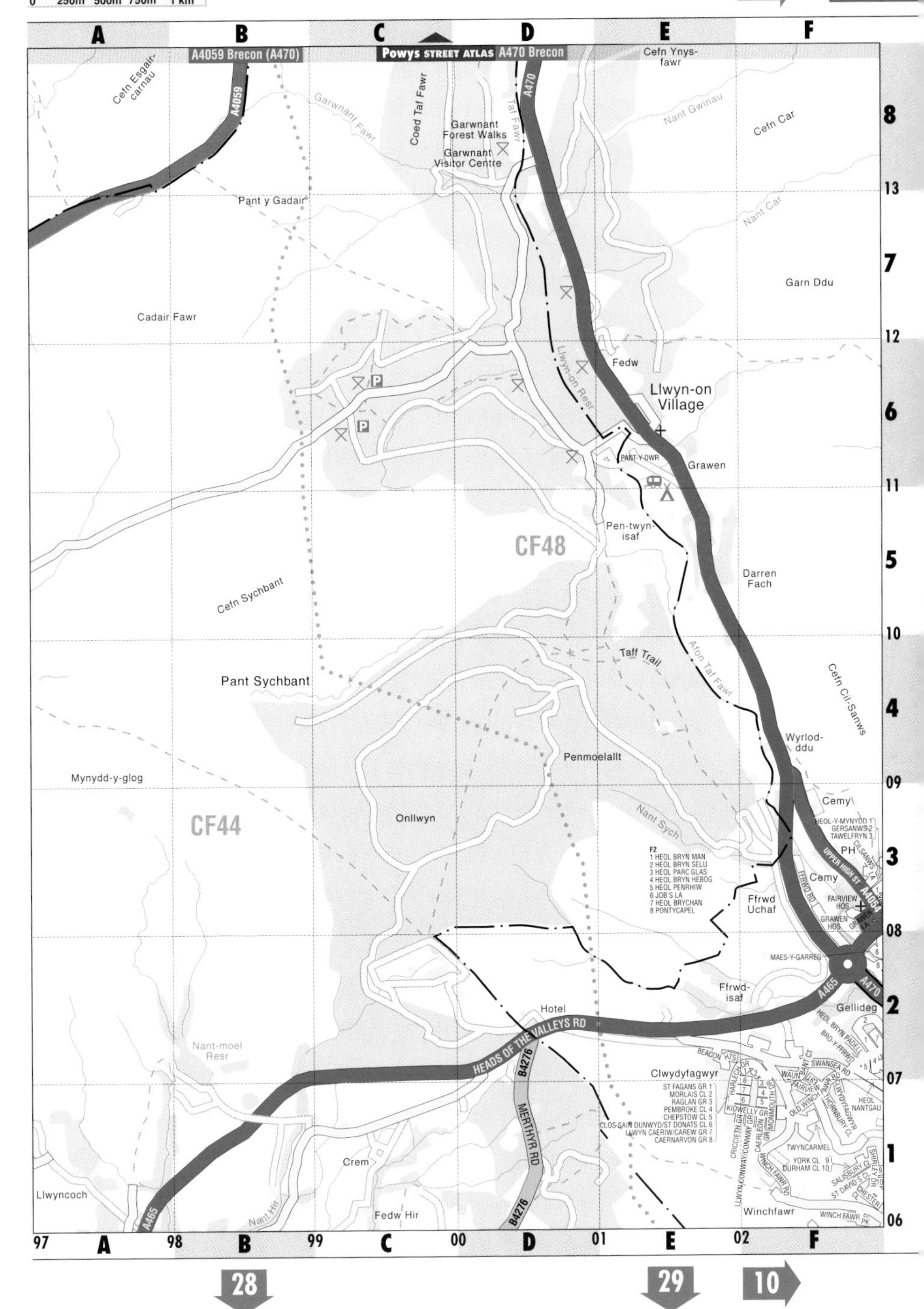
A4059 Brecon (A470)
Powys STREET ATLAS
A470 Brecon
Cefn Esgair-carnau
Coed Taf Fawr
Garwnant Fawr
Taf Fawr
Garwnant Forest Walks
Garwnant Visitor Centre
Cefn Ynys-fawr
Nant Gwinau
Cefn Car
Nant Car
Pant y Gadair
Garn Ddu
Cadair Fawr
Fedw
Llwyn-on Resr
Llwyn-on Village
PANT-Y-DWR
Grawen
Pen-twyn-isaf
CF48
Darren Fach
Cefn Sychbant
Taff Trail
Afon Taf Fawr
Pant Sychbant
Cefn Cil-Sanws
Wyrlod-ddu
Penmoelallt
Mynydd-y-glog
Cemy
CF44
Onllwyn
Nant Sych
F2
1 HEOL BRYN MAN
2 HEOL BRYN SELU
3 HEOL PARC GLAS
4 HEOL BRYN HEBOG
5 HEOL PENRHIW
6 JOB'S LA
7 HEOL BRYCHAN
8 PONTYCAPEL
Ffrwd Uchaf
Ffrwd-isaf
MAES-Y-GARREG
Gellideg
Hotel
HEADS OF THE VALLEYS RD
Nant-moel Resr
B4276
MERTHYR RD
Clwydyfagwyr
ST FAGANS GR 1
MORLAIS CL 2
RAGLAN GR 3
PEMBROKE CL 4
CHEPSTOW CL 5
CLOS-SAIN DUNWYD/ST DONATS CL 6
LLWYN CAERIW/CAREW GR 7
CAERNARVON GR 8
Crem
Llwyncoch
Nant Hir
Fedw Hir
Winchfawr
TWYNCARMEL
YORK CL 9
DURHAM CL 10
A465
A470
A4054

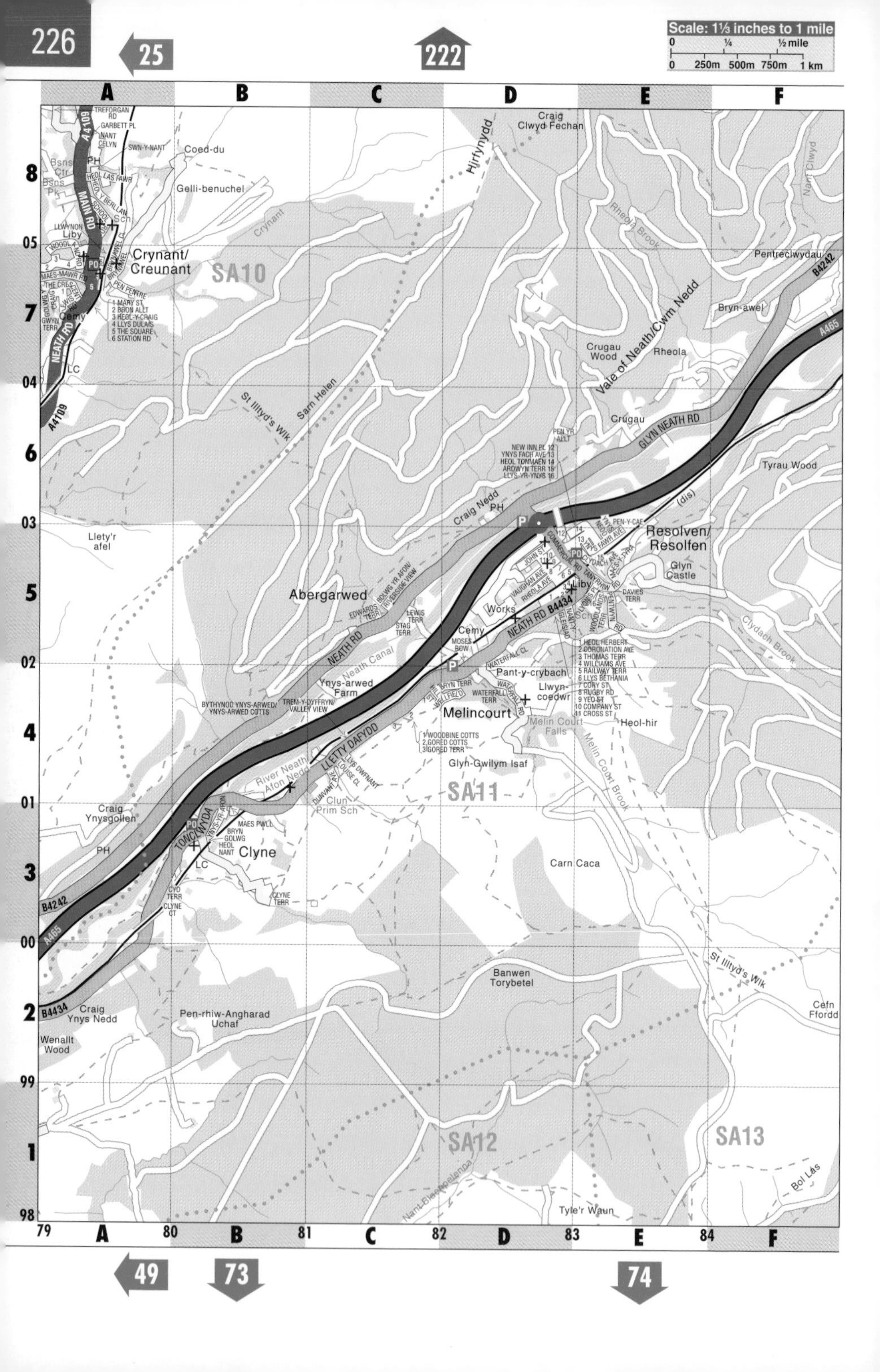
226
25
222
Scale: 1⅓ inches to 1 mile
0
¼
½ mile
0
250m
500m
750m
1 km
A
B
C
D
E
F
8
05
7
04
6
03
5
02
4
01
3
00
2
99
1
98
79
80
81
82
83
84
Craig
Clwyd Fechan
Hirfynydd
Coed-du
Gelli-benuchel
Crynant/
Creunant
SA10
Crynant
Rheola Brook
Nant Clwyd
Pentreclwydau
B4242
A465
Bryn-awel
Vale of Neath/Cwm Nedd
Crugau
Wood
Rheola
Crugau
GLYN NEATH RD
Tyrau Wood
Sarn Helen
St Illtyd's Wlk
Craig Nedd
PH
Resolven/
Resolfen
Glyn
Castle
Lletу'r
afel
Abergarwed
Works
Cemy
NEATH RD
B4434
Neath Canal
Ynys-arwed
Farm
Pant-y-crybach
Llwyn-
coedwr
Melincourt
Melin Court
Falls
Melin Court Brook
Heol-hir
Clydach Brook
Glyn-Gwilym Isaf
SA11
River Neath
Afon Nedd
LLETTY DAFYDD
Clun
Prim Sch
Craig
Ynysgollen
Clyne
TONCLWYDA
Carn Caca
B4242
A465
B4434
Craig
Ynys Nedd
Wenallt
Wood
Pen-rhiw-Angharad
Uchaf
Banwen
Torybetel
St Illtyd's Wlk
Cefn
Ffordd
SA12
SA13
Nant Blaenpelena
Tyle'r Waun
Bol Lâs
A4109
MAIN RD
NEATH RD
TREFORGAN RD
GARBETT PL
NANT CELYN
SWN-Y-NANT
HEOL LAS FAWR
HEOL Y BERLLAN
SCHOOL
Sch
Bsns Ctr
Bsns Pk
Liby
PH
LLWYNON
MAES-MAWR RD
THE CRES
PEN PENTRE
1 MARY ST
2 BRON ALLT
3 HEOL-Y-CRAIG
4 LLYS DULAIS
5 THE SQUARE
6 STATION RD
LC
PEN YR ALLT
NEW INN PL 12
YNYS FACH AVE 13
HEOL TONMAEN 14
ARDWYN TERR 15
LLYS-YR-YNYS 16
PEN-Y-CAE
(dis)
COMMERCIAL RD
JOHN ST
VAUGHAN AVE
RHEOLA AVE
CLYDACH AVE
DAVIES TERR
WOODLANDS TERR
PENTWYN RD
1 HEOL HERBERT
2 CORONATION AVE
3 THOMAS TERR
4 WILLIAMS AVE
5 RAILWAY TERR
6 LLYS BETHANIA
7 CORY ST
8 RUGBY RD
9 YEO ST
10 COMPANY ST
11 CROSS ST
EDWARDS TERR
BOLWG YR AFON/ RIVERSIDE VIEW
LEWIS TERR
STAG TERR
MOSES ROW
WATERFALL CL
BRYN TERR
WATERFALL TERR
BYTHYNOD YNYS-ARWED/ YNYS-ARWED COTTS
TREM-Y-DYFFRYN/ VALLEY VIEW
1 WOODBINE COTTS
2 GORED COTTS
3 GORED TERR
LLYS DWFNANT
LOUISE CL
MAES PWLL
BRYN GOLWG
HEOL NANT
YNYS-Y-AFON
CYD TERR
CLYNE CT
CLYNE TERR
PO
P
49
73
74

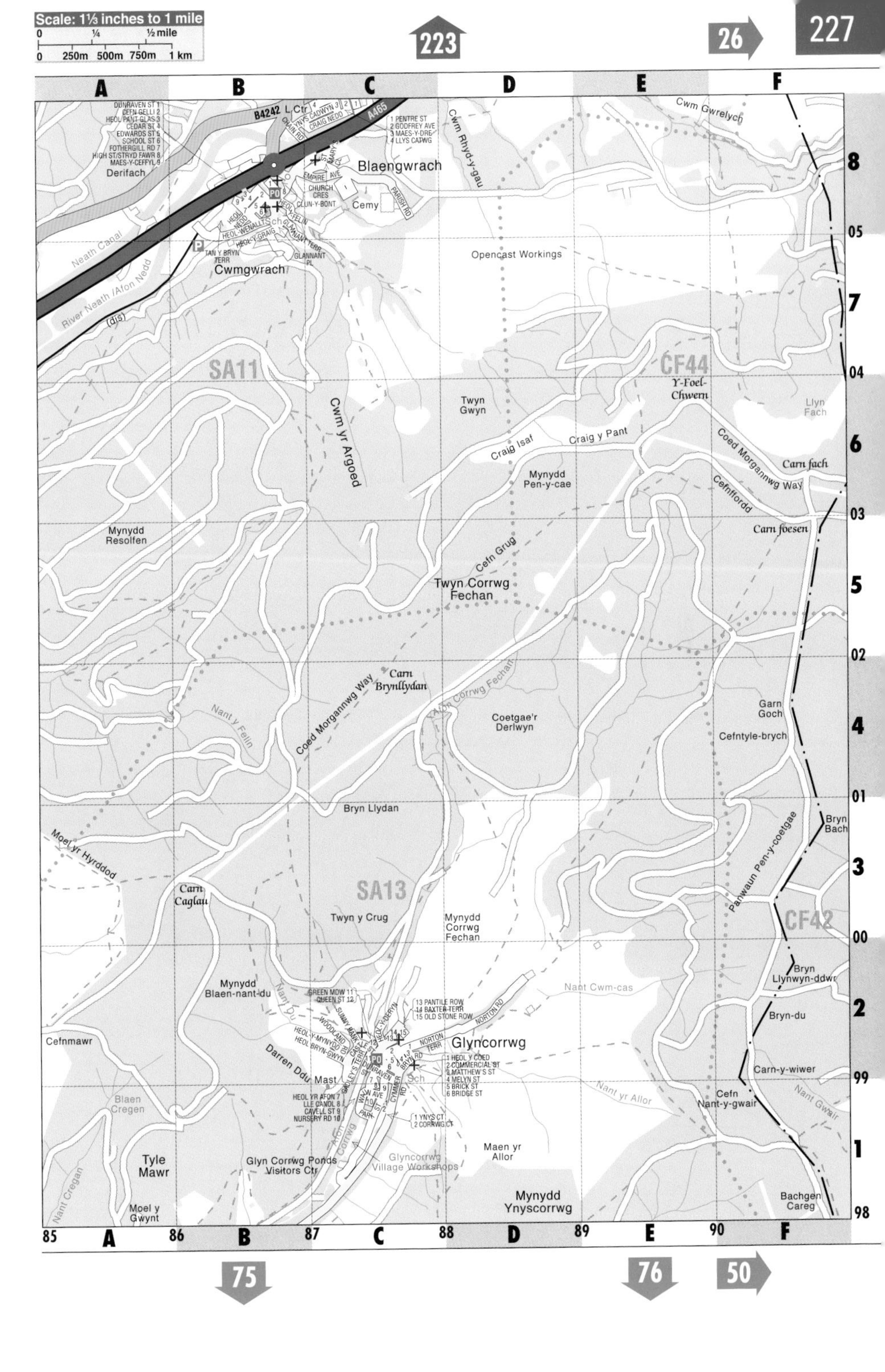
Scale: 1⅓ inches to 1 mile
0 ¼ ½ mile
0 250m 500m 750m 1 km
223
26
A B C D E F
8 05 7 04 6 03 5 02 4 01 3 00 2 99 1 98
85 86 87 88 89 90
B4242
A465
L Ctr
DUNRAVEN ST 1
CEFN GELLI 2
HEOL PANT GLAS 3
CEDAR ST 4
EDWARDS ST 5
SCHOOL ST 6
FOTHERGILL RD 7
HIGH ST/STRYD FAWR 8
MAES-Y-CEFFYL 9
1 PENTRE ST
2 GODFREY AVE
3 MAES-Y-DRE
4 LLYS CATWG
Derifach
Blaengwrach
Cemy
Cwmgwrach
EMPIRE AVE
CHURCH CRES
CLUN-Y-BONT
PARISH RD
HEOL-Y-FELIN
HEOL-WENALLT
HEOL-Y-GRAIG
GLANNANT TERR
GLANNANT PL
TAN Y BRYN TERR
Neath Canal
River Neath /Afon Nedd
(dis)
Cwm Gwrelych
Cwm Rhyd-y-gau
Opencast Workings
SA11
CF44
Y-Foel-Chwern
Llyn Fach
Cwm yr Argoed
Twyn Gwyn
Craig Isaf
Craig y Pant
Coed Morgannwg Way
Carn fach
Mynydd Pen-y-cae
Cefnffordd
Carn foesen
Mynydd Resolfen
Cefn Grug
Twyn Corrwg Fechan
Carn Brynllydan
Afon Corrwg Fechan
Nant y Felin
Coetgae'r Derlwyn
Garn Goch
Cefntyle-brych
Bryn Llydan
Bryn Bach
Moel yr Hyrddod
Panwaun Pen-y-coetgae
Carn Caglau
SA13
Twyn y Crug
Mynydd Corrwg Fechan
CF42
Bryn Llynwyn-ddwr
Mynydd Blaen-nant-du
Nant Cwm-cas
Bryn-du
Cefnmawr
Glyncorrwg
Darren Ddu
Mast
Carn-y-wiwer
Nant yr Allor
Cefn Nant-y-gwair
Nant Gwair
Blaen Cregen
Tyle Mawr
Glyn Corrwg Ponds Visitors Ctr
Glyncorrwg Village Workshops
Maen yr Allor
Mynydd Ynyscorrwg
Bachgen Careg
Nant Cregan
Moel y Gwynt
GREEN MDW 11
QUEEN ST 12
13 PANTILE ROW
14 BAXTER TERR
15 OLD STONE ROW
NORTON RD
NORTON TERR
1 HEOL Y COED
2 COMMERCIAL ST
3 MATTHEW'S ST
4 MELYN ST
5 BRICK ST
6 BRIDGE ST
HEOL YR AFON 7
LLE CANOL 8
CAVELL ST 9
NURSERY RD 10
1 YNYS CT
2 CORRWG CT
HEOL-Y-MYNYDD
HEOL BRYN-GWYN
WOODLAND RD
HEOL-Y-DERYN
DUNRAVEN ST
CYMMER RD
Afon Corrwg
75
76
50

Scale: 1⅓ inches to 1 mile
0 ¼ ½ mile
0 250m 500m 750m 1 km

230

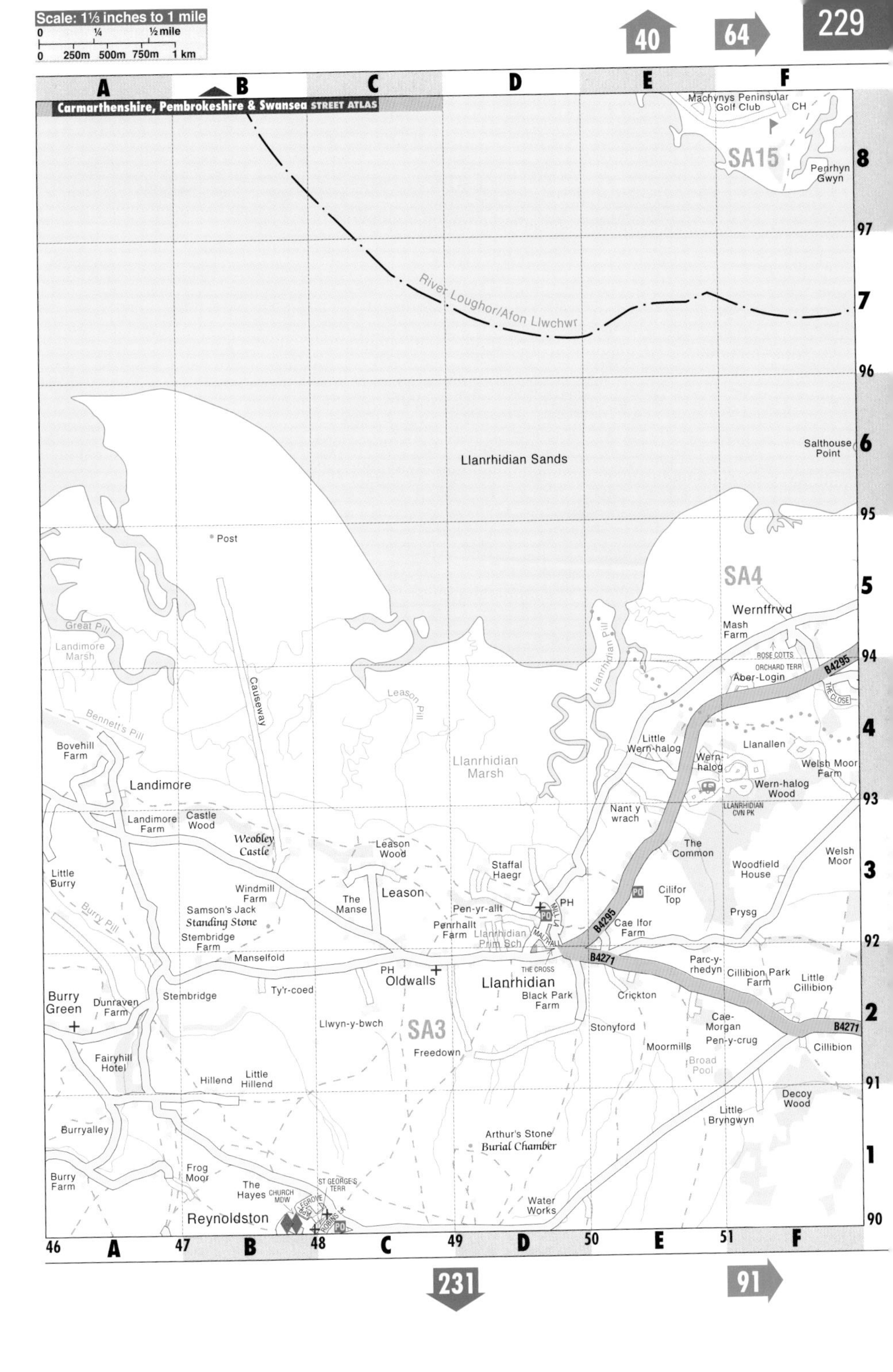

Scale: 1⅓ inches to 1 mile
0 ¼ ½ mile
0 250m 500m 750m 1 km
40
64
229
Carmarthenshire, Pembrokeshire & Swansea STREET ATLAS
A B C D E F
Machynys Peninsular Golf Club
CH
SA15
Penrhyn Gwyn
River Loughor/Afon Llwchwr
Llanrhidian Sands
Salthouse Point
Post
SA4
Wernffrwd
Mash Farm
ROSE COTTS
ORCHARD TERR
Aber-Login
B4295
THE CLOSE
Great Pill
Landimore Marsh
Causeway
Leason Pill
Llanrhidian Pill
Bennett's Pill
Bovehill Farm
Little Wern-halog
Wern-halog
Llanallen
Welsh Moor Farm
Llanrhidian Marsh
Wern-halog Wood
LLANRHIDIAN CVN PK
Landimore
Landimore Farm
Castle Wood
Nant y wrach
Weobley Castle
Leason Wood
The Common
Woodfield House
Welsh Moor
Little Burry
Windmill Farm
Staffal Haegr
Leason
Cilifor Top
Samson's Jack
Standing Stone
The Manse
Pen-yr-allt
PH
MILL
PO
Cae Ifor Farm
Prysg
Burry Pill
Stembridge Farm
Penrhallt Farm
Llanrhidian Prim Sch
MALTHALL
Manselfold
PH
THE CROSS
B4271
Parc-y-rhedyn
Cillibion Park Farm
Little Cillibion
Burry Green
Dunraven Farm
Stembridge
Ty'r-coed
Oldwalls
Llanrhidian
Black Park Farm
Crickton
Llwyn-y-bwch
SA3
Stonyford
Cae-Morgan
Pen-y-crug
Moormills
Cillibion
Fairyhill Hotel
Freedown
Broad Pool
Hillend
Little Hillend
Decoy Wood
Little Bryngwyn
Burryalley
Arthur's Stone
Burial Chamber
Frog Moor
Burry Farm
The Hayes
CHURCH MDW
ST GEORGE'S TERR
LEGROVE
ROBINS LA
Water Works
Reynoldston
8 97 7 96 6 95 5 94 4 93 3 92 2 91 1 90
46 47 48 49 50 51
231
91

228

Scale: 1⅓ inches to 1 mile

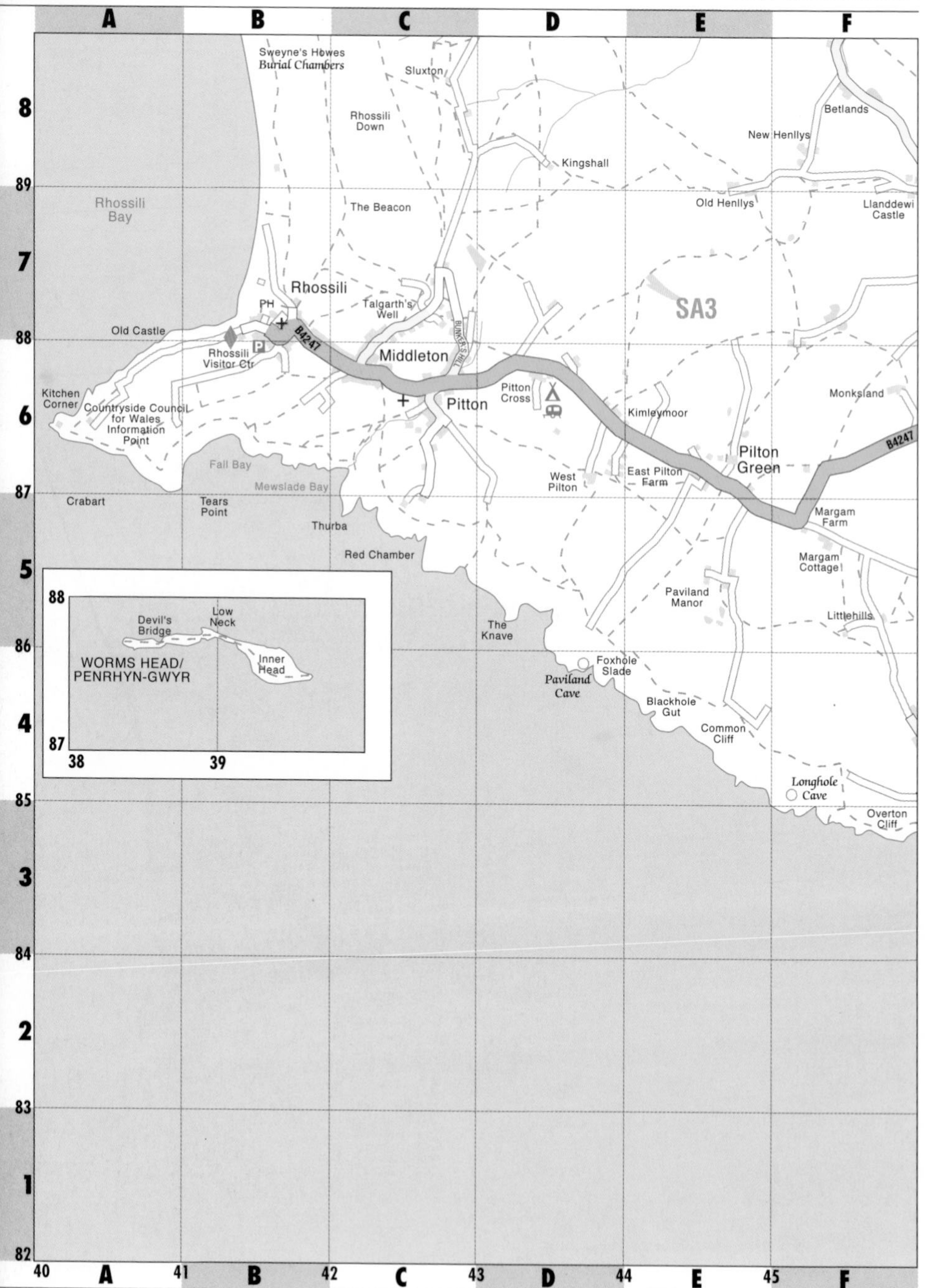

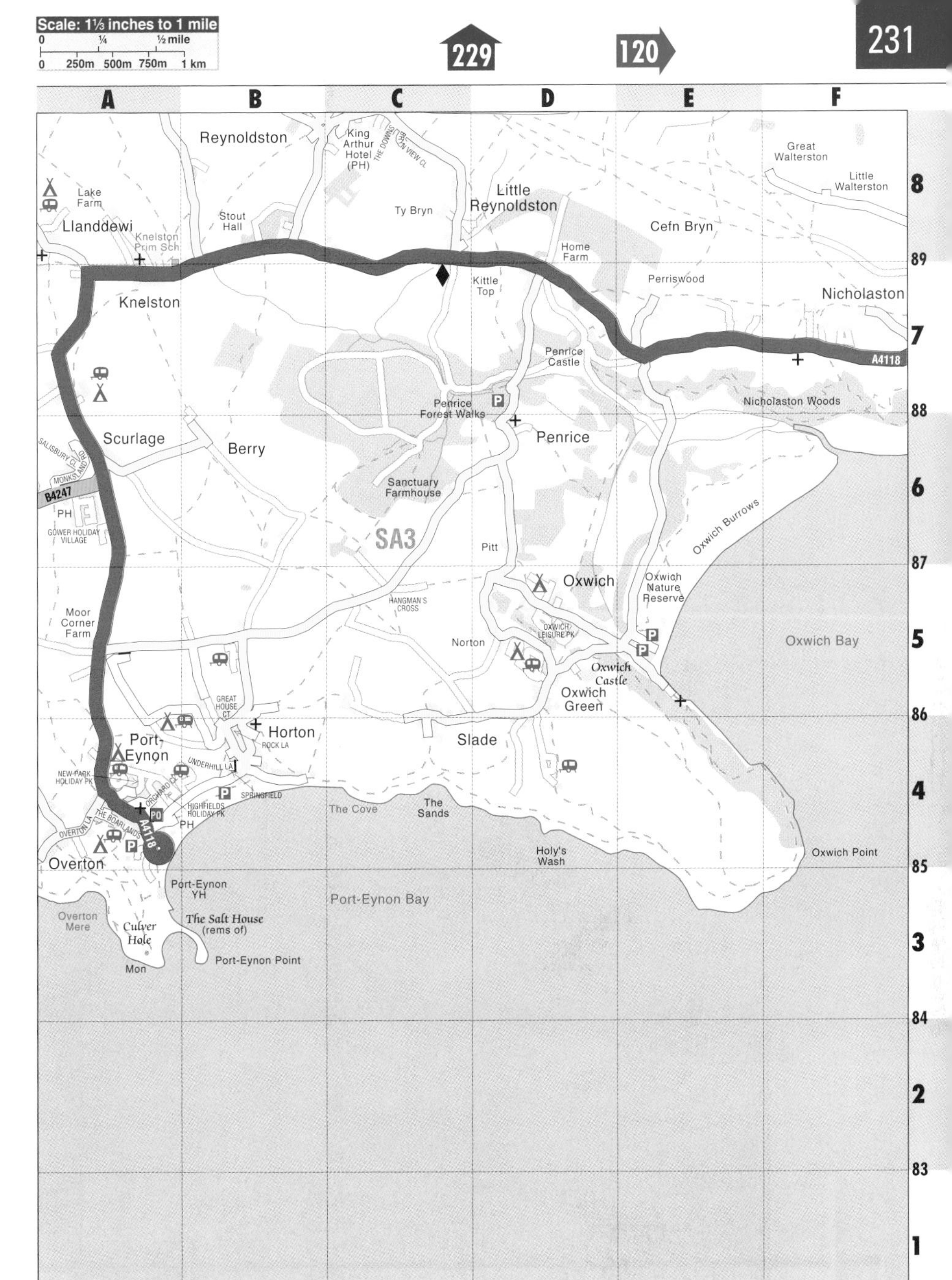

Scale: 1⅓ inches to 1 mile
0 ¼ ½ mile
0 250m 500m 750m 1 km
229
120
A
B
C
D
E
F
Reynoldston
King Arthur Hotel (PH)
THE DOWNS
BRYN VIEW CL
Great Walterston
Little Walterston
Lake Farm
Llanddewi
Knelston Prim Sch
Stout Hall
Ty Bryn
Little Reynoldston
Cefn Bryn
Home Farm
Kittle Top
Perriswood
Nicholaston
Knelston
Penrice Castle
A4118
Nicholaston Woods
Penrice Forest Walks
Penrice
Scurlage
Berry
SALISBURY CL
MONKSLAND RD
B4247
PH
GOWER HOLIDAY VILLAGE
Sanctuary Farmhouse
SA3
Pitt
Oxwich Burrows
Oxwich
Oxwich Nature Reserve
HANGMAN'S CROSS
OXWICH LEISURE PK
Moor Corner Farm
Norton
Oxwich Bay
Oxwich Castle
Oxwich Green
GREAT HOUSE CT
Horton
ROCK LA
Port-Eynon
Slade
NEW PARK HOLIDAY PK
UNDERHILL LA
ORCHARD CL
SPRINGFIELD
HIGHFIELDS HOLIDAY PK
The Cove
The Sands
PO
PH
OVERTON LA
THE BOARLANDS
A4118
Holy's Wash
Oxwich Point
Overton
Port-Eynon YH
Port-Eynon Bay
Overton Mere
Culver Hole
The Salt House (rems of)
Port-Eynon Point
Mon
8
89
7
88
6
87
5
86
4
85
3
84
2
83
1
82
46
47
48
49
50
51

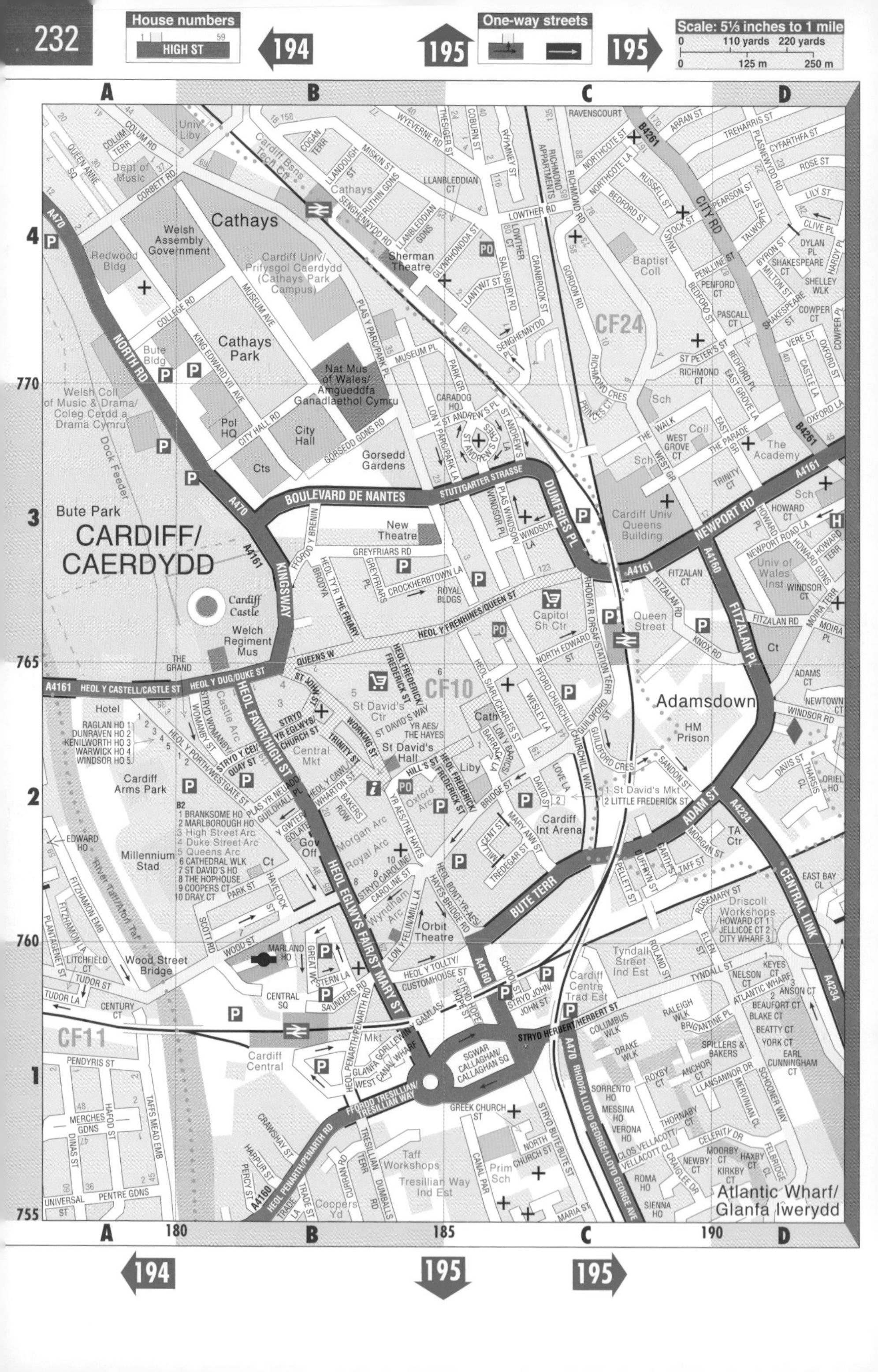

232
House numbers
HIGH ST
194
195
One-way streets
195
Scale: 5⅓ inches to 1 mile
110 yards
220 yards
125 m
250 m
CARDIFF/
CAERDYDD
Cathays
Cathays Park
Welsh Assembly Government
Cardiff Univ/
Prifysgol Caerdydd
(Cathays Park Campus)
Nat Mus of Wales/
Amgueddfa Ganadlaethol Cymru
City Hall
Pol HQ
Cts
Gorsedd Gardens
Bute Park
Cardiff Castle
Welch Regiment Mus
Welsh Coll of Music & Drama/
Coleg Cerdd a Drama Cymru
Dock Feeder
Redwood Bldg
Bute Bldg
Dept of Music
Univ Liby
Cardiff Bsns Tech Ctr
Sherman Theatre
Baptist Coll
CF24
CF10
CF11
New Theatre
Capitol Sh Ctr
Queen Street
Cardiff Univ Queens Building
Univ of Wales Inst
Adamsdown
HM Prison
St David's Ctr
St David's Hall
Central Mkt
Morgan Arc
Royal Arc
Oxford Arc
Wyndham Arc
Castle Arc
Cardiff Int Arena
Cardiff Arms Park
Millennium Stad
Orbit Theatre
Cardiff Central
Gov Off
Mkt
Liby
Cath
Sch
Coll
The Academy
TA Ctr
Driscoll Workshops
Tyndall Street Ind Est
Cardiff Centre Trad Est
Taff Workshops
Tresillian Way Ind Est
Prim Sch
Coopers Yd
Atlantic Wharf/
Glanfa Iwerydd
Wood Street Bridge
River Taff/Afon Taf
NORTH RD
KINGSWAY
BOULEVARD DE NANTES
STUTTGARTER STRASSE
DUMFRIES PL
NEWPORT RD
FITZALAN PL
CITY RD
ADAM ST
BUTE TERR
CENTRAL LINK
HEOL Y DUG/DUKE ST
HEOL Y CASTELL/CASTLE ST
HEOL FAWR/HIGH ST
HEOL EGLWYS FAIR/ST MARY ST
HEOL Y FRENHINES/QUEEN ST
QUEENS W
WORKING ST
TRINITY ST
HEOL Y PORTH/WESTGATE ST
WOOD ST
SCOTT RD
PARK ST
HAVELOCK ST
CUSTOMHOUSE ST
HEOL PENARTH/PENARTH RD
FFORDD TRESILLIAN/TRESILLIAN WAY
SGWAR CALLAGHAN/CALLAGHAN SQ
STRYD HERBERT/HERBERT ST
STRYD BUTE/BUTE ST
RHODFA LLOYD GEORGE/LLOYD GEORGE AVE
COLLEGE RD
MUSEUM AVE
KING EDWARD VII AVE
CITY HALL RD
GORSEDD GDNS RD
CORBETT RD
PARK PL
MUSEUM PL
SALISBURY RD
CRANBROOK ST
RICHMOND RD
GORDON RD
LOWTHER RD
CATHAYS TERR
NORTHCOTE ST
ST PETER'S ST
THE WALK
THE PARADE
GREYFRIARS RD
CROCKHERBTOWN LA
THE FRIARY
WINDSOR PL
NORTH EDWARD ST
STATION TERR
CHURCHILL WAY
BRIDGE ST
MARY ANN ST
TYNDALL ST
ATLANTIC WHARF
SCHOONER WAY
CELERITY DR
A470
A4161
A4160
A4234
B4261
770
765
760
755
180
185
190
A
B
C
D
1
2
3
4

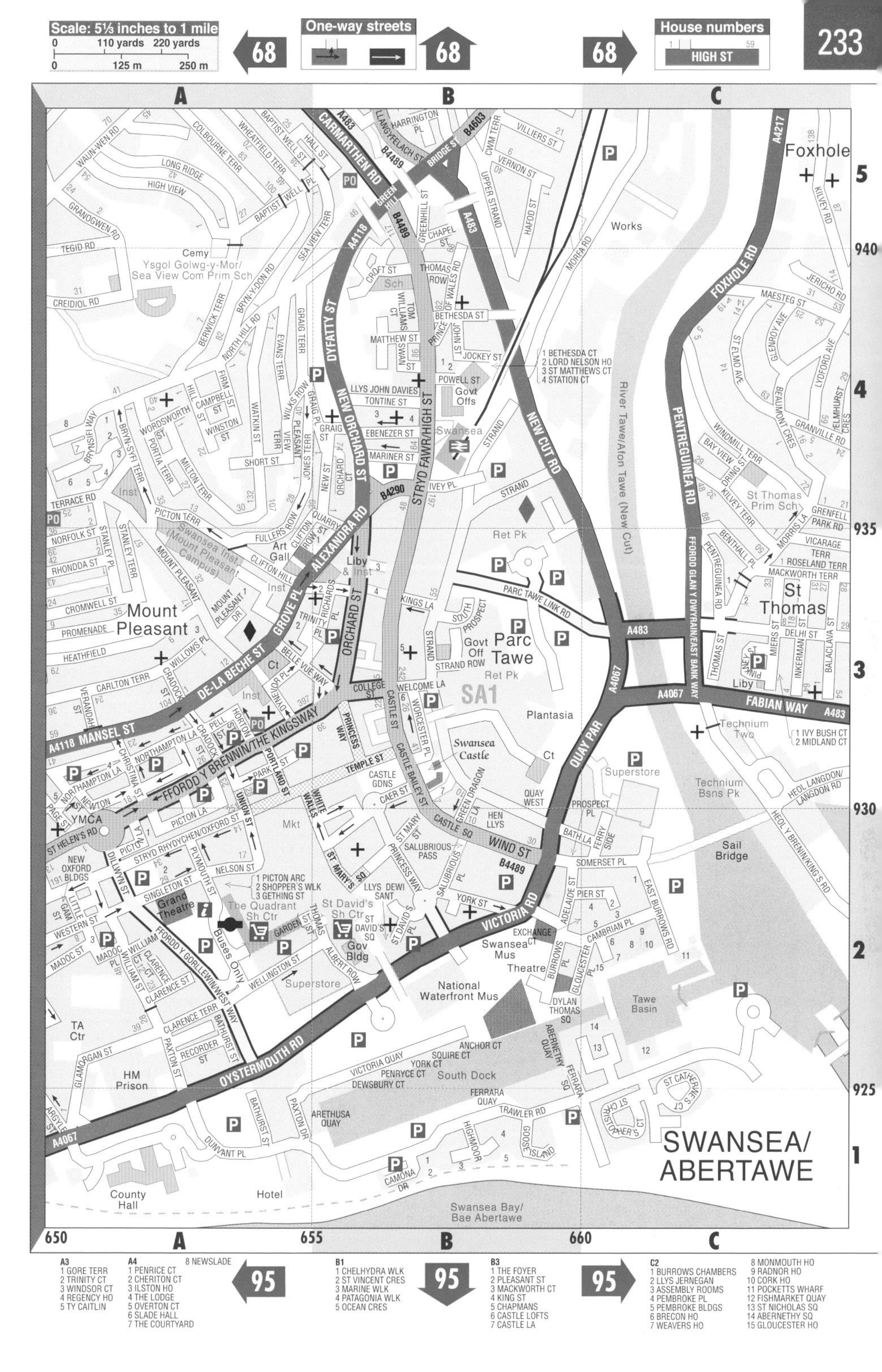

233
Scale: 5⅓ inches to 1 mile
0 110 yards 220 yards
0 125 m 250 m
One-way streets
House numbers
HIGH ST
68
68
68
A
B
C
Foxhole
Works
River Tawe/Afon Tawe (New Cut)
Ysgol Golwg-y-Mor/ Sea View Com Prim Sch
Cemy
Mount Pleasant
Swansea Inst (Mount Pleasant Campus)
Art Gall
Liby & Inst
Govt Offs
Swansea
Ret Pk
Parc Tawe
SA1
Plantasia
Swansea Castle
St Thomas
St Thomas Prim Sch
Technium Two
Technium Bsns Pk
Superstore
Sail Bridge
YMCA
Mkt
Grand Theatre
The Quadrant Sh Ctr
St David's Sh Ctr
Gov Bldg
Buses Only
Swansea Mus
Theatre
National Waterfront Mus
Tawe Basin
South Dock
TA Ctr
HM Prison
County Hall
Hotel
Swansea Bay/ Bae Abertawe
SWANSEA/ ABERTAWE
CARMARTHEN RD
NEW CUT RD
NEW ORCHARD ST
STRYD FAWR/HIGH ST
ALEXANDRA RD
DE-LA-BECHE ST
MANSEL ST
FFORDD Y BRENIN/THE KINGSWAY
OYSTERMOUTH RD
VICTORIA RD
QUAY PAR
FABIAN WAY
PENTREGUINEA RD
FOXHOLE RD
FFORDD GLAN Y DWYRAIN/EAST BANK WAY
WIND ST
CASTLE ST
1 BETHESDA CT
2 LORD NELSON HO
3 ST MATTHEWS CT
4 STATION CT
1 PICTON ARC
2 SHOPPER'S WLK
3 GETHING ST
1 IVY BUSH CT
2 MIDLAND CT
940
935
930
925
5
4
3
2
1
650
655
660
A3
1 GORE TERR
2 TRINITY CT
3 WINDSOR CT
4 REGENCY HO
5 TY CAITLIN
A4
1 PENRICE CT
2 CHERITON CT
3 ILSTON HO
4 THE LODGE
5 OVERTON CT
6 SLADE HALL
7 THE COURTYARD
8 NEWSLADE
95
B1
1 CHELHYDRA WLK
2 ST VINCENT CRES
3 MARINE WLK
4 PATAGONIA WLK
5 OCEAN CRES
95
B3
1 THE FOYER
2 PLEASANT ST
3 MACKWORTH CT
4 KING ST
5 CHAPMANS
6 CASTLE LOFTS
7 CASTLE LA
95
C2
1 BURROWS CHAMBERS
2 LLYS JERNEGAN
3 ASSEMBLY ROOMS
4 PEMBROKE PL
5 PEMBROKE BLDGS
6 BRECON HO
7 WEAVERS HO
8 MONMOUTH HO
9 RADNOR HO
10 CORK HO
11 POCKETTS WHARF
12 FISHMARKET QUAY
13 ST NICHOLAS SQ
14 ABERNETHY SQ
15 GLOUCESTER HO

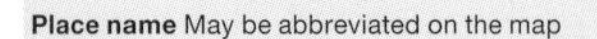

Index

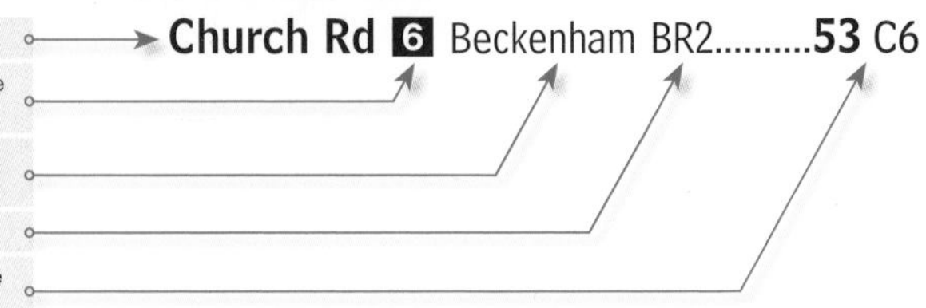

Place name May be abbreviated on the map

Location number Present when a number indicates the place's position in a crowded area of mapping

Locality, town or village Shown when more than one place has the same name

Postcode district District for the indexed place

Page and grid square Page number and grid reference for the standard mapping

Cities, towns and villages are listed in CAPITAL LETTERS **Public and commercial buildings** are highlighted in **magenta**
Places of interest are highlighted in **blue** with a star★

Abbreviations used in the index

Abbreviation	Meaning
Acad	**Academy**
App	**Approach**
Arc	**Arcade**
Ave	**Avenue**
Bglw	**Bungalow**
Bldg	**Building**
Bsns, Bus	**Business**
Bvd	**Boulevard**
Cath	**Cathedral**
Cir	**Circus**
Cl	**Close**
Cnr	**Corner**
Coll	**College**
Com	**Community**
Comm	**Common**
Cott	**Cottage**
Cres	**Crescent**
Cswy	**Causeway**
Ct	**Court**
Ctr	**Centre**
Ctry	**Country**
Cty	**County**
Dr	**Drive**
Dro	**Drove**
Ed	**Education**
Emb	**Embankment**
Est	**Estate**
Ex	**Exhibition**
Gd	**Ground**
Gdn	**Garden**
Gn	**Green**
Gr	**Grove**
H	**Hall**
Ho	**House**
Hospl	**Hospital**
HQ	**Headquarters**
Hts	**Heights**
Ind	**Industrial**
Inst	**Institute**
Int	**International**
Intc	**Interchange**
Junc	**Junction**
L	**Leisure**
La	**Lane**
Liby	**Library**
Mdw	**Meadow**
Meml	**Memorial**
Mkt	**Market**
Mus	**Museum**
Orch	**Orchard**
Pal	**Palace**
Par	**Parade**
Pas	**Passage**
Pk	**Park**
Pl	**Place**
Prec	**Precinct**
Prom	**Promenade**
Rd	**Road**
Recn	**Recreation**
Ret	**Retail**
Sh	**Shopping**
Sq	**Square**
St	**Street**
Sta	**Station**
Terr	**Terrace**
TH	**Town Hall**
Univ	**University**
Wk, Wlk	**Walk**
Wr	**Water**
Yd	**Yard**

Translations Welsh – English

Welsh	English
Aber	**Estuary, confluence**
Afon	**River**
Amgueddfa	**Museum**
Bro	**Area, district**
Bryn	**Hill**
Cae	**Field**
Caer	**Fort**
Canolfan	**Centre**
Capel	**Chapel**
Castell	**Castle**
Cilgant	**Crescent**
Clòs	**Close**
Coed	**Wood**
Coleg	**College**
Cwm	**Valley**
Cwrt	**Court**
Dinas	**City**
Dôl	**Meadow**
Eglwys	**Church**
Felin	**Mill**
Fferm	**Farm**
Ffordd	**Road, way**
Gelli	**Grove**
Gerddi	**Gardens**
Heol	**Road**
Isaf	**Lower**
Llan	**Church, parish**
Llyn	**Lake**
Llys	**Court**
Lôn	**Lane**
Maes	**Open area, field, square**
Môr	**Sea**
Mynydd	**Mountain**
Oriel	**Gallery**
Parc	**Park**
Parc busnes	**Business park**
Pen	**Top, end**
Pentref	**Village**
Plas	**Mansion, place**
Pont	**Bridge**
Prifysgol	**University**
Rhaeadr	**Waterfall**
Rhes	**Terrace, row**
Rhiw	**Hill, incline**
Rhodfa	**Avenue**
Sgwar	**Square**
Stryd	**Street**
Swyddfa post	**Post office**
Tref, Tre	**Town**
Tŷ	**House**
Uchaf	**Upper**
Ysbyty	**Hospital**
Ysgol	**School**
Ystad, stad	**Estate**
Ystad ddiwydiannol	**Industrial estate**
Ystrad	**Vale**

Translations English – Welsh

English	Welsh
Avenue	**Rhodfa**
Bridge	**Pont**
Business Park	**Parc busnes**
Castle	**Castell**
Centre	**Canolfan**
Chapel	**Capel**
Church	**Eglwys**
City	**Dinas**
Close	**Clòs**
College	**Coleg**
Court	**Cwrt, Llys**
Crescent	**Cilgant**
District	**Bro**
Estate	**Ystad, stad**
Estuary	**Aber**
Farm	**Fferm**
Field	**Cae**
Fort	**Caer**
Gallery	**Oriel**
Gardens	**Gerddi**
Grove	**Gelli**
Hill	**Bryn, rhiw**
Hospital	**Ysbyty**
House	**Tŷ**
Industrial estate	**Ystad ddiwydiannol**
Lake	**Llyn**
Lane	**Lôn**
Lower	**Isaf**
Mansion	**Plas**
Meadow	**Dôl**
Mill	**Felin**
Mountain	**Mynydd**
Museum	**Amgueddfa**
Parish	**Llan, plwyf, eglwys**
Park	**Parc**
Place	**Plas, maes**
Post office	**Swyddfa post**
River	**Afon**
Road	**Heol**
School	**Ysgol**
Sea	**Môr**
Square	**Sgwâr, maes**
Street	**Stryd**
Terrace	**Rhes**
Top, end	**Pen**
Town	**Tref, tre**
University	**Prifysgol**
Upper	**Uchaf**
Vale	**Ystrad, glyn, dyffryn**
Valley	**Cwm**
Village	**Pentref**
Waterfall	**Rhaeadr**
Way	**Ffordd**
Wood	**Coed**

D

H

I

J

Llys = court

M

O

Q

V